13.95

Derrière les portes closes

SHANNON

MCKENNA

Les frères McCloud

Derrière les portes closes

Traduit de l'américain
par Agathe Nabet

Titre original
BEHIND CLOSED DOORS

Éditeur original
Kensington Publishing Corp., New York

Prologue

Le rêve était toujours le même.

Le bateau de son père dérivait lentement, s'éloignant de la rive. Les nuages s'obscurcissaient. Des rafales de vent fouettaient la surface de l'eau et de grosses vagues frangées d'écume venaient s'échouer à ses pieds. La terreur pétrifiait ses entrailles tandis qu'elle regardait le bateau s'éloigner de plus en plus. Un éclair zébrait le ciel, suivi d'un coup de tonnerre.

Elle se retrouvait ensuite avec son père, debout devant un obélisque de marbre noir. Il avait passé un bras autour de ses épaules et son beau visage était d'une pâleur livide. Il montrait l'obélisque du doigt, et elle réalisait qu'il s'agissait d'une pierre tombale.

Un sursaut de frayeur la saisissait. C'était sa tombe, la tombe de son père.

Elle se penchait pour lire son nom et ses dates de naissance et de mort. Les signes gravés dans le marbre semblaient humides. Plus qu'humides, même : il semblait qu'un liquide sombre et visqueux s'en écoulait. Il suintait sur la surface lisse et plus claire du marbre en longs sillons pourpres. Des larmes de sang.

Horrifiée, elle levait les yeux vers son père, mais ce n'était plus lui qui se tenait auprès d'elle. C'était son oncle

Victor. Il la dévisageait de ses yeux froids, d'un gris électrique. Sa bouche révélait des dents blanches anormalement pointues. Le bras lourd et musculeux qui enveloppait ses épaules se mettait à l'enserrer si étroitement qu'elle avait l'impression que ses poumons allaient exploser.

Elle se réveillait en luttant pour trouver de l'air, un hurlement bloqué dans sa gorge douloureuse, les yeux écarquillés d'épouvante dans l'obscurité.

À bout de souffle, le cœur battant, sa première pensée lucide était toujours de se demander combien de temps elle serait capable d'endurer ce rêve affreux avant de devenir folle.

1

21 : 46. Presque l'heure.

L'écran de contrôle nimbait la pièce obscure d'une lueur bleuâtre, mais la mosaïque de fenêtres dont il était constitué demeurait obstinément sombre. Seth Mackey jeta un coup d'œil à sa montre et pianota des doigts sur le bureau. Son emploi du temps ne variait jamais. Elle allait rentrer d'une minute à l'autre.

Il avait des choses importantes à faire. Des centaines d'heures d'enregistrement audio et vidéo à filtrer. Des analyses qui prenaient un temps fou, même avec les filtres numériques ultrasophistiqués de Kearn. Il aurait au moins dû surveiller les voyants d'alarme ou ses autres écrans de surveillance, au lieu de persister à braquer son regard sur cet écran aveugle.

Mais il était incapable d'en détacher les yeux et avait un mal fou à juguler le bourdonnement d'excitation de son corps. Les centaines d'heures d'enregistrement vidéo qu'il avait d'elle n'auraient pas suffi à lui fournir ce dont il avait besoin. Il fallait qu'il la voie en temps réel.

L'observer en direct était devenu pour lui aussi vital qu'une dose pour un toxicomane.

Cette pensée fugitive lui tira un juron et il la refoula. Il n'avait plus besoin de rien maintenant. Depuis la mort de Jesse, il s'était métamorphosé. Il était devenu aussi froid et détaché qu'un cyborg. Son rythme cardiaque ne s'emballait plus, la paume de ses mains n'était jamais moite. Son objectif était clair et précis. Depuis qu'ils avaient assassiné son frère Jesse, dix mois auparavant, détruire Victor Lazar et Kurt Novak était la seule et unique chose qui stimulait son intérêt. C'était devenu une obsession. Jusqu'à l'apparition de cette femme.

Trois semaines plus tôt, la femme qui apparaîtrait bientôt sur l'écran était devenue sa seconde obsession.

La caméra dotée de capteurs de luminosité et de mouvement qui couvrait le garage s'activa. Seth s'efforça d'ignorer l'emballement de son rythme cardiaque et jeta un coup d'œil à sa montre. Elle était arrivée à son bureau à 7 heures du matin. Il l'avait vue arriver grâce aux caméras qu'il avait également installées chez Lazar Import-export, mais la voir au travail ne lui suffisait pas. Il avait besoin de l'avoir pour lui tout seul.

La voiture pénétra dans le garage et les phares s'éteignirent. Elle demeura immobile derrière son volant si longtemps que la caméra s'éteignit. Il jura entre ses dents quand la fenêtre de son écran devint noire et composa le code du mode infrarouge. L'image qui réapparut à l'écran donnait à son visage une lueur verdâtre et malsaine. Elle resta encore assise là, les yeux perdus dans le vague, deux longues minutes, avant de se décider à sortir.

Les deux autres caméras se déclenchèrent lorsqu'elle déverrouilla la porte d'entrée et traversa la cuisine. Elle remplit un verre d'eau au robinet, ôta ses lunettes à monture d'écaille et se frotta les yeux en s'appuyant au rebord de l'évier pour garder l'équilibre. Elle renversa la tête en arrière pour boire, révélant sa gorge souple et pâle.

Seth la suspectait de chercher à durcir son apparence avec ces lunettes. Sans aucun succès, la pauvre. La caméra qu'il avait dissimulée dans le minuteur de la cuisinière lui renvoya l'image de son visage à la mâchoire volontaire et des cernes qui ombraient ses yeux.

Il zooma sur ses yeux. Ses sourcils nets évoquant les ailes déployées d'un oiseau et ses cils très longs formaient un contraste saisissant avec la pâleur de sa peau. S'il n'avait su que la blondeur de ses cheveux était parfaitement naturelle, Seth l'aurait prise pour une blonde décolorée. Elle ferma les paupières. L'éventail de ses cils déploya une ombre sur la courbe délicate de ses joues. Son mascara avait coulé. Elle semblait épuisée.

Le statut de nouveau jouet sexuel de Lazar devait se révéler fatigant. Il se demandait comment elle était tombée dans ses filets et si elle aurait une chance de s'en extirper un jour. En général, ceux qui s'impliquaient avec Lazar finissaient tous par découvrir qu'ils ne maintenaient la tête hors de l'eau que grâce à lui. Et toujours quand c'était déjà trop tard.

Il n'avait aucune raison objective de continuer à la surveiller. Le piratage de son dossier personnel lui avait appris que Lazar Import-export l'avait embauchée un mois plus tôt en tant que secrétaire de direction. Et si elle n'avait pas occupé la maison de l'ex-maîtresse de Lazar, elle n'aurait sans doute jamais retenu son attention. Les visites que Lazar rendait à cette garçonnière avaient justifié la surveillance qu'il y exerçait depuis plusieurs mois.

Jusqu'ici, pourtant, Lazar n'avait pas une seule fois rendu visite à la blonde. Elle rentrait directement du bureau tous les soirs, ne s'arrêtant que pour faire quelques courses et récupérer ses tailleurs au pressing. Le micro-traceur qu'il avait placé sur sa voiture confirmait que son trajet ne variait jamais. Le coup de fil hebdomadaire qu'elle passait à sa mère révélait seulement que celle-ci n'était pas au courant de l'évolution de sa carrière – ce qui était compréhensible : une jeune femme entretenue par un criminel monstrueusement riche avait toutes les raisons du monde de ne pas informer sa famille de son statut. Elle ne connaissait apparemment personne à Seattle, ne sortait jamais, n'avait pas la moindre vie sociale.

Un peu comme lui.

Ses grands yeux hantés étaient gris argent, l'iris bordé d'une fine ligne indigo. Troublé, il étudia attentivement l'image de cette femme sublime. Elle était… mon Dieu… *douce*. Le terme lui était immédiatement venu à l'esprit, mais il le fit grimacer. Le fait d'épier quelqu'un à son insu ne lui avait jamais donné le moindre scrupule moral. Enfant, quand il lisait des bandes dessinées, il avait tout de suite su quel était son superpouvoir préféré. La vision X de Superman. Sans hésitation. Pour un paranoïaque dans son genre, c'était le plus utile de tous les superpouvoirs. Le savoir c'est le pouvoir, et le pouvoir est une excellente chose. Il avait construit une carrière lucrative sur la base de cette philosophie. Jesse l'avait beaucoup taquiné à ce sujet.

Il s'empressa de chasser ce souvenir avant qu'il se convertisse en douloureuse morsure.

Il devait rester parfaitement froid et détaché. Cyborgman. Un nom de super héros de bande dessinée. Il avait toujours eu une prédilection pour les mutants de la BD classique, tourmentés, dépressifs et solitaires. Il leur ressemblait de ce point de vue.

Il avait observé Montserrat, la précédente maîtresse de Lazar, avec le plus parfait détachement, et leurs parties de jambes en l'air l'avaient laissé de marbre, n'éveillant en lui qu'un vague dégoût. Mais pas la moindre culpabilité.

D'un autre côté, Montserrat était une professionnelle. Il l'avait deviné à sa façon de se mouvoir, sinueuse et parfaitement maîtrisée.

La blonde, en revanche, était différente. On pouvait lire en elle à livre ouvert. Elle était aussi douce et vulnérable que de la crème fouettée, du beurre ou de la soie.

Il se sentait sale de l'observer à son insu, une émotion qui lui était si étrangère qu'il lui avait fallu plusieurs jours pour mettre un nom dessus. Mais le pire de tout, c'était que plus il se sentait sale, plus il avait envie de recommencer. Il aurait aimé pouvoir se débarrasser de l'irritante impression qu'elle avait besoin d'être secourue. D'une part, il ne s'était jamais senti l'âme d'un preux chevalier, et d'autre part, il avait juré de venger Jesse. Il avait assez de responsabilités comme ça.

Si seulement elle n'avait pas été aussi belle, aussi troublante.

Un psy n'aurait sans doute eu aucun mal à expliquer sa fixation : il projetait sur elle les fantasmes de son enfance malheureuse parce qu'elle ressemblait à une princesse de conte de fées, il était stressé, dépressif, obsessionnel, avait une perception altérée du réel – bref, le sempiternel blabla des psys. Il n'en demeurait pas moins vrai que le corps sublime de cette femme l'avait profondément troublé. Pour tout dire, il avait réveillé sa libido ensommeillée.

Elle entra dans le champ de la caméra nichée au creux du plafonnier de la chambre à coucher. Une coupole d'ébène finement sculptée que Montserrat avait laissée derrière elle après son départ, si soudain qu'elle n'avait pas eu le temps d'emballer les éléments de décor qu'elle avait ajoutés à la garçonnière. La blonde, elle, n'avait apporté aucune touche personnelle à la décoration des lieux et n'avait pas manifesté l'intention de modifier quoi que ce soit, ce qui était une excellente chose. La caméra du plafonnier offrait une vue imprenable sur le miroir de l'armoire, détail dont Seth avait plus d'une raison de se féliciter. Il élargit l'image jusqu'à ce qu'elle occupe tout l'écran, ignorant une légère pointe de culpabilité. C'était le moment qu'il préférait, celui qu'il n'aurait raté pour rien au monde.

Elle retira sa veste et accrocha sa jupe sur un cintre. La haute résolution de la toute dernière génération de caméras Colbit lui permettait de différencier la couleur de sa peau dans ses moindres nuances, du blanc crème à l'écarlate en passant par le rose. Un plus qui justifiait amplement le surcroît de bande passante nécessaire au signal. Quand elle leva les bras pour suspendre le cintre, le bas de son chemisier remonta, révélant sa petite culotte, bien tendue sur ses fesses rebondies. Ce rituel de déshabillage se répétait aussi immuablement que le générique d'une série télé, mais il déclenchait toujours en lui la même fascination. La plupart des belles femmes qu'il connaissait jouaient en permanence avec une caméra imaginaire. Elles jetaient un coup d'œil à chaque surface réfléchissante devant lesquelles elles passaient pour vérifier qu'elles étaient toujours belles. Mais cette fille aux yeux rêveurs ne semblait pas se soucier de son image.

Elle se débarrassa de son collant, le jeta dans un coin et entama son strip-tease du soir, aussi innocent que maladroit. Les boutonnières des manches de son chemisier lui donnèrent tant de fil à retordre que Seth fut à deux doigts de lui crier de se dépêcher. Quand elle en fut venue à bout, elle s'attaqua aux boutons du col en braquant sur le miroir un regard si flou qu'elle paraissait voir tout autre chose que son reflet.

Seth poussa un soupir entre ses dents serrées lorsqu'elle retira enfin son chemisier. Un soutien-gorge blanc à armatures comprimait étroitement sa voluptueuse poitrine. Ce n'était pas le genre de sous-vêtement sexy que porte habituellement le jouet sexuel d'un milliardaire. Sans fioritures, pratique et doté de larges bretelles, le discret décolleté qu'il révélait était pourtant le spectacle le plus excitant qu'il ait jamais vu.

La façon dont elle huma délicatement les aisselles du chemisier fit naître un sourire sur les lèvres de Seth. Difficile d'imaginer qu'un corps aussi gracieux et d'une telle blancheur marmoréenne puisse transpirer, même s'il se sentait capable de l'échauffer abondamment. Quand elle se retrouverait nue, les cuisses écartées, assaillie par ses vigoureux coups de reins et que ses hanches se soulèveraient pour s'accorder à ses poussées, nul doute qu'elle serait en nage. Ou quand elle le chevaucherait, sa poitrine généreuse emplissant la paume de ses mains et oscillant au rythme du va-et-vient auquel son sexe la soumettrait.

Seth réarrangea ses parties intimes dans son jean et passa la main sur son visage en feu avec un grognement. Les jouets sexuels de Lazar n'étaient pas censés déclencher chez lui une réponse plus éloquente qu'une légère érection purement accidentelle. Céder à des pulsions plus vives était stupide, il fallait que cela cesse.

Le seul ennui étant qu'elle s'apprêtait à dénouer sa chevelure. Il adorait cet instant.

Elle déposa une à une ses épingles à cheveux sur le plateau de porcelaine de la commode, puis déroula l'épaisse tresse blonde qu'elle calait chaque matin en chignon au-dessus de sa nuque. Elle dénoua la tresse de façon à laisser sa chevelure se répandre librement dans son dos, un peu plus bas que le creux de ses reins, puis en lissa les pointes étincelantes du bout des doigts, juste au-dessus de l'arrondi des fesses. Un soupir retentissant lui échappa quand elle passa les mains derrière son dos pour dégrafer son soutien-gorge. Ses beaux seins opulents apparurent, couronnés de mamelons rose pâle. Il se les représenta dressés, durcis et empourprés sous ses caresses, ses lèvres avides...

Son cœur se mit à cogner dans sa poitrine lorsqu'elle retira sa culotte, puis elle fit rouler ses épaules, sa nuque et sa tête, le dos cambré, savourant la sensualité de se retrouver nue. Libérée de son carcan. Crème fouettée, beurre et soie.

Les boucles blondes de sa toison ne dissimulaient pas complètement l'ombre de sa fente entre ses cuisses fuselées. Seth mourait d'envie d'enfouir le visage dans ces boucles, d'inhaler puissamment le parfum tiède de sa féminité avant d'en goûter la saveur, d'écarter ses tendres replis roses, de les lécher et les sucer jusqu'à la faire se pâmer de plaisir. Le son et l'image ne lui suffisaient plus. Il avait besoin d'autres éléments. De textures, d'odeurs, de saveurs. Un besoin dévorant.

Elle eut alors ce geste qui le rendait fou. Elle fit ployer sa taille de façon à faire basculer la masse de sa chevelure par-dessus sa tête, cambra le dos et fit glisser ses doigts à travers l'ondulant rideau de ses cheveux. L'emplacement de la caméra par rapport au miroir lui garantissait une vue imprenable sur ses cuisses fermes, sur le globe crémeux de ses fesses et sur le troublant sillon qui les séparait.

Une vision à réveiller un mort.

Jesse. Un élancement de douleur fulgurante l'aveugla.

Il détourna les yeux de l'écran et prit plusieurs inspirations. Ne cède pas, se morigéna-t-il. Il ne devait surtout pas laisser la souffrance prendre le dessus. Il devait au contraire l'utiliser pour aiguiser sa résolution. Faire d'elle l'instrument dédié à l'éradication de son ennemi. Il garda le regard détourné de l'écran pour se punir de sa distraction. Il invoqua ce qui était devenu sa raison de vivre : épier cette ordure de Lazar jusqu'à ce qu'il entre en contact avec Novak. Une fois ce contact établi, l'heure de la revanche aurait sonné.

Quand il s'autorisa à reporter les yeux sur l'écran, la blonde avait enfilé un ample jogging en maille polaire, s'était assise devant son ordinateur et s'était connectée à Internet. Seth baissa les yeux vers une autre rangée d'écrans et activa l'antenne Wi-Fi qu'il avait dissimulée dans l'ordinateur de la jeune femme. Il enclencha le logiciel qui déchiffrait et reconstituait ce qui apparaissait sur son écran et consulta le message qu'elle était en train de composer. Il était destiné à un certain Juan Carlos de Barcelone. Elle envoyait des messages dans une demi-douzaine de langues différentes, mais celui-ci était en espagnol, langue que Seth comprenait bien pour avoir grandi dans les ghettos de Los Angeles. Son contenu était parfaitement anodin : *Comment vas-tu, je travaille énormément, comment va le bébé de Franco et Marcela, comment s'est passé ton entretien d'embauche à Madrid*, et autres banalités du même tonneau. Il laissait transparaître une impression de solitude. Seth se demanda ce qu'était pour elle ce Juan Carlos. Elle lui écrivait souvent.

Il était en train de se dire qu'il allait se renseigner au sujet de ce type lorsqu'un courant d'air frais passa sur sa nuque. Il attrapa le Sig Sauer P228 posé devant lui et se retourna.

Il se retrouva nez à nez avec Connor McCloud, son partenaire sur cette affaire, qui avait travaillé en tandem avec Jesse dans la mission d'infiltration commanditée par le FBI, agence qu'il avait surnommée « la Grotte ». Pas étonnant que l'alarme ne se soit pas déclenchée. Le saligaud de Connor n'avait eu aucun mal à la neutraliser. En dépit de sa canne et de sa claudication, il se déplaçait toujours aussi subrepticement qu'un fantôme.

Seth reposa son arme avec un léger soupir.

— Ne me fais pas ce genre de frayeur, McCloud. Tu risques ta vie.

Le regard vert et acéré de Connor balaya la pièce, absorbant le moindre détail.

— Salut, mec. Te dérange pas pour moi. Je t'ai apporté un café, mais je ne sais pas si c'est très indiqué dans ton état.

Seth vit un instant la pièce à travers le regard de Connor, l'amoncellement de canettes de bière et d'emballages de plats à emporter surmontant l'enchevêtrement de câbles poussiéreux et d'équipement électronique. Il régnait là une atmosphère de plus en plus sordide et le parfum qui en émanait était à l'avenant.

Seth ne s'en souciait guère. Oak Terrace n'était qu'un poste de surveillance, une planque provisoire. Il rafla le gobelet de café, ôta le couvercle et en prit une gorgée.

— Il n'y a pas de quoi, le chambra Connor. La prochaine fois, je t'apporterai une camomille. Et un comprimé de Xanax.

— Tu es certain de ne pas avoir été suivi ? demanda Seth.

Connor s'assit, le regard rivé à l'écran, sans daigner répondre.

— La maison de rêve de Barbie, commenta-t-il. Combien tu paries que c'est une vraie blonde ?

— Occupe-toi de tes affaires, répliqua sèchement Seth.

Les traits fins de Connor s'assombrirent.

— Personne ne te connaît à la Grotte, Mackey. Et il n'y a aucune raison pour que ça change. Tes affaires sont mes affaires.

Seth fut incapable de trouver une réponse mesurée à cette déclaration. Il se contenta donc de garder le silence, dans l'espoir que l'autre se sentirait suffisamment mal à l'aise pour avoir envie de partir.

En vain. Les secondes s'égrenèrent jusqu'à former des minutes sans que Connor McCloud cesse de l'observer. Seth finit par abandonner.

— Tu voulais quelque chose ? s'enquit-il d'un ton bourru.

Connor haussa un sourcil.

— Ça fait un moment que tu ne m'as pas contacté. Je me demandais ce que tu faisais. À part t'astiquer devant la nouvelle concubine de Lazar.

— Garde tes remarques à la con pour toi, McCloud, répondit Seth en appuyant sur le bouton de l'imprimante qui recracha l'e-mail destiné à Juan Carlos.

Il tendit la main vers le dossier dans lequel il comptait ranger la feuille, mais Connor le rafla avant lui.

— Laisse-moi jeter un coup d'œil à ça... Lorraine Cameron, citoyenne américaine, sortie diplômée mention très bien de Cornell. Maîtrise couramment six langues, tatati tatata, a probablement menti au sujet de son expérience professionnelle sur son formulaire d'embauche. Mmm. Peut-être que Lazar n'en a plus rien eu à foutre, une fois qu'elle lui a montré ses nichons. Comment sont-ils, à propos ?

— Ta gueule, grinça Seth.

— Tout doux, répliqua Connor. Tu sais, quand cette nana a fait son apparition, je me suis dit que ça détournerait agréablement tes pensées de Jesse. Mais tu t'es laissé dépasser. Elle t'obsède complètement.

— Épargne-moi ta psychologie de bazar, tu seras gentil.

— Tu es devenu une vraie bombe à retardement. Personnellement je n'en ai rien à cirer, mais si mes frères et moi devons en pâtir, là, ça sera autre chose.

Connor secoua sa crinière blond foncé dans son dos et se frotta le front d'un air soucieux.

— Tu es à cran, Mackey. J'ai déjà vu ce phénomène se produire. Quand un type a la tronche que tu as en ce moment, il est sur le point de faire une grosse connerie et de mourir bêtement.

Seth disciplina les traits de son visage en un masque d'indifférence.

— Ne t'inquiète pas, rétorqua-t-il entre ses dents serrées. Je te garantis de rester d'équerre jusqu'à ce qu'on ait débusqué Novak. Ce qui se passera après, je m'en fous. Flanque-moi dans une cellule capitonnée si ça te chante, ça ne me regardera plus.

— Tu sais que tu as une très, très mauvaise attitude, Mackey.

— J'ai une mauvaise attitude depuis que je suis né, lâcha Seth en arrachant le dossier des mains de Connor pour y glisser l'e-mail de Juan Carlos. Ne le prends pas comme une attaque personnelle, mais évite de me marcher sur les pieds.

— Ne joue pas au con. Tu as besoin de moi et tu le sais. J'ai les contacts qu'il te faut pour que ton projet aboutisse.

Seth fusilla Connor du regard, tenté de nier cette assertion, mais c'était vrai. Seth disposait de l'argent et du savoir-faire pour déclencher une campagne d'attaque contre Lazar et Novak, mais les années que Connor avait passées au sein des forces de l'ordre lui avaient permis de rassembler un puissant réseau d'informateurs. Le problème, c'était que Connor et lui se ressemblaient trop. Ils étaient aussi dominateurs l'un que l'autre, par nature et par habitude. Leur collaboration ne se révélait pas des plus simples.

— En parlant de contacts, je suis passé à la Grotte aujourd'hui, reprit Connor. J'ai joué au con, le type désœuvré par son handicap qui ne sait pas quoi faire de sa peau. Personne n'a eu le cœur de me dire que je n'avais rien à foutre là, excepté Riggs. Il a dit que je ferais mieux de profiter de mon arrêt maladie pour aller me faire rôtir les fesses au soleil sur une plage tropicale en sifflant des cocktails.

— Tu lui as répondu d'aller se faire mettre ?

— Non, répliqua Connor d'un ton bonasse. Je n'ai pas autant de distance que toi vis-à-vis de mes contacts. Pas tant que je ne suis pas absolument certain de pouvoir brûler mes navires.

Il supposa qu'il faisait allusion à Riggs et réprima un ricanement au souvenir du service funéraire de Jesse. Il avait rôdé derrière les personnes qui y assistaient, une caméra vidéo miniature dissimulée à l'œillet de la boutonnière de son manteau, pour filmer les visages des anciens collègues de Jesse afin d'évaluer lequel d'entre eux avait balancé son frère. Riggs était un type empâté à la calvitie galopante.

— Tu parles de ce type bedonnant qui a fait ce discours débile à l'enterrement de Jesse, n'est-ce pas ?

— J'étais dans le coma à ce moment-là, mais le coup du discours débile a toutes les chances de s'appliquer à Riggs, ouais, admit Connor en sortant un paquet de tabac à rouler de sa poche. Tu as l'intention de renouveler ces opérations de cambriolage dans les entrepôts de Lazar ?

Seth sourit.

— Vous prenez vraiment votre pied à ce petit jeu, vous autres les frères McCloud, hein ?

— Ça nous éclate bien d'embrouiller les neurones de Lazar, acquiesça Connor. J'ai peut-être raté ma voie, finalement. La vie d'un criminel a son charme.

— Désolé de te décevoir, mais cette phase de l'opération est terminée, répondit Seth avec un haussement d'épaules.

— Lazar a mordu à l'hameçon ? demanda Connor en plissant les yeux.

— Ouais, lâcha laconiquement Seth.

Connor attendit. Les secondes passèrent.

— Et… ? l'incita-t-il à poursuivre.

— J'ai rendez-vous demain matin dans les bureaux de Lazar Import-export. Lazar m'a proposé de venir lui expliquer pourquoi Mackey Security Systems Design serait la solution à tous ses problèmes. Il me présentera au conseil d'administration comme le responsable de l'installation d'un système d'inventaire par GPS, et la réunion de demain ne sera qu'une mise en scène. Mais le lendemain, je le rencontrerai en privé à ses entrepôts pour discuter en détail de l'installation d'un dispositif de STCE.

— Laisse-moi essayer de traduire ce charabia… Tu vas vérifier toutes ses installations techniques pour t'assurer qu'il n'est pas victime d'espionnage, c'est ça ? Waouh, lâcha Connor en plaçant une pincée de tabac dans le pli d'une feuille de papier à cigarettes, tout en conservant une expression parfaitement neutre. Sacré coup de chance qu'il fasse justement appel à toi, dis-moi.

— La chance n'y est pour rien. Ça tient uniquement à mon sens de l'organisation. Il se trouve que j'ai rendu service à tout un tas de gens dans ma branche et qu'ils sont obligés de me renvoyer l'ascenseur. J'ai fait en sorte qu'il entende parler de ma société en termes élogieux.

— Je vois, commenta Connor, le regard rivé sur la cigarette qu'il s'apprêtait à rouler. Et quand avais-tu l'intention de m'en parler ? ajouta-t-il d'un ton doucereusement glacial.

— Quand il aurait été nécessaire que tu en sois informé, rétorqua Seth du tac au tac. C'est aussi évident que le fait que tu n'as pas l'intention de fumer ici.

Connor acheva de rouler sa cigarette d'un geste expert, puis fronça les sourcils.

— Il pleut dehors.

— C'est moche, convint Seth.

Connor soupira, puis glissa sa cigarette dans la poche de sa veste.

— Tu me tiens pour responsable de la mort de Jesse, c'est ça ?

Ce brutal rappel des faits qui avaient précédé le décès de Jesse resta suspendu entre eux. Quelqu'un de la Grotte avait averti Lazar de l'enquête dont il faisait l'objet et balancé Jesse. Seth avait juré de découvrir de qui il s'agissait et de le faire mourir à petit feu. Mais il ne pouvait pas s'agir de Connor, qui était à la fois le meilleur ami et le partenaire de Jesse sur cette affaire, et qui avait lui aussi failli mourir lorsque les choses avaient mal tourné.

— Je n'ai aucun reproche à te faire, laissa tomber Seth d'une voix lasse. Je préfère simplement éviter de commettre la même erreur que Jesse.

— À savoir ?

— Se confier à trop de gens. Il a toujours été trop confiant. Je n'ai jamais réussi à le faire changer d'attitude.

Connor garda le silence un moment, la mine sombre.

— Toi, tu ne fais confiance à personne, pas vrai ?

— Je faisais confiance à Jesse, corrigea-t-il avec un haussement d'épaules.

Ils regardèrent la blonde passer dans la cuisine et contempler le contenu du congélateur d'un regard vide pendant une bonne minute, comme si elle avait oublié pourquoi elle l'avait ouvert. Elle finit par se secouer de sa torpeur, sortit un plat cuisiné et le plaça dans le four à micro-ondes.

— On finira par dénicher la taupe, Seth, assura finalement Connor.

Seth fit pivoter son fauteuil vers lui.

— J'en fais mon affaire.

Le regard de Connor était aussi hanté que le sien.

— Tu n'es pas le seul à avoir envie de venger la mort de Jesse.

Seth détourna les yeux. Il avait des projets au sujet du traître, de Lazar et de Novak. Des projets qui n'incluaient aucun recours légal.

Un sourire sans joie se forma sur les lèvres de Connor.

— Regarde-moi ça. La concubine va faire sa gymnastique. Putain, ce type a vraiment bon goût. Elle est encore plus jolie que Montserrat.

Seth reporta son attention sur l'écran avec une nonchalance feinte.

La blonde était assise par terre, les jambes largement écartées, le dos droit. Elle ploya la taille jusqu'à ce que son buste touche le sol, aussi souple et gracieuse qu'une danseuse.

— Je ne crois pas qu'il la baise, lança soudain Seth.

Connor lui jeta un regard dubitatif.

— Comment peux-tu en être sûr ?

Seth haussa les épaules, regrettant déjà ce commentaire impulsif.

— Elle ne va jamais nulle part. Elle rentre chez elle tous les soirs après le boulot et file directement au bureau dès l'aube. Et Lazar ne lui a encore jamais rendu visite.

— Il est très occupé. Peut-être qu'il la saute au boulot, sur son bureau.

— Non, objecta Seth. J'ai aussi placé une caméra dans le bureau de Lazar. J'ai visionné la bande. Elle n'y a jamais mis les pieds.

— Vraiment ? fit mine de s'étonner Connor, une lueur d'amusement dans le regard. Ça t'intéresse à ce point-là ?

— Je m'intéresse à tout ce qui concerne Lazar, répliqua-t-il d'un ton sec.

— C'est tout à ton honneur. Il n'en demeure pas moins que s'il a viré Montserrat pour elle, cette nana doit être sacrément douée. Appelle-moi quand tu la grilleras en pleine séance. C'est un épisode que je ne voudrais pas rater.

Seth cliqua sur la souris et ferma la fenêtre. La blonde disparut, remplacée par une icône qui avait la forme d'une paire de lunettes.

Connor secoua la tête, attrapa sa cigarette dans sa poche, l'alluma et tira dessus d'un air de défi.

— D'accord, dit-il froidement, elle n'est rien qu'à toi, Mackey. Si ta vie sexuelle se résume à des fantasmes, je te la laisse.

— Bonne idée.

Dès que la porte se fut refermée sur Connor, Seth fit pivoter son fauteuil vers l'écran et rouvrit la fenêtre.

Elle s'appliquait à faire le dos rond avec une grâce toute féline, le rideau de sa chevelure s'écoulant voluptueusement devant son visage, puis inversait le mouvement, une vertèbre après l'autre, jusqu'à cambrer le dos au maximum dans un mouvement qui faisait superbement ressortir ses fesses.

Bon sang, il était vraiment content que Lazar ne lui ait encore jamais rendu visite. Voir cet ignoble rapace grogner et transpirer au-dessus de sa blonde aux yeux rêveurs lui aurait furieusement déplu.

Il étouffa un juron, incapable de détacher les yeux de l'écran. La regarder lui donnait la sensation de revivre. Une sensation dont il était devenu dépendant, même si elle mettait son équilibre en péril. Même si chaque seconde qu'il consacrait à observer cette femme constituait une trahison vis-à-vis de Jesse.

Trois semaines auparavant, sa première pensée consciente dès le réveil concernait la façon de détruire Lazar et Novak. Il n'y avait rien d'autre en lui que le désir ardent de se venger. Même au prix de sa vie. Hank était mort cinq ans auparavant, et maintenant que Jesse l'avait rejoint dans l'au-delà, personne ne le pleurerait s'il venait à disparaître.

Mais, depuis l'apparition de la blonde, il avait réalisé qu'il y avait encore des mystères qu'il avait envie d'élucider avant de quitter cette terre. Découvrir si elle était aussi douée que le prétendait Connor en faisait partie.

Un fantasme l'assaillit violemment : la blonde à genoux devant lui, ses mains enfouies dans sa chevelure pour guider le va-et-vient de ses lèvres pulpeuses le long de son sexe en érection.

Elle creusait à présent son dos, le corps aussi bandé qu'un arc, tremblante sous l'effort qu'elle s'imposait, sa chevelure ruisselant comme une cascade de lumière. Son mouvement faisait remonter son sweat-shirt. Plaqué sur ses seins tendus, il révélait la douce courbe de son ventre. Un infime duvet blond pâle donnait à cette surface de peau vulnérable un aspect velouté. Seth aurait voulu pouvoir y enfouir le visage, frotter ses joues contre cette peau tiède, lisse et parfumée, mémoriser la fragrance qui en émanait.

Demain, il allait pénétrer dans les bureaux de Lazar. Oui, demain, il découvrirait enfin son odeur.

La décharge d'excitation que déclencha cette pensée l'amena à deux doigts de la jouissance. Il agrippa le rebord du bureau des deux mains avec une telle violence qu'un élancement de douleur lui fit brusquement relever les bras. Le clavier fit un bond, et des canettes de bière vides dégringolèrent sur la moquette grisâtre qui recouvrait le sol.

Du calme, se dit-il. Concentre-toi. Demain, sa tâche consisterait simplement à enserrer Lazar un peu plus étroitement dans la toile qu'il tissait depuis de longs mois à son intention. Ce soir, il devait se préparer. Il allait donc faire comme si cette blonde incendiaire n'existait pas et se mettre au travail. Filtrer et analyser les dernières heures d'enregistrement de ses micros et caméras. Cela allait lui prendre une partie de la nuit et il était grand temps de s'y mettre. Tout de suite.

Il essaya, mais son index refusa de cliquer sur la souris.

La série de ses exercices d'étirement était très longue, mais elle constituait un spectacle dont il ne se lassait pas.

2

Des images de son rêve miroitaient encore à la surface de l'esprit de Raine tandis qu'elle louvoyait parmi le flot de la circulation matinale. Ces images semblaient bien plus vivaces et substantielles que sa vie morne et solitaire à Seattle. Elle était douée pour analyser les rêves – Dieu savait qu'elle avait une pratique étendue dans ce domaine – mais elle avait beau réfléchir, elle ne parvenait pas à trouver un sens à celui-là.

Elle était minuscule et nageait dans un aquarium de verre. La lumière faisait chatoyer les gravillons colorés qui en tapissaient le fond. Elle nageait lentement entre de petits bouquets de corail, au-dessus d'un château et de l'épave d'un bateau pirate miniatures. Elle était nue et avait affreusement conscience de sa nudité. Elle s'efforçait de recouvrir son corps de sa chevelure qui s'obstinait à flotter autour de son visage comme un nuage d'algues. Le drapeau du bateau pirate ondoyait paresseusement dans l'eau. Le crâne et la paire de tibias croisés qui y figuraient avaient été la dernière image imprimée dans son esprit, quand la sonnerie du réveil s'était déclenchée à 5 h 30. L'avertisseur de la Ford Explorer qui se trouvait derrière elle lui fit réaliser dans un sursaut que le feu était passé au vert. Il fallait qu'elle reprenne pied dans le monde réel et se concentre sur la chaussée luisante de pluie qui s'étendait devant elle.

Depuis qu'elle occupait la maison que Lazar Import-export avait mise à sa disposition, elle faisait souvent ce rêve-là. Elle n'aurait pas pu dire qu'elle *vivait* dans ce logement. Non, elle ne faisait que l'occuper provisoirement. Bien qu'il soit superbe, entièrement meublé et bien trop luxueux pour une simple secrétaire de direction, elle n'arrivait pas à s'y sentir à l'aise. Cela engagerait une dépense supplémentaire, mais elle avait l'intention de chercher un appartement dès qu'elle aurait une seconde de libre.

Rêver qu'on se retrouve nue et sans défense dans un endroit clos n'inspire pas vraiment confiance. Raine aurait aimé rêver d'elle dans une posture audacieuse, dans une situation où elle ferait montre de bravoure, pour changer. Mais elle ne pouvait pas se plaindre. Le rêve de l'aquarium était mille fois moins oppressant que le rêve de la pierre tombale ensanglantée. Il ne la laissait pas à bout de souffle, les yeux écarquillés de terreur et brisée de souffrance au souvenir de la disparition prématurée de son père.

Mais ce crâne et ces tibias croisés la dérangeaient. Il y avait toujours une image de mort dans ses rêves.

Lorsqu'elle se gara dans le parking en sous-sol de l'immeuble abritant les bureaux de Lazar Import-export, elle sentit son estomac se serrer. Jeremy, l'employé blagueur du parking, lui décocha un clin d'œil et agita la main pour la saluer, mais elle fut à peine capable de lui sourire en retour. Elle avait été embauchée chez Lazar sur les bases d'un faux C.V. et le prix qu'elle payait pour ce mensonge s'élevait de jour en jour. Elle avait fait des recherches extrêmement poussées sur cette grosse société d'import-export aux activités très diversifiées, et s'était fabriqué un C.V. sur mesure afin d'avoir toutes les chances d'être choisie.

Elle avait apaisé ses scrupules en se racontant que la noblesse de sa cause justifiait cette tricherie. Mais Raine n'avait jamais été douée pour le mensonge ; mentir lui donnait mal au ventre.

D'autre part, le rythme de travail était effroyablement stressant chez Lazar. Elle n'avait encore jamais eu l'occasion de travailler avec des gens aussi distants, méprisants, prêts à tous les coups bas pour surpasser les autres. Pas question de se faire des amis dans un tel environnement. Elle jeta un coup d'œil critique à son reflet dans le miroir terni de l'ascenseur. Elle avait maigri. Sa jupe flottait au niveau des hanches. Mais qui trouvait le temps de manger chez Lazar ? C'est tout juste si elle s'autorisait une pause pipi dans la journée.

L'ascenseur s'arrêta, et un signal sonore accompagna l'ouverture de la porte sur le rez-de-chaussée alors que Raine rafraîchissait son rouge à lèvres. Un homme entra dans la cabine et la porte se referma en coulissant derrière lui. L'ascenseur parut soudain très petit. Elle rangea son tube de rouge à lèvres dans son sac tandis qu'un frisson d'inconfort passait sur sa peau, tel le souffle d'une brise.

Elle s'efforça de ne pas regarder l'homme directement, mais rassembla toutes les informations qu'elle put du coin de l'œil. Grand, un mètre quatre-vingts à vue de nez. Mince. Bronzé, remarqua-t-elle en coulant un regard discret vers les mains qui dépassaient des manches de son costume – très élégant et visiblement coûteux. Armani, conclut-elle. L'été qu'elle avait passé à Barcelone en compagnie de Juan Carlos lui avait apporté de solides connaissances en matière de mode masculine.

L'homme la regardait. Elle sentait le poids de son regard. Pour en avoir le cœur net, il aurait fallu qu'elle le regarde droit dans les yeux. Et, pour une fois, sa curiosité prit le dessus sur ses craintes.

Ce fut peut-être son rêve qui lui inspira cette comparaison, mais dès qu'elle posa les yeux sur lui, une pensée traversa son esprit avec la vivacité d'un éclair : il avait une tête de pirate.

Il n'était pas d'une beauté classique. Ses traits étaient trop rudes, trop accentués, et il avait le nez arqué et bosselé. Des cheveux couleur aile de corbeau, coupés très court, qui se dressaient sur son crâne comme les poils d'une brosse. Des pommettes saillantes. D'épais sourcils, aussi noirs que ses cils, et une bouche dont le pli sévère ne parvenait pas à gommer l'évidente sensualité. Mais ce furent ses yeux qui la choquèrent. Ils étaient d'un noir de jais, à demi voilés par ses paupières, avec quelque chose d'exotique. Il posait sur elle un regard d'une brûlante intensité.

Le regard ardent d'un boucanier en maraude.

Il fit glisser ce regard le long de son corps comme s'il distinguait sa chair à travers son élégant tailleur gris, son chemisier et ses sous-vêtements. Il évaluait audacieusement ses formes, tel un capitaine de pirates contemplant une captive sans défense... avant de l'entraîner dans sa cabine pour s'amuser avec elle.

Raine se détourna brusquement. Ce qui n'empêcha pas son imagination de s'échauffer sur cette métaphore de piraterie, au point de gommer le costume Armani pour l'affubler d'une chemise à jabot et d'un pantalon corsaire qui mettrait en valeur ses... attributs virils. C'était parfaitement ridicule, mais elle se sentit rougir, gagnée par une sorte de panique. Si elle ne se dépêchait pas de sortir de cet ascenseur, le miroir allait se couvrir de buée.

À son grand soulagement, le signal sonore annonçant l'ouverture de la porte retentit. Ils étaient arrivés au vingt-sixième étage. Elle se rua hors de la cabine, bouscula un homme qui s'apprêtait à y pénétrer en marmonnant une vague excuse et se précipita vers la cage d'escalier. Parcourir les derniers étages à pied la mettrait en retard, mais elle avait besoin de se ressaisir.

Oh, mon Dieu, c'était pathétique. Il suffisait qu'un homme séduisant la regarde dans un ascenseur pour qu'elle s'empourpre et se liquéfie comme une vierge effarouchée. Pas étonnant que sa vie amoureuse soit aussi désertique. Elle la sabordait systématiquement sans jamais se laisser la moindre chance de rencontre.

Sa journée de travail démarra sous de très mauvais auspices. Harriet, la chef de bureau, passa près d'elle alors qu'elle accrochait sa veste, le visage plissé de désapprobation.

— Je vous attendais plus tôt, grinça-t-elle.

Raine consulta sa montre. *7 : 32.*

— Mais je... Il n'est que...

— Vous savez très bien que le dernier rapport de conformité d'OFAC doit être bouclé et expédié avant midi ! D'autant que nous n'avons toujours pas reçu la réponse de la Banque intercontinentale arabe au sujet des fonds bloqués pour la cargaison de vin. Il est déjà 16 h 30 à Paris et nos distributeurs s'impatientent. Quelqu'un doit se charger de négocier la commande de café brésilien et vous êtes la seule de ce bureau à baragouiner un portugais vaguement potable. Sans parler des nouvelles pages du site Web qui ne sont toujours pas finalisées. J'apprécierais que vous preniez votre travail un peu plus à cœur, Raine. Je ne peux pas tout faire à votre place.

Elle grommela un semblant d'excuse à travers ses dents serrées et composa le code qui débloquait la messagerie de son téléphone tout en s'asseyant à son bureau.

— Ah oui, autre chose. M. Lazar veut que vous vous chargiez du service du petit déjeuner dans la salle de réunion, ajouta Harriet.

Un sursaut de terreur la fit se relever d'un bond alors que ses fesses avaient à peine effleuré sa chaise.

— *Moi ?*

Harriet pinça les lèvres.

— Je n'avais pas l'intention de lui annoncer votre retard.

Raine sentit son estomac se contracter.

— Mais il n'a jamais… C'est toujours Stefania qui se charge du…

— C'est vous qu'il veut, l'interrompit Harriet. Ce qu'il veut, il l'obtient. Le café est en train de passer – ce n'est pas grâce à vous, évidemment – et le traiteur vient de livrer le reste en cuisine. Le couvert est déjà mis dans la salle de réunion.

Stefania passa la tête dans le bureau cloisonné de Raine.

— Veille à exécuter ta chorégraphie de geisha à la perfection, lui conseilla-t-elle. Lazar tient à ce que tout soit esthétiquement irréprochable. À la moindre goutte de café sur la nappe, tu es grillée. Tu devrais rafraîchir ton maquillage, enchaîna-t-elle en inspectant son visage d'un œil critique. Tiens, prends mon crayon à lèvres.

Raine baissa les yeux vers ledit crayon, trop consternée pour réussir à parler. C'était la première fois que Victor Lazar faisait publiquement savoir qu'il se souvenait de son existence. Elle l'avait déjà vu, évidemment ; impossible de le rater. Il traversait le bureau paysagé comme un cyclone. Il était aussi dynamique et intimidant que dans son souvenir, quoiqu'un peu moins grand.

La première fois qu'elle l'avait revu, le regard perçant de ses yeux gris ne s'était pas attardé sur elle, et elle en avait éprouvé un tel soulagement qu'elle avait cru défaillir. Il ne pouvait évidemment pas établir le moindre lien entre sa nouvelle secrétaire de direction et la petite nièce aux tresses blondes qu'il n'avait pas revue depuis dix-sept ans, alors qu'elle n'avait que onze ans. Dieu merci.

Le soudain intérêt qu'il manifestait pour elle lui apparut comme un sombre présage.

— Dépêchez-vous, Raine ! La réunion débute à 7 h 45 !

La voix suraiguë de Harriet la galvanisa. Le cœur battant, elle s'empressa de gagner la cuisine. Ce ne serait pas bien compliqué, se dit-elle en déballant la livraison du traiteur. Il s'agissait simplement de servir café, croissants, bagels, mini-muffins et fruits avec grâce et avec le sourire. Cela ne prendrait pas longtemps.

Non, pépia une petite voix sarcastique dans sa tête. Tu vas juste te retrouver en présence de Victor Lazar qui n'est autre que l'assassin de ton père. Rien de bien terrible.

Elle se versa une tasse de café, disponible en permanence dans la cuisine du personnel, et l'avala si vite qu'elle se brûla les lèvres et la gorge. Si elle avait l'intention de survivre à l'épreuve qui l'attendait, elle allait devoir se faire greffer une colonne vertébrale artificielle. Elle aurait pourtant dû être contente que Victor l'ait remarquée. Elle devait se rapprocher de lui si elle voulait enquêter sur la mort de son père. C'était pour cela qu'elle avait pris ce travail. Le rêve de la pierre tombale ensanglantée ne lui avait pas laissé d'autre choix.

Cela faisait des années qu'elle essayait d'élucider ce cauchemar. Elle avait déniché toute une ribambelle d'explications rationnelles : son père lui manquait, elle lui en voulait inconsciemment d'être mort, elle cherchait un substitut à sa colère... Elle avait étudié la psychologie des rêves, suivi une psychothérapie, essayé la visualisation créative, l'hypnose, le yoga et toutes les techniques réductrices de stress dont elle avait entendu parler, mais le rêve avait persisté.

Depuis un an, il revenait toutes les nuits et elle avait alors sombré dans un véritable désespoir. La simple perspective de se mettre au lit la terrifiait, et les somnifères dont elle avait tenté de s'abrutir n'avaient réussi qu'à lui donner des migraines insupportables le lendemain. Elle ne savait plus quoi faire pour s'en sortir et faire avancer sa vie... jusqu'au jour de son vingt-septième anniversaire. Ce jour-là – cette nuit-là plutôt – à 3 heures du matin, elle s'était redressée d'un bloc dans son lit, à bout de souffle, ses yeux brûlants de larmes scrutant follement les ténèbres, le poids cruel du bras de Victor pesant encore sur ses épaules. Quand les premières lueurs de l'aube étaient apparues à la fenêtre de sa chambre, quand les ténèbres avaient cédé la place au gris ardoise, elle avait enfin décidé de se rendre. Son rêve exigeait d'elle quelque chose, et elle ne pouvait plus refuser de l'entendre. Si elle continuait dans cette voie, il finirait par la briser.

Elle n'avait aucune preuve, évidemment. Le rapport officiel était clair : son père était mort au cours d'un accident de bateau. Au moment des faits, Victor était en voyage d'affaires à l'étranger et Alix, la mère de Raine, soutenait qu'elle-même et Raine se trouvaient en Italie. Lorsqu'elle avait seize ans, Raine avait un jour demandé à sa mère si elle était convaincue que la mort de son premier mari avait été accidentelle. Sa mère l'avait violemment giflée, avant de fondre en larmes et de l'attirer dans ses bras en implorant son pardon.

— C'était un accident, ma puce, bien sûr que c'était un accident, avait-elle répété d'une voix brisée. Tu ne dois pas penser à tout ça, c'est du passé maintenant. Je suis tellement désolée...

Raine n'avait plus jamais abordé ce sujet tabou, mais le silence qui entourait le passé l'oppressait et l'étouffait. Après des années de fuite éperdue sous de multiples noms d'emprunt avec de faux passeports, le tremblement qui s'emparait de la voix de sa mère chaque fois qu'on mentionnait son oncle l'avait empêchée d'aller de l'avant.

Elle en était donc là. En trois semaines, elle n'avait strictement rien appris, excepté une quantité vertigineuse de points du règlement du bureau des douanes, la façon d'élaborer un plan financier à partir de l'analyse de tableaux informatiques, la rédaction des contrats types régissant le fret et l'application des nouveaux outils Internet. Elle ne savait pas mentir et n'avait aucun talent pour le subterfuge, mais elle allait devoir se débrouiller tant bien que mal avec ces mini-muffins et ces parts de melon. Jamais elle n'aurait imaginé que sa mission de justicière l'amènerait à servir le petit déjeuner dans une salle de conférences.

Elle s'appliquait à détacher le couvercle en papier d'aluminium d'une barquette de fromage à tartiner, quand un frisson d'alarme parcourut sa nuque. Elle pivota d'un bloc et laissa tomber la barquette. Qui atterrit sur le sol du côté du fromage, évidemment.

L'homme qu'elle avait croisé dans l'ascenseur se tenait sur le seuil de la cuisine.

Elle déglutit bruyamment. Elle avait des mini-muffins et du café à servir, se souvint-elle. Elle n'avait pas le temps de se laisser séduire par un pirate au regard dévorant, aussi fascinant fût-il.

— Vous êtes perdu ? s'enquit-elle poliment. Je peux vous renseigner ?

Le regard de l'homme la parcourait tout entière, aussi puissamment que des mains possessives.

— Non, je peux trouver la salle de conférences tout seul.

Sa belle voix grave effleura ses terminaisons nerveuses telle une caresse.

— Ah, vous êtes là pour la réunion, bredouilla-t-elle.

— Oui.

Il entra dans la cuisine et ramassa la barquette de fromage avec une grâce féline. Il se redressa lentement et, lorsqu'il eut fini de se déployer devant elle, domina d'une bonne tête son mètre soixante-cinq. Il attrapa une serviette en papier sur le comptoir qui se trouvait derrière elle, essuya la poussière qui avait adhéré à la surface du fromage et lui tendit la barquette.

— Personne n'en saura rien, souffla-t-il. Ce sera notre petit secret.

Elle la prit et attendit qu'il recule. Au bout de quelques secondes, elle comprit qu'il n'en ferait rien. Elle tâtonna derrière elle jusqu'à sentir le plat de service sous ses doigts, et parvint miraculeusement à y déposer le fromage. Son cœur battait follement.

Souris, s'ordonna-t-elle intérieurement. Flirte un peu avec lui. Tu es une grande fille, tu as le droit.

Mais il était si près et la dévorait d'un regard si ardent. L'intensité de son énergie masculine la paralysait. Elle était sans voix, les poumons bloqués, incapable de respirer. Sa timidité maladive faisait d'elle un cas désespéré.

— Je suis désolé de vous avoir mis mal à l'aise dans l'ascenseur, dit-il de sa voix de velours. Vous m'avez stupéfié. J'en ai oublié la plus élémentaire politesse.

Elle essaya de glisser le long du comptoir pour lui échapper.

— Vous ne faites pas preuve de plus de politesse en ce moment même, et vous me mettez toujours mal à l'aise.

— Vraiment ? répondit-il en plaçant les mains sur le comptoir de part et d'autre de son corps, l'enveloppant dans sa chaleur virile. Ma foi, je suis toujours sous le choc de la surprise.

Il se pencha vers elle, et elle se demanda dans un sursaut de panique s'il allait l'embrasser, mais il s'immobilisa à quelques centimètres de ses cheveux et inhala profondément.

— Vous sentez merveilleusement bon, murmura-t-il.

Elle se ratatina autant qu'elle put contre le comptoir. La poignée d'un tiroir s'enfonça au creux de ses reins.

— Je ne porte aucun parfum, rétorqua-t-elle.

Il prit une autre inspiration, puis soupira et elle sentit son souffle tiède courir sur sa gorge.

— C'est justement ce qui me plaît. Votre parfum naturel est aussi pur, frais et chaud qu'une fleur au soleil.

Elle devait être en train de rêver. Le monde de ses rêves semblait parfois plus substantiel que le monde réel, et ce bel homme audacieux et parfaitement improbable faisait forcément partie de ses mondes oniriques, au même titre que les licornes et les centaures, les démons et les dragons.

Elle battit des cils. Il était toujours là. Et la poignée du tiroir s'enfonçait toujours aussi douloureusement dans son dos. Il était parfaitement réel et n'allait pas subitement disparaître dans un nuage de fumée. Elle devait se dépêtrer de lui.

— Votre conduite est déplacée, souffla-t-elle. Je vous prie de reculer et de me laisser la place de respirer.

Il obéit, visiblement à contrecœur.

— Désolé, dit-il d'un ton qui indiquait qu'il ne l'était absolument pas. J'avais besoin de me la mettre en mémoire.

— Quoi donc ?

— Votre odeur, répondit-il d'un ton d'évidence.

Raine le contempla un instant bouche bée, en ayant douloureusement conscience du durcissement de ses pointes de seins contre la dentelle de son soutien-gorge et de la caresse de la soie de son chemisier sur sa peau, tandis que ses poumons se vidaient de tout l'air qu'ils contenaient. Son visage était devenu brûlant, elle avait les jambes en coton. La flamme qui animait le regard de cet homme éveillait en elle quelque chose de profond, un endroit secret qui s'épanouissait, animé d'un désir sans nom.

Si. Ce désir avait un nom. Elle était la proie d'une vive excitation sexuelle, réalisa-t-elle dans un sursaut de honte. Une excitation déclenchée par un parfait inconnu, là, dans la cuisine de Lazar Import-export, alors qu'il n'avait même pas posé la main sur elle. Son appétit sexuel pouvait se flatter de très mal choisir son moment pour sortir de son hibernation !

— Ah ! Monsieur Mackey, je suppose ?

Le ton ironique sur lequel Victor Lazar venait de s'exprimer lui fit vivement tourner la tête vers lui. Nonchalamment appuyé à l'encadrement de la porte de la cuisine, il observait la scène de son pâle regard argenté auquel rien n'échappait.

Le pirate le salua d'un hochement de tête poli.

— Monsieur Lazar. Heureux de vous rencontrer.

Il s'était exprimé en des termes et d'un ton parfaitement courtois, mais l'inflexion veloutée qui avait jusqu'ici caractérisé sa voix avait disparu. Elle s'était élevée dans la pièce, aussi limpide et dure que du verre.

Victor le jaugea avec un sourire froid.

— Vous avez fait connaissance avec mon assistante ?

— Dans l'ascenseur, précisa le pirate.

Le regard de Victor se posa sur Raine et s'attarda trois interminables secondes sur son visage brûlant.

— Je vois... murmura-t-il. Bon, eh bien... allons-y. Les autres attendent.

— Bien sûr.

La tension était palpable entre les deux hommes qui s'observaient, un même sourire impénétrable aux lèvres. Les gens s'empressaient habituellement d'exécuter le moindre souhait de Lazar, mais ce sombre inconnu l'entendait autrement. Il bougerait quand il le déciderait, et pas avant.

Un petit sourire amusé passa sur les lèvres de Victor.

— Si vous voulez bien me suivre, monsieur Mackey, dit-il du ton qu'on emploie pour amadouer un enfant capricieux. Raine, vous pouvez servir le petit déjeuner. Nous allons avoir beaucoup de travail.

Le pirate lui jeta un dernier coup d'œil ouvertement appréciateur, avant de suivre Lazar.

Interdiction de rougir ou de bafouiller, se morigéna-t-elle en remplissant les verseuses en argent de thé et de café. Interdiction de se prendre les pieds dans le tapis ou de se cogner aux portes. Elle devait apprendre à gérer ce genre de rencontres imprévues. Et même si elle n'avait jamais envisagé d'avoir une aventure passionnelle dans le cadre de sa mission, ce n'était peut-être pas une mauvaise idée, après tout.

Cette délicieuse pensée rebelle déclencha un élan de panique. Elle dut s'immobiliser dans le couloir le temps de se ressaisir, les bras tremblants sous le poids du plateau. Une telle audace lui ressemblait peu, mais lui permettrait peut-être de se prouver qu'elle était capable d'agir au lieu de se faire manipuler. Ce serait une bonne chose, non seulement pour elle, mais pour sa mission. Pour accomplir la tâche impossible qu'elle s'était fixée, il fallait qu'elle se métamorphose. Qu'elle devienne une femme intrépide, courageuse et impitoyable. Une *femme* avant toute chose. La seule façon de parvenir à ce résultat impliquait d'avoir une vie sexuelle digne de ce nom.

Plaquant un sourire de geisha sur ses lèvres, elle poussa du pied la porte de la salle de conférences. Plusieurs personnes se trouvaient là, en dehors de Victor et du pirate. Elle adressa un sourire à chacune d'elles tout en servant le thé et le café, mais évita soigneusement le regard du pirate lorsqu'elle lui tendit sa tasse. Le simple fait de poser les yeux sur ses longs doigts bronzés suffit à emballer les pulsations de son cœur.

La conversation qui se déroulait dans la pièce ne formait plus à ses oreilles qu'un brouhaha indistinct, et elle dut faire un effort de concentration pour suivre ce qui se disait. La moindre information pouvait se révéler utile. Le pirate parlait de transpondeurs et d'identification de fréquences radio. De récupération de données. De cycles de programmation, de verrouillage de données et d'étiquettes radiofréquence. De localisation GPS, de modems sans fil. Des termes techniques qui lui passaient au-dessus de la tête.

Mais il avait une voix si profonde, sonore et séduisante. Sa voix avait le pouvoir de faire naître des picotements sur sa nuque comme s'il l'avait caressée de ses mains, de ses lèvres, de la tiédeur de son souffle.

La mention de son nom la fit sursauter, et la tasse qu'elle tenait à la main trembla sur sa soucoupe.

— ... convaincu que ce serait l'idéal, Raine. Vous voudrez bien transmettre à Harriet, venait de dire Victor.

Raine déglutit et posa délicatement la tasse et la soucoupe près de Victor.

— Lui transmettre, euh... quoi donc ?

Un voile d'impatience déforma fugitivement les traits réguliers de Victor.

— Un peu d'attention, je vous prie. Vous nous accompagnerez, M. Mackey et moi-même, aux entrepôts de Renton demain après-midi. Tenez-vous prête pour 15 heures.

Son visage était tellement identique à celui de son père, avec quelque chose de plus ferme et anguleux. Ses cheveux très courts et complètement blancs formaient un contraste saisissant avec sa peau cuivrée.

Son père n'avait pas vécu assez longtemps pour avoir des cheveux blancs.

— Moi ? murmura-t-elle.

— Cela vous pose-t-il problème ? s'enquit Victor d'un ton doucereux.

Elle s'empressa de secouer la tête.

— Euh, non. Aucun problème.

Victor sourit et un frisson d'effroi parcourut sa colonne vertébrale.

— Parfait.

Raine marmonna quelques mots d'assentiment avant de s'éclipser, puis traversa d'un pas chancelant le bureau paysagé pour aller se réfugier aux toilettes. Une fois barricadée derrière la porte de la cabine du fond, elle s'assit sur la lunette, pressa son visage brûlant contre ses genoux et s'efforça de maîtriser ses tremblements.

Sous ses paupières closes, le visage de son père lui apparut aussi clairement que si elle l'avait vu la veille. Son beau visage, si tendre et généreux. Celui qu'il avait quand il lui lisait des poèmes ou lui racontait des histoires. Quand il lui montrait de belles images dans les monographies d'art de la Renaissance qu'il affectionnait tant. Quand il lui rendait visite dans ses rêves, dont elle émergeait avec un tel sentiment de perte qu'elle avait l'impression que son cœur allait se briser comme du verre sous la pression du chagrin.

Ressaisis-toi immédiatement, s'intima-t-elle furieusement.

Elle aurait dû se réjouir, au lieu de s'effondrer dans les toilettes.

Mais, malgré ses efforts, l'impression d'être aussi vulnérable que la créature de son rêve se renforça. L'impression de nager toute nue le long des parois transparentes de son bocal. Incapable de comprendre les mécanismes qui l'avaient placée dans cette situation, mais néanmoins hantée par la certitude d'un destin fatal qui se rapprochait de plus en plus.

3

— Monsieur ? Je vous prie de m'excuser, mais un certain M. Crowe sollicite par téléphone l'autorisation d'aborder sur l'île.

Victor ne détacha pas son regard des vagues qui venaient s'échouer sur la plage de galets en contrebas du patio. Il prit une gorgée de whisky et en savoura le goût complexe et cendreux.

— Que veut-il ?

La jeune femme qui remplissait les fonctions de majordome s'éclaircit délicatement la gorge.

— Il dit que c'est au sujet du, euh... « cœur des ténèbres ».

Un sourire de satisfaction imprima un pli sensuel aux lèvres de Victor. La conclusion parfaite d'une journée stimulante. Qui aurait cru que Crowe cachait une âme de poète ? Le cœur des ténèbres, voyez-vous cela !

— Accordez-lui l'autorisation.

— Bien, monsieur.

La jeune femme franchit la porte-fenêtre et regagna silencieusement l'intérieur de la maison.

Victor sirota son scotch, le regard posé sur la silhouette sombre des pins balayés par le vent qui bordaient le rivage de Stone Island. Sa résidence d'élection, malgré les quatre-vingts minutes de navigation sur le bras de mer du Puget Sound. Malheur à quiconque assez stupide ou malchanceux pour approcher l'île sans autorisation préalable. Ici, dans la plus parfaite intimité, il pouvait contempler les eaux du Sound et jouir d'un panorama naturel dans toute sa splendeur sauvage. Pygargues à tête blanche, balbuzards pêcheurs, grands hérons, dauphins et orques offraient en permanence un spectacle exceptionnel.

Le vent avait nettement fraîchi depuis la tombée du jour, mais il n'avait pas envie de rentrer à l'intérieur. Il se sentait content de lui. Le jeu auquel il jouait, avec la part de hasard qu'il acceptait d'y faire figurer, lui plaisait énormément. Ses besoins avaient évolué avec l'âge ; le désir de puissance et de domination avait progressivement cédé la place à une faim insatiable d'amusements et de stimulations nouvelles. Peut-être retombait-il en enfance au fil des années.

Il avait hâte de résoudre ce problème de sécurité qui mettait sa patience à rude épreuve. Seth Mackey et sa société de sécurité informatique avaient intérêt à se montrer à la hauteur de leur réputation. Dès qu'il avait commencé à s'informer discrètement de ce qui se faisait de mieux dans ce domaine, le nom de Mackey Security Systems Design n'avait cessé de surgir. La société comptait dans sa clientèle plusieurs puissances étrangères, autant d'agences gouvernementales, d'innombrables agences de détectives privés, des fournisseurs de l'armée, des diplomates et d'importants hommes d'affaires. Partout, elle jouissait d'une renommée exceptionnelle quant à la modernité de ses méthodes, et avait largement fait ses preuves dans le domaine du contre-espionnage. Mais le point capital aux yeux de Victor, c'était la réputation de discrétion absolue dont jouissait Mackey. La série de cambriolages ciblés, visiblement opérés par des professionnels de haut vol, que venaient de subir ses entrepôts, ne devait surtout pas revenir aux oreilles de la police.

Proportionnellement à l'étendue de ses activités, les vols dont il avait été victime ne représentaient pas une lourde perte financière. Non, ce qui l'irritait prodigieusement ne concernait pas tant la quantité que la qualité des marchandises en question. Comme si les cambrioleurs avaient mis un point d'honneur à faire main basse sur les convois destinés à ses clients les plus secrets et les plus exigeants.

Il avait commencé à développer cette activité quelques années auparavant, essentiellement par désœuvrement – rien de bien méchant, un petit trafic d'œuvres d'art et d'objets d'un genre un peu particulier. Le dernier en date concernait les armes de meurtres ayant servi de pièces à conviction dans des procès à fort retentissement médiatique. Les gens étaient prêts à payer des sommes folles pour s'approprier ce genre de choses.

Une de ses plus récentes transactions concernait le très convoité poignard dont s'était servi Anton Laarsen, surnommé l'Égorgeur de Cincinnati, dans dix villes de cinq États différents. Victor l'avait revendu au cours d'enchères secrètes pour cinq fois la somme que lui avait coûté, tous frais compris, le vol du poignard en question. Il était revenu au P-DG d'un grand groupe pharmaceutique, un type avenant et doux, légèrement bedonnant et affublé d'une ribambelle de petits-enfants, avec qui Victor jouait souvent au golf. Il se demanda si l'épouse de ce monsieur avait seulement idée de l'intérêt que celui-ci portait à la violence mortelle.

À chaque fois, lui seul avait commandité les acquisitions. Ce qui indiquait que les responsables de ces raids avaient accès à des informations qu'ils n'avaient pu obtenir qu'en le plaçant sur écoute.

Le projet que lui avait soumis Seth Mackey allait lui coûter une petite fortune. Ses tarifs étaient prohibitifs, mais Victor pouvait largement se le permettre. L'homme lui-même l'intriguait. Il était intelligent, astucieux et insondable, mais Victor était passé maître dans l'art de déceler le point faible des autres. Mackey avait révélé le sien de façon évidente, ce matin.

Victor éclata de rire et reprit une gorgée de whisky. Entrée de Lorraine Cameron, côté jardin, se dit-il. Plus connue sous le nom de Katya Lazar à l'époque où elle portait encore des tresses blondes. Sa nièce depuis longtemps disparue.

Elle l'avait agréablement surpris. Alix, sa mère, s'était enfuie avec elle, comme la pitoyable froussarde qu'elle était, après la mort de Peter. Elle avait recouru à tout un luxe de précautions pour couvrir leurs traces, mais elle aurait pu s'épargner cette peine ; elle n'était pas de taille à rivaliser avec le réseau d'informateurs de Victor.

Alix ne l'intéressait plus, mais il avait suivi le parcours de sa nièce. Si elle montrait un certain potentiel, elle souffrait de timidité maladive depuis l'enfance, et Victor l'avait considérée comme une jolie petite chose insignifiante qui se contentait de dériver d'un endroit à l'autre sans jamais s'investir véritablement ni réussir quoi que ce soit. Le fait qu'elle ait eu l'audace de chercher à se faire embaucher par Lazar Import-export en présentant de fausses références l'avait intrigué. Se pouvait-il que cette façade de naïve maladresse dissimule la fibre solide des Lazar ?

Il se demanda si Peter était bien le père de sa fille. L'immense appétit sexuel d'Alix rendait cette hypothèse plus que douteuse, mais il se trouvait que Katya Lazar ressemblait vraiment à sa grand-mère paternelle. D'un autre côté, maintenant qu'il y pensait... Il se livra à un rapide calcul mental. Oui, c'était tout à fait plausible. Katya pouvait très bien être sa propre fille.

Amusant. Quoique sans grande importance au stade actuel des choses. Il y avait déjà longtemps qu'il avait sacrifié toute considération sentimentale sur l'autel de l'efficacité. D'autre part, ce qu'elle avait accompli jusqu'ici se révélait nettement inférieur à ce qu'il aurait été en droit d'attendre de sa fille.

Quoi qu'il en soit, il ne répéterait pas avec elle l'erreur qu'il avait commise avec Peter. Pas question de la choyer et de la dorloter. Il serait sans pitié. Il avait l'intention de la former jusqu'à ce qu'elle manifeste cette fibre solide qu'il soupçonnait en elle. Le poste qu'il lui avait confié avait constitué un premier test. Il avait voulu vérifier son endurance, et elle s'en sortait plutôt bien. En plus d'être charmante et d'avoir une élocution parfaite, elle était douée pour les langues étrangères, jouissait d'une plume alerte et d'une grande vivacité d'esprit, et s'était adaptée à un emploi du temps spécifiquement conçu pour sonder sa robustesse. Il avait tout de même constaté qu'elle était extrêmement nerveuse et manquait de confiance en elle. C'était Alix qui l'avait rendue ainsi. Avait-elle l'étoffe de devenir une vraie femme, racée et intraitable ? Il était curieux de le découvrir.

Son nouveau consultant en sécurité ne demandait visiblement qu'à l'aider à révéler sa féminité. Une sacrée chance qu'elle soit aussi belle. Sa débauchée de mère aurait au moins servi à cela. Alix avait été très belle en son temps, et sa fille la surpassait. Du moins la surpasserait-elle si quelqu'un lui apprenait à s'habiller.

Dire qu'il l'avait offerte à Mackey comme un avantage en nature, au terme de la réunion ce matin. Indirectement, bien sûr, mais l'éclair de compréhension affamée qu'il avait lu dans son regard avait été éloquent. Il gloussa, amusé par sa propre espièglerie. Victor s'était montré diaboliquement manipulateur, mais son intervention donnerait du piquant à la chose, et puis au fond, c'était un service qu'il rendait à Katya. Mackey serait pour elle un partenaire sexuel bien plus intéressant que les lamentables spécimens qu'elle avait choisis jusqu'ici. À croire qu'elle avait hérité du manque de goût abyssal de son père dans ce domaine. Pauvre Peter.

Demain, Victor les laisserait libres de faire comme bon leur semblerait en s'en remettant à la puissante attraction sexuelle qu'il avait décelée entre eux.

Il aurait apprécié de filmer la scène de séduction, mais les complications logistiques étaient trop nombreuses, sans compter que cela aurait été une faute de goût. Katya était tout de même sa nièce. Il respecterait son intimité. Du moins pour l'instant.

Mis à part l'amusement qu'il en tirait, cette situation lui fournirait un excellent moyen de pression sur ce mystérieux Mackey. Il préférait se montrer prudent... Surtout depuis les regrettables incidents qui s'étaient produits dix mois auparavant et qui avaient entraîné la mort de l'agent du FBI Jesse Cahill. Victor avait sauvé les apparences de justesse, mais n'avait pu éviter des retombées embarrassantes dans certains milieux d'affaires qu'il fréquentait. Or il avait horreur de se retrouver dans l'embarras.

Kurt Novak, en particulier, lui en voulait encore – mais le « cœur des ténèbres » que Crowe allait lui remettre modifierait radicalement la donne. C'était l'ultime détail du plan qui remettrait Novak à sa place. Celle que Victor lui avait attribuée. Cette perspective lui tira un sourire rêveur tandis qu'il contemplait la dentelle des nuages filant à vive allure dans le ciel éclairé par la lune.

La porte-fenêtre coulissa derrière lui et son employée émit une toux discrète.

— M. Crowe est arrivé, annonça-t-elle d'un ton déférent.

— Dites-lui de me rejoindre, ordonna Victor.

Un instant plus tard, une ombre se matérialisa derrière son fauteuil. Crowe était un nom d'emprunt. Personne ne connaissait son vrai nom. C'était le genre d'homme à qui on fait appel pour une mission aussi complexe que le vol de l'arme d'un crime célèbre. C'était l'agent le plus discret et le plus fiable avec lequel Victor ait jamais traité. Le plus cher, aussi.

Il était enveloppé d'un long imperméable kaki et son visage était dissimulé par le large rebord de son chapeau et une paire de lunettes de soleil à verres réfléchissants, pour le moins incongrue à cette heure crépusculaire. Le peu qu'on apercevait de son visage était froid et anguleux. Il posa une mallette métallique à côté du fauteuil de Victor, se redressa et attendit. Il n'était pas nécessaire de vérifier l'authenticité de la marchandise. Sa réputation suffisait.

Sur l'échiquier mental de Victor, les pions changèrent de place.

— L'argent sera transféré sur le compte habituel ce soir, déclara-t-il en dissimulant son excitation.

L'ombre de Crowe se retira silencieusement. Victor saisit la poignée de la mallette et la posa sur ses genoux. Le Corazon. Le cœur des ténèbres. Il le sentit pratiquement vibrer sous ses mains, tel Aladin enserrant le génie prisonnier de la lampe. Un Aladin qui comprenait le pouvoir, le désir et la violence. Et Kurt Novak était son génie.

Il ouvrit la mallette. Le Walter PPK reposait dans le sachet de plastique étiqueté dans lequel l'avait placé le laboratoire de la brigade criminelle, encore souillé de poudre à empreintes digitales. Sa valeur était inestimable.

Le visage célèbre de l'infortunée Belinda Corazon flotta dans son esprit. Le morceau d'acier froid qu'il avait sur les genoux renfermait pour l'éternité un instant de violence infiniment mortelle.

Être l'une des deux seules personnes au monde à connaître la véritable identité de l'assassin de Belinda Corazon était un fardeau. Il sentit un éclair de mélancolie l'assaillir et referma la mallette pour le chasser. Il n'avait aucune raison de se sentir coupable, se souvint-il. Belinda Corazon n'avait été qu'une relation, pas une amie. Comme de nombreuses personnalités, elle avait assisté aux fameuses soirées privées de Victor.

Un an plus tôt, Novak et lui avaient conclu une affaire extrêmement juteuse et, dans l'élan de bonne volonté mutuelle qui avait suivi, Novak l'avait persuadé de lui présenter Belinda. L'étendue de sa culpabilité s'arrêtait là. Sa responsabilité n'allait pas plus loin.

D'une façon ou d'une autre, Novak avait réussi à capter l'intérêt de cette jeune femme frivole. Grâce aux trois rangs de perles noires des mers du Sud dont il lui avait fait cadeau ou grâce à son magnétisme personnel – on ne peut jamais savoir avec une femme. Quoi qu'il en soit, Belinda Corazon avait fini par se lasser de lui et avait cru pouvoir se débarrasser de son soupirant comme elle s'était débarrassée de tous les autres. Une erreur qu'elle avait payée de sa vie.

Victor prit une cigarette dans son étui d'argent ancien, puis agita mollement la main. La porte coulissa et l'employée de maison s'empressa auprès de lui pour allumer sa cigarette. Le vent l'obligea à s'y reprendre à plusieurs fois, après quoi elle attendit silencieusement d'être congédiée ou de recevoir un ordre.

Victor détailla d'un œil expert le visage et le corps de la jeune femme en prenant tout son temps. Il changeait régulièrement de domestique pour éviter de sombrer dans l'ennui, et celle-ci n'était pas à son service depuis très longtemps. Il étudia le galbe de ses seins, sa silhouette souple et athlétique. C'était une belle brune aux cheveux longs et lisses, avec des yeux en amande couleur noisette. Appétissante. Le froid avait fait durcir ses pointes de seins, nettement visibles sous son bustier moulant. Le vent souleva ses cheveux qui se déployèrent autour de son joli visage. Il contempla ses lèvres pleines, à demi tenté de… Non.

Pas ce soir. Il lui arrivait rarement de se sentir aussi pleinement éveillé et vibrant de lucidité. Il préférait savourer ce moment dans la solitude.

Il gratifia la jeune femme d'un sourire onctueux et dut faire un effort de mémoire pour se souvenir de son prénom.

— Merci, Mara. Ce sera tout.

Elle lui décocha un sourire éblouissant et se retira. Elle était tout à fait charmante. Demain, peut-être, il s'octroierait une petite gâterie. Pour l'heure, il se contenterait de flotter sur le nuage de son euphorie, tout en évaluant le potentiel des nouvelles pièces de son échiquier et la meilleure façon de les déplacer.

Il s'agissait d'un jeu complexe qui durait depuis longtemps. Il connaissait tellement de détails intimes sur des représentants de l'autorité, des hommes d'affaires et des politiciens, qu'il jouissait d'une véritable immunité judiciaire. Et ses généreuses donations aux campagnes électorales lui valaient de nombreux avantages. Victor Lazar était un véritable pilier de la communauté, un philanthrope éclairé qui offrait des soirées fabuleuses. Et le léger parfum de scandale qui entourait le nom des Lazar ne faisait que donner plus de prix à ses invitations. Le gratin adore s'encanailler. Une autre constante réconfortante de la vie. Les nouveaux pions qui venaient d'apparaître sur l'échiquier ajouteraient du piquant à sa soirée de samedi.

Oui, il avait grandement besoin d'un nouveau défi et la charmante Raine, encore mal dégrossie, en avait besoin elle aussi. Une nouvelle venue qui ne se connaissait pas elle-même apporterait du sang neuf dans son vaste aquarium truffé de requins en tout genre. Il était grand temps de lui donner un aperçu des devoirs qui l'attendaient.

Il s'appelait donc Seth Mackey. Raine articula silencieusement son nom pour la centième fois en rentrant chez elle. Toute la journée, le bureau avait bourdonné de commentaires à son sujet, et Raine n'en avait pas perdu une miette. Dès que Harriet avait le dos tourné, les secrétaires se remettaient à parler de Seth Mackey, de son allure, de son style, de son regard de braise… Ce consultant en sécurité avait la réputation d'être un crack dans son domaine, et il allait révolutionner le système d'inventaire grâce à la toute nouvelle technologie de reconnaissance par fréquence radio. Raine était restée une heure de plus au travail pour faire figurer cette info sur le site Web.

Tandis qu'elle déboutonnait sa veste, elle aperçut une enveloppe glissée dans la fente de la boîte aux lettres. Sa gorge se serra quand elle déchiffra l'adresse du bureau du procureur de Severin Bay. Dès son arrivée à Seattle, elle avait demandé par courrier une copie du rapport d'autopsie de son père. Les mains tremblantes, elle décacheta l'enveloppe.

Comme on le lui avait dit, le document officiel concluait à la mort accidentelle par noyade. Elle lut le rapport en s'efforçant au calme et au détachement. Prélèvements d'organes et de tissus, analyses chimiques et toxicologiques, échantillons de fluides prélevés au niveau de l'estomac, des poumons et de la vessie. Les yeux baissés sur la feuille, elle se sentit froide, vide, et très seule. Le document ne révélait ni ne suggérait rien. Le médecin légiste qui l'avait signé s'appelait Serena Fisher.

La sonnerie du téléphone retentit et elle fit la grimace. Elle n'avait communiqué son numéro de téléphone qu'à sa mère. Elle décrocha.

— Allô ?

— Enfin, je te trouve chez toi !

La voix pétulante de sa mère lui fit instantanément mal au ventre.

— Bonsoir, Alix.

— Je n'ai pas arrêté de t'appeler, mais tu n'es jamais là ! Et tu ne réponds jamais à mes messages. Qu'est-ce que tu fabriques à longueur de journée ?

Raine laissa tomber son sac à main sur le plancher en poussant un soupir. Elle venait de trimer pendant quatorze heures d'affilée dans les mines de sel de Lazar Import-export, et une conversation avec sa mère était bien la dernière chose dont elle avait envie.

— Oh, toutes sortes de choses. Je, euh… j'ai fait une excursion en bateau l'autre jour – il a plu, évidemment, mais c'était très joli. J'ai fait un peu de shopping aussi, passé des entretiens d'embauche… et je me suis fait de nouveaux amis.

— Un gentleman est-il parvenu à retenir ton attention ?

Le souvenir du souffle tiède de Seth Mackey sur sa gorge lui revint en mémoire, incroyablement vivace. Elle réprima un fou rire. On aurait pu qualifier Seth Mackey de bien des choses, mais certainement pas de « gentleman ».

— Aucun gentleman en vue, marmonna-t-elle.

— Ah, fit sa mère, apparemment déçue mais pas surprise. Ma foi, je suppose que tu ne dois pas faire plus d'efforts que d'habitude pour que cela arrive.

Elle attendit la réponse que déclenchait habituellement ce genre de remarque, signal du début d'une dispute aussi stérile que familière, mais Raine garda obstinément le silence, trop fatiguée pour jouer à ce petit jeu.

Alix Cameron laissa échapper un soupir d'impatience.

— Je ne comprends toujours pas pourquoi tu es allée t'enterrer à Seattle, se lamenta-t-elle. On s'y ennuie à mourir et le climat est épouvantable.

— Le climat de Londres n'est pas vraiment radieux, mère, répliqua-t-elle. Et ça fait une éternité que tu n'as pas mis les pieds à Seattle ; c'est devenu très branché.

Sa mère émit un grommellement dubitatif.

— Je t'ai déjà demandé de ne pas m'appeler « mère », Raine. Tu sais que ça me donne l'impression d'être vieille.

Ce reproche familier l'incita à se mordre la lèvre. Au fil des ans, se souvenir du nouveau nom de sa mère avait constitué un défi perpétuel, et elle avait été très soulagée quand Alix s'était décidée à reprendre son véritable prénom. Dans l'intervalle, elle avait néanmoins pris l'habitude de l'appeler « mère » afin d'éviter tout risque d'erreur.

Ses yeux se posèrent sur le rapport d'autopsie qu'elle avait posé sur la tablette du téléphone.

— Alix, je voulais te demander quelque chose...

— Oui ?

— Où papa est-il enterré ?

Un silence horrifié suivit cette question.

— Dieu du ciel, Lorraine ! éructa finalement sa mère.

— J'aimerais me recueillir sur sa tombe et y déposer des fleurs.

Raine attendit si longtemps la réponse qu'elle crut que la ligne avait été coupée.

— Je ne sais pas, murmura alors Alix.

— Quoi ? Tu ne...

— Je te rappelle que nous étions à l'étranger, Raine. Et que nous ne sommes jamais retournées à Seattle. Comment pourrais-je le savoir ?

Comment peux-tu *ne pas* le savoir ? rétorqua intérieurement Raine. Elle pressa sa main contre son ventre qui s'était douloureusement contracté.

— Je vois.

— Tu devrais pouvoir trouver ça dans les registres publics, ajouta sa mère d'un ton vague. Appelle les cimetières. Il doit bien exister un moyen.

— Oui, il doit exister un moyen, répéta Raine.

Elle perçut un son étranglé suivi d'un reniflement, avant que sa mère ne poursuive d'une voix embrumée :

— Nous étions à Positano, sur la côte d'Amalfi, ma chérie. Tu te souviens des enfants Rossini avec qui tu jouais sur la plage ? Gaetano et Enza ? Nous étions là-bas quand nous avons appris ce qui s'était passé. Appelle Mariangela Rossini. C'est elle qui a fait venir le médecin pour qu'il me donne un calmant, suite au choc que cela a déclenché. Appelle-la si tu ne me crois pas.

— Bien sûr que je te crois, répondit-elle d'un ton apaisant. C'est juste que je continue de faire ce rêve…

— Mon Dieu ! Ne me dis pas que tu recommences à confondre tes rêves avec la réalité, comme quand tu étais petite ? Ça me rendait folle d'inquiétude ! Ne me dis pas ça, Lorraine !

— D'accord, marmonna-t-elle. Je ne te dis pas ça.

— Ce ne sont que des rêves, Lorraine ! Ce n'est pas réel ! Tu comprends ?

Raine ferma les yeux et écarta le combiné de son oreille.

— Oui, ce ne sont que des rêves, répéta-t-elle. Calme-toi, Alix.

Sa mère renifla bruyamment.

— Jure-moi que tu n'es pas allée à Seattle pour déterrer de vieux squelettes, Lorraine ! Il ne faut pas remuer le passé. Tu es tellement intelligente et tu as un tel potentiel ! Promets-moi d'aller de l'avant, de travailler à ton avenir !

— Je vais aller de l'avant et travailler à mon avenir, acquiesça docilement Raine.

— Ne fais pas ton impertinente avec moi, Lorraine !

— Désolée, marmotta-t-elle.

Raine consacra plusieurs minutes à apaiser les craintes de sa mère et à se débarrasser d'elle. Quand elle eut raccroché, elle avait tellement mal au ventre qu'elle renonça à son projet de manger un sandwich. Comme d'habitude, mentir lui crispait douloureusement l'estomac, mais elle ne pouvait pas faire autrement. Elle était décidée à commettre la plus grave des transgressions : déterrer tous les squelettes qu'elle pourrait, dût-elle louer un tractopelle pour parvenir à ses fins.

Les jours qui avaient suivi la mort de son père n'étaient plus qu'une masse indistincte dans son souvenir, et lorsqu'elle avait recommencé à s'intéresser à ce qui se passait autour d'elle, elle était dans un autre pays et avait changé de nom. Une chose demeurait néanmoins certaine : elle ne se souvenait pas d'avoir appris la mort de son père à Positano. Ce moment aurait pourtant dû rester éternellement gravé dans son esprit.

Elle n'avait jamais vu la tombe de son père. Découvrir qu'elle était différente de celle qu'elle voyait en songe atténuerait peut-être son malaise.

D'un autre côté, elle risquait aussi de découvrir qu'elle était identique.

Les implications d'une telle découverte déclenchèrent une contraction de son estomac et elle s'empressa de chasser cette idée angoissante. Il fallait qu'elle se concentre sur des idées positives. La rencontre entre Seth Mackey et Victor avait mis les choses en mouvement. Il y avait enfin du progrès. Il fallait qu'elle choisisse la tenue qu'elle porterait le lendemain.

Il fallait surtout qu'elle détermine *l'attitude* qu'elle aurait le lendemain. Cette perspective déclencha en elle un flot d'excitation si puissant qu'elle bondit sur place en riant. Elle fonça dans sa chambre et se planta devant le miroir de l'armoire pour tâcher de déterminer ce que voyait Seth Mackey quand il la regardait. Quelque chose qui lui inspirait du désir, cela ne faisait aucun doute, mais elle avait du mal à comprendre à quoi cela tenait. Le miroir lui renvoyait une image qu'elle connaissait bien, celle d'une fille pâlotte, à l'air effrayé.

C'était stupide et ce n'était vraiment pas le moment de se mettre dans un état pareil, mais stupidité et mauvais timing avaient toujours gouverné sa vie amoureuse. Il n'y avait qu'à voir comment les choses s'étaient passées avec Frederick Howe et Juan Carlos.

Ces années de cavale ne l'avaient pas aidée à nouer des amitiés solides ni à développer son talent social. De son côté, Alix avait rencontré et épousé Hugh Cameron, un homme d'affaires écossais flegmatique. Quand elles s'étaient installées avec lui à Londres, le mal était fait : Raine était maladivement timide. Dans les écoles qu'elle avait fréquentées, aucun garçon ne s'était jamais intéressé à elle. Elle ne parlait pas, portait des lunettes et avait toujours le nez dans un roman.

La situation ne s'était pas améliorée lorsqu'elle était revenue aux États-Unis après le bac, et sa virginité avait vraiment commencé à lui peser. Peu après son vingt-quatrième anniversaire, au cours d'un séjour à Paris, elle avait croisé Frederick Howe, un associé de son beau-père. Cet Anglais d'une trentaine d'années solidement charpenté s'était d'abord montré charmant et poli. Il l'avait invitée à dîner et n'avait parlé que de lui toute la soirée. Comme il ne lui inspirait aucune crainte, Raine avait rassemblé son courage après le dîner, et accepté qu'il la raccompagne jusqu'à la petite chambre qu'elle louait.

Cet acte de bravoure avait été une erreur monumentale. L'homme s'était révélé maladroit et brutal. Il l'avait écrasée du poids de son corps massif, et son haleine empestait l'ail et le vin. Tout s'était passé très vite, ce qui était plutôt une bénédiction car elle avait eu mal. Quand elle était passée dans la salle de bains pour faire sa toilette, l'Anglais en avait profité pour quitter l'appartement sans même lui dire au revoir.

Après cette cuisante humiliation, il s'était écoulé un an et demi avant que Raine trouve le courage de renouveler l'expérience. Elle avait rencontré Juan Carlos à Barcelone où elle passait l'été à étudier l'espagnol. Mince et sensuel, il jouait du Bach sur son violoncelle dans un parc. Son doux regard brun, ses boucles brunes à la lord Byron et l'élégance de sa tenue avaient eu raison de ses réticences. Frederick avait si cruellement meurtri sa sensibilité romantique qu'elle s'était sentie irrésistiblement attirée par ce garçon qui était tout son contraire.

Mais Juan Carlos trouvait toujours un prétexte pour reculer le moment de consommer leur passion. Raine s'était montrée patiente face à ses réticences, l'avait cajolé et rassuré pour regonfler son ego. Finalement, Juan Carlos lui avait avoué qu'il craignait fort d'être homosexuel.

Une amitié profonde et durable s'était forgée entre eux cet été-là. Juan Carlos était reconnaissant à Raine de lui avoir donné le courage d'affronter la vérité au sujet de sa sexualité, et Raine souhaitait son bonheur de tout son cœur. Mais sa situation n'avait pas évolué pour autant.

Peu après, le rêve de la pierre tombale ensanglantée s'était intensifié. Son refoulement sexuel était alors passé au second plan de ses problèmes, puis elle l'avait complètement oublié.

Jusqu'à sa rencontre avec Seth Mackey. Son énergie sexuelle avait profité de l'occasion pour faire son retour au plus mauvais moment possible. C'était exaspérant. Toute sa vie, Raine avait été ballottée par des événements qui échappaient à son contrôle, mais elle se retrouvait à présent ballottée par des forces bien plus terrifiantes : ses peurs, ses rêves, et les désirs enfouis que Seth Mackey avait fait ressurgir.

On peut affronter et dépasser ses peurs, se dit-elle bravement en dégrafant sa jupe. Ses rêves, elle faisait de son mieux pour s'en accommoder. Mais en ce qui concernait Seth Mackey, en revanche, les désirs qu'il éveillait en elle lui inspiraient une terreur sans nom.

Elle déboutonna son chemisier, le jeta sur une chaise, puis entreprit de défaire les épingles qui retenaient sa chevelure en observant son reflet dans le miroir. Elle devait vraiment veiller à ne plus perdre de poids ; elle commençait à paraître chétive. Demain, elle appliquerait davantage d'anticernes sous ses yeux et de blush sur ses joues. Elle agita la tête pour que la tresse qu'elle venait de défaire se répande sur ses épaules, tira sur son justaucorps en dentelle dans l'idée de le faire passer par-dessus sa tête... et s'interrompit subitement. Ses doigts relâchèrent lentement le tissu tandis qu'elle repensait aux yeux de Seth Mackey. Un flot de chaleur inonda son visage. Forcer sur le blush serait superflu demain.

Elle adressa un sourire aguicheur à son reflet. Amplifia le volume de ses cheveux du bout des doigts, puis les rejeta en arrière en laissant quelques boucles retomber devant son visage. Une touche de rouge à lèvres et de gloss ne gâcherait rien et ferait paraître sa bouche plus pulpeuse. Elle fit la moue au miroir, puis se défit de son justaucorps en se tortillant sensuellement. Laissa pendre un instant la légère pièce d'étoffe au bout de son index avant de la lâcher.

Au tour du collant. Difficile de retirer un collant de façon sexy. Avec un porte-jarretelles et des bas, elle se serait assise sur une chaise, aurait lentement détaché ses bas, et plus lentement encore fait glisser le voile arachnéen le long de ses cuisses sous le regard de braise du pirate.

Avec un collant, elle était obligée de se pencher en avant pour le retirer, en essayant de ne pas perdre l'équilibre au moment de libérer ses chevilles. Sans compter que ses sous-vêtements étaient franchement tristes. Sa poitrine généreuse l'avait toujours complexée, aussi avait-elle adopté les soutiens-gorge minimiseurs grâce auxquels elle se sentait plus à l'aise et avait moins l'impression d'attirer les regards. Pour la première fois de sa vie, elle regretta de ne pas porter quelque chose de plus décolleté et féminin.

Devenir une femme fatale était décidément tout un art, et elle ne pouvait pas compter y parvenir du jour au lendemain.

Elle plaça ses mains sous ses seins et imagina que Seth se tenait derrière elle. Ses mains caresseraient son ventre avant de recouvrir ses seins. Elle sentirait son souffle sur sa gorge et son menton rugueux effleurerait sa peau quand il l'embrasserait, ferait courir sa langue le long de son cou et de son épaule… Il se retrouverait subitement devant elle, comme par magie, et se pencherait vers elle pour glisser sa langue dans le profond sillon d'ombre au creux de ses seins. Elle dégrafa son soutien-gorge et s'imagina qu'elle se retrouvait toute nue devant lui.

Sous ses paupières closes, elle visualisa la scène de façon extrêmement réaliste, avec un luxe de détails plus excitants les uns que les autres. Elle percevait ses grognements de plaisir, la chaleur moite de sa bouche et les caresses sensuelles de sa langue sur la peau sensible de ses seins. Ses lèvres se refermaient sur son mamelon qui était passé du rose pâle au rouge framboise et avait délicieusement durci. Quel genre d'amant était-il ? Tendre et langoureux, ou bien passionné et ardent ? Lui ferait-il le genre de choses dont elle n'avait jamais lu que des descriptions dans les romans érotiques ?

Elle fit glisser sa culotte par-dessus ses fesses et la laissa tomber jusqu'à ses chevilles. Son fantasme se déployait inexorablement, et sa main s'inséra entre ses cuisses quand elle imagina Seth s'agenouillant devant elle pour embrasser son nombril et presser son visage contre son mont de Vénus.

— *Votre parfum naturel est aussi pur, frais et chaud qu'une fleur au soleil.*

Les paroles qu'il avait prononcées se répercutèrent dans son esprit, lui tirant un soupir de désir.

Ses mains effectuaient les gestes qu'elle prêtait à son amant imaginaire. Elles s'inséraient entre les replis moites et tendres de sa chair féminine. La pointe de sa langue encerclait la perle durcie de son clitoris. Elle rouvrit brusquement les yeux. Habituellement, ses fantasmes n'avaient pas ce caractère urgent et détaillé. Celui-ci était mû d'une volonté propre à laquelle il était impossible de résister et elle contempla son reflet, les yeux écarquillés d'effroi. Ses joues avaient pris une teinte fuchsia, ses lèvres écarlates étaient entrouvertes, son regard brumeux, ses pupilles dilatées. Une main soulevant son sein, l'autre glissée entre ses cuisses et sa petite culotte entortillée autour des chevilles, elle offrait le spectacle d'une femme en proie à un irrépressible désir sexuel.

Elle enjamba sa culotte et gagna son lit d'un pas chancelant. La pulsation de désir sauvage qui avait gagné son entrejambe et qui la suppliait de remédier à sa frustration lui faisait presque peur. Elle laissa aller son dos contre les oreillers et se tortilla entre la flanelle des draps, appréciant le contact de l'étoffe sur sa peau sensibilisée à l'extrême.

Ses cuisses s'écartèrent et ses doigts s'insérèrent tout aussi spontanément entre les replis moites. Seth Mackey écarterait peut-être largement ses cuisses pour embrasser son sexe et régaler son clitoris des caresses de sa langue. Il la ferait glisser le long de sa fente, plusieurs fois, avant d'en pénétrer profondément sa chair brûlante et palpitante.

Elle s'imagina montée par lui, perçut la chaleur et le poids de son corps au-dessus d'elle. Il la pénétrait d'une brève poussée, et elle sentait alors le délicieux va-et-vient de son sexe en elle. Elle s'agripperait fermement à ses épaules quand ses poussées se feraient plus vives et plus profondes, les bras d'acier de Seth l'étreindraient fermement et le regard qu'il planterait au fond de ses yeux lui révélerait son âme incandescente et la certitude qu'elle lui appartenait.

Cette pensée l'excita violemment. Son dos se cambra dans un cri d'extase tandis qu'un flot de jouissance pure la submergeait, telle une interminable cascade de sensations éblouissantes, plus intense qu'aucun des orgasmes qu'elle avait jamais eus. Elle enroula le drap autour de son corps alangui et encore frémissant, puis sombra instantanément dans le sommeil.

Cette nuit-là, elle rêva une fois de plus qu'elle nageait toute nue dans l'aquarium de verre. Ses cheveux ondoyaient autour d'elle en volutes étincelantes, mais le décor de son rêve se modifia progressivement. Les parois de l'aquarium se dissolvaient, les gravillons colorés se transformaient en une lumineuse étendue de sable fin, les bouquets de faux corail devenaient d'immenses structures qui miroitaient sous l'eau. Le château en plastique n'était plus là, mais le vaisseau pirate était devenu bien réel, les flancs incrustés d'algues et de bernacles.

La protection que lui garantissaient jusqu'alors les parois de verre n'existait plus. Elle avait voulu nager parmi les gros poissons et son souhait avait été exaucé. La sensation d'infinie liberté qui s'éleva en elle compensait presque celle du danger qui rôdait autour d'elle, tandis qu'elle s'enfonçait dans les profondeurs insondables de l'océan comme un minuscule rayon de lumière.

4

Heureusement que Seth était le seul à avoir assisté à ce spectacle. Si l'un des frères McCloud s'était trouvé là, il aurait été obligé de le tuer.

Cela faisait pratiquement une heure qu'elle dormait, mais il n'avait toujours pas réussi à détacher les yeux de l'écran et son sexe était toujours aussi dur que le roc. S'il n'avait pas procédé personnellement à l'installation de l'équipement de surveillance, il aurait pensé que la scène à laquelle il venait d'assister avait été jouée à son intention. Quelle autre raison aurait-elle eue de s'exhiber ainsi devant une caméra, d'adopter aussi précisément les postures susceptibles de le rendre fou ?

Mais il aurait parié bras et jambes que Raine Cameron était incapable de simuler. L'orgasme auquel il venait d'assister n'avait rien de feint.

Son abstinence durait depuis trop longtemps. Déjà, avant la mort de Jesse, sa vie sexuelle avait été passablement problématique. Il avait un puissant appétit sexuel et il était très doué au lit ; il pouvait l'affirmer avec la plus parfaite assurance et sans une once de vanité. Le talent qui lui faisait défaut était l'art de parler aux femmes avant, pendant et après l'acte. Une de ses anciennes conquêtes lui avait dit un jour – juste avant de le plaquer – qu'il était aussi sociable qu'un primate. Il n'avait pas pris la peine de la contredire. Il gâchait toujours tout avec son franc-parler et ses manières abruptes.

C'était embêtant, mais cela ne l'avait jamais dérangé plus que ça. Si une femme le quittait en claquant la porte, il n'en faisait pas une maladie. D'autres seraient intéressées pour occuper la place.

Mais quand Lazar et Novak avaient assassiné son frère, Seth en était venu à oublier jusqu'à l'existence de sa sexualité. La sensation de flottement, de se retrouver comme congelé qui s'était emparée de lui, l'avait en quelque sorte soulagé. Il était devenu un pur esprit désincarné. Oublier son corps lui avait permis de trouver une paix relative et de mettre toute son énergie au service de son enquête. Mais Raine était apparue, et sa libido voulait rattraper le temps perdu.

Son portable sonna et il sursauta comme sous l'effet d'une décharge électrique. Il consulta le numéro de l'appelant et constata avec dégoût que sa main tremblait.

Connor McCloud. Génial. La personne rêvée pour lui remonter le moral. Il neutralisa le spectre numérique d'altération de la voix, composa le code déchiffrant la transmission de Connor et prit la communication avec un soupir résigné.

— Ouais ?

— On a découvert la disparition de l'arme du crime de la Corazon, hier, annonça Connor sans préambule.

Seth attendit d'autres explications, mais rien ne vint.

— La Corazon ? répéta-t-il, perplexe.

— Tu ne regardes jamais les infos ? Belinda Corazon, le top model sublime qui s'est fait tuer chez elle en août dernier.

— Oh. Celle-là. D'accord.

Ça lui rappelait vaguement quelque chose. Il avait vu son beau visage à la une de tous les magazines en faisant la queue au supermarché.

— En quoi sa mort nous concerne-t-elle ?

— Concentre-toi un peu, bon sang ! gronda Connor. Je t'avais dit que Jesse et moi avions entendu dire que Lazar revendait des armes ayant servi de pièces à conviction dans des procès célèbres, tu te souviens ?

— Je n'arrive toujours pas à croire que des gens puissent acheter des trucs comme ça, grimaça Seth.

— Crois-moi, ça existe. Le monde est rempli de malades qui ne savent pas quoi faire de leur fric. Toujours est-il qu'il y a de fortes chances pour que ce soit Lazar qui ait commandité ce vol. Et je crois savoir pour le compte de qui.

— Qui ? s'enquit Seth d'un ton impatient.

Mais Connor avait décidé de jouer les mystérieux.

— Où est Lazar ? demanda-t-il.

— À Stone Island, répliqua Seth sans hésiter.

Il avait personnellement placé un transpondeur à micro-ondes télécommandé dans chacune des voitures de Lazar. Sa Mercedes gris métallisé était arrivée à l'embarcadère à 18 h 59. La caméra du quai lui avait appris qu'il avait embarqué, et le transpondeur placé sur le bateau lui avait indiqué qu'il était arrivé sur l'île à 20 h 19.

— Tu le pistes à longueur de journée ?

— Ouais, répondit Seth. Il est resté au bureau jusqu'à 14 h 45, ensuite déjeuner d'affaires pendant deux heures au Hunt Club avec le groupe Laurent, suivi d'une réunion avec Embry et Crowe de 17 h 30 à 18 h 35, à l'issue de laquelle il a directement filé à l'embarcadère.

— Quelqu'un d'autre est allé sur l'île, ce soir ?

— Je ne sais pas.

— Comment ça, tu ne sais pas ? Tu as bien placé des caméras là-bas, non ? Oh, attends, j'ai compris ! Tu étais encore en train de rêvasser devant la maison de Barbie, pas vrai ?

— Je t'emmerde, rétorqua Seth à travers ses dents serrées.

— Bon sang, Mackey, tu ne penses vraiment qu'à ça. Je peux compter sur toi sur cette affaire, oui ou non ?

— Je ne peux pas surveiller l'île en temps réel, expliqua Seth. Elle est à cent trente kilomètres d'ici. Mes générateurs portables ne peuvent pas transmettre plus de deux jours de données à la fois sur cette distance. Et la sécurité est tellement étroite sur l'île que je ne peux pas prendre le risque d'utiliser les sources d'énergie locales. Si je veux savoir qui y est allé, il faut que j'y aille en personne, que je récupère les données, que je les ramène et que je les visionne ici.

Connor émit un claquement de langue.

— Tu es bien susceptible, ce soir…

— Comme je viens de te le dire, Connor, je…

— Oui, oui, je sais. Tu ferais mieux de bouger tes fesses et de filer récupérer ces données. Il faut qu'on sache si Lazar a reçu de la visite entre neuf et dix. Ça confirmerait ce que m'a dit ma source.

— Elle t'a dit d'autres trucs intéressants, ta source ?

— Vilain curieux, le taquina Connor.

— Arrête, grommela Seth.

Connor produisit un reniflement qui s'apparentait vaguement à un rire.

— OK. Ouvre bien tes oreilles. Novak en pinçait pour elle.

— Pour Belinda Corazon ? s'étonna Seth. Impossible. Elle était trop célèbre pour ce rat d'égout. L'approcher aurait été bien trop risqué pour lui.

— Il a couru ce risque. Très discrètement, bien sûr. Il lui a fait parvenir les joyaux d'empires déchus, les masques mortuaires en or massif de pharaons, le Saint Suaire de Turin et tout le bataclan. Il était mordu, je te dis.

— Et c'était Lazar qui lui fournissait cet attirail de séduction ?

— Tu as tout compris. Tu sais que tu serais presque intelligent si tu arrêtais de passer ta vie sur Barbie-Land ?

Seth était bien trop intrigué pour relever cette pique.

— Pourquoi n'avez-vous pas utilisé cette nana comme appât ?

— C'était une liaison secrète. On n'en savait rien à ce moment-là, et maintenant elle est morte, alors lâche-moi la grappe, tu veux ?

— Arrête de râler, répondit Seth en faisant pianoter ses doigts sur son bureau, fasciné par les révélations de Connor. Alors en fait, c'était Novak qui l'inondait de cadeaux ?

— Tu ne sais pas encore le meilleur, Mackey. Je me permets de te rappeler les faits, puisque tu ne regardes pas les infos. Tu te souviens du petit ami de la Corazon ? La star du hockey, Ralph Kinnear ? On l'a trouvé sur les lieux du crime, nu comme un ver et couvert du sang de la Corazon, avec ses empreintes digitales sur l'arme du crime. Il ne se souvenait de rien du tout.

— Aïe, murmura Seth.

— Comme tu dis. Ça sentait très fort le roussi pour ce pauvre garçon, mais devine ce qui s'est passé ? Quelqu'un s'est immédiatement mis en contact avec les avocats de Kinnear – coup de fil anonyme, bien sûr – pour leur suggérer de vérifier que de minuscules débris de verre ne s'étaient pas incrustés dans la peau de son visage, suite à l'explosion d'une capsule de gaz soporifique.

— Étrange, marmonna Seth.

— Très étrange. On a effectivement trouvé des débris de verre *et* des traces de drogue dans son estomac. Grâce à ce correspondant anonyme, Kinnear s'est retrouvé tiré d'affaire. Et maintenant, quelqu'un a fait disparaître l'arme du crime. Le mystère s'épaissit, comme on dit à la télé.

— Tu penses que Lazar aurait volé ce flingue pour le revendre à Novak ? En souvenir de son amour perdu ?

— Oui. C'est romantique, tu ne trouves pas ? Bon, file me récupérer ces données, Mackey, et dis-moi si Lazar a reçu de la visite ce soir.

Il raccrocha sans lui laisser le temps de répondre et Seth serra les dents, à deux doigts de le rappeler pour lui dire qu'il n'avait pas d'ordres à recevoir. Mais McCloud se serait certainement contenté de lui rire au nez. Mieux valait filer sur l'île en vitesse. Pas de temps à perdre en enfantillages.

Cette réflexion l'amena à reporter son attention sur le plus absurde de tous les enfantillages : la femme endormie sur son écran. Lazar lui avait peut-être donné l'ordre de le séduire et elle se mettait dans la peau du personnage. Cela collait avec ce que lui avait glissé Lazar à l'issue de la réunion ce matin-là – comment avait-il formulé cela, déjà ? Il avait dit quelque chose sur le fait de mêler affaires et plaisir, puis lui avait assuré que Raine serait ravie de l'aider à trouver l'équilibre parfait, s'il le désirait. *S'il le désirait.* Un rire lui échappa, tellement rouillé par le manque de pratique qu'il résonna comme une quinte de toux. Lazar avait très bien vu qu'il ne « désirait » que cela. C'était ennuyeux.

Lazar adorait aider ses amis et associés à satisfaire leurs caprices sexuels. Cela lui permettait ensuite d'exercer son ascendant sur eux. Seth s'était demandé ce qu'il ferait si Lazar essayait de le tenter de cette façon.

Eh bien, maintenant, il le savait. Se faire coller la truffe dans la vérité l'avait mis de très mauvaise humeur toute la journée. Raine Cameron n'était pas une innocente princesse de conte de fées attendant qu'un prince vienne la délivrer. Ses fantasmes romantiques avaient été douchés.

Autant avaler l'amère pilule. Il ne pouvait pas plus refuser de coucher avec Raine Cameron qu'il ne pouvait s'empêcher de respirer. Lazar marquait le premier point, concéda-t-il sombrement. Et s'il devait perdre un point face à ce démon manipulateur, autant que cela en vaille le coup.

À la réflexion, le traquenard de Lazar aurait un effet libérateur. Coucher avec Raine Cameron lui permettrait de la déboulonner de son piédestal et lui éclaircirait l'esprit. Il allait se régaler et n'éprouverait aucune culpabilité. Aucune obligation, pas besoin de se fatiguer à lui faire la cour ou la conversation, et étant donné les circonstances, il pouvait même s'attendre à un certain talent professionnel de sa part. La chose ne manquait pas d'attrait. Rien que d'y penser, il se sentait déjà excité. Oui, il était excité et… furieux.

La satisfaction glaciale qui s'emparait de lui à l'idée de venger Jesse l'avait complètement abandonné, et c'était mauvais signe car la colère fausse le jugement. Elle est source d'erreurs et déclenche des incendies.

Tant qu'il ne serait pas parvenu à élaborer un plan de vengeance parfait, il devait impérativement garder la tête froide. Tôt ou tard, l'opportunité de détruire les trois hommes responsables de la mort de Jesse se présenterait. Le fait que Lazar ait fait appel à lui pour vérifier la sécurité de ses installations était un premier point positif. Seth avait tout mis en œuvre pour que cela se produise, mais jusqu'à ce que Lazar le contacte, il n'avait pas été certain que son stratagème fonctionnerait.

Aller fouiner à Stone Island le calmerait. Franchir le rempart de sécurité qui entourait l'île constituait un défi rafraîchissant. Cela lui rappelait les missions de contre-espionnage qu'il avait accomplies à l'époque où il était dans les rangers. Kearn, son associé qui était un véritable génie de la technologie, n'avait pas encore complètement résolu le problème de la source d'énergie des caméras à longue portée, mais aller récupérer les données serait pour Seth un agréable divertissement. Flirter avec le danger était la seule récréation qu'il s'autorisait. Il était tellement immergé dans le présent dans ces moments-là que les souvenirs douloureux ne pouvaient plus l'atteindre.

Au fond, il aimait trop cela. Il le savait. Hank et Jesse l'avaient su aussi. Ils avaient essayé de le sauver, mais ils n'étaient plus là ni l'un ni l'autre, ce qui faisait de lui un cas désespéré.

Il contempla la femme endormie sur l'écran. Reposetoi bien, ma beauté, lui conseilla-t-il silencieusement. Tu auras besoin d'être en forme demain.

Il rassembla son équipement, tout en continuant à surveiller l'écran du coin de l'œil. Le drap avait glissé jusqu'à sa taille, révélant ses belles épaules d'un blanc crémeux. Seth aurait voulu pouvoir remonter le drap, y ajouter une couverture.

Elle risquait de prendre froid à dormir découverte comme ça.

— Un instant, je vous prie, demanda Raine en pianotant sur le clavier de son ordinateur. Si vous passez de l'anglais à l'allemand, je dois changer le réglage des signes diacritiques. Ça ne prendra pas longtemps.

Victor s'adossa en soupirant à la banquette de la limousine, et une lueur d'impatience passa fugitivement dans son regard. Il sirota une gorgée de son verre, croisa les jambes et agita son pied élégamment chaussé.

— Je vous écoute, annonça Raine en espérant que Victor ne remarquerait pas ses mains tremblantes.

Au lieu de reprendre le fil de sa dictée, Victor posa sur elle un regard pénétrant et Raine dut faire appel à tout son courage pour oser lever les yeux vers lui.

— C'est assez rare qu'une Américaine parle couramment autant de langues étrangères, déclara-t-il.

Raine cligna nerveusement des yeux.

— J'ai passé une grande partie de mon enfance en Europe, bredouilla-t-elle.

— Vraiment ? Où donc ?

— En France, en Hollande, deux ans à Florence, en Suisse et finalement à Londres.

— Ah. Vos parents étaient dans la diplomatie ou aux affaires étrangères, peut-être ?

Pourquoi diable ne reprenait-il pas sa dictée ? Et pourquoi s'obstinait-il à la scruter ainsi alors qu'ils étaient seuls ?

— Non, répliqua-t-elle. Ma mère aime beaucoup voyager.

— Et votre père ? Partage-t-il le goût de votre mère pour les voyages ?

Raine prit une longue inspiration. Réponds simplement, réponds la vérité, songea-t-elle.

— Il est mort quand j'étais petite.

— Ah. Je suis désolé.

Raine se contenta d'un bref hochement de tête et souhaita de toutes ses forces qu'il cesse cet interrogatoire.

En vain. Victor la contemplait avec un étrange froncement de sourcils.

— Dites-moi... vos lunettes vous sont-elles indispensables pour travailler ?

Cette remarque la déstabilisa.

— Euh... je ne crois pas. Je suis myope, j'en ai surtout besoin pour voir de loin...

— Vos problèmes de vue ne m'intéressent pas, la coupa-t-il sèchement. Je vous saurais gré de ne plus les porter en ma présence.

Raine en resta un instant bouche bée.

— Vous... n'aimez pas mes lunettes ?

— Exactement. Elles sont affreuses. Des verres de contact ne me dérangeraient pas, précisa-t-il d'un ton magnanime.

Raine s'abstint de répliquer. Il la soumettait peut-être à une espèce de test psychologique pervers. Aucune secrétaire de direction digne de ce nom n'aurait accepté de recevoir un ordre aussi déplacé, une telle intrusion dans sa vie personnelle. À moins d'être maladivement timide, évidemment. Mais Victor n'était pas le genre d'homme à respecter une norme quelconque. Il agissait sur son entourage comme un trou noir et faisait ployer l'univers à sa guise.

Il attendait, agitant toujours le pied, les sourcils relevés.

Raine avait remplacé ses lentilles de contact par ces affreuses lunettes afin d'éviter que Victor note sa ressemblance avec sa mère. Elle les retira et les rangea dans son sac à main. Le monde devint flou et mouvant autour d'elle. La limousine s'arrêta, et elle eut l'impression que son cœur remontait dans sa gorge.

Raine referma son ordinateur portable et descendit de voiture. Elle savait qu'ils étaient sur le parking des entrepôts, mais ne distinguait que de gros cubes gris aux contours flous sur fond de ciel blanc. Une odeur d'essence et de ciment mouillé flottait dans l'air.

Comme dans l'ascenseur et dans la cuisine du personnel, Raine perçut sa présence avant de le voir, et sa vision floue intensifia la sensation. Des souvenirs de son fantasme de la veille tournoyèrent dans sa tête et tous ses sens s'épanouirent comme des fleurs.

Une grande silhouette sombre s'approchait d'eux et finit par se préciser. Seth Mackey, vêtu d'un jean noir, d'un sweater gris et d'une veste de cuir noir, se tenait à présent assez près pour qu'elle distingue le début de barbe qui ombrait sa mâchoire. Son regard passa brièvement sur elle, mais Raine perçut l'intensité de l'intérêt qu'il lui portait comme un courant secret.

Les deux hommes se saluèrent, puis il tendit la main vers elle. Ses traits avaient perdu l'amusement chaleureux qu'ils reflétaient la veille et aucune lueur n'animait ses yeux sombres, presque durs. Il doit se concentrer sur son travail, se dit-elle en choisissant d'ignorer l'appréhension qui lui nouait le ventre, plaquant un sourire de bienvenue parfaitement neutre sur ses lèvres.

Le contact de sa grande main déclencha un choc brûlant. Cela ne dura pas plus de deux secondes, mais quand il relâcha la sienne, son cœur s'était mis à palpiter follement dans sa poitrine. Les deux hommes se dirigeaient vers l'entrepôt et elle s'empressa de les suivre.

Victor se retourna vers elle.

— Attendez-nous ici, Raine, s'il vous plaît.

Elle cligna des yeux et balaya le parking désert de son regard myope.

— Mais je...

— La conversation que je vais avoir avec M. Mackey est confidentielle, ajouta-t-il d'un ton aimable.

— Mais pourquoi alors m'avez-vous demandé de vous accompagner ? ne put-elle s'empêcher d'objecter.

Les traits de Victor se durcirent.

— Je rentabilise toujours mes déplacements. Et je n'ai pas à justifier mes décisions.

Raine rougit et hocha la tête, affreusement consciente de la présence silencieuse de Seth Mackey. Elle les regarda s'éloigner en se sentant vulnérable et stupide. La reine des pirates, elle, aurait trouvé une ruse pour écouter cette conversation confidentielle. Et elle ne se serait pas laissé intimider au point de retirer ses lunettes.

D'un autre côté, la reine des pirates n'aurait pas eu l'astuce de ranger une paire de lentilles de contact de secours dans son sac à main. Raine, elle, était prévoyante. Elle était aussi patiente. Combative, si besoin était. Et lorsqu'elle voulait vraiment quelque chose, elle se donnait les moyens de l'obtenir, qu'il s'agisse de la vérité et de la justice, ou d'un consultant en sécurité grand, brun et sexy.

Raine retourna s'asseoir sur la banquette arrière de la limousine, résignée à attendre. Seth Mackey ne le savait pas encore, mais la reine des pirates était bien décidée à le séduire.

Seth expliqua à Lazar de quelle façon il comptait procéder dans ses entrepôts, et malgré les interruptions teintées de mépris qu'il eut à subir de sa part, sentit qu'il l'avait convaincu de sa compétence et de sa discrétion. Il avait même réussi à lui conseiller de procéder à la vérification systématique de sa résidence de Stone Island.

Quand ils passèrent devant l'entrepôt que les frères McCloud avaient cambriolé six semaines plus tôt, Seth ricana intérieurement. Étant donné qu'il savait précisément où se trouvaient les mouchards, cette opération de nettoyage serait la plus simple de toute sa carrière. Il allait trouver tout un tas de mouchards qui feraient plaisir à son client, en implanterait deux fois plus et se ferait payer ses services une somme astronomique. C'était tout simplement sublime.

En signant ce contrat avec lui, Lazar allait financer sa propre perte. Seth jubilait. Cela apaisait sa soif de justice et permettait de résoudre plusieurs problèmes d'un seul coup. Depuis la mort de Jesse, il ne s'était pas soucié de faire entrer d'argent dans les caisses de sa société, ses économies personnelles fondaient rapidement, et Kearn et les autres commençaient à perdre patience. Ce contrat lui permettrait de renflouer ses comptes, et la perspective d'être officiellement autorisé à fouiner partout à Stone Island le faisait déjà saliver. Il allait s'amuser comme un petit fou.

Le premier cambriolage des entrepôts et de la maison de ville de Lazar qu'il avait opéré avec la complicité des frères McCloud avait déjà donné lieu à une franche partie de rigolade. Une fois le dispositif de Lazar analysé et son propre système de surveillance installé, les choses étaient presque devenues trop faciles. Les cambriolages des entrepôts qu'ils avaient effectués par la suite avaient cependant représenté davantage de risques à chaque fois, mais s'étaient révélés de plus en plus amusants. Avec les nouvelles lunettes à vision thermique que leur avaient fournies Kearn et Leslie, détecter les vigiles chargés de surveiller les lieux avait été un jeu d'enfant. Ce n'était pas très sport, mais Seth s'en fichait. Massacrer son petit frère n'avait pas été très sport non plus.

Lorsqu'ils regagnèrent le parking où était garée la limousine, la blonde s'extirpa de la banquette arrière. Seth la vit ranger ses lunettes dans son sac. Elle était complètement différente sans ses lunettes. Douce, brumeuse et succulente. Elle s'était mordu la lèvre inférieure tellement fort qu'elle était rouge et enflée.

Comme si elle venait d'échanger un baiser passionné.

Il reporta son attention sur Lazar qui avait repris la parole.

— ... combien de temps prendra l'installation ?

— Il faudra que j'analyse le système d'inventaire existant et que j'inspecte les autres sites avant de pouvoir vous donner une réponse, répliqua Seth, qui avait compris que Lazar n'avait posé cette question que pour le bénéfice de sa secrétaire.

— Vous pourrez inspecter les autres entrepôts demain, si cela vous convient.

— Demain matin, ce serait parfait, assura-t-il.

— Entendu. Eh bien, vous voudrez bien m'excuser, mais j'ai un rendez-vous urgent en ville, déclara Lazar en coulant vers Raine un regard chargé de mépris qui donna envie à Seth de lui balancer son poing dans la figure. Raine, M. Mackey n'est pas établi à Seattle depuis très longtemps. Faites-lui donc faire une petite visite touristique, voulez-vous ? Les meilleurs restaurants et les monuments dignes d'intérêt, ce genre de choses...

Raine écarquilla les yeux, affichant la plus parfaite surprise. La lueur d'inquiétude qu'il vit passer dans son regard était vraiment criante de vérité, se dit-il. La rougeur qui avait gagné ses joues aussi.

— Moi ? Oh, mais je... Harriet compte sur moi pour...

— Harriet comprendra très bien, l'interrompit suavement Lazar. Nous devons accueillir dignement notre hôte. Je laisse cette responsabilité entre vos mains expertes.

— Oh.

Son regard d'animal traqué passa alternativement de Seth à Lazar.

Celui-ci tendit la main à Seth.

— Je suis certain que vous apprécierez vous aussi la compagnie de miss Cameron.

Seth jugula difficilement sa fureur, se retint *in extremis* de réduire sa main en bouillie et plaqua un sourire poli sur ses lèvres tandis que Lazar remontait dans sa limousine. Ainsi, il avait personnellement testé les talents de la demoiselle. Le message était clair.

Qu'est-ce que ça pouvait bien lui faire ? Il savait depuis le début que cette fille était une professionnelle. Ce qu'il s'était imaginé par la suite n'avait aucune importance.

Raine regarda la limousine s'éloigner en mordillant sa lèvre inférieure. Elle semblait stupéfaite, mais il était possible qu'elle continue son petit numéro de vierge effarouchée. Elle était très convaincante. Seth pouvait au moins lui concéder cela.

Il dissimula discrètement son érection sous les pans de sa veste en cuir. Des perspectives intéressantes, toutes plus lascives les unes que les autres, bombardaient son esprit. L'entrepôt qu'il venait de visiter était rempli de coins sombres, et il savait précisément lesquels se trouvaient hors champ des caméras. Il savait contre quel mur il la plaquerait pour se soulager brutalement en elle. Elle s'agripperait à lui, ses cuisses encerclant sa taille, des cris de jouissance jaillissant de sa gorge à chacune de ses poussées.

Une fois qu'il l'aurait possédée sauvagement plusieurs fois, ils trouveraient un lit quelque part pour reprendre les choses plus calmement. Il s'attarderait alors à l'embrasser partout. Savourerait les goûts et les textures que son corps avait à offrir. Après quoi, elle lui retournerait la faveur. Il contempla ses lèvres roses et pleines et sentit son sang battre aussi violemment à ses tympans que les déferlantes du Pacifique. Il réalisa subitement qu'elle était en train de parler et se secoua.

— Pardon, vous disiez ?

Elle lui adressa un sourire hésitant. Elle semblait vraiment nerveuse. C'était peut-être la première mission que Lazar lui confiait. Seth allait avoir le privilège de l'initier aux sacrifices que Lazar attendait de ses putains. Un voile rouge recouvrit ses yeux et il dut faire un effort pour comprendre les mots qu'elle prononçait.

— Je disais que moi aussi, je viens à peine d'arriver à Seattle. Un peu moins d'un mois. Et je crains fort de ne connaître aucune attraction touristique.

Il cligna des yeux. Ah, c'est comme ça qu'elle avait l'intention de la jouer ?

Très bien. Il jouerait le jeu aussi longtemps qu'il serait capable de le supporter.

— Montez dans la voiture, ordonna-t-il.

5

Raine avait les nerfs tellement à vif que le claquement étouffé de la portière la fit sursauter. Elle ferma les yeux et s'efforça au calme pendant qu'il contournait l'avant de la voiture. Elle ne paniquerait pas et ne prendrait pas la fuite. Pas cette fois. Ce n'était qu'une aventure. Il ne serait question que de plaisir, d'excitation et de désir. Pas de bonheur éternel. Elle ne devait surtout pas confondre deux concepts aussi radicalement opposés.

Elle sursauta à nouveau lorsqu'il ouvrit la portière. Une fois qu'il eut déployé son corps sur le siège du conducteur, l'habitacle spacieux de la Chevy Avalanche parut brusquement beaucoup plus petit et l'atmosphère se réchauffa. Il tourna la clef de contact et lui jeta un coup d'œil interrogateur.

— Alors ? demanda-t-il en faisant glisser son regard le long de son corps puis en le reportant sur son visage. Où va-t-on ?

— Ma foi, cela dépend, répondit-elle en écartant les mains.

— De quoi ?

— De ce que vous avez envie de faire. De vos centres d'intérêt, précisa-t-elle d'un ton presque désespéré.

Un sourire ironique passa sur ses lèvres.

— De mes centres d'intérêt, répéta-t-il, amusé.

— Oui, il y a une exposition sur Frida Kahlo au musée d'Art contemporain. Et puis il y a le marché de Pike Street, évidemment. La Space Needle plaît toujours beaucoup. Et il y a de très jolies promenades en bateau à faire si vous n'avez pas encore vu le…

— Pas de musée. Pas de shopping. Pas de bateau.

Raine crut percevoir un rire sombre dans le ton de sa voix et lui jeta un coup d'œil suspicieux.

— Mais alors… que voulez-vous faire ?

Son sourire sensuel accentua les plis qui encadraient sa bouche.

Raine sentit un flot de chaleur se répandre dans sa poitrine et sur son visage. Son cœur s'emballa. Le silence entre eux se prolongea. Il n'avait pas l'intention de dire quoi que ce soit, l'animal. Il prenait plaisir à la torturer. À la regarder se tordre dans les flammes avec son sourire de pirate. Il attendrait que ce soit elle qui suggère ce qu'ils avaient tous deux envie de faire.

Ces yeux sombres et scrutateurs la sondaient jusqu'au plus secret de son corps, décelaient la délicieuse pulsion irrépressible de son entrejambe et mettaient à nu la femme taraudée par le désir qui ne demandait qu'à lui céder. Il savait qu'elle le voulait.

— De quoi avez-vous envie, Seth ? murmura-t-elle.

— À votre avis ? répondit-il en concentrant son regard sur ses lèvres.

Elle ferma les yeux et se jeta à l'eau.

— Se pourrait-il… que vous ayez envie de moi ?

Le silence qui accueillit cette question la mit à l'agonie, et elle rouvrit les paupières. Le désir vorace que reflétait son visage lui coupa le souffle.

Il saisit une mèche de cheveux qui s'était échappée de son chignon et l'enroula autour de son doigt.

— Oui, dit-il enfin. Seriez-vous d'accord pour vous offrir à moi ?

Elle acquiesça d'un bref hochement de tête.

Voilà. Elle l'avait fait. Elle s'était engagée et se retrouvait en terrain inconnu. Son cœur cognait sourdement dans sa poitrine. Elle eut envie de caresser ses traits rudes pour apaiser les pulsations d'énergie rageuse qu'elle sentait émaner de lui. Des vagues écarlates de sang et de colère jaillirent dans son esprit comme des images oniriques. Un frisson d'inconfort se mêla à la brûlante alchimie de son excitation.

Danger.

Sûrement un effet secondaire de l'attraction sexuelle, se dit-elle. Elle ne paniquerait pas, ne s'enfuirait pas. Elle avait trop envie de ce qu'il lui proposait.

Il coupa le moteur de la voiture.

— Détachez vos cheveux.

Raine fut ravie d'avoir quelque chose à faire de ses mains tremblantes. Elle retira les baguettes qui maintenaient son chignon au-dessus de la nuque, les glissa dans sa poche et laissa la torsade de ses cheveux se répandre sur ses épaules.

Seth réunit sa chevelure entre ses mains et y enfouit son visage.

— Oh, mon Dieu, souffla-t-il d'une voix étouffée.

Raine laissa échapper un glapissement de surprise quand il la saisit et la souleva au-dessus de la console qui séparait les sièges pour l'asseoir sur ses genoux. Il immobilisa son corps entre ses bras et plongea le regard au fond de ses yeux. Un regard si intense qu'elle eut l'impression qu'il avait la faculté de lire dans ses pensées.

C'était peut-être le cas, mais qu'est-ce que cela changeait ? Elle se sentait déjà complètement nue et vulnérable. Elle lui renvoya son regard et se tortilla sur ses genoux, appréciant la fermeté de son corps sous le sien.

Elle effleura son torse du bout des doigts, en retenant son souffle. Ses muscles étaient durs. La chaleur de son corps la brûlait presque. Comme s'il couvait une fièvre. Sa respiration se fit aussi rapide que la sienne lorsqu'elle passa les bras autour de son cou et effleura délicatement ses lèvres des siennes.

Un son rauque remonta dans la gorge de Seth et ses bras l'enserrèrent dans un étau d'acier. Le baiser de papillon qu'elle venait de lui octroyer permit l'émergence d'un vrai baiser à pleine bouche, plus ardent et dévorant qu'aucun baiser qu'elle ait connu ou même imaginé. Elle s'y livra à corps perdu, enivrée par l'énergie de Seth et la découverte de la saveur de sa bouche. Il sentait merveilleusement bon – un mélange de savon, de cuir et d'une odeur qui n'appartenait qu'à lui, légèrement acidulée. Il avait le menton rugueux et sa bouche sensuelle incitait la sienne à s'ouvrir, tout à la fois vorace, audacieuse et suave.

Raine avait envie de le toucher partout. Il était si fort, bouillonnant d'une énergie virile dont elle avait cruellement besoin. Son sexe en érection pressait contre ses fesses, dur et brûlant.

Les cals de sa main accrochèrent le nylon de son collant quand il la glissa sous sa jupe.

— Je sens la chaleur de ton corps, dit-elle d'une voix étranglée.

Il écarta doucement ses jambes et sa main remonta, effleurant la chair sensible de ses cuisses.

Elle enfouit le visage dans son cou, délicieusement consciente de l'infime caresse de ses doigts sur ses cuisses. Du bout des doigts, il traçait sur sa peau un chemin aussi léger qu'ardent. Une bouffée d'émotion lui fit étroitement serrer les jambes, emprisonnant sa main entre elles.

— Je crois que je prends feu, murmura-t-elle.

Il saisit sa chevelure, fit basculer sa tête en arrière et plongea son regard au fond de ses yeux.

— Tu as envie de moi, dit-il.

Ce n'était pas une question. Raine hocha légèrement la tête, autant que sa main l'y autorisait. Il libéra sa chevelure et son autre main s'insinua plus haut. Il écarta ses jambes juste ce qu'il fallait pour que son majeur effleure le point sensible, et la sensation explosive que déclencha ce frôlement la fit sursauter entre ses bras.

Il rit devant son expression choquée et poursuivit la progression de ses doigts en imprimant de petits cercles taquins. Son regard brillait de défi.

— J'ai l'impression de plonger la main dans un nuage brûlant, murmura-t-il. Tu es déjà toute mouillée. Il faut que je te débarrasse de ces vêtements.

Son corps palpitant de désir l'avait trahie.

— Seth, ça va trop vite pour moi, je...

— Tu adores ça.

Il coupa court à sa protestation en lui volant un baiser, et sa main recouvrit sans vergogne son mont de Vénus. Il caressa une partie de son corps que personne n'avait encore jamais touchée, pas même au cours de l'affreuse expérience bâclée avec Frederick. Sa main était lente, assurée et diablement experte. Sa langue plongea dans sa bouche tandis que son pouce encerclait son clitoris à travers la fine étoffe de sa culotte et de son collant. Éperdue de désir, Raine se mit à trembler dans ses bras.

Un éclat de rire tonitruant rompit brutalement le charme et ils s'écartèrent l'un de l'autre, surpris par cette interruption. Raine se raidit et Seth jura entre ses dents.

Un groupe d'hommes se dirigeait vers le portail, le regard tourné vers eux, ricanant et miaulant à qui mieux mieux. L'un d'eux leva les pouces à leur intention avant de disparaître. Horrifiée, Raine évalua le spectacle qu'elle offrait. Elle avait les cheveux ébouriffés, la jupe tire-bouchonnée autour de la taille, le visage moite et, à n'en pas douter, rouge brique. Les cuisses écartées, la main de Seth recouvrant son pubis. Mon Dieu, mais à quoi pensait-il ? À quoi pensait-*elle* ? Cette étreinte avait déclenché un dangereux tourbillon de désir échappant à tout contrôle. Elle s'écarta de lui.

— Ça suffit, Seth. Je ne suis pas une exhibitionniste !

— Moi non plus, répondit-il en saisissant sa main pour la plaquer sur son sexe en érection, nettement visible sous son jean. D'habitude, je ne fais jamais ce genre de choses en public, mais tu m'as tellement excité que je crois que ça ne me dérangerait même pas.

— Eh bien moi, ça me dérange ! déclara-t-elle fermement.

— Il y a deux minutes, je n'en aurais pas juré, ma belle, rétorqua-t-il en plaçant sa main sur sa nuque pour attirer son visage et lui voler un baiser.

Empoignant sa chevelure, il la plaqua contre son sexe et dévora sa bouche. Ses mains étaient dures, exigeantes, elles lui faisaient presque mal, mais le soupçon de douleur qu'elles provoquaient était délicieusement excitant. Elle avait l'impression d'être sur le point de voler en éclats, et Seth était la seule personne capable de la maintenir entière.

Elle ferma les yeux très fort et planta ses ongles dans le cuir épais de sa veste. Elle se sentait intensément vulnérable, et dans un tel état d'excitation que son corps semblait se liquéfier. Elle tortilla ses fesses contre le dur relief de son sexe et répondit avidement à son baiser.

Il s'écarta et la défia d'un regard brillant de triomphe viril.

Raine se crispa.

— Ce n'est pas juste, dit-elle d'une voix fêlée. C'est de votre faute.

Il plissa les yeux.

— Pour commencer, tu me tutoies. Ensuite, tu m'expliques de quel crime tu m'accuses.

— De ça ! s'exclama-t-elle en désignant l'enchevêtrement de leurs corps. Tout ça, c'est de ta faute ! Tu m'excites et je ne sais plus ce que je fais !

Elle lui donna une tape quand il l'attira vers lui pour l'embrasser.

— Arrête ! Oh, mon Dieu, s'il te plaît, Seth, arrête…

— Mais tu en as envie, répliqua-t-il d'une voix chaude et persuasive. J'adore la façon dont tu me réponds. J'aimerais pouvoir ouvrir mon jean et te faire glisser sur ma queue, là, tout de suite. Te laisser me chevaucher jusqu'à ce que tu exploses. Et ce ne serait qu'un hors-d'œuvre, ma belle. Un amuse-gueule, histoire de tenir le coup jusqu'à ce qu'on trouve un lit. Un lit et une porte qui ferme. Une fois le verrou poussé, je te donnerai ce dont tu meurs d'envie. Je te laisserai choisir la cadence, mais je te garantis que ça durera toute la journée.

Fascinée, Raine plongea dans son regard sombre et ardent, aussi liquide que de la lave en fusion jaillissant d'obscures profondeurs. Un regard qui l'échauffait diaboliquement et lui donnait envie de céder, de lui offrir tout ce qu'il voulait.

La porte de l'entrepôt s'ouvrit brusquement. Trois hommes en sortirent et elle sentit son estomac se contracter. Le fantasme qu'il venait d'instiller dans son esprit s'évapora instantanément.

Elle prit appui des mains sur ses épaules pour se redresser.

— Je préfère sauter le hors-d'œuvre et commencer directement par le plat de résistance : sur un lit et derrière une porte close, souffla-t-elle. S'il te plaît, arrête de m'exciter comme ça.

Son visage perdit toute expression. Il écarta la main de sa chevelure et se laissa aller contre le dossier de son siège.

— Seulement si tu arrêtes de frétiller des fesses, ma belle, rétorqua-t-il d'une voix distante et ironique. Toi aussi, tu me rends fou.

Raine regagna maladroitement le siège du passager et tira sur sa jupe.

— Désolée, murmura-t-elle par automatisme, avant de se demander de quoi elle s'excusait.

Seth remit le contact, et elle se retrouva plaquée sur son siège quand il accéléra brutalement pour quitter le parking. À travers les vitres de la voiture, le paysage formait une masse floue et indistincte qui reflétait bien sa propre confusion. Finalement, elle n'avait pas eu le temps de mettre ses lentilles de contact. Elle chercha ses lunettes à tâtons et les chaussa, attacha sa ceinture de sécurité, lissa sa jupe puis s'appliqua à respirer lentement et régulièrement. En vain.

— Où allons-nous ? osa-t-elle finalement demander.

— Où est-ce que tu habites ? répondit-il en lui décochant un bref coup d'œil.

— Non. Pas chez moi, décréta-t-elle.

— Pourquoi ?

Elle haussa les épaules, peu désireuse de s'expliquer.

— Je ne m'y sens pas bien.

— Et tu te sens bien avec moi ?

Il avait dit cela d'un ton tellement ironique qu'elle redressa instinctivement le dos.

— Non, Seth, répliqua-t-elle d'un ton digne. Avec toi, je me sens carrément en danger.

Son sourire moqueur disparut.

— C'est pour ça que j'ai envie de toi, poursuivit-elle posément. Le simple fait d'être avec toi me donne l'impression de briser tous les tabous, de vivre une aventure extraordinaire. J'ai besoin de ça en ce moment.

Voilà. Elle avait révélé la vérité sans fard. Une vérité qu'il ne semblait pas trop apprécier, à en juger par la tension de ses traits et le tressaillement du muscle de sa mâchoire.

Il mit son clignotant. Raine sentit un flot de panique ondoyer dans ses entrailles lorsqu'il s'engagea sur l'autoroute.

— Qu'est-ce que… Où est-ce que… ?

— Je viens de voir le panneau de signalisation d'un hôtel, répondit-il en coulant un bref regard vers elle. Un lit et une porte qui ferme. Briser tous les tabous et vivre une aventure extraordinaire, c'est bien ça que tu veux, non ?

Il entra sur le parking du Marriott Hotel et se gara. Quand elle descendit de voiture, il la prit par le bras et l'entraîna si brusquement qu'elle dut trottiner pour éviter de perdre l'équilibre.

Elle venait d'enclencher un moteur puissant. Pas moyen de l'arrêter, Dieu merci. La part timide et terrifiée d'elle-même aurait voulu s'échapper, s'enfuir, mais la reine des pirates assoiffée de plaisir se réjouissait de cette manœuvre. Elle ne pouvait pas se sauver. Pas avec Seth. Il ne lui laissait pas le choix.

Son destin était scellé.

Fini d'attendre, fini de jouer. Dès que la porte de la chambre d'hôtel claqua derrière eux, il entreprit méthodiquement de se déshabiller, sans cesser de la couver de l'œil comme si elle risquait de filer. Raine retira maladroitement ses chaussures, ôta ses lunettes, les rangea dans son sac et se débarrassa de sa veste.

Seth déboucla sa ceinture et envoya promener d'un même mouvement jean, caleçon, chaussettes et chaussures. Elle en était encore à batailler contre les boutonnières des poignets de son chemisier qu'il était déjà entièrement nu. Il vit briller ses yeux gris, et deux drapeaux rouges se déployèrent sur ses joues lorsque son regard glissa sur son corps. Elle mettait un temps fou à se déshabiller. Elle eut un mouvement de recul quand il avança vers elle, mais il était à bout de patience et quand son dos heurta le mur, il s'attaqua à son chemisier. Bon sang, il faudrait qu'il lui offre un de ces trucs moulants qui s'enlèvent facilement. Ces satanés boutons allaient le tuer !

L'aide qu'il avait voulu lui apporter se révéla infructueuse. Ce fut comme si la soie délicate se désintégrait sous ses doigts, et au moins trois boutons volèrent à travers la pièce. Elle inspira bruyamment et chercha à écarter ses mains, mais il faisait déjà glisser le chemisier endommagé sur ses épaules et humait le parfum tiède et entêtant qui s'en échappait.

— Désolé, dit-il d'une voix rauque. Je t'en achèterai un autre.

— C'est sans importance, murmura-t-elle.

Il sentit ses mains fraîches et souples parcourir son torse tandis qu'il se débattait avec la fermeture de sa jupe. Dès que l'étoffe s'écarta, il s'agenouilla pour la faire glisser par-dessus ses hanches, puis fit aussitôt remonter ses mains pour baisser d'un seul mouvement sa culotte et son collant jusqu'à ses chevilles.

Ce premier objectif atteint, il s'immobilisa, le souffle court. Les muscles bandés au maximum, le cœur battant à tout rompre, il réalisa qu'il tremblait irrépressiblement et qu'il était sur le point de perdre le contrôle de la situation. S'il ne se ressaisissait pas immédiatement, il risquait de tout gâcher. Mais son visage n'était qu'à quelques centimètres du galbe de ses cuisses et du triangle de boucles blondes dissimulant son sexe. Il pouvait observer dans le moindre détail toutes les nuances de blond, du sable au châtain, de sa toison, les creux et les courbes de ses hanches gracieuses, le puits d'ombre envoûtant de sa fente.

Raine faisait peser sur lui le regard de ses grands yeux brumeux. Sa bouche était entrouverte, comme si elle était sur le point de dire quelque chose, mais l'émotion pétrifiait son visage et ses lèvres frémissaient. Derrière elle, l'applique murale donnait à sa chevelure l'apparence d'une auréole angélique. Lorsqu'elle plaça les mains sur ses épaules pour assurer son équilibre, ses doigts frémirent au contact de sa peau brûlante.

Elle écarta lentement l'une d'elles, effleura son cou et son visage aussi délicatement que l'aile d'un papillon, explora les contours de sa mâchoire et le méplat de ses pommettes du bout des doigts, puis caressa ses cheveux comme si elle cherchait à amadouer un animal sauvage.

La caresse déclencha en lui un tel élan de désir qu'il fut sur le point de crier. Il ferma les paupières, laissa aller son visage contre son ventre, et lutta pour conserver sa lucidité.

Il ne pouvait pas se permettre de se laisser submerger par ses émotions, il devait se souvenir où il se trouvait et avec qui, sous peine de devenir fou. Quoi qu'il fît, il était peut-être déjà en train de perdre la raison. Affolée, déchiquetée, fiévreuse, son âme était sur le fil du rasoir. Chaque détail du corps parfait de Raine l'ébranlait, le choquait. La peau de son ventre était aussi lisse et satinée que celle d'un bébé, le creux de son nombril le conviait à d'obscures délices. Et comme si cela ne suffisait pas, ses doigts reprenaient leur tendre et lancinante caresse dans ses cheveux.

Dieu lui vienne en aide.

Il souleva l'un après l'autre ses pieds à la cambrure délicate pour faire passer son collant et sa culotte, puis fit ce qu'il rêvait de faire depuis qu'il avait vu pour la première fois son corps nu sur l'écran de surveillance vidéo. Il glissa la main entre ses cuisses, la força à les écarter légèrement et enfouit son visage contre son pubis. Un cri étranglé échappa à Raine. Il huma le mélange suave de son odeur intime, le parfum unique, chaud et entêtant de son excitation féminine.

Elle planta ses ongles dans la chair de ses épaules et un tremblement saisit ses cuisses quand il écarta délicatement le tendre repli de ses lèvres. Au creux du nid de sa toison, sa chair était moite, palpitante de désir. Il y pressa les lèvres, savoura son essence et perçut avec amusement la vibration du cri sourd qui remonta en elle. Douce, lubrifiée à point, elle était prête à le recevoir. Aussi cher fût-elle payée, aucune femme ne pouvait mentir sur ce plan-là.

Jusqu'ici, elle ne trichait pas. Il allait s'accrocher à cette idée. Chevaucher ce fantasme en oubliant le reste.

Il se redressa d'un bond sur ses pieds et autorisa son souffle à faire un aller-retour régulier avant de parler.

— Tu as l'intention de garder ton soutien-gorge ? demanda-t-il.

Gênée, elle passa les mains derrière son dos pour le dégrafer. Elle resta ensuite figée sur place à le regarder, maintenant son soutien-gorge de dentelle blanche sur sa poitrine.

Ce petit jeu de séduction impatienta Seth, et la bouche de Raine s'arrondit de surprise lorsqu'il la dépouilla prestement du soutien-gorge et le lança à travers la pièce. Elle s'empressa de croiser les bras devant sa poitrine.

La réalité était très différente des fantasmes de Seth. Il avait imaginé Raine, les yeux brillants de complicité sensuelle, s'agenouillant devant lui et s'appliquant avec une grâce experte à prendre son sexe en bouche. Oui, il avait imaginé toutes sortes de scénarios plus excitants les uns que les autres… mais Raine ne fit rien de tout cela.

Elle restait là, le souffle court et les joues rouges. Son rouge à lèvres était presque complètement effacé sur ses lèvres frémissantes. Son mascara avait coulé sous ses grands yeux éblouis. Un de ses bras était plaqué en travers de sa poitrine sans parvenir à la dissimuler complètement, l'autre main recouvrant son pubis. Un bref frisson la traversa et elle contempla le corps de Seth comme si c'était la première fois qu'elle voyait un homme nu.

Le regard qu'elle posa sur son sexe l'excita violemment. Cette femme superbe regardait son sexe en érection comme si elle se trouvait en présence de la septième merveille du monde, et cela fit un bien fou à son ego.

Seth eut un peu de mal à écarter son bras de sa voluptueuse poitrine, ornée de mamelons roses et durcis. La main de Raine était froide, mais Seth savait comment la réchauffer. Il l'amena au niveau de son sexe et replia ses doigts souples sur sa chair brûlante. Le frais contact de sa main lui procura une sensation délicieuse et lui tira un gémissement de plaisir.

Il referma la main sur celle de Raine et entreprit de lui enseigner le rythme des caresses qu'il appréciait, longues et vigoureuses. Il fit glisser la paume de sa main sur son gland couronné d'une perle de liquide séminal, puis la fit aisément coulisser jusqu'à la base de son sexe. Sa main était aussi douce qu'un gant de soie. Elle avait instinctivement approché son autre main de son corps, mais la laissait planer au-dessus de lui comme si elle craignait de commettre une erreur. Un glapissement franchit ses lèvres quand il saisit celle-ci pour l'amener au niveau de son visage.

— Lèche la paume de ta main, ordonna-t-il.

Elle battit des cils, puis s'exécuta docilement. Seth couva d'un regard avide sa petite langue rose qui glissait sur sa paume et inspira à fond pour juguler le désir violent que lui inspirait ce spectacle.

— Encore, dit-il d'une voix rauque. Mouille-la bien.

Raine baissa la tête et lui obéit, puis retint son souffle, bouche ouverte, lorsqu'il attrapa sa main pour lui faire rejoindre celle qui enserrait déjà son sexe. Il l'incita à les faire aller et venir ensemble le long de sa prodigieuse érection.

— Serre-moi plus fort, exigea-t-il. Ne t'inquiète pas, tu ne risques pas de me faire mal.

Raine émit un petit soupir émerveillé avant de dissimuler son visage empourpré contre son torse. Le parfum de ses cheveux chatouilla ses narines et lorsqu'il sentit ses mains affermir leur prise autour de sa verge, il laissa échapper un gémissement de pure volupté. Il se mit à la caresser, savourant le contact de sa peau de satin, ses courbes exquises. Elle retint un cri quand il recouvrit ses seins de ses mains et fit rouler ses petits mamelons durcis entre ses doigts.

Les mains de Raine manifestaient une audace grandissante et s'y prenaient si bien qu'elles le rapprochaient dangereusement de la frontière de l'orgasme. Seth avait commis une erreur de calcul. Il était trop excité pour se livrer à ce genre de jeu, et s'il ne voulait pas courir le risque d'exploser, il devait immédiatement le faire cesser.

Il emprisonna ses mains entre les siennes pour les immobiliser. Raine frotta doucement sa joue contre son torse et déposa un tendre baiser sur son téton brun. Sa petite langue rose jaillit entre ses lèvres et elle lapa son torse, ses mains se resserrant instinctivement autour de son sexe. Elle leva vers lui un regard timide, comme pour évaluer sa réaction.

— Ta peau est salée, déclara-t-elle, fascinée. Tu as bon goût.

Ce compliment ébranla définitivement le peu de contrôle qu'il exerçait encore sur ses sens. Il la souleva, la déposa sur le dessus de la commode qui se trouvait derrière elle et se positionna entre ses cuisses. Elle était si belle qu'il ne savait par où commencer. Il fit courir ses mains le long de ses flancs, au creux de sa taille, sur l'arrondi de ses hanches, puis écarta ses cuisses superbes jusqu'à ce que les boucles de sa toison révèlent les replis roses et luisants de sa petite fente.

Raine plaça les mains sur ses épaules pour assurer son équilibre et ses doigts s'enfoncèrent dans les muscles de ses épaules. Ses mains étaient tièdes à présent, mais toujours tremblantes, et un doux gémissement lui échappa quand il effleura sa moiteur du bout des doigts. Le parfum suave et féminin qui vint chatouiller ses narines le fit saliver. Plus tard, il s'immergerait dans cette fontaine de douceur, il enfouirait le visage entre ses cuisses et s'y désaltérerait comme un homme assoiffé. Mais pas maintenant. Son sexe avait une idée très précise de ce qu'il voulait, et Seth n'était plus en mesure de lutter contre ses désirs.

Raine riva son regard au sien lorsqu'il inséra un doigt dans sa fente. Elle était étroite, mais parfaitement lubrifiée et sa chair enserra avidement son doigt. Elle en mourait d'envie.

Seth retira lentement son doigt, puis encercla la perle durcie et enflée de son petit clitoris.

— Tu aimes ça ?

Il sentit ses ongles s'enfoncer dans ses épaules et ses hanches se soulevèrent pour inciter son doigt à poursuivre ses caresses.

— Oui, répondit-elle d'une voix étranglée.

— Ça t'a plu de caresser ma queue ? insista-t-il.

Raine ferma les yeux et acquiesça. Seth l'observa attentivement.

— Tu te sens prête à me recevoir ?

Ses hanches ondulaient au rythme du va-et-vient de son doigt dans sa fente. Son hochement de tête silencieux le satisfit.

Il attrapa un des préservatifs qu'il avait déposés sur la commode, en déchira l'emballage, l'enfila prestement, souleva les jambes de Raine et les cala au creux de ses coudes. La commode était à la hauteur idéale pour la pénétrer en fléchissant légèrement les genoux.

Le regard vibrant, elle ploya le buste en arrière et prit appui sur ses coudes, puis écarta les cuisses. Elle s'offrait à lui, vulnérable, et l'expression de son visage lui donna envie de recouvrir l'arrondi de sa joue du creux de sa main, de la caresser tendrement, révérencieusement.

Mauvaise idée. Ce n'était pas ce qu'elle attendait de lui. Une telle pensée était parfaitement déraisonnable, pour ne pas dire tordue, et faisait naître dans ses entrailles une douleur qui ressemblait à s'y méprendre à de la peur.

Seth écarta résolument cette sensation et se concentra sur le désir qui le taraudait au point de le rendre fou. Il positionna l'extrémité de son sexe entre les tendres replis de sa fente et l'y inséra jusqu'à le sentir fiché en elle, persuadé de la pénétrer aisément d'une seule poussée.

Mais les choses ne se passèrent pas ainsi. Raine se révéla extrêmement étroite et ses petits muscles raidis résistaient à sa pénétration. Il poussa plus fermement, des filets de sueur coulant dans ses yeux, mais Raine laissa échapper un petit cri à demi étranglé et s'agrippa à ses épaules.

Il ne s'était absolument pas attendu à cela. Il aurait déjà dû être happé par le vertige de l'oubli sexuel, fiché de toute sa longueur dans le fourreau de cette femme superbe, en proie au rythme sauvage et débridé de la passion qu'elle lui inspirait.

Au lieu de quoi, il se retrouvait coincé et redoutait de lui faire mal.

Raine perçut sa frustration. Elle s'accrocha à ses épaules et, avec une petite grimace, s'efforça d'apporter son concours à ses efforts. La caresse palpitante de son corps menaça dangereusement le contrôle de Seth et il plaqua les mains sur ses hanches pour l'immobiliser. Un sourire incertain se dessina sur les lèvres de Raine.

— Je suis désolée, murmura-t-elle. J'ai besoin d'un peu plus de temps avant qu'on puisse, euh... faire ça.

Il se retira, prit son sexe en main et caressa doucement sa fente de son gland soyeux. La régala de lentes caresses, s'attardant fugitivement sur son clitoris avant de redescendre jusqu'à la minuscule ouverture qu'il rêvait de franchir.

— Tu es très tendue, dit-il.

Elle laissa échapper un petit rire nerveux.

— C'est peut-être toi qui es trop... imposant.

Il émit un grondement de dérision. Les proportions de son sexe n'étaient pas phénoménales, même s'il n'avait aucune plainte à formuler à ce sujet. Il souleva Raine de la commode et la remit sur ses pieds. Elle chancela, rétablit son équilibre en plaquant ses mains sur sa poitrine et leva vers lui de grands yeux interrogateurs.

— Allonge-toi sur le lit, ordonna-t-il.

Elle hésita, visiblement nerveuse, et Seth désigna le lit d'un doigt impatient.

Raine s'apprêtait à dire quelque chose, mais l'expression de son visage l'en empêcha. Elle se mordit la lèvre et fit silencieusement ce qu'il exigeait.

Seth contempla la cascade de sa chevelure blonde et emmêlée qui ruisselait jusqu'au creux de ses reins, le galbe de ses fesses parfaites quand elle se pencha en avant pour écarter le couvre-lit. Elle était si docile, si peu sûre d'elle. Si différente de ce à quoi il s'était attendu. Cette découverte l'irritait et le désorientait. Il avait envisagé cette aventure avec elle comme une parenthèse strictement sexuelle et libératrice.

Elle tourna vers lui un regard timide.

— Allonge-toi, répéta-t-il en se demandant si elle allait prendre la moindre initiative – elle se comportait comme si elle n'avait pas la moindre idée de ce qu'il attendait d'elle.

Elle s'allongea sur le lit et resta là, immobile, telle une offrande sacrificielle, les yeux écarquillés d'appréhension.

Parfait. Seth aimait être au-dessus. Que ce soit au lit ou ailleurs, il aimait commander. Raine l'avait probablement senti et, en bonne petite courtisane, adoptait le comportement qu'il souhaitait. Il s'empressa de chasser l'élan de colère accompagnant cette pensée.

Concrétise tes fantasmes, songea-t-il. Reprends-toi.

Elle souleva ses cheveux au-dessus de sa tête, les répandit en un éventail lumineux sur l'oreiller, puis tendit les bras vers lui avec un petit sourire hésitant.

Son corps réagit instinctivement à cette invitation. Il se retrouva assis au-dessus d'elle, le cœur battant. Partagé entre le désir et le désespoir, il contempla son doux sourire.

Il lui écarta les jambes et l'immobilisa sous son corps comme s'il craignait qu'elle ne cherche à s'échapper. Mais elle ne se débattit pas, se contentant de soupirer et de se tortiller doucement sous lui, d'encercler ses épaules de ses bras souples avec un petit murmure de plaisir, comme si elle avait besoin de sa chaleur.

Son sexe brûlant pressait contre la peau satinée de son ventre. Il enfouit les doigts dans sa chevelure étincelante et embrassa avidement sa bouche. Il aurait voulu dévorer ces lèvres accueillantes. Il la voulait pour lui seul. Il voulait se l'approprier, la posséder.

Elle noua les bras autour de son cou et planta ses ongles dans son dos. Sa langue s'aventura timidement, elle enfouit ses mains dans ses cheveux et son corps souple, aussi doux qu'un pétale de fleur, se cambra sous le sien, l'invitant à terminer ce qu'il avait commencé. Mais Seth savait pertinemment que, une fois qu'il l'aurait pénétrée, il se révélerait incapable de s'arrêter, quoi qu'elle dise ou fasse.

Autant prendre les précautions qui s'imposaient, dût-il en mourir.

Raine agrippa ses cheveux et gémit lorsqu'il se laissa glisser le long de son corps. Il lui fit replier les jambes et caressa de sa joue rugueuse la douceur exquise de l'intérieur de ses cuisses, humant l'essence enivrante de sa féminité. Le cri de plaisir choqué qu'il lui tira quand il aspira la petite perle durcie de son clitoris lui plut énormément.

La saveur riche et suave des replis secrets de sa chair, leur soyeuse perfection lui firent immédiatement perdre la tête. Ses hanches se mirent à onduler lentement au rythme des caresses expertes de sa langue. Seth l'immobilisa pour la lécher à sa guise, guidé par le flot d'énergie qui s'élevait de son corps tremblant. Sa langue allait et venait avec délectation le long de sa fente, plongeait au creux de sa chair, lapait et suçait son adorable clitoris.

Il l'amena au bord du plaisir, puis le flatta de la pointe de sa langue pour la faire basculer dans l'extase. Il but avidement l'essence de son plaisir, aussi bouleversé par ses gémissements que par les convulsions incontrôlables de son corps. Ce triomphe sur ses sens le fit exulter.

Il releva la tête, s'essuya les lèvres et la contempla. Les yeux clos, haletante, un voile de sueur emperlant sa peau, elle tremblait encore du contrecoup de l'orgasme. Il avait accompli l'exploit de la détendre complètement.

À son tour.

Seth réprima difficilement son propre tremblement d'impatience quand il positionna son sexe entre les replis de sa petite fente. Cette intrusion subite lui fit rouvrir les yeux, mais elle s'offrit à lui et le serra dans ses bras.

Sa bouche forma un cri silencieux lorsqu'il l'eut pénétrée de la moitié de sa longueur.

— Attends, l'implora-t-elle. Laisse-moi le temps de m'habituer.

Il prit son visage entre ses mains, l'embrassa tendrement, limitant ses mouvements à d'infimes ondulations des hanches.

— Détends-toi. Laisse-moi entrer, souffla-t-il d'une voix rauque de désespoir.

Raine encercla ses hanches de ses jambes.

— Je te jure que j'essaye.

Il scruta son visage. Sa lèvre inférieure, enflée par ses baisers ardents, se remit à trembler d'émotion. Elle approcha la main de son visage pour caresser sa joue.

Elle se donnait entièrement à lui, sans masque. Crème fouettée, beurre et soie : exactement comme dans ses fantasmes, comme il avait voulu qu'elle soit. C'était effrayant. Si elle jouait la comédie, elle était sacrément douée.

— Tu es toujours comme ça ? demanda-t-il sans réfléchir.

— Toujours comment ? s'enquit-elle, perplexe.

— Oublie.

Il écarta une pointe de colère irrationnelle, projeta ses hanches vers l'avant et la pénétra de toute sa longueur.

Le fourreau étroit, moite et brûlant qui enserra son sexe balaya les derniers vestiges de son self-control. Il se retira, replongea en elle, et les cris aigus de Raine atteignirent à peine sa conscience. Il aurait été incapable de dire s'il s'agissait de cris de plaisir ou de protestation, et tout aussi incapable de modifier son comportement. Prisonnier d'un désir sauvage, il n'y avait aucune chance qu'il s'arrête. L'orgasme le submergea avec la fulgurance d'une explosion.

Quand il retrouva ses esprits, il était lourdement affalé sur elle. Un silence assourdissant planait dans la chambre.

Il la soulagea du poids de son corps. Raine avait la tête tournée sur le côté et il n'aperçut que la courbe élégante de sa pommette. Une peur irrationnelle le saisit, comme s'il venait d'étouffer quelque chose sur le point d'éclore. Quelque chose d'aussi délicat et fragile qu'un papillon.

Il roula sur le côté et elle laissa échapper un long soupir hoquetant, l'air se bloquant dans ses poumons comme si elle pleurait. Seth se creusa la tête pour trouver des paroles apaisantes, mais son orgasme lui avait totalement lessivé l'esprit.

Elle s'écarta de lui et se leva du lit. Ses jambes la trahirent et elle dut prendre appui contre le mur pour trouver la force de s'enfuir dans la salle de bains.

Le claquement du verrou résonna lourdement dans la chambre.

Seth émit un sifflement à travers ses dents serrées, se redressa et enfouit son visage dans ses mains. Quand une femme s'enferme dans la salle de bains sans décrocher un mot après l'amour, c'est généralement mauvais signe.

Il tenta de rassembler ses esprits. Raine avait manifesté son accord à chaque étape. Il n'avait perdu le contrôle qu'à la fin.

Au moment le plus important. Bon sang !

Ce silence allait le rendre dingue. Il se dépouilla du préservatif puis s'allongea sur le dos, les bras croisés derrière la tête. Il attendrait le temps qu'il faudrait. Pas question de laisser cette aventure se conclure sur une note désagréable.

Question de fierté.

6

Dans la baignoire, Raine tremblait si fort qu'elle avait du mal à garder son équilibre. Elle se hissa sur la pointe des pieds pour attraper la pomme de douche, rata son objectif, glissa en arrière et retomba en se cognant douloureusement à la porcelaine froide.

L'expérience qu'elle venait de vivre ne ressemblait en rien à ses fantasmes. Et n'avait rien de commun avec l'initiation express que lui avait infligée Frederick. Cet épisode s'était surtout révélé gênant. Tout le contraire du tremblement de terre qu'elle venait de vivre.

Dans ses fantasmes, elle visualisait une scène d'amour en se basant sur ce qu'elle avait vu dans les films : quelque chose d'un peu flou, avec des roses partout et des bougies qui nimbaient la chambre d'un halo doré. Seth, lui, avait allumé toutes les lampes sans se soucier de créer une atmosphère romantique. Tout en lui était rude, carré, depuis son corps aussi dur que l'acier jusqu'à sa force colossale, en passant par le sexe énorme avec lequel il l'avait pénétrée, ses ordres brefs et sans appel, son énergie virile, implacable.

Jamais elle n'aurait imaginé que les choses puissent se passer ainsi. Que ses efforts pathétiques de répondre à ses attentes la feraient se sentir aussi vulnérable et impuissante. Et maintenant, elle était incapable de maîtriser ses tremblements, de se calmer. Elle n'allait quand même pas tomber amoureuse d'un homme sous prétexte qu'elle avait couché avec lui. Elle le connaissait à peine. Elle n'était même pas sûre de l'apprécier. Bon sang, elle avait vingt-huit ans. Elle ne pouvait pas se laisser aller à des enfantillages.

D'autant qu'il l'attendait dans la pièce voisine, allongé sur le lit, aussi souple et affamé qu'une panthère. Elle allait devoir sortir et l'affronter. Elle agrippa des deux mains le rebord de la baignoire, le corps parcouru de convulsions dont elle n'aurait su dire si elles tenaient du rire ou des larmes. Jamais elle ne s'était sentie aussi intensément vivante. Seth avait arraché le voile qui obstruait sa vision et lui avait révélé le monde tel qu'il était, au point que tout lui apparaissait subitement sous un jour plus cru. La lumière de la salle de bains était aveuglante, la porcelaine blanche de la cuvette des toilettes et du lavabo luisait comme si elle était éclairée de l'intérieur, les robinets de métal étincelaient comme du platine au soleil.

Il avait dessillé ses yeux.

Elle réussit enfin à attraper la pomme de douche, se mordit la lèvre quand elle rinça délicatement son entrejambe et se demanda si elle aurait toujours aussi mal. Elle s'était imaginé que Frederick l'avait au moins débarrassée du désagrément de la perte de sa virginité, mais finalement, il ne lui avait même pas rendu ce service. Elle souffrait peut-être d'une malformation anatomique.

Certes, Seth était plus généreusement doté par la nature que Frederick, et elle s'était trouvée dans un état d'excitation nettement plus avancé. Malgré la brûlure de son entrejambe, elle le sentait encore palpiter en elle. Coucher avec cet homme déclenchait une véritable dépendance. Peu lui importait d'avoir mal : elle avait encore envie de lui.

S'il était toujours là. Un silence total régnait dans la chambre voisine.

Une pensée s'insinua douloureusement dans son esprit. L'histoire allait peut-être se répéter et quand elle sortirait de la salle de bains, elle découvrirait qu'il était parti.

Elle coupa l'eau, observa la plus parfaite immobilité et tendit l'oreille.

Pas le moindre bruit.

Elle acheva sa toilette avec des gestes mécaniques. Tant qu'elle n'aurait pas ouvert la porte, elle ne pourrait pas savoir s'il était ou non parti. D'ici là, inutile de dramatiser.

Tu auras tout le temps pour cela ensuite, commenta sarcastiquement une petite voix intérieure.

Elle rejeta résolument ses cheveux en arrière, déverrouilla la porte et pénétra dans la chambre.

Il était toujours là. Étendu sur le lit de tout son long, il réussissait à paraître à la fois détendu et potentiellement dangereux.

Un sourire de joie pure et de soulagement incurva ses lèvres.

Il avait croisé ses bras musclés derrière sa tête, révélant la touffe de poils sombres et épais des aisselles. Son sexe reposait sur son ventre plat, et Raine le vit s'allonger et durcir sous son regard.

— Ça va ? demanda-t-il en l'observant attentivement.

Elle hocha la tête, tout en s'efforçant de maîtriser son sourire idiot.

— Je t'ai fait mal ?

Elle hésita, et Seth plissa les yeux.

— Ça va, répondit-elle. Je sais que tu ne l'as pas fait exprès.

Ses traits s'assombrirent et il se redressa.

— Je suis désolé, marmonna-t-il.

— Ce n'est vraiment pas grave, s'empressa-t-elle d'assurer. J'ai adoré la première partie...

— Quelle première partie ?

— Ce que tu m'as fait avec tes mains et, euh... ta bouche, bredouilla-t-elle.

Un sourire s'épanouit sur son visage. Raine rougit et prit une profonde inspiration avant de continuer.

— Et la suite était... intense. Très excitante, acheva-t-elle précipitamment. Ça m'a beaucoup plu.

Le sourire de Seth métamorphosait ses traits et Raine réalisa à quel point l'expression de son visage était sinistre d'habitude. Elle ne put s'empêcher de lui sourire en retour.

Il décroisa les bras et tendit une main vers elle.

— Attrape des préservatifs et viens par ici.

Une pulsation brûlante s'éleva au creux de son entrejambe.

— Déjà ?

— Pour les avoir à portée de main, précisa-t-il. Rien ne presse.

Raine passa nerveusement sa langue sur ses lèvres.

— Combien ? murmura-t-elle.

Une lueur amusée fit briller son regard.

— À toi de me le dire, ma belle.

Ah ! Elle allait lui montrer ce qu'il en coûtait de défier la reine des pirates. Raine prit deux pleines poignées de préservatifs, gagna le lit d'un pas résolu et les répandit sur le matelas, puis baissa les yeux vers lui en adoptant ce qu'elle espérait être une attitude de défi tranquille.

— Non, Seth. C'est à *toi* de me le dire, déclara-t-elle doucement.

Son sourire s'évanouit, cédant la place à une expression intense. Raine réprima l'envie de dissimuler son corps de ses mains.

Ses yeux se plissèrent comme s'il venait de découvrir quelque chose d'inattendu.

— Tu n'es pas un papillon, dit-il comme s'il se parlait à lui-même.

— Quoi ? demanda-t-elle, confuse.

— Tu n'es pas une fleur non plus.

Raine le dévisagea, s'efforçant d'interpréter ces remarques obscures.

— Je ne comprends pas, dit-elle.

Il haussa les épaules, visiblement mal à l'aise.

— Tu n'es pas aussi fragile que tu en as l'air. C'est tout ce que je veux dire.

— Merci, répliqua-t-elle d'un ton embarrassé. Enfin, je crois…

— Il n'y a pas de quoi.

Ils restèrent à s'observer un moment en souriant. Finalement, Seth tendit une main vers elle.

— Viens là.

Raine baissa les yeux sur son impressionnante érection. Il surprit son regard et ne chercha pas à s'en cacher.

— Ne t'inquiète pas, dit-il. Je ferai en sorte que ce soit mieux pour toi, cette fois. Je ne te ferai pas mal.

Elle accepta la main qu'il lui tendait.

— Si c'est mieux pour moi, je risque de prendre feu.

Il serra sa main et l'attira vers lui jusqu'à ce qu'elle se retrouve allongée le long de son corps. Son contact brûlant lui tira un soupir de plaisir. Elle se redressa, s'assit en travers de ses cuisses et étudia les détails de son anatomie avec des yeux gourmands.

Cet homme était un banquet. Un régal des sens. Son corps doré était recouvert d'un léger duvet de poils sombres et soyeux, formant un réseau scintillant sur sa peau. Il était si appétissant qu'elle ne savait par où commencer.

Il se redressa sur les coudes et la regarda parcourir son corps de ses mains. Sa mâchoire était tendue, et son sexe jaillissait glorieusement contre son ventre. Elle fit courir le bout de ses doigts sur les creux et courbes de sa gorge. Son cou était aussi épais et puissant que le reste de son anatomie. Elle flatta les muscles saillants de ses épaules, fit glisser ses paumes sur leur relief impressionnant, s'attardant sur le délicat tracé des veines et des tendons. Dur et noueux, son corps parfaitement proportionné se révélait mille fois plus somptueux que son plus extravagant fantasme d'idéal masculin.

Elle ne se lassait pas de le caresser.

Elle déposa un baiser sur chacun de ses tétons bruns en laissant sa chevelure se répandre sur lui. Un son étranglé remonta dans la gorge de Seth qui voulut se redresser, mais il s'immobilisa et se laissa retomber sur le dos avec un grognement. Il la prit par la taille, ses longs doigts l'encerclant presque complètement, puis fit remonter ses mains sur son ventre, le long de ses flancs, caressa tendrement ses seins par en dessous. Raine fit courir le bout de ses doigts sur son torse, lissa la flèche de sa toison sombre dont la pointe s'arrêtait au niveau du nombril, juste au-dessus de son sexe.

Elle hésita un instant, puis le prit entre ses mains. Il était dur et chaud, et la peau qui glissait sous ses doigts était aussi lisse et veloutée que le daim le plus fin.

Seth déglutit bruyamment et recouvrit ses mains des siennes.

— Mauvaise idée.

— Pourquoi ?

La position qu'elle avait adoptée lui donnait une agréable sensation de pouvoir, et elle aimait tenir son sexe ; emprisonner cette incroyable pulsation d'énergie était merveilleusement excitant. Elle le gratifia d'une caresse audacieuse et ses cuisses enserrèrent instinctivement les siennes.

Seth immobilisa aussitôt ses mains.

— Parce que je t'ai promis que ce serait mieux pour toi et que si tu m'excites, je vais perdre le contrôle.

— C'est peut-être ce que je veux, répondit-elle avec un sourire. Te faire perdre le contrôle.

Seth écarta ses mains de son sexe et emprisonna ses poignets.

— C'est peut-être ce que tu veux, mais tu ne l'auras pas, déclara-t-il posément.

Raine chercha à libérer ses mains, mais Seth les maintenait dans un véritable étau.

— Tu es toujours aussi directif ?

— Oui, répliqua-t-il avec une expression implacable. Autant t'y faire tout de suite.

Elle persista dans ses efforts pour libérer ses mains.

— Lâche-moi. Tu es tellement beau que je ne peux pas résister à l'envie de te toucher.

— Non. Je ne te fais pas confiance.

Il avait dit cela d'un ton léger, mais quelque chose de sombre et froid s'insinua entre eux. Raine sentit son sourire s'évanouir. Ils échangèrent un regard prudent.

Elle prit une profonde inspiration et brisa le silence.

— Tu peux, tu sais.

— Quoi donc ?

— Me faire confiance.

Sa bouche se durcit et un muscle frémit au niveau de sa mâchoire. L'étreinte de sa main s'affirma douloureusement autour de ses poignets, et elle ouvrit la bouche comme si elle s'apprêtait à crier.

— Ne fais pas ça, dit-il platement. On passe un bon moment. Ne gâche pas tout.

— En quoi me faire confiance gâcherait-il tout ?

Il ne répondit pas, mais relâcha lentement ses mains. Raine frotta ses poignets endoloris et insista :

— Réponds, Seth. En quoi me faire…

— Laisse tomber.

Il l'attira contre son torse, roula sur le côté et bascula au-dessus d'elle. Ses traits étaient figés, mais ses prunelles formaient deux cratères de feu, brûlant d'une rage inexplicable.

Elle leva les yeux vers lui, choquée, stupéfaite.

— Mais je…

— Laisse… tomber. Tout de suite. Sinon, tu le regretteras.

Il avait parlé doucement, mais sa voix la fit frissonner de la tête aux pieds. Elle comprit qu'elle venait d'aborder un point important, dangereux, et qu'il valait mieux ne pas insister.

Elle ne le connaissait pas. Il était très grand et très fort. Elle n'avait pas envie de savoir à quoi ressemblait sa fureur.

— D'accord, murmura-t-elle.

Elle sentit la tension accumulée dans son corps décroître, tel un serpent qui se déroule, un anneau après l'autre. Il écarta légèrement son poids de son buste et elle put à nouveau respirer librement. Ils se mesurèrent du regard, n'osant prononcer un mot.

Il cachait quelque chose derrière le masque impénétrable de son visage. Elle lut la nature de son secret dans ses yeux. Une douloureuse solitude qui reflétait la sienne.

Elle prit son visage dans ses mains et caressa les lignes anguleuses de son menton et de ses joues. Fit glisser ses doigts dans la brosse de ses cheveux bruns et, dans un élan de tendresse, attira son visage vers le sien pour le couvrir de baisers – sa joue, son menton, le coin de ses lèvres.

Son impulsion avait été de l'apaiser et de le réconforter, mais elle produisit l'effet inverse. Un flot de chaleur s'éleva en lui. Ses bras se raidirent, il planta brutalement ses lèvres sur les siennes et plongea sa langue dans sa bouche. La colonne de chair brûlante de son sexe enfla et palpita contre son ventre. Elle répondit à son assaut en s'ouvrant à lui, malgré sa crainte de la morsure cuisante de la pénétration.

Il se redressa et s'écarta subitement d'elle en jurant à voix basse, lui tourna le dos et s'assit au bord du lit.

— Bon sang, tu es vraiment dangereuse, maugréa-t-il d'une voix rauque. Tu me ramènes chaque fois au bord du gouffre.

Raine s'agenouilla sur le lit.

— Pardon, dit-elle d'une voix prudente.

Il tourna la tête, fit glisser son regard le long de son corps, puis se passa la main sur le visage.

— Écoute-moi bien, dit-il. La règle de base à partir de maintenant, c'est que tu gardes tes mains pour toi et que tu fais comme si mon sexe n'existait pas tant que je ne te donne pas l'autorisation de t'en occuper. Compris ?

Raine le contempla, médusée.

— Qu'est-ce que je suis censée faire, alors ?

Un sourire ironique tordit fugitivement ses lèvres.

— Rien. Tu me laisses tenir ma promesse. Tu me laisses te caresser, te lécher et te faire jouir, encore et encore.

— Oh, souffla-t-elle.

Il allongea un bras et recouvrit un de ses seins d'une main.

— Voilà, reprit-il d'une voix adoucie. Et quand tu seras complètement liquéfiée, tremblante et brûlante…

Sa main descendit sur son ventre, puis plus bas.

— … quand tu te tordras de désir et que tu me supplieras, quand tu ne sauras même plus comment tu t'appelles, alors on recommencera. À ce moment-là, tu verras qu'on est faits pour s'entendre.

— Oh, répéta-t-elle stupidement, le cœur battant à tout rompre dans sa poitrine.

Ses doigts s'immiscèrent délicatement dans les boucles de sa toison, s'insinuèrent plus bas et la forcèrent habilement à écarter les cuisses.

— Passe tes bras autour de mon cou, murmura-t-il à son oreille.

Raine obéit, frémissante. Elle savait ce qui allait suivre. Seth allait la mettre à nu, l'observer avec cette lueur calculatrice dans le regard jusqu'à ce qu'elle atteigne le plaisir, totalement maître de lui et d'elle-même.

Elle affermit la prise de ses bras autour de son cou lorsque les mains expertes de Seth entreprirent de la caresser. Elle voulait qu'il perde le contrôle lui aussi, l'entraîner dans le sillage de son plaisir, le faire basculer dans l'extase avec elle. Tandis que son corps lui cédait, la perspective de ce défi prit racine dans les profondeurs secrètes de son esprit. Il ne se laisserait jamais entraîner aussi loin de son plein gré, mais elle trouverait le moyen de briser ses lignes de défense.

Seth enfouit le visage dans son cou, la mordit juste assez fort pour lui faire ouvrir la bouche, et écarta les replis de son sexe avec une exquise délicatesse, tout en passant la pointe de sa langue sur l'endroit sensible qu'il venait de mordre.

— Je vais te faire jouir quand je serai en toi, dit-il d'une voix rauque d'excitation. Je suis impatient de sentir ta petite chatte se contracter sur ma queue quand je te prendrai bien à fond.

Raine gémit et écarta les cuisses, séduite par ces paroles crues et par ses délicieux baisers. Il planta ses dents dans la chair de son épaule, puis la goûta de la pointe de la langue, tandis que ses doigts étalaient l'essence de son plaisir sur ses lèvres intimes.

— Voilà, continue comme ça, ma jolie, la cajola-t-il de sa belle voix grave. Tu sens comme c'est bon de te préparer à me recevoir ? Tu es déjà toute mouillée.

Il inséra un doigt en elle et laissa échapper un sifflement d'excitation entre ses dents serrées.

— Branle-toi sur ma main, exigea-t-il. Montre-moi comment tu bougeras quand ce sera ma queue que tu sentiras.

Sa voix claqua comme un coup de fouet sur ses nerfs à vif, et elle sursauta entre ses bras. Elle s'agrippa à son cou, se redressa sur les genoux et sentit son vagin coulisser le long de son doigt. Elle plia les genoux pour qu'il l'envahisse à nouveau, fit en sorte qu'il la pénètre plus profondément encore et laissa échapper un gémissement d'extase. Bouleversée par les délicieuses contractions de ses muscles internes, elle entendit à peine les encouragements qu'il lui murmurait à l'oreille. Elle trouva progressivement son rythme, s'adapta au va-et-vient de ses doigts avec une urgence croissante jusqu'à onduler sensuellement contre sa main, conquise par cet exquis frottement dont elle avait l'impression qu'elle ne pourrait plus jamais se passer.

De sa main libre, Seth immobilisa le mouvement de ses hanches et, tandis qu'elle luttait frénétiquement contre son entrave, les mots qu'il prononçait pénétrèrent graduellement sa conscience.

— Pas si vite, ma belle. Attends un peu et je t'emmènerai plus loin.

— Je ne peux pas attendre, sanglota-t-elle, ses cuisses enserrant sa main. S'il te plaît, Seth.

— Tu ne peux pas attendre, hmm ? Tu veux que je te baise maintenant ?

Dans une autre vie, son langage l'aurait refroidie, insultée, mais elle était au-delà de la fierté, au-delà de tout tabou.

— Oui. S'il te plaît, je n'en peux plus, le supplia-t-elle en dissimulant son visage au creux de son épaule.

Il empoigna ses cheveux au-dessus de sa nuque et renversa son visage en arrière pour l'obliger à le regarder dans les yeux. La puissance de son charisme enveloppa la jeune femme. Il la gratifia d'un sourire froid et dangereux, puis fit glisser sa langue le long de sa lèvre inférieure, l'aspira entre ses dents et la mordilla délicatement.

— Tu n'en peux plus, mais tu attendras quand même, murmura-t-il en retirant lentement son doigt. Tu attendras parce que je ne te laisse pas le choix.

Elle tenta de se libérer de son étreinte, et le sursaut de frayeur qui l'avait assaillie ressurgit, plus vif.

— Pourquoi fais-tu cela, Seth ? demanda-t-elle d'une voix fêlée. Tu peux obtenir de moi tout ce que tu veux. Pourquoi persistes-tu dans ces jeux de pouvoir avec moi ?

Elle perçut le grondement de son rire dans son torse et ses lèvres formèrent un pli moqueur.

— Pour deux raisons, dit-il. La première, c'est que le jeu de pouvoir auquel je joue avec toi va te faire hurler de plaisir.

— Seth...

Il la fit taire d'un baiser sauvage.

— La seconde, reprit-il d'une voix sereine, c'est parce que toute la vie n'est qu'un jeu de pouvoir, mon ange. Si tu ne le sais pas encore, il est grand temps que tu l'apprennes.

Voilà. Il venait de lui déclarer froidement la guerre. Elle s'immobilisa entre ses bras et soutint son regard.

— Je pense que tu as tort, déclara-t-elle tranquillement.

La tension s'éleva entre eux à la façon d'une vague sur le point de déferler.

Un rire sombre et amer remonta dans la gorge de Seth. D'une brève poussée, il la fit s'allonger et écarta ses cuisses d'un mouvement si soudain qu'elle n'eut pas le temps de réagir.

— On va voir si j'ai tort, grommela-t-il en se penchant sur elle.

L'expression prédatrice de son visage déclencha en elle un mécanisme de défense. Tel un animal réalisant qu'il va se faire prendre au piège, elle se retourna et bondit en arrière pour se dégager de son étreinte.

Seth plongea en avant, la saisit par la taille et la plaqua à nouveau sur le dos. Les ressorts du lit grincèrent quand il s'affaissa sur elle et bloqua ses bras au-dessus de sa tête, dardant sur elle un regard furieux.

— Où crois-tu aller comme ça ?

Elle ouvrit la bouche pour hurler, mais il plaqua sa main dessus. Ses lèvres formèrent un pli de douleur, il ferma les paupières et marmotta des paroles incohérentes.

Il écarta la main de sa bouche et, avant qu'elle ait le temps de parler, la couvrit de baisers d'une tendresse inattendue. Raine sentit ses lèvres remuer sur les siennes, douces et apaisantes. Des larmes de saisissement jaillirent de ses yeux et un tremblement de confusion parcourut son corps.

Il écarta son visage du sien et caressa sa joue.

— Pardon, ma douce. J'y suis allé trop fort.

Raine voulut répliquer, mais son poids écrasait ses poumons et ses lèvres tremblaient. Des larmes coulaient au coin de ses yeux et il se pencha pour les essuyer d'un baiser.

— Là, tout va bien, dit-il en embrassant son front et ses joues. Excuse-moi. Je ne voulais pas te faire peur.

Elle ferma les yeux.

— Seth, je pense qu'on devrait arrêter…

— Chuuut. Ne pense pas. Détends-toi et laisse-moi faire, ajouta-t-il après avoir déposé un tendre baiser dans son cou et lui avoir délicatement mordillé le lobe de l'oreille.

— Mais je... Tu...

— Plus de jeux de pouvoir. Rien que du plaisir. Je vais te rendre folle, je vais te faire fondre et je vais te faire jouir. Tu n'auras plus peur, ma douce. Promis.

La sincérité de Seth était palpable ; elle irradiait de lui comme d'un brasier ardent. Mais Raine flaira un piège caché derrière ses promesses sensuelles.

Elle n'aurait pas su dire de quel piège il s'agissait. Elle n'avait pas envie de le savoir. Elle laissa ses doutes replonger dans les profondeurs de son inconscient, descendre en spirale jusqu'aux strates de l'oubli. Seth était dangereux et imprévisible, mais ses lèvres étaient tendres et douces sur son visage. Tout son corps mourait d'envie d'être caressé de cette façon depuis des années. Elle n'avait aucun moyen de résister. Elle devait prendre ce risque.

Raine leva vers lui son visage baigné de larmes et gratifia son menton d'un baiser minuscule en signe d'acceptation. Il ne dit pas un mot, mais ses bras l'enserrèrent et elle perçut le soulagement qui le submergea à la façon dont sa respiration s'apaisa.

Il l'incita à écarter les jambes.

— Laisse-moi entrer, ma douce. Tu n'imagines même pas tout le plaisir que je peux te donner si tu te détends et si tu me laisses entrer en toi.

Il inséra un genou entre les siens et laissa échapper un grondement de satisfaction quand elle céda. Il glissa le long de son corps, plaça les mains sous ses seins, les pressa l'un contre l'autre et frotta son visage dessus.

— J'adore tes seins, dit-il d'une voix rauque de désir. J'avais envie de les embrasser comme ça depuis la première fois que je t'ai vue.

Le gloussement qui la secoua ressemblait à s'y méprendre à un sanglot.

— Merci, murmura-t-elle.

Son grand sourire rassurant révéla fugitivement ses dents, puis il baissa la tête, accordant toute son attention à ses seins. Ses baisers la plongèrent dans un tourbillon. Il la léchait comme si elle était un fruit exotique. Sa langue traçait inlassablement des cercles sensuels sur le galbe de sa poitrine. Raine laissa aller sa tête contre l'oreiller en gémissant, cambra le dos, s'offrant totalement à lui.

Lorsqu'il prit un de ses mamelons en bouche pour le mordiller, la sensation, dangereusement voisine de la douleur et pourtant à des années-lumière de toute souffrance, lui arracha un cri. Elle pressa sa tête contre sa poitrine et un long frisson la saisit quand il fit courir la pointe de sa langue dans le sillon entre ses seins. À travers ses paupières closes, Raine percevait la lumière du plafonnier comme un halo rougeoyant. Rouge était la couleur ses baisers ardents, rouge aussi la torturante pulsation qui s'était emparée de son entrejambe.

Sa peau était tellement sensibilisée que le frôlement de sa main entre ses cuisses faillit la faire jouir. Ses paupières se soulevèrent lorsqu'il inséra un doigt en elle. Il émit un murmure d'approbation et inséra un deuxième doigt.

Il caressa inlassablement les replis de sa chair avec une tendresse experte, jusqu'à lui faire chevaucher les crêtes du plaisir.

Quand Raine rouvrit les yeux, Seth l'observait d'un air pensif. Il écarta une mèche de cheveux de sa bouche et la lissa derrière son oreille.

— Tu as joui sur ma main, dit-il doucement. J'ai senti ton orgasme comme si c'était le mien. J'aime quand tu te laisses aller.

Elle attendit de retrouver l'usage de sa voix pour lui répondre.

— Je ne me suis jamais laissée aller comme ça, c'est toi qui me fais cet effet-là.

Seth eut un sourire de triomphe.

— Ce n'est pas correct de jubiler aussi ouvertement, fit-elle remarquer.

— Qui a dit que j'étais quelqu'un de correct ? rétorqua-t-il en s'insérant entre ses jambes qu'il écarta plus largement.

Raine se hissa sur les coudes, alarmée.

— Encore ? Déjà ? Seth, accorde-moi un instant de répit.

Il accueillit cette protestation d'un éclat de rire.

— Aucun répit. Je viens à peine de commencer. Il m'en faut plus.

Elle prit sa tête entre ses mains avec la vague intention de le repousser, mais Seth fit courir sa langue le long de sa fente et elle se laissa retomber sur l'oreiller avec un irrépressible sanglot de plaisir.

Le temps perdit toute signification. Raine aurait été incapable de dire combien de fois il la fit jouir. À un moment, ses orgasmes successifs ne formèrent plus qu'une seule vague immense. Seth était affamé, insatiable ; il léchait sa fente comme s'il se nourrissait du plaisir qu'il lui prodiguait. Il repoussa les limites de l'extase plus loin qu'elle ne l'aurait cru possible. Elle se tordait de plaisir en balbutiant des propos incohérents, les mains enfouies dans la masse de sa chevelure emmêlée.

Seth écarta ses mèches folles, lui prit les mains et embrassa ses doigts un à un en la dévisageant d'un regard ardent.

— Maintenant, dit-il en attrapant un des préservatifs qu'elle avait répandus sur le lit, tu es fin prête à me recevoir, Raine.

C'était la stricte vérité. Il avait brisé toutes ses défenses, y compris les plus secrètes, dont Raine elle-même ignorait l'existence avant qu'il ne les franchisse. Et elle en était très heureuse.

Éperdue d'extase, elle tendit les bras vers lui.

Son visage se plissa de concentration quand il enfila prestement le préservatif et qu'il se plaça entre ses cuisses ouvertes. Il pénétra sa fente à petites poussées taquines qui la firent haleter de frustration. Elle fit glisser ses doigts sur ses hanches. Un voile de sueur emperlait sa peau et elle sentit ses muscles fermes vibrer sous ses paumes. Plaquant les mains sur ses fesses, elle l'incita à la posséder franchement.

Seth ne se fit pas prier pour lui obéir et la pénétra aisément de toute sa longueur. Les petits muscles qui lui avaient opposé leur résistance la première fois palpitèrent avidement autour de son sexe, accueillant avec joie la friction de sa belle colonne de chair.

Le premier aller-retour de son sexe lui tira un gémissement de volupté et il cueillit son visage entre ses mains.

— Ça te fait mal, cette fois ? demanda-t-il.

Elle secoua la tête, mais cette réponse muette ne lui suffit pas.

— Dis-moi ce que tu ressens ! insista-t-il.

Les hanches de Raine se soulevèrent lorsqu'il s'enfonça en elle plus profondément, mais elle fut incapable de trouver les mots pour exprimer ce qu'elle ressentait. Elle s'agrippa à ses épaules et ferma les yeux.

— Ça te plaît ?

— J'adore ça, souffla-t-elle en enserrant ses épaules de toutes ses forces. C'est merveilleux.

Seth poussa un soupir de soulagement, puis recouvrit sa bouche de la sienne pour l'embrasser avec passion. Leurs corps ondulèrent à l'unisson, leurs halètements et leurs soupirs rythmant le va-et-vient de son sexe en elle. Il passa les bras sous ses épaules pour la serrer contre lui.

— Tu veux que je te donne tout ? murmura-t-il à son oreille.

Le son de sa voix lui fit chaud au cœur. Basse et profonde, son léger tremblement révélait une bouleversante vulnérabilité, un désir désespéré.

— Donne-moi tout ce que tu as, répliqua-t-elle en déposant un baiser sur sa joue. Je ne suis pas une petite chose fragile, tu te souviens ? Je ne suis pas un papillon. Prends-moi toute.

Le regard rivé à ses grands yeux gris, il s'agenouilla et replia les jambes de Raine contre son torse. Les traits de son visage formèrent un masque interrogateur au-dessus du sien quand ses poussées s'intensifièrent. Raine se cambra, l'incitant silencieusement à poursuivre.

Seth perdit tout contrôle, et elle se retrouva prise dans la tornade de sa passion. Un cri lui échappa tandis qu'il la pilonnait impitoyablement, et ses poussées brutales déclenchèrent les larmes de Raine. Elle ne pleurait pas de douleur, mais d'exultation. Il la rendait complètement folle, lacérait l'image qu'elle avait d'elle-même, libérait en elle une pulsion enfouie, exaltait la sauvagerie de sa féminité.

Elle se sentait belle et triomphante : elle avait réussi à lui faire perdre le contrôle. Elle avait envie de le mordre, de le griffer, de le mettre à nu et de le voir sans défense devant elle. Elle planta son regard au fond de ses yeux et poussa un cri de joie quand il explosa en elle. Ce triomphe déclencha son propre orgasme, si fulgurant qu'elle ferma les yeux.

Lorsqu'elle les rouvrit, Seth avait enfoui son visage au creux de son épaule. Elle caressa ses cheveux pour l'inciter à la regarder, mais il résista, secoua la tête et pressa le front contre son cou, haletant.

Elle serra les bras autour de lui et fondit en larmes. Des larmes douces qui la lavaient et lui donnaient l'impression de renaître. Elle s'accrocha à lui jusqu'à ce que le flot de ses émotions s'apaise, la laissant aussi claire et propre qu'un ciel d'azur après l'averse. Cette sensation l'effraya. Un tel bonheur était forcément dangereux. L'expérience lui avait appris que cela ne pouvait qu'annoncer une chute vertigineuse.

Seth releva la tête, visiblement alarmé. Raine essuya ses larmes d'un revers de main.

— Ne t'inquiète pas, dit-elle avec un rire mouillé. Je vais bien, très bien, même. Je pleure de joie. C'était merveilleux. Tu es merveilleux, Seth.

Elle avait espéré qu'il la serrerait dans ses bras, mais il s'écarta brusquement et descendit du lit. Raine sentit un courant d'air glacé passer sur sa peau moite. Lui tournant le dos, Seth se débarrassa du préservatif. Une crainte indéfinissable lui noua le ventre.

— Qu'est-ce qui se passe, Seth ?

Il observa un long silence avant de pivoter vers elle.

— Comment fais-tu pour te lâcher comme ça ? demanda-t-il d'un ton froid.

Raine s'assit, écarta ses cheveux de son visage et lui sourit.

— Je ne vois pas comment je pourrais ne pas le faire.

— Tu te comportes toujours comme ça ? Avec tout le monde ?

Son expression glaciale la fit frissonner.

— Comment ça, « avec tout le monde » ?

— Chaque fois que Lazar te demande de baiser un de ses associés.

Raine sentit ses entrailles se figer. Elle le dévisagea, souhaitant avoir mal entendu.

Elle déglutit pour dissiper le nœud qui s'était formé dans sa gorge.

— Tu penses que je… que Victor…

Son souffle s'était bloqué. Elle n'arrivait plus à parler. Elle ne pouvait même plus respirer.

— J'espère qu'il te paye bien, reprit Seth. Tu le mérites. Tu es extraordinaire. Je viens de tirer le meilleur coup de ma vie.

Elle ouvrit la bouche, mais aucun son n'en sortit. Elle secoua la tête, anéantie.

Il la contemplait d'un œil vaguement méprisant. Convaincu d'avoir raison.

Il lui avait fait l'amour en croyant cela.

Non, il ne lui avait pas fait l'amour. Il n'avait même pas partagé un rapport sexuel avec elle. Il l'avait *baisée*, persuadé que Victor la payait pour cela.

Gênée d'être nue sous son regard froid, elle ramena sa chevelure devant sa poitrine.

— Mais enfin, Seth, je suis secrétaire, pas call-girl !

Son expression demeura inchangée.

Raine descendit gauchement du lit et ramassa ses vêtements, éparpillés aux quatre coins de la chambre. Les mains tremblantes, elle se rhabilla sans prendre la peine de boutonner les poignets de son chemisier ni d'en passer les pans sous sa jupe, enfila ses escarpins et fonça droit vers la porte.

Seth se planta devant elle.

— Attends, dit-il d'un ton neutre. Je m'habille et je te raccompagne.

Raine soutint son regard sombre, et prononça à haute et intelligible voix des paroles qu'elle n'avait jamais adressées à quiconque.

— Je t'emmerde. Dégage !

Elle repoussa son torse nu de toutes ses forces, le faisant reculer de deux pas, ouvrit la porte à la volée et s'enfuit en courant.

7

Le saint patron des femmes humiliées devait veiller sur elle, car un taxi en provenance de l'aéroport déchargeait justement ses clients devant l'hôtel quand elle traversa le hall, ce qui lui permit de s'enfuir avant que Seth ne la rejoigne.

Le vieux chauffeur grisonnant, sentant que quelque chose ne tournait pas rond, lui jeta un coup d'œil perplexe à travers les verres épais de ses lunettes par le truchement du rétroviseur.

— Quelque chose ne va pas, mademoiselle ?

— Je vais très bien, merci.

Ses lèvres articulèrent cette petite phrase toute faite sans qu'elle les sente remuer. Elle faillit en rire, mais se retint. Rire aurait ouvert les vannes et si elle se laissait aller à pleurer, elle allait s'écrouler.

Je vais très bien, merci. Elle répétait cela depuis dix-sept ans alors qu'elle mourait à petit feu. Elle n'allait pas bien du tout. Elle ne s'était jamais sentie aussi mal de sa vie. Et cette fois-ci, elle ne pouvait s'en prendre qu'à elle-même.

À quoi s'était-elle attendue ? Elle s'était jetée comme une idiote dans les bras d'un parfait inconnu. Elle ne savait rien de lui, elle n'avait même pas son numéro de téléphone. Elle s'était comportée comme une vulgaire traînée et devait à présent en assumer les conséquences.

Mais elle était tellement contractée de douleur qu'elle arrivait à peine à respirer.

Pense comme la reine des pirates, se dit-elle.

Tu parles, ronchonna-t-elle intérieurement. La reine des pirates, elle, aurait su utiliser sexuellement un homme sans pour autant baisser sa garde, pas même quand le plaisir aurait fait voler son corps en éclats. Elle aurait eu la présence d'esprit de trouver une réplique plus cinglante que le grossier « je t'emmerde » dont elle avait gratifié Seth. Une pique bien sentie qui lui aurait brisé le cœur. Ou plutôt un os, car elle doutait que ce goujat ait un cœur.

Au bord des larmes, elle compta les secondes la séparant de l'endroit où elle pourrait enfin donner libre cours à sa rage. Huit, sept, égrena-t-elle en payant la course au chauffeur de taxi. Six, cinq. Elle tâtonna pour insérer la clef dans la serrure, les doigts tremblants. Quatre. La clef entra enfin et elle la fit tourner. Trois. Elle ouvrit la porte. Deux…

— Bonsoir, Raine.

Elle poussa un hurlement et recula précipitamment.

Victor Lazar, nonchalamment assis sur le canapé du salon, sirotait un verre de whisky.

— J'espère que vous ne m'en voudrez pas de m'être servi à boire sans votre autorisation. Je me sens un peu comme chez moi ici. J'ai personnellement garni ce bar il y a quelques mois.

— Je… Vous avez bien fait, murmura-t-elle.

Et voilà. Miss Tout Va Bien, craignant perpétuellement d'adresser le moindre reproche à quiconque, même quand on lui marchait sur les pieds, approuvait benoîtement qu'on pénètre chez elle en son absence !

Victor lui adressa un sourire encourageant et lui fit signe d'entrer. Raine fit un pas en avant. Elle avait furieusement envie de s'enfuir, mais quelque chose l'incitait à se demander pour quel motif Victor lui rendait visite.

Aucun de ceux qu'elle trouva ne lui plut.

Mon Dieu, faites qu'il ne soit pas venu dans l'intention de me séduire, se dit-elle, horrifiée. Elle ne pourrait pas le supporter.

— D'après l'état du bar, je n'ai pas l'impression que vous buviez beaucoup, observa-t-il en faisant tournoyer les glaçons dans son verre.

— C'est vrai, je ne bois que très peu, répondit-elle sèchement.

— Vous ne mangez pas beaucoup non plus, à en juger d'après le contenu du réfrigérateur, ajouta-t-il d'un ton de douce réprimande.

— Vous avez inspecté le contenu du frigo ? s'offusqua-t-elle.

Victor eut un léger mouvement de recul, comme s'il se sentait insulté.

— J'avais besoin de glaçons pour mon whisky, se justifia-t-il avant de vider son verre et de le poser sur la tablette du téléphone. Mais je vous en prie, prenez le temps de vous arranger, enchaîna-t-il en désignant l'escalier qui conduisait à la chambre d'un geste plein de courtoisie. Je peux attendre.

Attendre quoi ? se demanda-t-elle aussitôt. Elle surprit son reflet dans le miroir qui se trouvait derrière lui et réprima un cri de surprise horrifiée. Ses cheveux emmêlés formaient un halo sauvage autour de sa tête, et ses lèvres étaient rouges et enflées. Son chemisier était froissé, plusieurs boutons manquaient et les poignets déboutonnés pendaient sur ses mains. Au milieu de son mascara étalé, une flamme sombre faisait briller ses yeux.

Elle poussa un soupir. Qu'est-ce que cela pouvait bien faire qu'elle ait l'air d'une folle ? Elle venait de faire un aller-retour en enfer. Elle était chez elle et ne se laisserait pas congédier comme une domestique. Elle fit une torsade de ses cheveux, l'enroula au-dessus de sa nuque, la fixa à l'aide des baguettes qu'elle avait glissées dans la poche de sa veste, puis prit ses lunettes dans son sac et s'en chaussa délibérément.

— Que voulez-vous, monsieur Lazar ?

Si son attitude défiante lui déplut, il ne le manifesta pas. Sa bouche se tordit sur un sourire.

— Comment s'est passé votre après-midi avec M. Mackey ?

Raine sentit son visage devenir brûlant.

— Je n'ai pas envie d'en parler.

— J'aurais dû vous conseiller le Sans Souci pour dîner, mais je n'y ai pas pensé sur le moment. Vous êtes allés au musée d'Art contemporain ou au marché ?

— Ni l'un ni l'autre, répliqua-t-elle à contrecœur.

— Vous avez préféré coucher directement avec lui.

Elle recula vers la porte.

— Monsieur Lazar…

— Pour tout vous dire, je ne pensais pas que vous feriez preuve d'un tel dévouement vis-à-vis de M. Mackey.

Raine demeura un instant bouche bée.

— Est-ce que vous impliquez que je…

— Allons, allons, pas de ça entre nous, l'interrompit-il. Nous sommes tous deux adultes. Je suis certain que M. Mackey aura apprécié l'interprétation que vous avez donnée à mes instructions, et qu'il aurait été très déçu si vous vous étiez contentée de lui faire admirer la Space Needle.

Raine contempla son petit sourire satisfait.

— Vous m'avez piégée, souffla-t-elle.

— Oh, je vous en prie, répliqua-t-il avec un léger froncement de sourcils. Ce qui s'est passé entre M. Mackey et vous ne regarde que vous. Et n'est arrivé que parce que vous l'avez bien voulu.

Elle battit des cils. Il disait vrai. Personne ne lui avait ordonné de se jeter au cou de Seth Mackey, avec un tel enthousiasme qu'il l'avait prise pour une professionnelle.

Cette idée était tellement ridicule qu'elle laissa échapper un gloussement, qu'elle s'empressa de dissimuler derrière une quinte de toux.

— Vous allez bien, ma chère ? Voulez-vous que je vous serve un cognac ?

— Non, je vous remercie. Je vais très bien.

Et voilà. Elle l'avait encore dit. La reine des pirates ne prononcerait jamais une phrase aussi stupide, même si on la menaçait du supplice de la planche.

Victor cala sa cheville gauche sur son genou droit et balança son pied devant lui.

— Excusez-moi, vous ne vous attendiez pas à me trouver ici. Je suis venu pour une raison bien précise.

— Laquelle ? s'enquit-elle en se raidissant.

— J'aimerais savoir ce que vous pensez de Seth Mackey. On me l'a indirectement recommandé, et personnellement, je le trouve plutôt opaque. Le projet que je dois lui confier est assez délicat et je me suis dit que votre point de vue, disons... privilégié, vous aurait peut-être permis d'en apprendre plus long à son sujet.

Raine avait la gorge si sèche qu'elle ne parvint pas à déglutir.

— Non, coassa-t-elle. Je n'ai rien appris à son sujet.

Victor sortit une longue cigarette fine d'un étui d'argent.

— Rien du tout ? insista-t-il.

Elle secoua la tête avec tant de vigueur que son chignon improvisé descendit sur sa nuque. Elle ôta les baguettes qui le retenaient et laissa sa chevelure se répandre sur ses épaules.

— Rien du tout, confirma-t-elle.

Victor alluma sa cigarette.

— Vous devriez être plus observatrice, ma chère.

— Vous croyez ? rétorqua-t-elle en serrant si fort les baguettes qu'elle tenait dans sa main que leurs perles de cristal s'incrustèrent douloureusement dans sa paume.

Il souffla une mince colonne de fumée et une lueur rusée passa dans ses yeux pâles.

— Le poète William Meredith a dit un jour : « La pire chose qu'on puisse dire d'un homme, c'est qu'il a manqué d'attention. »

Une image du visage rêveur de son père se superposa à celui de Victor, et la braise de sa colère se ranima en elle.

— Je pense qu'on peut dire bien pire que cela, déclara-t-elle posément.

Les yeux de Victor lancèrent un éclair. Il tapota la cendre de sa cigarette dans le cendrier en cristal de la tablette du téléphone.

— Vraiment ?

Raine lutta pour garder une expression impassible.

Victor riva son regard au sien pendant ce qui lui parut une éternité.

— Je compte sur vous pour être plus attentive, la prochaine fois.

— Seriez-vous en train de m'ordonner de coucher avec Seth Mackey, de l'espionner et de vous rapporter ce que j'apprendrai ?

Le visage de Victor refléta le plus profond dégoût.

— J'ai horreur de l'exagération grossière.

— Je n'ai pas encore commencé l'exagération grossière, siffla-t-elle. Écoutez-moi bien, monsieur Lazar. Premièrement, il n'y aura pas de prochaine fois parce que je ne veux plus jamais revoir Seth Mackey. Et deuxièmement, je n'espionnerai jamais quelqu'un dont j'ai partagé l'intimité. Jamais.

Victor tira une dernière bouffée de sa cigarette, puis l'écrasa.

— J'adore le ton convaincu sur lequel les jeunes gens prononcent le mot « jamais ».

Son air paternaliste lui fit serrer les poings.

— Il est tard. Je crains de devoir vous demander de partir. Tout de suite.

Sa voix se brisa, gâchant son effet. Elle retint son souffle, souhaitant à demi qu'il lui annonce son renvoi. Elle serait tranquille – du moins, jusqu'à ce que le cauchemar de la pierre tombale ensanglantée revienne menacer sa santé mentale.

Victor se leva et récupéra son pardessus dans la penderie de l'entrée.

Il lui obéissait sans broncher. Il allait partir. Le vertige de son triomphe la rendit audacieuse. Elle décida de pousser son avantage.

— Et, monsieur Lazar ?

— Oui ? répondit-il en haussant les sourcils.

— J'apprécierais que vous évitiez d'investir mon espace privé. J'aimerais être la seule personne en possession de la clef de la maison, dit-elle en tendant la main.

Une lueur amusée brilla dans ses yeux.

— Laissez-moi vous donner un conseil, Raine. Ne perdez pas votre temps et votre énergie à vous accrocher à une illusion de contrôle. Vous vous éviterez une fatigue inutile.

Elle garda la main tendue.

— C'est mon illusion, et je m'y accroche.

Victor ricana doucement. Il sortit une clef de la poche de son pardessus et la déposa au creux de sa main.

Raine la prit et glapit quand les doigts de Victor se refermèrent sur sa main comme un piège à loup.

Le souvenir du bras lourd de Victor écrasant ses poumons dans son rêve ressurgit aussitôt dans son esprit. Elle recula en s'efforçant de ne pas céder à la panique. Venue de nulle part, la voix de Seth s'éleva dans son esprit :

— *Toute la vie n'est qu'un jeu de pouvoir, mon ange. Si tu ne le sais pas encore, il est grand temps que tu l'apprennes.*

Seth avait peut-être raison. Le pouvoir était le maître mot dans ce monde cauchemardesque. Tant qu'elle n'appliquerait pas ce principe, tout ce qu'elle pourrait espérer vaguement dominer, c'était elle-même, une pauvre petite créature effrayée. Le bourdonnement qui s'était élevé dans ses oreilles s'estompa, et sa vision s'éclaircit.

Elle soutint le regard de Victor sans ciller.

— Bonne nuit, monsieur.

À sa grande surprise, il hocha la tête d'un air approbateur.

— Parfait, murmura-t-il. Bonne nuit, Raine.

Une fois que la porte se fut refermée sur lui, elle s'empressa de pousser le verrou, se plaqua contre le luxueux battant d'acajou et s'y laissa glisser jusqu'à s'affaler sur le sol et donner libre cours à ses sanglots. Elle avait passé dix-sept ans de sa vie à répéter non-vraiment-je-vais-très-bien, et venait de découvrir que tous ses efforts n'avaient servi à rien.

— *Ne vous accrochez pas à une illusion de contrôle*, avait dit Victor.

— *Toute la vie n'est qu'un jeu de pouvoir, mon ange.*

Les voix des deux hommes se répercutèrent dans sa tête tandis que l'impitoyable réalité s'abattait sur elle. Elle n'avait aucun pouvoir, n'en avait jamais eu, et n'avait plus aucune illusion. Elle avait complètement perdu pied et se sentait couler. Elle ne contrôlait rien, ni son esprit, ni son cœur, ni ses rêves, ni même son corps. Seth lui en avait donné la preuve cet après-midi, impitoyablement.

Ses sanglots s'espacèrent dans l'atroce silence de la maison. Elle pressa son visage contre ses genoux et se mit à prier, sans trop savoir à qui elle s'adressait. Elle ne savait pas s'il existait un dieu, mais croyait fermement aux forces opposées du bien et du mal. Elle n'avait peut-être pas de pouvoir ni de plan clairement établi, mais elle voulait découvrir la vérité, en hommage à son père.

Elle était là par amour pour lui. L'essentiel était là. C'était tout ce qu'elle avait, et elle s'y accrocherait de toutes ses forces.

La sécurité de la maison de ville de Lazar s'était resserrée depuis le cambriolage que Seth et les frères McCloud y avaient opéré, quatre mois plus tôt. Grâce aux données sur lesquelles ils avaient fait main basse, ce renforcement de sécurité ne constituait pas un défi. C'était presque trop facile.

Seth repensa à ce premier cambriolage tandis qu'il se faufilait comme une ombre parmi les buissons en évitant soigneusement les détecteurs de mouvement à infrarouges. C'était le seul moyen qu'il avait de bloquer ses pensées concernant Raine. Il ne devait surtout pas penser à elle.

Tout s'était passé à merveille au cours du raid qu'il avait effectué avec trois des frères McCloud. Ils avaient opéré en parfaite symbiose, animés par la même motivation. Les frères McCloud n'avaient pas reçu la même formation que lui, mais quand ils travaillaient ensemble, ils formaient une bonne équipe. C'était pendant les heures de loisir qu'ils étaient assommants.

Accroupi dans l'obscurité, il chercha à se caler sur la fréquence lui permettant d'activer le micro qu'il avait placé dans le bureau de Lazar, se trompa, jura entre ses dents et recommença la manœuvre. S'il voulait mener cette mission à bien, il devait se dépêcher et il avait horreur de ça.

Sa concentration avait volé en éclats. En temps normal, ce genre de mission nocturne lui calmait les nerfs, mais pas ce soir. Les ondes de son cerveau n'ondulaient pas à la façon régulière des ondes alpha ; elles étaient aussi dentelées qu'un peigne aux dents cassées. Tous les muscles de son corps étaient tendus à l'extrême, sa tête et son cou lui faisaient mal, et chaque fois qu'il commençait à se calmer, un flot d'images sexuelles se déversaient en lui, le laissant à bout de souffle et lessivé.

C'était la vidéo qu'il avait visionnée en rentrant chez lui qui l'avait mis dans cet état. Il était déjà à cran après le départ précipité de Raine de la chambre d'hôtel, mais quand il était rentré chez lui et avait allumé son écran de contrôle, il avait découvert que Lazar l'attendait tranquillement chez elle en sirotant un verre. Tous ses instincts lui avaient hurlé de foncer sur place pour la protéger. Mais Cyborgman avait aussitôt repris le contrôle et s'y était opposé. Adopter un tel comportement entraînerait sa mort prématurée, l'empêchant à tout jamais de venger Jesse. De plus, qu'avait-elle à craindre de son propre souteneur ? Le temps des fantasmes était révolu. Il devait se réveiller et affronter la réalité.

Seth s'était donc contenté de serrer les dents, avait pris place devant son écran et guetté le retour de Raine. Avec une seule certitude : s'il devait regarder Lazar lui faire l'amour, il pourrait se féliciter d'avoir l'estomac vide.

La conversation qu'ils avaient eue entre 21 h 35 et 21 h 47 l'avait laissé abasourdi. Raine Cameron était bel et bien ce qu'elle semblait être : la secrétaire d'une importante société d'import-export.

Mais alors, pourquoi Lazar avait-il fait mine de la lui offrir comme une vulgaire call-girl ? Pourquoi l'avait-il installée dans sa garçonnière ? Pourquoi avait-elle couché avec lui, comme si elle savait que c'était ce que son patron attendait d'elle ? Ça ne collait pas. Rien ne collait.

Il avait suivi le déplacement de la Mercedes de Lazar jusqu'à l'embarcadère de Severin Bay, constaté avec satisfaction qu'il embarquait pour Stone Island, et s'était repassé ces douze minutes de vidéo jusqu'à ce que les images tournent en boucle dans sa tête. Il avait arpenté la pièce de long en large comme un lion en cage, donné des coups de pied dans les meubles et des coups de poing contre les murs.

Il devait faire quelque chose, sinon il allait devenir fou. Quelque chose d'indélicat et de dangereux. Récupérer les données audio de la maison de ville de Lazar était un peu trop facile, mais cela valait toujours mieux que de voler des enjoliveurs de voiture.

Sa réaction était absurde. Qu'est-ce que ça pouvait bien faire qu'il ait couché avec cette fille et qu'il s'en soit débarrassé en lui adressant des paroles blessantes ? Il se comportait toujours de cette façon-là.

Oui, mais cette fois, il s'agissait de Raine. De sa belle princesse blonde sortie d'un conte de fées.

Les derniers mots qu'il lui avait adressés se répercutèrent dans son esprit. Elle avait réussi à lui faire perdre son contrôle alors qu'il ne s'y attendait pas, or Seth ne pouvait pas se permettre de se retrouver vulnérable devant une des femmes de Lazar. Son instinct lui avait soufflé de se débarrasser d'elle aussi vite et fermement que possible.

Il regagna sa planque et inséra les données audio dans le processeur équipé de filtres de reconnaissance vocale, destinés à repérer les voix de Lazar et de Novak. Afin de contourner le problème des lignes téléphoniques encodées, Seth, avec l'aide des frères McCloud, avait implanté des transmetteurs virtuellement indécelables dans tous les téléphones de la maison de Lazar. Malheureusement, il n'avait pas encore pu en faire autant dans sa villa de Stone Island. Il n'avait pas accès aux conversations téléphoniques de Lazar depuis cette localisation, et cette énorme faille dans son dispositif de surveillance l'irritait profondément.

Bon sang, il ne pouvait pas rester là à attendre que le processeur ait fini d'analyser les données qu'il venait de lui soumettre. Il avait besoin de s'immerger dans les lumières de la ville. Il se sentait à bout, survolté. Deux orgasmes d'une intensité fabuleuse auraient dû le calmer, mais ils avaient eu sur lui l'effet inverse. Il fonça jusqu'à sa Chevy, démarra en trombe et fila à travers les rues de la ville, l'esprit tourbillonnant d'une foule de pensées confuses.

Les paroles de Connor McCloud retentirent dans sa tête lorsqu'il aperçut le panneau de signalisation indiquant le quartier dans lequel se trouvait Templeton Street – la garçonnière de Lazar.

— *Quand un type a la tronche que tu as en ce moment, il est sur le point de faire une grosse connerie et de mourir bêtement.*

Seth ne ralentit pas jusqu'à ce qu'il se soit garé à un demi-pâté de maisons de chez Raine. Il se demanda si ses actes du jour pouvaient être assimilés à une grosse connerie.

Il se laissa glisser contre le dossier de son siège jusqu'à ce que son visage soit plongé dans l'ombre, leva les yeux vers les fenêtres de Raine et décida que oui. Il n'y avait qu'à le voir, là, tapi dans l'ombre comme un obsédé. Heureusement qu'à cette heure-ci, personne ne risquait de le remarquer et d'appeler les flics. Le comble de la honte.

Depuis son point de vue, il pouvait surveiller les deux sorties de la maison et les lumières du salon, de la chambre et de la salle de bains. Et à cette distance, grâce au diabolique génie de Kearn, il lui suffisait d'allumer l'écran qu'il avait installé sur son tableau de bord pour surveiller tous ses déplacements sans même avoir besoin d'une ligne téléphonique.

Mieux encore, il pouvait désactiver son alarme, crocheter ses trois serrures et entrer chez elle. La savoir aussi vulnérable le rendit furieux. Ce qui était absurde, étant donné que cette vulnérabilité était entièrement à son avantage. Tout était absurde ce soir.

Il imagina la scène. Raine serait d'abord furieuse, mais il la supplierait et ramperait pour l'amadouer. Il savait comment la troubler. Maintenant qu'il avait franchi sa ligne de défense, il connaissait le chemin. De même qu'il savait désactiver son alarme et crocheter ses serrures, il savait lui faire baisser sa garde.

Ce qui se passerait ensuite était une autre histoire. Mais ce n'était pas le moment de s'en soucier. Une étape à la fois, bon sang.

D'abord, lui parler et la charmer. Ensuite, l'embrasser et la cajoler jusqu'à ce qu'elle se calme et s'accroche à son cou, douce et confiante. Quand il la sentirait mûre à point, il n'aurait plus qu'à la cueillir.

Il l'allongerait sur le lit, le canapé ou le tapis, suivant ce qui se trouverait le plus près, et l'aimerait avec sa bouche pour lui faire oublier les raisons de sa colère contre lui. Ce serait délicieusement facile. Aussi facile que de chiper un bonbon à un bébé. Mais lorsqu'il tendit la main vers la poignée de sa portière, quelque chose d'étrange se produisit. Il se figea sur place.

Le fait qu'il sache crocheter une serrure ne lui donnait pas le droit d'entrer chez Raine par effraction. Après ce qu'il lui avait fait subir, monter la garde devant chez elle et lui assurer une nuit parfaitement sereine était le moindre des services qu'il pouvait lui rendre. L'idée même d'allumer l'écran du tableau de bord pour l'observer comme il l'avait fait depuis des semaines lui semblait déplacée, incongrue. Elle lui avait tout donné, il avait tout pris.

Il se sentait coupable et désolé.

C'était stupide. Et inutile. Raine ne pourrait jamais savoir ce que ça lui coûtait de laisser ses tours de magie dans son sac et de rester assis dans le noir, inerte et impuissant.

C'était même inquiétant. Il n'avait jamais eu la moindre pensée chevaleresque de toute sa vie. C'était le truc de Jesse, ça.

Songer ne serait-ce que fugitivement à son frère fut une erreur. Il n'avait pas la force de chasser les pensées indésirables, ce soir. Elles s'engouffrèrent dans son esprit et s'y bousculèrent.

Un souvenir en appelle un autre. Et les plus infimes d'entre eux lui faisaient mal au ventre. Les cheveux châtains de Jesse, que d'indomptables épis faisaient se redresser sur son crâne, lui donnant perpétuellement l'air d'être tombé du lit. Ses yeux verts, lumineux. Sa brillante intelligence et ses répliques mordantes. L'amour infini qu'il portait au monde et à l'humanité.

Seth avait depuis longtemps blindé son cœur quand DeAnne, sa mère, avait renoué avec un de ses anciens petits amis, Mitch Cahill, et l'avait laissé s'installer chez elle. Seth avait onze ans à l'époque. DeAnne avait ensuite aggravé son cas en estimant que, puisqu'il y avait dorénavant un homme à la maison, elle pouvait aller récupérer le demi-frère de Seth, âgé de cinq ans à l'époque, qu'elle avait laissé à la garde de sa mère à San Diego. Seth n'avait vu ce petit morveux qui faisait des bruits de moteur avec sa bouche que deux fois depuis sa naissance. Deux fois qui lui avaient amplement suffi.

Seth avait immédiatement détesté Mitch et accueilli de très mauvaise grâce l'apparition de ce gamin chétif, qui le suivait partout et se mêlait de ses affaires. Mais Jesse était comme ces mouches qui persistent à venir se poser sur votre nez. On ne pouvait pas le chasser. Seth se souvenait encore de la crainte horrifiée qui s'était emparée de lui le jour où il avait compris que Jesse l'aimait. Pas parce qu'il méritait d'être aimé. Seth avait été infect et sans pitié avec ce marmot. Il mettait un point d'honneur à être méchant avec tout le monde à cette époque-là.

Non, Jesse l'aimait parce qu'il avait désespérément besoin d'aimer quelqu'un. C'était dans sa nature. Il aimait aussi DeAnne. Il aimait même Mitch, son bon à rien de beau-père, brutal et puant. Aimer Mitch relevait de l'exploit.

Mais Jesse avait besoin d'aimer comme il avait besoin de respirer, et Seth s'était retrouvé dans sa ligne de tir. Petit à petit, sans s'en rendre compte, il avait adopté un comportement protecteur vis-à-vis de son demi-frère. Il cassait la figure de ceux qui l'embêtaient, volait des vêtements et des chaussures pour lui dans les magasins quand ses affaires étaient usées, et s'assurait qu'il avait de quoi se nourrir lorsque DeAnne et Mitch étaient trop défoncés pour penser à lui donner à manger. Il en avait fait sa responsabilité et s'était sincèrement soucié de lui.

Son lien de parenté avec Jesse n'avait rien d'officiel. DeAnne Mackey et Mitch Cahill se contentaient de vivre ensemble, ils n'étaient pas légalement mariés. DeAnne proclamait avec force que Jesse était le fils de Mitch, et elle avait harcelé celui-ci jusqu'à ce qu'il accepte de lui donner son nom. Seth ne se souvenait que trop bien de leurs disputes.

— Mais pas question que je donne mon nom à l'autre petit voleur que tu as pondu, je te préviens. Ne m'en parle même pas !

Comme si Seth avait eu envie de porter son nom. Pauvre crétin.

Après la mort de DeAnne, Seth avait survécu grâce aux institutions publiques censées veiller à son bien-être, et continué à rôder dans les parages pour garder Jesse à l'œil et le protéger de Mitch.

Cela n'avait pas été facile. Jesse était difficile à protéger. Jesse aimait bêtement tout le monde. Il pardonnait aux amis qui le poignardaient dans le dos, prêtait de l'argent aux voleurs et aux drogués, tombait amoureux et se faisait rouler dans la farine, mais persistait à donner son cœur au premier venu avec un courage qui stupéfiait son frère.

Seth ne pensait pas au lien qui les unissait comme à de l'amour car, à cette époque-là, le mot amour ne faisait pas partie de son vocabulaire. Mais quand il s'attardait à considérer la question – ce qui, fort heureusement, ne se produisait que très rarement, et uniquement lorsqu'il était saoul – Seth savait pourquoi il avait persisté à veiller sur son frère. À l'instar de Jesse, il avait besoin d'avoir au moins une personne au monde à aimer. D'un amour dur, possessif et autoritaire, mais c'était le mieux qu'il pouvait donner. Le mieux qu'il ait jamais donné à quiconque.

Jesse n'aurait jamais dû intégrer les forces de l'ordre. Il était trop confiant, trop tendre. Il aurait dû devenir infirmier ou instituteur. Seth avait fait tout ce qu'il avait pu pour le protéger du monde, mais le monde était vaste, traître et malfaisant, et Jesse avait fini par se faire avoir.

Si Jesse avait été là, il lui aurait dit d'arrêter de se prendre la tête et de s'apitoyer sur son sort. Oui, s'il avait pu le voir, garé là, au beau milieu de la nuit devant chez une femme comme un adolescent amoureux, Jesse aurait éclaté de rire. Seth se le représenta de façon vivace dans son esprit, se tenant les côtes et pointant le doigt vers lui.

— *Chacun son tour, frangin. Il était temps. Tu n'en mènes pas large, hein, frimeur ?*

Seth sentit ses yeux picoter et les frotta du dos de sa main en levant le regard vers la fenêtre de la salle de bains. Il se demanda si Raine pleurait encore.

Elle était peut-être en train de prendre un bain. Il l'imagina, allongée dans la baignoire, l'eau coulant sur sa peau et faisant scintiller ses courbes voluptueuses… En cent dix secondes chrono, il pouvait être chez elle.

L'aider à faire sa toilette.

Il posa la main sur la poignée de la portière. La serra à en avoir mal, puis la relâcha lentement. Les démons qui avaient pris possession de la tour de contrôle de sa tête étaient armés, dangereux et ne plaisantaient pas. Ces sales moralistes avaient imposé une loi martiale.

Il s'affaissa davantage sur son siège. Il avait un début de migraine et l'estomac dans les talons. Il aurait dû manger quelque chose. Le café et les beignets qu'il avait avalés au petit déjeuner lui semblaient à des années-lumière.

S'il avait pris la peine d'inviter Raine à déjeuner, au lieu de lui sauter dessus comme un loup affamé, il n'en aurait pas été là. Inconsciemment, il avait craint qu'elle change d'avis et lui échappe. Il cala son ordinateur portable sur ses genoux et l'ouvrit, en se faisant l'effet d'être en pénitence. Puisqu'il avait l'intention de rester là toute la nuit, autant en profiter pour travailler. Il se demanda si une crise de conscience était une affection qui passait rapidement, comme une brûlure, ou qui était chronique, comme l'acné.

Quoi qu'il en soit, ses scrupules avaient des limites et, loi martiale ou pas, si Raine sortait de chez elle, il aurait le droit de l'aborder.

Si elle s'avisait de franchir la porte de chez elle, elle lui appartiendrait.

8

Chambre, escalier, cuisine, salle à manger, salon. Raine arpentait la maison au risque d'user la moquette. Elle avait pris un bain chaud, bu une tisane et fait ses exercices de yoga sur fond de musique relaxante, mais dès qu'elle cessait, son corps reprenait sa déambulation comme si elle était montée sur ressorts. Il ne lui restait plus qu'à espérer que cette adrénaline lui permettrait de tenir jusqu'à la fin de la journée de travail qui l'attendait.

Travail. Son esprit tourbillonnait en cercles frénétiques. Serait-elle capable de retourner travailler ? De se maquiller, d'enfiler son collant et d'aller au bureau comme si c'était un jour comme les autres ? Pourrait-elle seulement supporter d'approcher Victor, s'il avait tout manigancé pour qu'elle se laisse séduire et... humilier ?

Cette pensée lui fit revivre chaque seconde passée avec Seth Mackey et raviva le désir, le besoin dévorant qui l'avait incitée à se jeter dans ses bras. Penser à Seth lui coupa le souffle. Elle serra les cuisses en dépit de ses muscles endoloris, même si cela la faisait rougir de honte. Elle avait été complètement stupide.

Quand le réveil afficha *2 : 30*, elle renonça au sommeil et enfila un jogging. Quelques tours de pâté de maisons lui permettraient peut-être de se débarrasser de son surcroît d'énergie nerveuse.

Elle fit quelques étirements sur le seuil de la maison, puis s'élança à travers les flaques d'ombre des buissons. L'air de la nuit était imprégné d'une odeur de pluie et de feuilles mortes. L'obscurité lui parut plus menaçante que d'habitude, mais elle mit cela sur le compte de son humeur. Elle avait besoin de reprendre pied.

Devant elle, le bruit étouffé d'une portière de voiture qui s'ouvrait lui parvint. Son cœur se bloqua dans sa gorge. Elle pivota et se mit à courir aussi vite qu'elle le pouvait.

Elle entendit un bruit de pas derrière elle.

— Raine ! Eh !

Elle reconnut sa voix, mais elle était dans un état de panique trop avancé pour se retourner. Elle rassembla son souffle pour crier, et Seth plaqua une main sur sa bouche.

— Ce n'est que moi, calme-toi.

Elle enfonça ses dents dans sa main. Il tira la tresse de ses cheveux en arrière, la forçant à lâcher sa main. Elle chercha à atteindre ses yeux avec les clefs qu'elle tenait. Il intercepta son bras et le bloqua derrière son dos.

— Ne me repousse pas !

— Tu m'as fait peur, siffla-t-elle. Laisse-moi partir !

Seth ne la lâcha pas.

— Je suis désolé de t'avoir fait peur…

— Oh, merci beaucoup ! répliqua-t-elle en cherchant à le frapper de sa main libre.

— … mais il n'y a pas moyen de faire autrement pour attirer l'attention d'une femme dans une rue obscure en pleine nuit. Je te demande seulement de m'accorder deux secondes.

Le cœur de Raine battait si fort qu'elle se sentit faible.

— Deux secondes pour quoi ?

Il fit glisser le dos de sa main le long de sa joue d'un geste maladroit, hésitant.

— Pour m'excuser, marmonna-t-il.

Raine tressaillit sous le choc.

— T'excuser ?

— Oui.

Elle se tordit entre ses bras, et il relâcha juste assez son étreinte pour lui permettre de lui faire face. Raine vit ses yeux briller à la lueur d'un réverbère. Des yeux de pirate, sombres et attentifs. Les ombres de la nuit rendaient les traits de son beau visage plus indéchiffrables que jamais.

— Tu es fou, murmura-t-elle. Après ce que tu as dit…

— Oui, je sais. C'était ignoble. J'ai eu tort. Je me suis comporté comme le dernier des derniers. Qu'est-ce que tu fais dehors à une heure pareille ? Du jogging ? Tu as perdu la tête ?

Elle écarta cette pitoyable manœuvre de diversion.

— Attends un peu, que je comprenne bien. Tu veux dire que tu as changé d'avis ? Que tu ne penses plus qu'on m'a payée pour coucher avec toi ?

— Voilà. C'est ça. Tu as tout compris.

Le petit élan de joie qui la traversa l'alarma. Il prouvait sans aucun risque d'erreur qu'une source inépuisable de stupidité aveugle et autodestructrice gisait en elle.

— Et je peux savoir ce qui t'a fait changer d'avis ?

— J'ai réfléchi, répondit-il en soutenant son regard.

— Tu as réfléchi, répéta-t-elle d'un ton qui passa de la surprise à la colère. Ma foi, tant mieux pour toi, Seth. C'est très perspicace de ta part. Très… sensible.

— Lazar t'a piégée, Raine. Il t'a offerte à moi comme on offre un cigare. Qu'est-ce que j'étais censé penser ?

— Tu as accepté ce qu'il t'offrait, releva-t-elle. Tu es aussi pourri que lui.

Il ouvrit la bouche pour dire quelque chose, puis la referma. Secoua la tête et l'attira contre lui.

— J'avais envie de toi.

— C'est très gratifiant, rétorqua-t-elle en plaquant ses mains sur son torse pour se dégager. On a partagé quelque chose d'incroyable, toi et moi. Mais après... après...

— Oui, je sais, j'ai été nul. Je m'excuserai jusqu'à la fin des temps si tu me le demandes. J'implore ton pardon. Laisse-moi ramper à tes pieds. Tiens, regarde : médaille d'or olympique de la carpette bourrelée de remords.

Il s'agenouilla devant elle et la prit par la taille.

Raine lui appliqua de petites tapes sur la tête, qu'il fit aller de gauche à droite sans vraiment chercher à échapper à ses coups. Au bout d'un moment, elle cessa de le frapper, s'immobilisa et concentra son regard sur ses yeux sombres. Une sensation de chaleur s'empara d'elle. Sans qu'elle sache comment, elle avait enfoui les mains dans ses cheveux et le caressait presque, comme on caresse un chien.

Son charme trouble opérait déjà sur elle, lui brouillait les idées. Lui faisait oublier l'insulte qu'il lui avait infligée, la souffrance qu'il lui avait fait subir. Elle crispa les doigts dans ses cheveux et tira dessus, bien fort. Il grimaça, mais ne chercha pas à se dérober au châtiment. Son menton était calé contre son nombril et elle sentait la chaleur de ses mains sur ses hanches à travers sa veste de jogging.

Tout son corps vibrait, comme si elle était sur le point de voler en éclats.

— Laisse-moi partir, Seth, murmura-t-elle.

— Non, je ne te laisserai pas partir tant que tu n'auras pas accepté mes excuses.

Elle couvrit son visage de ses mains tremblantes et perçut l'odeur que ses cheveux y avaient laissée.

— Ça ne marche pas comme ça. Tu ne peux pas me forcer à accepter tes excuses.

— Si. Regarde-moi faire, répondit-il d'une voix basse et entêtée.

— Ne sois pas ridicule. On va geler si on reste là.

— Je te réchaufferai, dit-il en pressant son visage contre son ventre.

La chaleur de son haleine remonta le long de la fermeture de sa veste. Raine tremblait maintenant si fort que sentir ses cheveux glisser entre ses doigts était devenu son seul point de référence. Sa colère se dissipait, s'écoulait d'elle, goutte à goutte comme à travers un tamis, la laissant vide et triste. Elle n'était pas faite pour demeurer longtemps en colère. C'était un défaut structurel de sa personnalité.

Rusé, Seth perçut l'instant exact où elle flancha. Il se redressa, l'entraîna vers la Chevy, ouvrit la portière arrière, la fit monter sans qu'elle oppose la moindre résistance, puis la suivit à l'intérieur et referma la portière qui se verrouilla automatiquement. Ils restèrent assis sans parler dans l'obscurité, le silence seulement troublé par leurs souffles haletants.

Il la fit asseoir sur ses genoux, cala sa tête au creux de son épaule et la serra très fort dans ses bras.

Raine sentait la pulsation de son cœur et la chaleur de son sexe en érection contre sa cuisse. Il n'était peut-être question que de cela, au fond. Sexuellement insatiable, ce qu'il avait obtenu d'elle ne lui avait pas suffi, et il s'était dit qu'il lui suffirait de présenter des excuses pour recommencer. Une pointe de colère surgit en elle, mais elle était trop fatiguée pour la laisser s'enflammer. Elle était à bout de nerfs, épuisée, heureuse de s'abandonner contre lui.

Il déposa de petits baisers apaisants au creux de son cou, au point de la faire soupirer d'aise. Se blottir comme un bébé entre ses bras puissants, enveloppée par sa chaleur, déclenchait en elle une sensation étrange. Elle se sentait protégée, cajolée. C'était une illusion, évidemment, mais une illusion charmante qu'elle aurait aimé voir durer.

Mais se détendre était parfaitement stupide. Seth était un labyrinthe de contradictions. Tendresse et cruauté, persuasive séduction et impitoyable coercition, si étroitement entremêlées qu'il était impossible de les séparer. Il écartait toutes les barrières qu'elle érigeait contre lui comme des écrans de papier, et elle n'avait pas la force d'en élaborer d'autres ce soir.

— Ne me traite plus jamais de cette façon-là, Seth Mackey, dit-elle en pressant ses lèvres contre la peau lisse de son cou pour le mordre, juste assez pour le faire grimacer. Je te l'interdis.

Il la serra si étroitement qu'il faillit lui couper la respiration.

— Je ne le ferai plus jamais.

Raine se tortilla.

— Eh ! Desserre un peu les bras, protesta-t-elle.

— Non.

— Laisse-moi quand même respirer. Je ne vais pas me sauver.

Une lueur dubitative passa dans son regard, mais il desserra légèrement les bras. Très légèrement.

— Et ne va surtout pas t'imaginer que je ne t'en veux plus, sous prétexte que je te laisse me tenir dans tes bras.

Son sourire révéla brièvement l'éclat de ses dents.

— Même pas en rêve.

Un infime ronronnement s'éleva dans l'habitacle de la voiture, les pans de sa veste de jogging s'écartèrent et Seth glissa les mains à l'intérieur.

Raine les écarta.

— Alors c'est ça, hein ? Tu es venu t'excuser pour pouvoir me baiser ?

— Tu ne devrais pas employer ce mot-là, répondit-il d'un ton désapprobateur. Il sonne faux dans ta bouche.

Elle eut un petit rire étranglé.

— Vraiment, Seth ? Je t'ai choqué, peut-être ?

Il la serra contre son torse et la laine de son pull caressa sa joue.

— Peu importe, marmonna-t-il. Reste là contre moi.

— Tu étais là depuis longtemps ? demanda-t-elle.

— Depuis minuit et demi, à peu près.

— Ça faisait deux heures que tu étais là ? dit-elle en se redressant, stupéfaite.

Il haussa les épaules et se caressa la joue avec l'extrémité de sa tresse.

— Oui. Et alors ? J'adore tes cheveux, ils sont tellement doux…

Elle voulut reprendre sa tresse, mais il refusa de la lâcher.

— Pourquoi est-ce que tu n'es pas venu sonner à la porte ?

Il huma la tresse.

— Parce que je me suis dit que tu ne me laisserais pas entrer. Tu étais en colère après moi et on est en pleine nuit.

— Mais pourquoi ? insista-t-elle. Pourquoi restais-tu comme ça dans le noir ?

— Pourquoi pas ? Pourquoi les gens font-ils certaines choses ? Est-ce que je suis obligé de te donner une raison ? Je me sentais coupable. J'avais envie d'être près de toi. Peut-être que je voulais faire pénitence, ou un truc tordu dans ce genre.

— Pénitence, répéta-t-elle, ses lèvres se relevant sur un sourire. Si tu voulais faire pénitence, c'est loin d'être suffisant.

— Qu'est-ce qui serait suffisant, alors ?

Elle repoussa son torse contre le dossier et se tortilla jusqu'à se retrouver face à lui.

— Attends un peu que je réfléchisse.

Il ricana.

— Très mauvaise idée. Ne réfléchis surtout pas, Raine.

— Ça t'arrangerait bien que je ne réfléchisse pas, hein ? répliqua-t-elle. Désolée pour toi, mais mon cerveau n'a pas d'interrupteur.

Il l'observa un moment de son regard aussi impénétrable qu'un lac sombre, puis glissa une main sous sa veste.

— Tu sais que tu es très sexy dans ce jogging ?

— Je t'en prie, rétorqua-t-elle sèchement. N'espère pas me distraire avec un compliment aussi nul après ce que tu m'as…

— Oui, je sais, je suis un affreux salaud, l'interrompit-il. On a déjà établi ce point, alors autant avancer. Je préfère parler de ta peau. Te dire que je meurs d'envie de passer ma main là-dessous pour caresser ton ventre… comme ça. Mon Dieu, tu es tellement douce. Douce comme des pétales de rose. Je n'ai jamais rien touché d'aussi doux. Je pourrais te caresser comme ça pendant des heures sans me lasser.

La lente caresse de sa main fit naître un frisson sur son épiderme. Le rauque appétit de sa voix et ces quelques mots tout simples avaient suffi à éveiller des images dans sa tête et des sensations dans son corps ; leur action conjuguée exerçait sur elle l'attrait d'une promesse sensuelle. Elle avait menti en disant que son cerveau n'avait pas d'interrupteur. Il en avait un. Seth l'avait trouvé. Et il le savait.

— Tu es dangereux, Seth Mackey, chuchota-t-elle.

Il écarta délicatement une mèche de ses cheveux et déposa un baiser aussi léger qu'une plume sur sa joue.

— C'est possible.

Il effleura ses lèvres des siennes, puis intensifia progressivement son baiser, ses lèvres devenant carrément exigeantes.

Raine détourna la tête, le cœur battant.

— Tu n'es pas un gentil garçon.

— Non, admit-il posément. Je n'ai jamais cherché à me faire passer pour tel.

— J'aurais mieux fait de choisir quelqu'un de docile pour m'entraîner, murmura-t-elle comme pour elle-même. On ne joue pas dans la même cour, toi et moi.

Il frotta le bout de son nez contre sa joue.

— Trop tard, ma douce. C'est moi que tu as choisi et maintenant, je suis mordu. Tu seras obligée de me supporter, que ça te plaise ou non. C'est extrêmement difficile de se débarrasser de moi.

Il cueillit son visage entre ses mains et elle sentit les cals de ses doigts accrocher légèrement sa peau tandis qu'il explorait les contours de ses pommettes.

— Tu as beaucoup d'entraînement à ton actif ?

— Hmm ? fit-elle, troublée par ses caresses.

— Tu disais que tu aurais dû choisir quelqu'un de plus docile que moi pour t'entraîner. Qu'est-ce que ça veut dire ? Tu as beaucoup d'expérience sexuelle à ton actif ?

Il fit glisser sa main par-dessus sa hanche, et elle sursauta quand ses doigts s'attardèrent sur le haut de la raie de ses fesses.

— Euh... pas beaucoup, non, avoua-t-elle.

— Combien ? Dis-moi la vérité. Si tu mens, je le saurai.

Son regard scrutateur était celui d'un prédateur qui guette sa proie.

— J'estime que cela ne te regarde pas.

— C'est là que tu te trompes. Désormais, tout ce qui te concerne me regarde.

Malgré ses efforts, Raine ne trouva rien à répondre à cette choquante déclaration. Seth avait trop de charisme, elle se sentait vulnérable et démunie face à lui.

Autant lui laisser gagner cette manche. Elle n'avait rien à cacher, et pas grand-chose à raconter de toute façon. Elle poussa un long soupir.

— Une seule fois, révéla-t-elle.

Seth se figea.

— Une seule fois ?

— Oui. À Paris. Je ne supportais plus d'être encore vierge, alors j'ai décidé de…

— Quel âge avais-tu ?

Il lui avait fait perdre le fil de ses pensées, et elle eut un instant d'hésitation.

— Euh… vingt-quatre ans, je crois. Presque vingt-cinq. C'était il y a un peu plus de trois ans. J'étais au Louvre et j'ai rencontré tout à fait par hasard quelqu'un que je connaissais…

— Doux Jésus, vingt-quatre ans, souffla-t-il d'un ton presque horrifié.

— C'est toi qui as insisté pour savoir, répliqua-t-elle sèchement.

— Continue, continue, je ne t'interromprai plus.

— J'ai donc rencontré cet homme que je connaissais et qui avait l'air… gentil. Un peu fade, mais sympathique. Et surtout, pas du tout dangereux. Il était à Paris pour affaires. On a dîné ensemble et j'ai décidé qu'il était temps de franchir le pas. Je l'ai autorisé à me raccompagner chez moi.

— Et alors ?

— Quoi, et alors ? Je l'ai laissé… enfin, on l'a fait, quoi.

— Et alors ?

Raine sentit son visage devenir brûlant.

— Tu ne lâches jamais, hein ?

— Jamais, acquiesça-t-il calmement. Raconte-moi.

— C'était horrible, c'est tout, avoua-t-elle d'un air gêné.

— Horrible comment ? insista-t-il d'un ton d'extrême curiosité.

— Oh, s'il te plaît...

— Dis-le-moi si tu ne veux pas que je te fasse la même chose un jour.

Elle rit, mais son rire résonna comme un sanglot.

— Tu ne pourrais pas. Tout a été fini en moins d'une minute, et j'étais bien contente parce que ça m'a fait mal. Je suis allée dans la salle de bains et quand je suis ressortie, il avait filé à l'anglaise.

— Le salaud !

Sa fureur la fit sourire.

— Je m'en suis remise depuis longtemps.

— Pas de préliminaires, pas de caresses, pas de sexe oral, rien ?

— Seth, je t'en prie...

— Ne fais pas la prude.

— J'imagine qu'il était pressé, soupira-t-elle. Il voulait seulement... tu sais quoi.

— Oui, je sais. Je sais même très bien. Mais ce n'est pas une excuse pour avoir saboté ta première fois. Bon sang, quel abruti !

Raine déposa un baiser sur son front, touchée par son expression sincèrement outrée.

— Ce n'est pas bien grave, dit-elle. La deuxième fois a largement compensé ça.

Il l'enserra d'une étreinte possessive, et Raine renversa la tête en soupirant quand il l'embrassa dans le cou.

— Comment s'appelle ce type ?

Raine s'immobilisa.

— Pourquoi veux-tu le savoir ?

— Tu veux que je le tue ? demanda-t-il d'un ton parfaitement détaché.

Un poing glacé enserra ses entrailles.
— Ce n'est pas drôle, Seth.
— Oups. Désolé. Lui casser quelques os, alors ? Les côtes, les rotules, les doigts ? ajouta-t-il avec un sourire carnassier. À toi de choisir.
— Ce ne sera pas nécessaire, je te remercie, répondit-elle sèchement. Je n'y pense même plus. Être égoïste, ennuyeux et mauvais au lit n'est pas un crime capital, tu sais.
— Tout dépend, ma douce, répliqua-t-il en passant la main sous sa veste pour la poser à nouveau sur son ventre. Être égoïste, ennuyeux et mauvais au lit avec toi vient tout juste d'en devenir un.
Raine posa ses deux mains sur la sienne pour l'immobiliser.
— Seth, tu plaisantes, n'est-ce pas ?
Il l'attira contre lui.
— Évidemment que je plaisante… Mon Dieu ! Une seule fois. Si seulement j'avais su. Je ne me serais jamais comporté comme ça avec toi.
La caresse de son souffle sur sa peau déclencha une délicieuse sensation.
— J'ai bien aimé ton comportement, lui dit-elle. Tout, sauf les trois dernières minutes.
Ses lèvres pressèrent contre les siennes, exigeantes.
— Alors, tu me pardonnes ?
L'intensité de sa voix la mit aussitôt sur ses gardes.
— Je n'en suis pas encore tout à fait sûre.
— Décide-toi, bébé, parce que je suis en feu, moi.
— Tu n'es pas en position de me presser, Seth Mackey, répliqua-t-elle d'un ton austère. Tu avances toujours sur un terrain miné.
Il éclata de rire.
— C'est mon terrain de prédilection, ma belle !
Raine sut que le long baiser expert dont il la gratifia était calculé pour lui faire tourner la tête, mais même

lorsque le résultat escompté se produisit et qu'elle sentit ses lèvres former un sourire de victoire contre sa bouche, elle fut incapable d'éprouver de la colère contre lui.

Il caressa ses cheveux en contemplant son visage.

— Je suis désolé d'avoir dit ça, Raine. J'aimerais pouvoir l'effacer.

Il était absolument sincère. Raine sentit son cœur se gonfler, et elle eut envie de couvrir son visage de baisers comme celui d'un enfant pour apaiser la solitude qu'elle avait décelée derrière sa façade rugueuse. Elle passa les bras autour de son cou et pressa son visage contre ses cheveux.

Cette tendre étreinte déclencha en lui un puissant embrasement. Il écarta les pans de sa veste et remonta brutalement son T-shirt, découvrant son soutien-gorge. Raine se tordit contre lui.

— Ne fais pas ça, Seth.

Mais, au contact de ses mains tièdes, ces mots se vidèrent de leur substance.

— Juste ça. Laisse-moi frotter mon visage sur ta peau. J'en meurs d'envie. Elle est si douce. J'adore ton odeur. S'il te plaît, Raine. J'ai besoin de ça.

Sa voix n'était plus qu'un râle de supplication tandis qu'il caressait ses seins à travers le tissu élastique de son soutien-gorge de sport. Sa bouche prit possession de sa gorge, sa langue passa sur le galbe de ses seins, à la limite du soutien-gorge.

Raine se dit que le plus simple était de faire comme si elle croyait qu'il lui laissait vraiment le choix. Seth émit un grondement approbateur devant la fermeture à glissière frontale du soutien-gorge. Il l'ouvrit, écarta les bonnets et pencha la tête vers sa poitrine nue.

Voilà. Elle était perdue. Il soupesait ses seins de ses grandes mains, en suçait les pointes tour à tour, en flattait le galbe de sa langue. La caresse de son souffle déclenchait une vague de chaleur chaotique et sauvage. Il n'y avait pas moyen de l'arrêter. Il pouvait faire d'elle ce qu'il voulait, elle allait le supplier de continuer encore et encore jusqu'à ce qu'il l'ait possédée.

Il écarta brusquement la tête.

— Démissionne.

— Quoi ? demanda-t-elle, complètement désorientée. Qu'est-ce que tu dis ?

— Plaque Lazar. Cette boîte n'est pas un endroit sain pour toi. N'y remets plus jamais les pieds. Ne les appelle même pas. Plaque tout.

Elle secoua la tête.

— Je ne peux pas…

— Cet endroit est toxique pour toi, Raine.

Seth ne pouvait pas savoir à quel point il avait raison. Raine se creusa la tête pour trouver une excuse plausible.

— Je ne peux pas. Je ne saurais pas où aller. La maison que j'occupe appartient à la société de…

— Viens avec moi. Je m'occuperai de toi.

Il passa une main sous l'élastique de son pantalon, l'inséra sous sa culotte et immisça les doigts dans le nid tiède des boucles de sa toison.

Elle poussa un glapissement de surprise et saisit son poignet avec un rire nerveux.

— Et qu'est-ce que tu attendras de moi en échange ? Que je devienne ta maîtresse, ton esclave sexuelle ?

Sa langue glissa sur le pli de ses lèvres entrouvertes, les savoura amoureusement. Sa main descendit plus bas, ses doigts cherchèrent délicatement les replis cachés, soyeux et moites de sa chair.

— J'aime cette idée, souffla-t-il. Maîtresse, esclave sexuelle, les deux me conviennent. Je n'ai encore jamais eu de maîtresse, mais ça doit être amusant.

— Je t'en prie, Seth, je plaisantais. Je ne peux vraiment pas…

Sa voix s'étrangla quand ses doigts s'insérèrent en elle.

— Ce serait parfait, dit-il. Je veux veiller sur toi, te protéger et te faire l'amour. Chaque fois que j'en aurai l'occasion. Par-devant, par-derrière, sur le côté, contre le mur, sous la douche, dans toutes les positions. Appelle ça comme tu voudras, mais viens avec moi.

— Attends, Seth, dit-elle en cherchant à se dégager. Je...

— Fais-moi plaisir, marmonna-t-il en mordillant sa gorge. S'il te plaît, Raine. Ce sera bien. J'ai plein d'argent. Tu ne le regretteras pas.

Ces paroles lui firent l'effet d'une douche glacée. Elle le repoussa et écarta sa main de son pantalon.

— Espèce de salaud ! siffla-t-elle rageusement.

— Quoi ? s'étonna-t-il.

— Tu as plein d'argent et je ne le regretterai pas, hein ? Tu as voulu me faire croire que tu étais désolé, que tu t'étais trompé sur mon compte, et maintenant tu cherches à... à m'acheter !

Seth laissa échapper un soupir.

— Raine...

— Laisse-moi sortir de cette voiture !

— Je me suis mal exprimé, Raine, dit-il en l'attirant contre lui. J'ai mentionné le fait que j'avais de l'argent, parce que je me suis dit que c'était un détail important si je voulais te convaincre de tout abandonner pour devenir ma maîtresse. Je voulais simplement dire que tu n'auras aucun souci financier. Que l'argent n'est pas un problème. Tu comprends ?

Elle cessa de se débattre, mais son corps vibrait encore de colère.

— Tu es lourd et grossier, l'informa-t-elle.

— Je sais, on m'a souvent dit que je n'avais pas de manières.

— On ne t'a pas menti.

— D'accord, désolé. Je jure devant Dieu que je ne voulais pas t'insulter. C'est la dernière chose que j'ai envie de faire. Pardonne-moi. Je t'en supplie. Pardonne-moi encore une fois.

Raine étudia attentivement son profil tendu, puis hocha la tête et prit sa main dans la sienne.

Il poussa un énorme soupir de soulagement.

— Bon, je rembobine, j'efface et je reprends depuis le début, dit-il. Il n'est pas question d'argent. Oublie ce que j'ai dit. Fais-le pour le sexe. Fais-le pour le plaisir, Raine. Tu sais que je te fais du bien. Je peux te faire jouir jusqu'à ce que tu t'évanouisses. Tu te rappelles comment c'était cet après-midi ? Tu te souviens quand j'ai mis tes jambes sur mes épaules ? Tu as aimé ça, pas vrai ? Alors, ce sera comme ça. Tout le temps. Tant que tu voudras.

Il avait baissé son pantalon sur ses hanches et caressait ses fesses nues. Raine finit par prendre conscience de la réalité de la situation. Elle avait passé toute la soirée à se morigéner de s'être jetée au cou d'un inconnu. Seth Mackey lui était toujours aussi inconnu qu'avant, et elle se retrouvait à moitié nue dans sa voiture, prête à lui céder.

Bon sang !

— Attends, essaya-t-elle de dire.

Mais sa langue s'introduisait à nouveau dans sa bouche et sa main glissait vers son entrejambe. Elle serra ses cuisses sur ses doigts, et il murmura quelque chose d'un ton sourd et approbateur. Elle chercha à lui échapper, mais il l'immobilisa et son pouce encercla son clitoris. Ses gestes étaient aussi lents que sa volonté était implacable, et il l'entraîna au cœur d'un festival de sensations dont elle ignorait tout.

Elle jouit, violemment. Les vagues crénelées d'un plaisir brûlant déferlèrent en elle.

Elle se retrouva dans ses bras, stupéfaite. Seth l'attira contre lui et retira sa main de son entrejambe. Il l'approcha de son visage, la respira, puis lécha ses doigts un à un.

— C'était divin.

Un brusque éclat de rire la secoua.

— Tu me piques ma réplique.

Seth défit les lacets d'une de ses chaussures et la lui retira.

— Tu pourras la placer, la prochaine fois que je te ferai jouir.

— Attends, Seth. Je ne crois pas qu'on...

— Tu as vraiment un goût délicieux, dit-il en bataillant contre les lacets de son autre chaussure. Je veux te lécher. Tout de suite.

Sa chaussure retomba avec un bruit sourd sur le plancher de la voiture.

— Je pourrais te lécher pendant des heures.

Sa fébrilité l'alarma.

— Attends, Seth. Attends, protesta-t-elle en le repoussant. Va doucement, s'il te plaît.

— Arrête de me repousser, dit-il en emprisonnant ses poignets d'une seule main et en commençant à lui enlever son pantalon. Détends-toi. Je vais te faire du bien.

Il ne l'écoutait pas, et cela la rendit furieuse. Elle lui donna un vigoureux coup de coude et il émit un grognement surpris. Raine s'immobilisa, horrifiée.

— Pourquoi m'as-tu fait ça ? demanda-t-il en la foudroyant du regard.

Elle déglutit douloureusement.

— N'utilise pas ta force contre moi, répondit-elle en se tortillant dans le cercle de ses bras.

Il les écarta et elle se retrouva sur ses genoux, frémissante de fureur. Elle se redressa en prenant appui sur son épaule, consciente de sa quasi-nudité, torse nu et le pantalon baissé jusqu'à mi-cuisses. Pas vraiment à son avantage.

— Ça te plaisait, Raine, dit-il lentement. Je te faisais du bien. Je ne comprends pas où est le problème.

— Tu te sers trop de ta force, répliqua-t-elle en refoulant ses larmes. Tu ne m'écoutes pas quand je te demande d'aller doucement. Je n'ai aucun contrôle. Ça me fait peur.

Il scruta son regard comme s'il cherchait à lire dans ses pensées.

— Pourquoi voudrais-tu contrôler quoi que ce soit ? Qu'est-ce que tu as besoin de contrôler ? Ça marchait très bien. Tu as joui comme une folle. C'était magnifique.

— S'il te plaît, murmura-t-elle en posant une main tremblante sur sa joue. Laisse-moi respirer, Seth. C'est trop pour moi.

Il renversa la tête en arrière, ferma les yeux, puis secoua la tête.

— Bon sang. Je ne veux surtout pas gâcher ça.

Sa douleur déconcertée l'émut.

— Tu n'as rien gâché, Seth, s'empressa-t-elle d'assurer. C'est juste que je ne peux pas me laisser aller comme tu voudrais que je le fasse. Je ne devrais pas, en tout cas.

— Pourquoi pas ?

Elle écarta les mains.

— Parce que je ne te connais pas !

— Et alors ? Tu sais à quel point j'ai envie de toi et tu sais que je peux te faire du bien. Qu'est-ce que tu as besoin de savoir d'autre ?

L'immensité de l'abîme séparant leurs points de vue lui donna le vertige.

— On est tous les deux partis sur des bases fausses cet après-midi. Résultat, on s'est fracassés contre un mur et c'était affreux. Je ne veux pas que ça se reproduise, expliqua-t-elle. Je ne suis pas le genre de fille qui peut coucher avec un parfait inconnu. C'était une erreur de ma part.

— Une erreur ? répéta-t-il d'une voix dangereusement douce.

— Non ! Je veux dire, oui ! Je veux dire que c'était merveilleux de faire l'amour avec toi, mais que c'était une erreur de faire l'amour avec un inconnu, voilà ! Seth, je ne peux pas faire l'amour avec toi tant que je ne te connais pas un peu mieux.

Le silence qui suivit cette déclaration lui porta sur les nerfs.

— Qu'est-ce que tu veux savoir ? s'enquit-il finalement.

Elle leva les mains au ciel.

— N'importe quoi. Les trucs normaux.

Il laissa échapper un rire bref.

— Je n'ai pas grand-chose de normal, Raine.

— Les trucs anormaux, alors, contra-t-elle d'un ton désespéré.

— Sois plus précise. Qu'est-ce que tu veux savoir exactement ?

— Oh, arrête un peu de tout compliquer, s'irrita-t-elle. Où tu es né ? Dans quelle école es-tu allé ? Comment est ta famille ? Que font tes parents ? Quelles sont tes céréales préférées ?

— J'espère que tu ne t'attends pas à un conte de fées.

— Non, juste la vérité.

Il posa les mains sur le haut de ses cuisses nues et caressa sa peau.

— J'ai grandi à Los Angeles, dit-il. Je ne sais pas grand-chose de mon père, et ma mère n'en savait pas beaucoup plus. Tout ce qu'elle m'a dit, c'est qu'il s'appelait Raul, qu'il ne parlait qu'espagnol et que je lui ressemble comme deux gouttes d'eau, en plus grand. Ils ne communiquaient pas beaucoup, excepté au lit. Ce que je sais de lui s'arrête là. À mon avis, c'était son dealer et elle couchait avec lui pour avoir la drogue qu'elle consommait à cette époque-là.

Raine le contempla, atterrée.

— Oh, mon Dieu, Seth.

— Elle est morte d'une overdose quand j'avais seize ans, mais avec toutes les saloperies qu'elle s'enfilait, ça faisait déjà plusieurs années qu'elle était morte en ce qui me concernait. Un type m'a vaguement tenu lieu de beau-père à un moment donné, mais à mes yeux, il n'était strictement rien. Je me suis plus ou moins élevé tout seul.

Elle passa les bras autour de son cou, et Seth se raidit quand elle pressa sa joue contre son visage brûlant.

— Pas de sentimentalisme, marmonna-t-il. Ça ne fait pas partie du deal.

— Désolée, dit-elle en s'écartant aussitôt. Comment as-tu fait pour survivre ?

— Je ne sais pas trop. J'ai fait pas mal de bêtises. J'ai eu des tas d'ennuis. Des tonnes de bagarres. J'adore la bagarre. Et le sexe, évidemment. J'étais précoce, de ce côté-là.

Il marqua une légère hésitation.

— Et je suis très doué pour ça, aussi.

Il s'arrêta, cherchant à jauger sa réaction. Elle attendit patiemment.

— Ma mère s'enfilait des cachets, mon beau-père était alcoolique, mais moi, ma drogue, c'est l'adrénaline. Je suis bon avec mes poings. Avec une lame aussi. Je sais crocheter les serrures et piquer des voitures. J'ai fait un peu de course automobile à un moment et j'aimais ça. Mais là où j'étais franchement doué, c'était pour la fauche. Je ne me suis pas fait arrêter une seule fois pour vol.

Il attendit, et elle hocha la tête pour l'inciter à continuer en lui caressant les cheveux.

— Je n'ai jamais vendu de drogue, précisa-t-il. Je crois que voir ma mère se détruire m'en a dégoûté à tout jamais.

Il passa la jointure de ses doigts sur sa joue en une lente caresse.

— Est-ce que je te fais peur, Raine ?

Il avait murmuré cette question d'une voix à peine audible, mais elle perçut le message sous-jacent. Ce ne devait pas être facile pour un homme comme lui de révéler des choses aussi intimes et douloureuses.

Il ne lui faisait pas peur. D'une certaine façon, son enfance ressemblait à la sienne. L'isolement et la solitude. La terreur aussi, bien qu'elle fût prête à parier qu'il se serait fait tuer plutôt que de le reconnaître.

Elle caressa les cheveux à la base de sa nuque, frotta son visage contre sa joue rugueuse et lui sourit.

— Non, répondit-elle doucement. Tu ne me fais pas peur du tout. Continue.

9

La réponse de Raine déclencha une nouvelle salve d'émotions brutes en lui. Son armure venait soudain de céder. Les détails sordides de son passé ne regardaient personne d'autre que lui, mais les mots lui avaient échappé. C'était elle qui était à demi dévêtue, et pourtant c'était lui qui se sentait nu.

Il tâcha de se souvenir s'il avait déjà évoqué son enfance malheureuse avec une autre femme. Ce n'était pas un sujet de conversation particulièrement excitant. Il était également possible que Raine cherche à lui soutirer des informations pour le compte de Lazar, mais quand il croisait son regard franc, il en doutait fortement.

Ses mains d'une douceur extrême caressaient son visage, et il avait du mal à se concentrer.

— D'accord, marmonna-t-il en s'efforçant de rassembler ses pensées. Un jour, j'étais un train de cambrioler chez un type, quand le type en question surgit de nulle part et pointa un Para-Ordnance P14-45 sur ma nuque. C'était un flic à la retraite qui s'appelait Hank Yates. Il m'a flanqué une tannée, histoire de me donner une leçon, et a voulu m'emmener au poste de police…

Sa gorge se serra. Il déglutit et interrompit son récit. Il ne pouvait pas raconter ce qui s'était vraiment passé. Hank l'avait soulevé par le col pour le flanquer dans sa voiture et avait alors réalisé que son petit voleur était brûlant de fièvre et qu'il crachait le sang. En définitive, il avait conduit Seth aux urgences plutôt qu'au commissariat, où les médecins avaient diagnostiqué une pneumonie consécutive à une bronchite non soignée. Une fois rétabli, Hank, vieux flic ronchon et adepte de l'autodéfense, avait tellement culpabilisé d'avoir frappé un gamin malade qu'il avait décidé de sortir Seth du mauvais chemin… Non, il ne pouvait pas raconter cela, c'était trop humiliant.

Hank Yates lui avait mené la vie dure. Redoutablement autoritaire, il était veuf et lorsque ses enfants avaient atteint l'âge adulte, ils s'étaient empressés de partir vivre loin de lui. Seth et lui s'étaient violemment heurtés au début, mais une fois la tempête passée, tous deux avaient admis qu'ils avaient besoin l'un de l'autre. Hank ne voulait que son bien, et à sa façon, Seth lui en était reconnaissant. D'autant plus reconnaissant que Hank avait également donné un sacré coup de pouce à Jesse.

Raine attendait patiemment qu'il poursuive. Seth se secoua.

— Où en étais-je ?

— Hank voulait t'emmener au poste, lui rappela-t-elle gentiment.

— Ah, oui. Eh bien, finalement, il ne l'a pas fait. Il a décidé de me remettre sur le droit chemin et au bout d'un moment, j'ai accepté de le laisser faire. J'étais assez malin pour comprendre que mon mode de vie limitait sérieusement mes perspectives d'avenir.

— Et alors ?

— C'est une longue histoire, mais en résumé, il ne m'a pas lâché jusqu'à ce que je décroche mon bac en candidat libre et après ça, jusqu'à ce que j'accepte de m'engager dans l'armée. Hank était un ancien militaire.

Bon sang, il n'avait plus repensé à tout cela depuis une éternité. Son esprit débitait les souvenirs à la chaîne, et il avait l'impression de regarder un vieux film. Il pouvait même entendre la voix rocailleuse de Hank.

— *Allez, gamin. Où donc ailleurs pourrais-tu apprendre tous ces trucs techniques que tu adores ? Grâce à l'armée, tu pourras faire des études. Comment feras-tu autrement ? Tu as quatre-vingt mille dollars planqués dans ton matelas pour intégrer Stanford ? Tu as des parents riches ? Tu vas braquer une banque ? Non.*

— *Je parie que je pourrais.*

— *Ce n'est pas drôle, gamin.*

Il se secoua une fois de plus pour s'extirper de ses souvenirs. Cette incapacité à se concentrer ne lui ressemblait pas et l'irritait.

— Où en étais-je ?

— L'armée, lui rappela-t-elle.

— Oui. Je me suis donc présenté au bureau de recrutement et on m'a fait passer des tests qui ont révélé que j'avais bien un cerveau, en dépit des apparences. On m'a envoyé à l'école des rangers et, au terme de ma formation, j'ai intégré le 75e régiment des rangers. Et là, j'ai découvert que j'adorais ça. Pendant la durée de mon engagement, j'ai enquêté sur les menaces pesant sur la sûreté de l'État. Espionnage, contre-espionnage, lutte antiterroriste, j'ai abordé tous les aspects. La discipline était infernale, mais je savais que si je me tenais à carreau, ils me laisseraient jouer avec leurs jouets. À mes yeux, ça valait le coup. Alors je me suis accroché.

— Tant mieux pour toi, dit-elle en embrassant son front.

Il saisit ses poignets et les serra si fort qu'elle laissa échapper un petit cri.

— Écoute-moi bien, Raine. Je ne te raconte pas mon enfance pour que tu t'apitoies sur mon sort, parce que moi-même je ne le fais pas. Si je te raconte ça, c'est pour deux raisons bien précises. La première, c'est que le mensonge n'est qu'une perte de temps.

— Je suis d'accord, répondit-elle après une légère hésitation.

— Tant mieux. Je suis content qu'on s'accorde sur ce point. Et la deuxième raison, c'est que tu refuses de coucher avec moi tant que tu ne connaîtras pas mon histoire, et il se trouve que c'est justement ce que je veux. Le plus tôt possible. De préférence, dès que j'aurai fini. Ça te va ?

Un frisson la traversa, mais elle ne chercha pas à se dégager.

— Hmm, d'accord, murmura-t-elle. Continue ton histoire.

— Alors, pour résumer, j'ai fini mon engagement en étant à mi-temps dans l'armée de réserve. J'ai décroché quelques bourses d'études et je me suis débrouillé pour financer mes études. J'ai décroché un diplôme d'ingénieur en électronique, je me suis associé avec d'autres geeks dans mon genre, et Mackey Security Systems Design a vu le jour. Mon statut d'ancien voleur me permet d'aborder les problèmes de sécurité selon le point de vue du contrevenant, pour utiliser le jargon légal. Mais ça, c'est un truc que je ne dis pas à mes clients. Ils préfèrent savoir que je suis un ex-ranger, c'est plus rassurant. J'apprécierais que tu gardes ce que je viens de te dire pour toi.

Le petit sourire complice de Raine fit douloureusement enfler son sexe.

— Et voilà, ma belle, conclut-il. L'histoire de ma vie. Un type avec des tas de vices de conception, mais qui sait les dissimuler quand il faut. L'argent aide pas mal à ce niveau-là.

Raine se blottit contre lui.

— Je te trouve très cynique.

— C'est vrai, je le suis, ricana-t-il en faisant glisser ses doigts sur ses belles fesses nues pour les saisir à pleines mains. Alors ? Y a-t-il d'autres choses que tu veuilles savoir avant que je te fasse jouir ?

Sa poitrine généreuse pressa doucement contre son torse lorsqu'elle le serra dans ses bras et déposa un baiser sur son menton.

— Je suis si triste pour ta mère, murmura-t-elle d'une voix tendue.

Il écarta son visage.

— Je te préviens que si tu t'apitoies sur moi, j'en profiterai honteusement, dit-il d'une voix bourrue. N'oublie jamais que je suis un monstre d'opportunisme.

Elle laissa aller son front contre le sien et un petit rire la secoua.

— Si tu es aussi opportuniste que tu le prétends, pourquoi me préviens-tu ?

— Du diable si je le sais, marmonna-t-il. Parce qu'il faut bien que quelqu'un le fasse, je suppose.

Raine était tellement concentrée sur leur conversation qu'elle remarqua à peine qu'il baissait complètement son pantalon et lui enlevait ses chaussettes.

— Tu es toujours en contact avec Hank ?

— Hank est mort il y a cinq ans. Cancer du foie, répondit-il en laissant tomber ses vêtements sur le plancher.

— Je suis désolée. Et donc... tu n'as plus aucune famille ? Aucune tante, aucun oncle, aucun parent ? Personne ?

Il hésita légèrement.

— Non.

— Mais... il y avait quelqu'un avant ? devina-t-elle.

Sa question ne rencontra que le silence. Son infime hésitation avait été une erreur. Raine était fine et intelligente, et elle l'écoutait si attentivement qu'elle avait perçu le trou béant que la mort de Jesse avait laissé en lui.

Il était temps de faire diversion.

Il saisit ses chevilles, plaça ses pieds sur la banquette et fit ployer son dos en arrière jusqu'à ce qu'elle se retrouve allongée devant lui, les cuisses largement écartées. Il se pencha au-dessus d'elle.

— L'heure des histoires est passée, ma belle.

Elle renversa la tête en arrière avec un soupir étranglé. Ses hanches se soulevèrent. Elle s'offrait à lui. Sa veste de cuir crissa dans l'obscurité quand il se baissa pour sucer ses seins. Elle tendit les bras devant elle pour s'agripper à sa veste, retint son souffle lorsqu'il inséra un doigt en elle.

— Tu es endolorie ? demanda-t-il. J'ai peut-être été trop brutal cet après-midi ?

— Ça va, répondit-elle. J'aime ce que tu me fais. Ne t'arrête surtout pas.

— Et ma proposition ? demanda-t-il en jouant avec les replis sensibles de sa chair, étalant l'essence de son désir sur le pourtour. Tu vas plaquer Lazar et venir avec moi ?

Les sons les plus infimes résonnaient dans le silence de la voiture ; le débouclage de son ceinturon, les boutons de son jean jaillissant de leur boutonnière, le froissement de l'emballage du préservatif qu'il enfila sur son sexe.

— Je n'ai pas besoin de protecteur, Seth, murmura-t-elle. Je peux m'occuper de moi toute seule.

Le premier contact de son sexe lui tira un soupir. Seth fit tendrement aller et venir son gland le long de sa fente moite, la gratifiant d'une caresse lente et contrôlée.

— Ce n'est pas l'impression que j'ai, ma belle.

Ses hanches voulaient l'inciter à la pénétrer, mais il les immobilisa pour encercler son clitoris avec l'extrémité de son sexe. Il voulait la voir gémir et se tortiller.

— À t'entendre, on dirait que je devrais me méfier de toi.

Elle laissa échapper un rire nerveux quand il la souleva légèrement pour la mettre en position.

Il s'introduisit à peine en elle et captura ses lèvres d'un baiser exigeant. Il mordit sa lèvre inférieure et inséra suavement sa langue entre ses lèvres.

— Oui, quelqu'un devrait te protéger des types comme moi, admit-il sans chercher à masquer le sombre triomphe de sa voix. Mais personne ne le fait. Et tu sais quoi, Raine ?

— Non, répondit-elle, ses paupières voilant à demi son regard. Quoi donc ?

— C'est ce qui fait ta chance, ma belle.

Il plongea profondément en elle d'un vigoureux coup de reins.

Elle faillit hurler, tant la vigoureuse pénétration de son sexe fut tout à la fois douloureuse et excitante. Il avait raison : elle était encore endolorie de leurs ébats de l'après-midi, mais elle était aussi dans un tel état d'excitation qu'elle n'avait pas voulu courir le risque qu'il s'arrête.

Elle voulait qu'il lui donne tout, à fond. Elle en avait furieusement besoin, maintenant et pour toujours. Seth était la seule personne qui avait le pouvoir d'écarter ses peurs. Le désir chauffé à blanc qu'il lui inspirait était capable d'accomplir ce prodige.

Il releva ses jambes contre son buste de façon à intensifier ses poussées. L'univers se résuma subitement pour elle à cette banquette de voiture et au va-et-vient du sexe de Seth. Ses larges épaules bloquaient toute la lumière, la plongeant dans un écrin de ténèbres veloutées. Des voitures passaient de temps à autre, leurs phares éclairant sporadiquement les traits tendus de Seth. Elle y faisait à peine attention, ne se souciait plus de rien. La seule chose qui comptait, c'était le poids de son corps, son souffle, ses mains puissantes, la caresse de son sexe. L'incendie qu'il avait déclenché se propageait et faisait rage en elle, lui faisait découvrir des dimensions insoupçonnées de son corps.

Il prenait tout ce qu'elle avait à lui donner, mais il était également généreux et déversait en elle un flot d'électricité, la métamorphosait de sa magie. Un courant ravageur, parfait. Elle aurait voulu rester dans cet état éternellement, mais ils approchaient à grande vitesse du bord du gouffre, de l'inéluctable issue.

Ensuite, dès que Raine fut en mesure de former une pensée cohérente, elle réalisa que sa gorge était douloureuse des cris qu'elle venait de pousser. Elle se demanda si quelqu'un l'avait entendue et conclut au même instant qu'elle s'en moquait.

Ils restèrent serrés l'un contre l'autre un long moment, haletants.

— La vache, dit finalement Seth, je suis trempé.

Elle déposa un baiser sur son front et goûta la saveur salée de sa sueur.

— Tu aurais dû enlever ta veste, gros malin.

— Je n'y ai pas pensé.

Elle l'attira contre ses seins et caressa ses cheveux mouillés de transpiration. Son soupir de contentement lui fit fermer les yeux et elle s'efforça d'imprimer ce moment d'intimité parfaite dans sa mémoire. Elle aurait voulu le prolonger indéfiniment.

Il planta un baiser sur son épaule et releva la tête.

— Va faire ta valise. Je t'emmènerai d'abord à l'hôtel, mais je jure de te trouver un appartement dès que les agences immobilières ouvriront. Quel quartier de la ville préfères-tu ?

— Attends, Seth, dit-elle en se raidissant. Je ne crois pas que...

— Tu ne crois pas que quoi ?

— Je ne crois pas que je sois faite pour être ta maîtresse.

— D'accord. Pas de problème. Oublie cette histoire de maîtresse. Mais viens avec moi. Tu trouveras l'appartement que tu veux. Et tu trouveras un meilleur job en moins de dix minutes. Mais dépêche-toi de faire tes valises. Le jour va bientôt se lever et les gens ne vont pas tarder à sortir.

Les paroles qu'il venait de prononcer semblaient indiquer qu'il était certain de sa décision, mais son immobilité attentive signifiait tout le contraire. Elle chercha à se dégager du poids de son corps, mais réalisa qu'elle pouvait à peine bouger.

Si elle acceptait sa proposition, si elle acceptait de s'en remettre à lui, elle se retrouverait exactement dans la même situation. Soumise à son joug et impuissante.

Non, Seth ne pourrait pas la protéger de ses démons. De ses cauchemars, de son passé, de son destin. Hormis elle-même, personne ne pouvait la sauver.

Elle scruta ses yeux plissés, perçut son désir désespéré de la protéger et en eut les larmes aux yeux. Elle affermit l'étreinte de ses bras autour de son cou et l'embrassa.

— Je suis désolée, Seth. Je ne peux pas partir avec toi.

Les muscles de son corps se tendirent.

— Non, ajouta-t-elle d'un ton plus ferme. Quand je dis non, ça veut dire non, Seth. Je ne peux pas démissionner maintenant et je ne peux pas partir avec toi. Je te remercie de ta proposition, mais c'est non.

La tendresse avait déserté les traits de Seth. Son visage ne reflétait plus que la colère.

— Pourquoi ? demanda-t-il.

Elle effleura son visage, souhaitant de tout son cœur pouvoir se confier à lui.

— J'ai mes raisons, répliqua-t-elle doucement.

Il éloigna son visage de sa main et se retira d'elle. Il referma son jean et farfouilla sur le plancher pour récupérer ses vêtements, puis les déposa en vrac sur ses genoux.

— Rhabille-toi.

Raine serra ses vêtements contre sa poitrine, refroidie par le ton de sa voix.

— C'est tout ce que tu as à dire ?

— Ça changera quelque chose si je te supplie comme un chien ?

Elle secoua la tête.

— Dans ce cas, tu peux partir, enchaîna-t-il. Moi, j'ai du travail qui m'attend.

— En pleine nuit ?

— Ouais, lâcha-t-il sans offrir d'explications.

Raine remit ses vêtements à l'endroit et les enfila. La sueur qui couvrait son corps rendait la tâche difficile. Il attendit, la mine sombre, qu'elle ait fini de nouer ses lacets. Puis il déverrouilla les portières et sortit de la voiture.

— Descends.

— Seth...

Il l'attrapa par le bras et la fit sortir.

— Tu as tes clefs ? Montre-les-moi.

Raine les sortit de sa poche en frissonnant de froid.

— Rentre. Je veux te voir verrouiller la porte derrière toi avant de partir.

Il remonta dans la voiture tandis qu'elle restait figée sur place. Ses jambes tremblaient tellement qu'elle n'osait pas bouger. Le moteur de la voiture s'éleva, et la vitre de sa portière descendit.

— Bouge tes fesses et rentre chez toi, Raine, dit-il d'un ton autoritaire qui l'irrita.

— Tu n'as pas d'ordres à me donner, Seth.

— Si je dois te porter, je le ferai, mais je te préviens que ça va m'énerver.

Elle recula en levant les mains, incapable de soutenir son regard glacial plus longtemps. Elle se dépêcha de rentrer chez elle, verrouilla la porte derrière elle et jeta un coup d'œil à la fenêtre. Il la vit, hocha brièvement la tête et démarra. Elle regarda ses feux arrière disparaître au bout de la rue, puis se laissa tomber sur la moquette.

Une émotion qu'elle aurait été incapable de définir secoua ses épaules. La situation semblait propice aux larmes, mais elle avait déjà tellement pleuré que la source de ses larmes s'était tarie.

Elle réalisa brusquement qu'il ne lui avait toujours pas donné son numéro de téléphone.

Mieux valait en rire, finalement.

10

Victor prit une gorgée de cognac et regarda le ciel.

La lune apparut entre les nuages. Elle fit miroiter la surface de l'eau quelques secondes, puis disparut à nouveau.

Il était plus de minuit, mais il trouvait rarement le sommeil à l'approche de la pleine lune. Bien que la morsure du vent fût vive, il exultait tellement qu'il ne s'en souciait guère. Sa nièce n'était pas un petit lapin terrorisé, finalement. Il y avait encore du travail, mais le matériau brut était là. Peut-être était-elle bien sa fille. Elle ne tenait pas son caractère de ce pauvre Peter, et Alix, dépourvue de tempérament, n'était qu'apparence et frivolité.

Sa campagne pour l'endurcir semblait fonctionner à merveille. Affronter Mackey seule à seul lui avait fait beaucoup de bien. La petite coquine l'avait bravé. Sans pour autant lui ouvrir sa porte. C'était tout simplement merveilleux. Victor sentit son corps vibrer d'excitation. Il fallait fêter dignement l'événement.

Il lampa la fin de son cognac, rentra à l'intérieur et remit son verre au domestique qui se trouvait là.

— Vous direz à Mara de me rejoindre dans ma suite d'ici dix minutes, ordonna-t-il.

Mara frappa doucement à la porte de sa chambre avant qu'il ait fini de se déshabiller. Il la fit patienter, le temps d'enfiler son peignoir et de s'asseoir dans son fauteuil préféré qui lui permettait de surveiller tout à la fois la fenêtre et le miroir.

— Tu peux entrer.

Elle pénétra dans la chambre, pieds nus, ses longs cheveux sombres ruisselant sur ses épaules. Elle était vêtue d'un court peignoir de soie écarlate, fermé par une ceinture au niveau de la taille. Elle avança lentement, un sourire sensuel aux lèvres, puis s'arrêta à un mètre de lui, attendant ses instructions. Son personnel était parfaitement formé.

Il l'étudia attentivement.

— Enlève ton peignoir, ordonna-t-il.

Elle dénoua la ceinture et fit souplement onduler ses épaules. Le peignoir glissa sur sa peau dorée, la fine étoffe s'attardant un délicieux et bref instant sur ses mamelons bruns, puis, plus fugitivement encore, sur la courbe de ses hanches, avant de se répandre à ses pieds.

Les ongles de ses orteils étaient laqués de doré, remarqua-t-il en appréciant ce détail. Il apprécia nettement moins l'anneau qui ornait son gros orteil, mais décida de passer outre pour le moment.

— À genoux.

Elle s'exécuta avec grâce, soulevant ses cheveux et cambrant le dos. Sa poitrine était parfaite.

Il se laissa aller contre le dossier de son fauteuil et la regarda s'approcher, un sourire prometteur retroussant ses lèvres. Ses mains fraîches et lisses plongèrent avec assurance sous le peignoir pour saisir son sexe en érection.

Sa technique l'impressionna agréablement. La fille était habile. Son rythme était parfait, le rapport entre la pression de sa langue et la profondeur de sa gorge très agréable ; il ne sentait absolument pas ses dents. La façon dont elle se servait de ses mains en duo avec sa langue et ses lèvres relevait de la perfection pure. Elle était tout à la fois audacieuse et gracieuse dans l'acte de fellation sans rien céder à la vulgarité – une tâche délicate entre toutes. Sa bouche ne faisait aucun bruit déplaisant. Elle excellait surtout à manifester le plaisir évident qu'elle prenait à la chose. Réel ou feint, Victor apprécia tout particulièrement ce détail, essentiel à ses yeux.

Il reporta son attention sur le miroir et savoura le tableau qu'elle formait. Le creux de sa taille s'évasait harmonieusement jusqu'à ses fesses aussi lisses que du marbre poli. Victor nota mentalement de lui octroyer une prime. Il alluma une cigarette. Mara leva vers lui un regard interrogateur, et il lui fit signe de continuer.

La pénombre de la pièce lui parut soudain oppressante. Il alluma la lumière, mais le regretta aussitôt. L'éclairage faisait ressortir le front un peu trop bas et le nez un peu trop étroit de Mara. Son maquillage trop prononcé.

Il ferma les yeux, bloqua cette vision déplaisante et se retrouva en train de penser à sa nièce. Elle n'avait pas dû s'ennuyer avec Mackey. Il se demanda fugitivement si Mara, elle, était encore capable de rougir. Il rouvrit les paupières et l'observa. Le va-et-vient de son sexe entre ses lèvres l'en fit sérieusement douter.

Ces pensées contradictoires pesèrent sur lui, menaçant son humeur et son érection. Il essaya de les chasser, mais la surprenante pensée qui prit forme dans son esprit le perturba tant qu'il fut incapable de l'ignorer.

Il venait de réaliser qu'il enviait la maladresse et l'ignorance de sa nièce. Elle était encore à l'aube des miracles et des désastres. Tout pouvait lui arriver. Le danger et l'intensité de sa vie étaient à des années-lumière de la platitude à laquelle lui-même était confronté, jour après jour.

Il ferma les yeux et laissa Mara l'amener au bord de l'orgasme. Il éjacula avec un frisson douloureux. Un silence écrasant retomba sur lui.

Quand il rouvrit les paupières, sa cigarette n'était plus qu'un cylindre de cendre. Mara s'essuyait la bouche en s'efforçant de masquer l'appréhension de son regard. Victor rabattit les pans de son peignoir.

— Tu peux t'en aller, dit-il sèchement.

Mara se redressa, une expression légèrement blessée déformant fugitivement ses traits. Trop professionnelle pour émettre la moindre protestation, elle quitta la pièce sans un mot.

Victor regarda par la fenêtre.

Appeler Mara avait été une erreur. Le soulagement sexuel pouvait aussi bien atténuer qu'intensifier son froid intérieur. Et malheureusement, les prémices de l'excitation ne permettaient pas d'augurer de l'issue heureuse ou malheureuse de l'acte. Le plus simple serait de renoncer à toute forme de sexualité, se dit-il avec une pointe de regret. Le jeu n'en valait plus la chandelle.

Il se sentit vaguement gêné d'avoir congédié Mara aussi abruptement. Elle avait fait de son mieux et n'était en rien responsable de la situation. D'un autre côté, il la payait suffisamment bien pour qu'elle essuie une humiliation. Il écarta cette pensée, se versa un whisky et le sirota en contemplant la beauté désolée de la lune se reflétant sur l'eau.

Il savait ce qui allait se passer. Le froid allait raviver une profonde douleur qui se répandrait et s'ingénierait à le briser. Les nuits comme celle-ci, la lune pesait sur lui d'un regard glacé et inamical qui voyait tout, se souvenait de tout et ne pardonnait rien. Il était parfois tenté de chasser cette douleur et ce vide artificiellement, mais il détestait les brumes de la drogue ou de l'alcool. Il n'essaierait même pas de dormir. Dans cette humeur, il pouvait être certain qu'un rêve viendrait le hanter. Il se demanda si Raine avait hérité des Lazar leur don des rêves.

Un don de naissance extrêmement gênant pour un homme tel que lui.

Si le sexe ne parvenait plus à le distraire, il devrait trouver un autre moyen. Il s'était astreint à bien se comporter depuis la catastrophe de l'affaire Cahill, et cela l'exaspérait. Il était peut-être temps de se consacrer à nouveau à sa collection. Pas celle des trésors qui s'accumulaient dans son coffre, bien qu'ils soient tous inestimables. Non, sa véritable passion consistait à collectionner les gens.

Il jouissait d'un talent exceptionnel pour débusquer et exploiter les faiblesses des individus. Les armes de crimes volées n'étaient que la variation d'un thème ancien, lui permettant de s'attacher les gens par le biais du secret et de son délicieux corollaire, la culpabilité. Victor adorait se sentir en position de force et exercer son ascendant sur les gens.

Sa collection était aussi vaste que variée, mais il avait fini par se lasser de collectionner les personnalités en vue et les piliers de la communauté. Depuis un moment déjà, il jouait avec l'idée d'ajouter des créatures plus dangereuses et imprévisibles à son zoo privé. Exotiques, en quelque sorte. Les secrets de ces personnes-là étaient plus noirs, plus terribles. Assez semblables aux siens.

C'était cette envie qui l'avait incité à se rapprocher de Kurt Novak. Novak était le spécimen le plus exotique qu'il ait jamais cherché à capturer. Cela s'apparentait à attraper un serpent venimeux par la queue. Et, une fois qu'il l'aurait attrapé, Victor aurait un moyen de pression sur un spécimen encore plus intéressant, Pavel

Novak, le père de Kurt. Un Hongrois qui se trouvait être un des chefs les plus riches et puissants de la mafia des pays de l'Est européen.

Sa dernière tentative avait été sabotée par l'intervention inopportune de Jesse Cahill. Cette affaire avait rendu Novak furieux. Piéger et tuer l'agent du FBI qui s'était infiltré parmi les siens l'avait à peine apaisé.

Victor avait sincèrement regretté la mort de Cahill. Le meurtre n'avait jamais été dans ses goûts et le jeune homme était plutôt sympathique – mais il avait joué avec le feu et s'était brûlé. Victor appréciait de ne pas avoir été obligé d'assister à son exécution. Novak recourait dans ces cas-là à des pratiques pour le moins baroques.

Il l'avait cependant vue en rêve, malheureusement.

Pour démarrer le jeu avec Novak, il allait justement devoir parier sur un de ses rêves. Il ne le faisait que rarement, à cause de la nature imprévisible de son étrange talent qui pouvait le trahir à tout instant. Un risque à courir au vu de la récompense, se dit-il. Cette idée audacieuse le soulagea instantanément de son sentiment de vacuité. Il caressait ce projet depuis le début de ses rêves avec Belinda Corazon.

Il alluma une cigarette et décrocha le téléphone.

Son correspondant répondit au bout de quatre sonneries.

— Salut, Victor. Je suis surpris que tu aies l'audace de m'appeler à une heure pareille.

— Bonsoir, Kurt. J'imagine que tu vas bien ?

— Ce n'est pas parce que tu souffres d'insomnie que tu dois m'en imposer les désagréments, rétorqua-t-il d'un ton froid.

— Je m'excuse, mais certaines conversations ne supportent pas la lumière du jour. Elles se déroulent naturellement dans l'obscurité.

— Je n'ai pas la patience de déchiffrer tes propos sibyllins, Victor. Viens-en au fait.

— Est-ce que tu as entendu parler de la récente disparition de l'arme du meurtre de Belinda Corazon, Kurt ?

Novak fut soudain tout ouïe.

— Tu as quelque chose à voir avec ça ?

Victor aspira une bouffée de sa cigarette, savourant l'intérêt de son interlocuteur. Présenter un morceau de viande crue à un animal aussi déséquilibré que Novak était un sport hautement excitant.

— Je plaide coupable. Tu n'imagines pas tous les services que j'ai dû rendre pour me procurer cet objet.

— Ce que je n'imagine pas, ce sont les raisons qui t'ont poussé à le faire. Mais je suppose que tu me l'expliqueras en temps et en heure.

— À titre d'investissement, évidemment. De nombreux acheteurs sont déjà sur les rangs, mais je tenais à te le proposer en priorité. Je sais quels sentiments puissants t'inspirait la jeune dame.

Novak resta un moment silencieux.

— Est-ce que tu es devenu complètement fou ? demanda-t-il du ton de la conversation.

— Absolument pas. Je me suis dit que tu aimerais en être informé avant que l'arme disparaisse à tout jamais dans une collection aussi privée qu'anonyme. La décision n'appartient qu'à toi, évidemment, mais il est bon que tu saches que cette arme est liée à un autre objet du plus haut intérêt pour toi. Et incidemment, pour ton père.

— Lequel ?

— Une cassette vidéo, répondit Victor d'un ton doucereux.

— Oui ? l'incita Kurt à poursuivre.

Victor ferma les yeux pour se concentrer sur ses images mentales, et se mit à parler d'une voix basse, rêveuse.

— Elle regarde par le judas, elle est fâchée de découvrir celui qui se tient derrière la porte. Elle lui dit de partir, mais son visiteur n'en tient pas compte. Il ouvre lui-même la serrure, pousse la porte et la fait tomber par terre. Ses longs cheveux noirs sont mouillés. Elle porte un peignoir de satin. Blanc. Il l'ouvre. Dessous, elle est entièrement nue. Tout est blanc dans la pièce, même le bouquet de tulipes sur la console placée sous le miroir. Elle voit ce qu'il sort de la poche intérieure de son manteau... et pousse un hurlement.

Il s'interrompit. Novak ne dit rien. Il reprit.

— Son amant émerge de la chambre, nu, un Walther PPK au poing dont il ne sait visiblement pas se servir. Le visiteur mystérieux a sorti un étrange petit pistolet de sa poche, il en pointe le canon vers l'homme et tire. L'homme porte les mains à son cou, s'affale contre le mur et glisse sur le sol, toujours vivant et ne portant aucune blessure. Il servira de bouc émissaire. Le visiteur se retourne vers la jeune femme qui tente désespérément de se relever... Dois-je poursuivre ? demanda Victor après une pause.

— Comment as-tu fait ? siffla Novak.

— C'est sans importance, le nargua Victor. L'important, c'est qu'il existe plusieurs copies de cette cassette, placées en différents endroits et accompagnées d'instructions sur la manière de les utiliser au cas où je mourrais prématurément. Non que je doute de ton amitié, Kurt.

— C'était donc toi, l'auteur de cet appel anonyme qui m'a empêché d'exercer complètement ma vengeance, dit Novak d'une voix venimeuse. Je voulais qu'il passe le restant de ses jours derrière les barreaux, Victor. Pour avoir osé poser la main sur elle.

— Que veux-tu, il m'arrive parfois d'être victime d'une poussée d'altruisme, murmura Victor. Jeter Ralph Kinnear en pâture aux chiens m'a paru excessif.

— Est-ce que tu sais à quoi tu t'exposes, Victor ? Penses-tu sincèrement être de taille à jouer avec moi ?

— Tu te souviens que la dernière fois que tu as été vilain, ton papa a insisté pour que tu ne fasses plus de bêtises ? Son organisation a des problèmes d'image en ce moment. Savoir son rebelle de fils impliqué dans le meurtre d'un célèbre top model lui ferait beaucoup de peine. J'ose à peine imaginer le ramdam médiatique.

— Combien veux-tu pour les cassettes ? demanda Novak après un silence.

— Ne sois pas commun, Kurt. Il ne s'agit pas d'argent. Les cassettes ne sont pas à vendre. Elles resteront dans ma collection privée. Pour toujours.

Au cours du silence qui suivit, Victor sentit quelque chose opérer comme une drogue dans son organisme – le sursaut de triomphe après une manœuvre bien exécutée dans un jeu de pouvoir. Il n'y avait pas de cassette, il n'y en avait jamais eu. Il devait se montrer extrêmement prudent dans la façon d'énoncer les choses quand il utilisait les informations qu'il avait réunies à partir d'un rêve ; dans les rêves, la chronologie est souvent sacrifiée au bénéfice d'un symbolisme coloré. Au fil du temps, il avait appris à compenser ce paramètre.

— Qu'est-ce que tu veux, Victor ? lança Kurt d'un ton révélant qu'il s'était repris, aussi neutre que s'il lui avait demandé quelle sorte de cognac il voulait boire.

— Je veux retrouver ma place privilégiée dans tes cercles d'affaires, Kurt. Je te demanderai seulement de couvrir mes frais. À condition que tu veuilles le pistolet, bien sûr. Cinq millions de dollars suffiront. Il va de soi que tout ceci restera entre nous.

— Tu es encore plus fou que moi, déclara Novak d'une voix qui laissait percer une certaine admiration. Je t'arrangerai une rencontre avec mes représentants.

— Je me suis donné beaucoup de mal pour te procurer cet objet, Kurt, répliqua doucement Victor. Je tiens à te rencontrer personnellement.

Il entrerait ainsi dans le cercle des très rares privilégiés à avoir vu le nouveau visage de Novak et avancerait d'une case dans son jeu. Il attendit, le souffle court.

— Y tiens-tu vraiment, Victor ? Ce qui s'est passé il y a dix mois m'a coûté une fortune. J'ai dû me retirer de la circulation et changer de visage. Je n'ai aucun intérêt à faire affaires avec des gens qui ne savent pas garantir leur sécurité. Si ça se passe comme la dernière fois, je te détruirai sans hésiter.

— Compris, fit Victor en souriant à la lune.

Il avait retrouvé toute sa bonne humeur. Rien de tel qu'une menace de mort de la part d'un ennemi mégalomane pour chasser l'ennui.

— Au fait, dit Novak, je voulais te demander... J'admire énormément la délicieuse créature que tu héberges en ce moment dans ta garçonnière de Templeton Street. Elle tranche agréablement avec le style de tes poules habituelles.

Un choc déplaisant se répercuta dans le corps de Victor.

— Que veux-tu savoir à son sujet ? s'enquit-il d'un ton léger.

— Tu n'es pas le seul à te mêler des affaires de tes amis, Victor. Je suis en train de regarder des photos pendant que nous parlons. Elle a cet air d'innocence lumineuse que j'affectionne particulièrement. Elle est tout simplement exquise. Mais à ta place, j'augmenterais son budget vestimentaire.

— Elle a trente-trois ans, Kurt, dit Victor en vieillissant Raine de cinq ans. Tu aimes les fruits plus verts, d'habitude.

— Trente-trois, dis-tu ? Hum... On lui en donnerait facilement dix de moins.

— Trente-trois, maintint fermement Victor.

— Tu sais qu'elle baise avec un autre type derrière ton dos ? fit Kurt d'un air gourmand.

— Vraiment ?

— Cette nuit même, mon ami. Il y a moins d'une heure. On lui donnerait le Bon Dieu sans confession, mais c'est une petite salope comme toutes les autres. Sur la banquette arrière d'une voiture de sport. Ma source prétend que le jeune étalon qui l'a besognée ne l'a pas ménagée. Et qu'elle a bruyamment manifesté son approbation. Penses-y, la prochaine fois que tu lui rendras visite. Comme ça, elle n'aura plus besoin d'aller se satisfaire ailleurs.

— C'est très aimable à toi de m'en informer.

La bête répugnante qu'était Novak perçut certainement son dépit. De tous les scénarios possibles, Victor n'avait pas envisagé que Novak puisse s'intéresser à sa nièce. C'était extrêmement désagréable.

— Évidemment, si l'envie te prenait de lui faire comprendre l'erreur de sa conduite, je serais ravi de m'en charger, proposa Novak d'un ton mielleux. Tu sais que l'instruction des jeunes dévergondées est ma spécialité.

— Et me priver de ce plaisir ? répliqua Victor en laissant échapper un rire bref. Non merci, Kurt. Je réglerai cela personnellement.

— Si tu changes d'avis, fais-le-moi savoir. Tu es plus timoré que moi pour ce genre de choses, mais on peut établir les paramètres à l'avance si tu veux. Son joli petit corps n'aura pas une marque, mais je te garantis que la donzelle n'osera plus jamais défier ton autorité.

Une vision écœurante des giclées du sang de Belinda Corazon répandues sur la moquette blanche traversa l'esprit de Victor.

— Je m'en souviendrai, dit-il.

— Tu sais que je n'hésite pas à payer grassement quand il s'agit de mes loisirs, Victor. Je serais très généreux si tu m'octroyais une telle partie de plaisir. Je serais même prêt à te céder ce Derringer qui te faisait tellement baver à San Diego, l'année dernière. L'arme du célèbre crime maquillé en suicide de John F. Higgins en 1889, tu te souviens ? Je l'ai eu pour deux cent mille et à mon avis, il en vaut facilement le double. Penses-y. Quant à l'autre affaire... je te contacterai prochainement.

Il y eut un cliquetis, et la ligne devint muette.

Victor raccrocha et sentit, choqué, les signes physiologiques de la peur se propager en lui. Sueurs froides, frissons, inconfort abdominal, aucun ne manquait à l'appel. Il avait presque oublié cette sensation.

Il ne se souvenait pas d'avoir jamais eu peur pour quelqu'un d'autre. Réaliser qu'il se souciait sincèrement du sort de sa nièce l'alarma. Qu'il joue avec Novak, c'était une chose. Victor était un vieil homme déçu et rempli d'amertume que la vie ennuyait profondément et qui n'avait rien à perdre. Mais exposer sa nièce au regard toxique de Novak, c'était différent. Elle ne serait jamais de taille à affronter un adversaire aussi diabolique.

Obscurément, l'idée que Mackey soit aussi mordu le réconforta. Il formerait un excellent rempart pour elle.

Ainsi donc, ils s'étaient bruyamment amusés sur la banquette arrière d'une voiture de sport. Dans un respectable quartier résidentiel. Les plis de sa bouche se relevèrent sur un sourire.

La petite effrontée se révélait sous un jour de plus en plus prometteur.

— Parfait, parfait, parfait. Regardez qui s'est finalement décidé à nous faire la grâce de son auguste présence, modula Harriet en avançant vers le bureau de Raine, accompagnée par le cliquetis nerveux de ses talons aiguilles.

Raine posa son sac à main sur son bureau et regarda sa montre. Elle avait une heure de retard, mais après tout ce qu'elle venait d'endurer, elle n'eut pas l'énergie de s'en inquiéter.

— Bonjour, Harriet.

La tête de Stefania surgit au-dessus de l'épaule de Harriet.

— Regardez tous par ici, dit-elle avec un sourire suave. Je vous présente le parfum de la semaine. J'espère que tu t'es bien détendue hier après-midi, pendant qu'on travaillait.

Raine se retourna pour leur faire face tout en déboutonnant son manteau. Deux jours auparavant, une telle situation l'aurait amenée au bord de la nausée. Désormais, le bourdonnement de moustiques des deux femmes ne lui parvenait que de très loin et lui semblait parfaitement insignifiant.

— Auriez-vous un problème, mesdames ? s'enquit-elle tranquillement.

Harriet eut un battement de cils stupéfait.

— Vous êtes en retard.

— Oui, acquiesça Raine. Je n'ai pas pu faire autrement.

Harriet retrouva rapidement son assiette.

— Vos excuses ne m'intéressent pas, Raine. Ce qui m'intéresse...

— ... ce sont les résultats, je sais. Merci, Harriet, j'ai déjà entendu ce sermon plus d'une fois. Maintenant, si vous voulez bien m'excuser, je serais beaucoup plus productive si vous me laissiez travailler.

Le visage de Harriet s'empourpra.

— Vous prenez vos grands airs sous prétexte de la relation privilégiée que vous entretenez avec M. Lazar, mais je préfère vous avertir que...

— Je ne prends pas mes grands airs, corrigea Raine. Je ne suis pas d'humeur à me faire rabrouer, c'est tout.

— Non, mais quel toupet ! s'exclama Harriet dont le visage vira du rouge brique à la betterave blette.

— Sa Majesté sera peut-être intéressée d'apprendre qu'elle a raté le ferry, annonça Stefania. Nous allons devoir appeler M. Lazar pour le prévenir que vous n'arriverez pas à Stone Island tant que le bateau-taxi ne sera pas disponible pour vous y conduire. Il devra se passer de secrétaire toute la matinée, et je peux d'ores et déjà vous garantir qu'il sera furieux.

— Ferry ? Quel ferry ? demanda Raine d'un ton où pointait l'angoisse à travers le brouillard protecteur de l'indifférence et de la fatigue.

Harriet le sentit et eut un petit sourire de triomphe.

— Oh, oui... Vos services ont été requis sur l'île. M. Lazar s'y retire régulièrement pour travailler. Dans ces cas-là, une équipe d'appoint prend le ferry jusqu'à Severin Bay, où ils retrouvent le bateau privé de M. Lazar qui les conduit jusqu'à Stone Island.

— Si vous étiez arrivée à l'heure, vous auriez pris le ferry de 8 h 20 avec les autres, ajouta Stefania. Maintenant, vous allez devoir prendre le bateau-taxi.

— Nous ferons donc votre travail à votre place aujourd'hui aussi, renchérit Harriet. Inutile d'enlever votre manteau, la voiture vous attend en bas.

Une demi-heure plus tard, Raine était à l'embarcadère de Seattle, frissonnant sous le vent froid de la côte. S'efforçant de se persuader qu'elle était prête à affronter Stone Island et le tourbillon d'angoisse qui entourait l'île.

Sa mère avait menti quand elle avait dit qu'elles étaient en Italie le jour de la mort de son père. Raine en était certaine. Elle ferma les yeux et essaya pour la centième fois de se souvenir de ce jour.

Elle avait dû le serrer dans ses bras et l'embrasser pour lui dire au revoir lorsqu'il était monté à bord de son petit voilier. Elle avait dû aussi le supplier de l'emmener, comme toujours, mais il n'avait presque jamais cédé. Il aimait se retrouver seul pour rêvasser en contemplant les îles et en sirotant le contenu de sa flasque en argent.

Elle souffrait de ne pas se rappeler leurs adieux. Cet instant aurait dû rester inscrit à tout jamais dans sa mémoire, mais il semblait avoir été recouvert d'encre noire.

Elle ne parvint à ressentir que de l'anxiété et une panique grandissante. Elle allait avoir du mal à se comporter de façon professionnelle et détachée sur l'île. Après des années d'inaction pétrifiée, tout arrivait en même temps. Elle se métamorphosait à une telle vitesse qu'elle avait du mal à se reconnaître d'un instant à l'autre.

— Bonjour, dit une voix.

Elle sursauta et se retourna. Un bel homme blond et élégant, d'une trentaine d'années, la détaillait d'un regard intéressé, les yeux dissimulés derrière des lunettes de soleil réfléchissantes. Il lui adressa un sourire que Raine lui rendit, en se demandant si celui de l'homme signifiait qu'ils s'étaient déjà rencontrés quelque part. Son sourire charmeur, conquérant, creusait de profondes fossettes sur ses joues. Elle se serait souvenue de son visage si elle l'avait déjà vu.

Plusieurs secondes passèrent. Raine ne voyait absolument pas ce qu'elle aurait pu lui dire. Il continuait à l'observer et son sourire était vraiment séduisant, mais il émanait de lui une énergie étrange.

L'homme se rapprocha et, sans aucune raison objective, Raine pensa à Méduse, cette créature mythologique à la chevelure de serpents dont le regard a le pouvoir de pétrifier les humains. Il était plus près d'elle, à présent. Trop près. Raine aperçut son reflet dans les verres de ses lunettes. Ses yeux écarquillés semblaient terrifiés.

Les coins de sa fine bouche se relevèrent légèrement, comme s'il appréciait de la sentir intimidée.

Raine fut gagnée par la colère, mais le malaise était trop infime, trop subtil pour qu'elle puisse s'aviser de protester à voix haute. Sans prononcer un mot, cet importun la réduisait à l'état de proie.

— Excusez-moi, dit-elle en reculant.

— Attendez. J'ai l'impression de vous connaître.

Sa voix amicale avait une vague intonation européenne, difficile à identifier.

Elle secoua la tête.

— Je ne crois pas.

Idiote, se morigéna-t-elle. Miss Tout Va Bien venait de lui donner une ouverture en adoptant le ton incertain d'une pauvre créature vulnérable. *Cui-cui-cui*, faisait le petit oisillon tandis que le serpent ouvrait largement la gueule.

— Vous travaillez bien pour Lazar Import-export, non ?

Découvrir qu'il en savait déjà autant sur son compte ne fut pas plus agréable.

— Oui, admit-elle en continuant à reculer.

Il persistait à la suivre comme s'il ne percevait pas son embarras.

— Tout s'explique. J'ai fait affaires avec votre employeur par le passé. J'ai dû vous croiser. À une fête sur l'île ou à une réception quelconque.

Il sourit. Ses dents étaient droites et régulières. Aussi anormalement parfaites que celles d'un personnage de dessin animé.

— Je ne suis chez Lazar que depuis trois semaines, dit-elle, et je n'ai jamais assisté à aucun événement organisé par l'entreprise.

— Je vois, murmura-t-il. C'est étrange, parce que j'ai vraiment l'impression de vous avoir déjà vue. Puis-je vous inviter pour un petit déjeuner ?

— Non, merci. Je dois embarquer dans quelques minutes.

— Pour Stone Island, je présume. Permettez-moi de vous y emmener dans mon bateau. Ce sera beaucoup plus rapide. Je rendrai service à Victor et j'aurai le plaisir de votre compagnie pour le petit déjeuner.

Raine fut sur le point de lui sourire poliment et de prodiguer une excuse bredouillante, au lieu de quoi elle prit une longue inspiration.

— Non, s'entendit-elle lui répondre platement.

— Aurai-je alors le plaisir de vous revoir ?

— Non, répéta-t-elle.

Il retira ses lunettes. Ses yeux étaient cernés d'une ombre pourpre qui faisait ressortir le vert de ses yeux avec une surprenante intensité.

— Pardonnez-moi si je vous ai embarrassée, dit-il. Dois-je comprendre que vous n'êtes, euh... pas libre ?

— Exactement, acquiesça-t-elle. Je ne suis pas libre.

Elle ne l'était plus depuis l'instant où Seth Mackey avait posé les yeux sur elle dans l'ascenseur. Il y avait seulement deux jours de cela, mais elle avait l'impression que l'événement s'était déroulé dans une vie antérieure.

— J'en suis profondément désolé, dit-il doucement.

Miss Tout Va Bien sourit avant qu'elle ait le temps de bloquer ses zygomatiques. Le bateau approchait. Elle lui jeta un coup d'œil et compta les secondes qui la séparaient du moment où elle serait enfin débarrassée de l'encombrante proximité de cet individu.

— Seriez-vous assez aimable pour transmettre un message de ma part à votre employeur ?

— Certainement, répliqua-t-elle.

Les yeux de l'homme glissèrent lentement sur elle de la tête aux pieds, puis remontèrent.

— Dites-lui que la mise à prix a doublé. Veillez à respecter cette formulation exacte.

Raine se fit l'effet d'un animal traqué sur la route par les phares d'une voiture.

— De la part de qui dois-je transmettre ce message ? s'enquit-elle d'une voix blanche.

Il leva la main et effleura son visage. Raine recula d'un bond, la bouche ouverte sur un cri silencieux, le regard rivé à cette main tendue. La dernière phalange de son index était absente, et c'était avec l'extrémité de ce doigt qu'il venait de la toucher.

— Il le saura, souffla-t-il. N'en doutez pas.

Une lueur passa dans ses yeux de jade. Il la gratifia d'un sourire froid, lointain, puis tourna les talons. Raine le regarda s'éloigner, figée sur place.

Si elle avait eu le numéro de téléphone de Seth, elle aurait couru s'acheter un téléphone portable et l'aurait aussitôt appelé. Entendre sa voix bourrue l'aurait réconfortée. Même s'il lui avait crié dessus, elle se serait sentie mieux. Mais elle était toute seule.

Le bruit de voix des gens qui débarquaient du bateau-taxi la ramena soudain à la réalité, et elle se dépêcha de monter à bord. Pourquoi cet inconnu l'avait-il autant intimidée ? Il n'avait rien fait de mal et il n'y avait rien eu de sinistre dans cette rencontre. Elle se faisait des idées.

Ce sage raisonnement ne parvint pas à dissiper son mal de ventre. *La mise à prix a doublé.* Qu'est-ce que cela pouvait bien signifier ?

Rien de bon, elle en avait la certitude.

Elle déglutit violemment et tourna son visage face au vent. Devenir la maîtresse de Seth Mackey ne lui était jamais apparu comme une éventualité aussi agréable.

11

— Debout là-dedans !

Seth leva les bras et s'en couvrit le visage, puis les laissa retomber en lâchant un juron. Depuis ses premiers jours dans l'armée, il ne s'était plus jamais réveillé en cherchant à parer un coup. Il concentra son regard sur Connor McCloud qui tendait vers lui une tasse fumante.

— Qu'est-ce que tu fous là ?

— Waouh ! Tu sais que tu es un vrai rayon de soleil, aujourd'hui ?

Seth fit pivoter ses pieds bottés vers le plancher et attrapa la tasse de café. Le regard scrutateur de McCloud le mettait mal à l'aise. Il détestait être observé comme un insecte rare.

— Ce canapé est trop petit pour toi, remarqua McCloud, tu ferais mieux de dormir dans ton lit. Lazar est toujours sur l'île ?

Seth jeta un coup d'œil à sa montre.

— Il y était il y a quarante minutes.

Connor fourra les mains dans ses poches, l'air soucieux.

— Tu t'en sors ? Tu as une mine de déterré.

Seth le foudroya du regard.

— Je vais très bien.

Connor haussa les épaules.

— Simple question. Je voulais juste te dire que ta poupée Barbie vient d'embarquer pour Stone Island.

Une giclée de café brûlant retomba sur la main de Seth et se répandit sur le sol lorsqu'il se rua vers son ordinateur.

— Où est-elle ?

— Eh, du calme ! Mon informateur du parking m'a prévenu quand la limousine a pris la direction de l'embarcadère. Il avait entendu les employés de Lazar pester contre la blonde qui était en retard et qui allait louper le ferry. C'est comme ça qu'il l'a su. J'ai reçu son coup de fil il y a dix minutes.

— Pourquoi tu ne m'as pas appelé tout de suite ?

— Parce que j'étais déjà en route pour venir ici, répondit Connor d'une voix calme. Tu as placé des caméras à l'embarcadère, non ? Actionne-les. Tu verras si elle est encore là-bas.

Seth pianota sur le clavier de son ordinateur pour actionner les caméras une à une jusqu'à ce qu'il la voie enfin, presque hors champ, accoudée à la rambarde de l'embarcadère, le visage tourné vers le bras de mer. Le vent emmêlait les boucles échappées de sa tresse. La caméra la saisissait de profil, contemplant l'horizon, telle la publicité d'un parfum de luxe. Elle prit un mouchoir dans sa poche, essuya les verres de ses lunettes et les remit.

— C'était couru d'avance, mec, dit Connor. Ça fait plus de trois semaines que Lazar reporte le moment de la croquer.

— Tais-toi et laisse-moi me concentrer, grinça Seth.

Il planta les coudes sur son bureau et enfouit ses doigts dans ses cheveux, calculant le temps qu'il lui faudrait pour atteindre l'embarcadère et l'empêcher d'embarquer. D'un autre côté, elle avait refusé qu'il lui vienne en aide, la nuit précédente. Pourquoi changerait-elle d'avis aujourd'hui ? Il se frotta les yeux et lutta contre la panique qui menaçait de le submerger.

— Eh, Seth ! Regarde le mec en imper, là.

Seth reporta son attention sur l'écran et écarquilla les yeux.

— Tu penses la même chose que moi ? demanda Connor d'une voix totalement dénuée d'ironie.

— C'est impossible, souffla Seth.

— Mais si, c'est très possible, assura Connor en scrutant attentivement l'écran. Le visage est différent, d'accord. Il s'est payé un excellent chirurgien. Mais ses vibrations le trahissent. Il suinte la vase par tous les pores de la peau.

— Ce type est plus grand, plus mince. Et la ligne de ses cheveux ne correspond pas à la vidéo qu'avait enregistrée Jesse.

— Il porte des talonnettes, il a maigri et s'est rasé les tempes, voilà tout.

Sur l'écran, Raine recula. L'homme se rapprochait d'elle avec un sourire de chacal. Seth bondit sur ses pieds.

— J'y vais !

— Tu es trop loin, déclara McCloud. Sean et Davy sont plus près que nous. Et de toute façon, tu peux compter sur un minimum de six gardes du corps armés jusqu'aux dents pour assurer sa protection.

Seth cogna si violemment du poing sur le bureau que le clavier sursauta dans un cliquetis.

— C'est toi qui as voulu une approche distante et patiente, lui rappela Connor. Calme-toi. Regarde-le. Il est sûr de lui, confiant, il flirte avec elle sans se soucier d'exposer au monde son nouveau visage. Il devient imprudent, c'est une bonne nouvelle.

— Une bonne nouvelle ? Je ne vois vraiment pas ce que ça a de bon. Elle est là-bas avec lui et on est coincés ici. Ça n'a rien d'une bonne nouvelle !

Connor se laissa tomber sur une chaise, le regard rivé à l'écran.

— Je pourrais appeler la Grotte, dit-il lentement. Nick habite tout près de l'embarcadère et j'ai confiance en lui. Si on ne fait pas appel aux renforts, on ne peut rien faire, Seth.

— Génial, grinça-t-il. La dernière fois que la Grotte est intervenue, mon frère s'est fait massacrer et tu es resté deux mois dans le coma.

Connor détourna son regard hanté des yeux de Seth.

— Je ne te suis pas. Ces types sont mes amis. Ils ont risqué leur vie pour moi et j'en ai fait autant pour eux.

Les doigts de Seth dansaient sur le clavier pour ouvrir une nouvelle fenêtre. Raine venait de sortir du champ de la caméra.

— Arrête, McCloud, tu vas me faire pleurer.

L'homme mystérieux approchait la main du visage de Raine. Elle recula vivement. Seth et Connor cessèrent de respirer au même instant. La dernière phalange de l'index de l'homme manquait. Son identité ne faisait plus aucun doute.

— Il a même retiré sa prothèse, murmura Connor. Ce n'est plus de l'imprudence, c'est carrément de l'arrogance.

Seth secoua la tête.

— Il l'a retirée pour la dégoûter.

— Et ça a marché, acquiesça Connor.

Seth ouvrit les autres fenêtres une à une pour suivre Novak jusqu'à ce qu'il disparaisse.

Les passagers du bateau qui venait d'accoster grimpèrent les marches de l'embarcadère et passèrent devant Raine. Elle restait là, immobile, comme hypnotisée. Elle sursauta brusquement, porta autour d'elle le regard désemparé d'une petite fille perdue, puis se précipita vers les marches conduisant au quai d'embarquement.

— La journée démarre sur les chapeaux de roues pour ta poupée Barbie, commenta Connor. Expédiée sur l'île pour satisfaire Lazar, elle se fait peloter par Novak. Je me demande ce que le reste de la journée lui réserve.

Seth l'ignora, trop occupé à lutter contre la nausée qui l'avait saisi en regardant Raine s'éloigner à bord du bateau, sa silhouette devenant de plus en plus petite. Il ne pouvait plus rien empêcher.

— ... Houhou, Seth. Tu es là ? Atterris, mon gars.

— Hein ?

Seth tourna la tête vers le visage inquiet de Connor.

— Je disais que ça pourrait être un angle d'attaque. Si Novak s'intéresse à elle, et c'est visiblement le cas, l'un de nous pourrait l'approcher pour découvrir ce qu'elle sait. Placer un mouchard sur elle. Qu'est-ce que tu en dis ?

— Elle ne sait rien, gronda Seth.

— Tu ne peux pas le savoir. Moi, je veux bien me porter volontaire pour l'approcher.

Seth fit pivoter son fauteuil si brusquement que la souris dégringola du bureau.

— Tu as la priorité, bien sûr, s'empressa de préciser Connor. Je sais que tu as l'œil sur elle, mais si jamais ça ne te dit rien, je suis prêt à me raser et à passer un peigne dans mes cheveux pour l'emmener danser. Attends, c'est une vraie bombe, cette nana !

— McCloud...

— Ou alors je pourrais la refiler à Sean, poursuivit-il d'un ton pensif. Il est nettement plus beau gosse que moi et il adore les blondes avec des gros seins – comme tous les mecs, d'ailleurs. Je ne crois pas qu'il ait déjà couché avec une fille pour lui soutirer des informations, mais comme on dit, il y a un début à tout.

Quelque chose se brisa dans l'esprit de Seth. Tout devint flou et lointain, comme si un voile rouge recouvrait ses yeux. Le temps et l'espace subirent une distorsion et ce fut dans un ralenti qu'il bondit sur Connor, le souleva de sa chaise et le plaqua au sol dans un fracas retentissant. Ses mains se refermèrent autour de sa gorge pour l'étrangler. Les mains de Connor étaient coincées sous son propre menton. Il parlait d'une voix épaisse, rauque. Les paroles qu'il prononçait finirent par atteindre le cerveau de Seth.

— A... arrête, Seth. Ne fais pas ça. Du calme, tu ne veux pas te battre avec moi. C'est une perte de temps et d'énergie pour nous deux. S... stop !

Le voile rouge se dissipa et le visage de Connor réapparut lentement devant ses yeux. Il posa sur lui un regard d'aigle.

Seth se força à se détendre et le lâcha, puis se mit en position assise et enfouit son visage entre ses mains tremblantes.

Connor se redressa.

— J'ai bien cru que tu m'avais cassé le dos. Mais j'ai seulement écrasé quelques-uns de tes gadgets électroniques.

Seth ne releva même pas les yeux.

— Je les réparerai, dit-il d'une voix sourde.

— Je te remercie de te soucier de moi comme ça. Ne te dérange surtout pas. Je m'en sortirai sans toi.

Les mains de Seth retombèrent et son regard tomba sur la moquette grise et crasseuse. Il grogna et recouvrit à nouveau son visage de ses mains.

— Tu l'as déjà sautée, c'est ça ? demanda Connor. Tu ne perds pas de temps, mon salaud. Pourquoi tu ne me l'as pas dit ?

Seth croisa son regard et s'empressa de détourner les yeux.

— Et merde, lâcha Connor en se laissant aller contre le sol.

Il écarta la masse emmêlée de ses cheveux qui était retombée en travers de son visage et scruta le plafond.

— Écoute, si tu veux arrêter, il suffit de le dire. Emmène-la sur une île déserte. Fais ce que tu veux avec elle, je m'en contrefiche. Mais arrête de bousiller mon enquête.

— C'est *notre* enquête, McCloud. Et je n'ai rien bousillé.

— Ben voyons ! Tu as juste sauté la maîtresse de Lazar, cracha Connor. Si ce n'est pas un bousillage d'enquête de première, je me demande ce...

— Ce n'est pas sa maîtresse. Lazar me l'a jetée dans les bras. Elle ne sait rien, alors ne m'énerve pas. Si je te saute dessus une deuxième fois, tu ne pourras pas me calmer.

Connor se redressa sur les coudes.

— Je n'essaierai même pas. Je me contenterai de te casser la gueule.

Seth serra les poings.

— Dans tes rêves.

— Ça ferait les pieds à ton ego de gros macho de te faire dérouiller par un handicapé. Tu l'aurais mauvaise, hein ? Mais je préfère t'épargner ça. Tu fais assez pitié sans que j'aie besoin d'en rajouter.

Seth soutint son regard un moment, puis baissa les yeux en réprimant un ricanement.

Connor rampa sur les fesses, récupéra sa canne et se remit sur ses pieds.

— On se battra une autre fois, quand cette enquête sera terminée. D'ici là, je te propose de faire la paix. Ça te va ? ajouta-t-il en tendant la main vers lui.

Seth se leva et saisit la main couverte de cicatrices de Connor.

— Ça me va.

Les deux hommes échangèrent un long regard silencieux.

— Tu as dit tout ça rien que pour me faire enrager, pas vrai ? demanda Seth. Ne recommence jamais, Connor.

— Je voulais voir à quel stade de démence tu en étais, répondit-il froidement. Je craignais le pire, mais c'est pire que le pire. Tu n'es pas seulement obsédé par cette fille. Tu es carrément amoureux.

— N'importe quoi, grommela Seth.

— Ah bon ? Eh bien, ça me soulage, répliqua Connor en faisant mine d'essuyer la sueur de son front. Dans ce cas, tu n'as rien contre le fait qu'on utilise Barbie comme appât ?

— Ne l'approche pas. N'envisage pas de l'inclure dans tes plans, ne pense même pas à elle, McCloud. Elle ne fait pas partie du tableau, compris ?

— Atterris, mon grand, répondit Connor d'un ton raisonnable. Lazar la reçoit à Stone Island, elle bavarde avec Novak. Et maintenant, je découvre qu'elle couche avec toi. Elle est au centre du tableau, tu veux dire !

Seth secoua la tête. Il se sentait acculé, désespéré.

— Elle n'en fait pas partie, répéta-t-il obstinément.

— Eh, détends-toi, dit doucement Connor.

Il épousseta son jean et laissa échapper un rire étouffé.

— Quelle plaisanterie, murmura-t-il. Je te plains alors que c'est toi qui la sautes. On saura si elle est impliquée avec Novak quand on aura entendu ce qu'il lui a dit. Les mouchards de l'embarcadère ont tout enregistré, pas vrai ?

Seth serra les dents.

— Ouais.

— Parfait. Va les récupérer. Et, euh... depuis combien de temps tu ne t'es pas douché et rasé ? Tu as une tronche de délinquant, mec. Si tu te pointes à l'embarcadère dans cet état-là, tu vas te faire arrêter pour vagabondage.

— Écrase, McCloud, siffla Seth.

— Ah ! Enfin, je te retrouve ! déclara Connor en lui tapotant l'épaule avec un grand sourire.

Raine regardait la masse sombre de Stone Island se rapprocher. Une impression d'immensité silencieuse émanait de l'endroit. Le vent soufflait entre les pins et de gros nuages planaient dans le ciel. Le brouillard matinal commençait à se lever, révélant les contours familiers du rivage. Une odeur de mousse, de bois humide, d'algues et d'épineux emplit ses narines.

Clayborne, l'assistant personnel de Victor, l'attendait sur la jetée. C'était un homme d'âge moyen avec une grande bouche surmontée d'un fin pinceau de moustache, qui semblait dans un état d'anxiété permanent.

— Enfin ! s'exclama-t-il en lui faisant signe de le suivre. Nous avions besoin de votre français, mais il est plus de 7 h 30 au Maroc. Qu'est-ce qui vous a retenue ?

— Désolée, répondit-elle d'un air absent.

La maison apparut progressivement devant ses yeux tandis qu'ils remontaient l'allée. Structure étalée qui trouvait le moyen de paraître élégante, elle semblait à première vue toute simple avec sa façade ornée de bardeaux auxquels les intempéries avaient donné une patine d'un gris argenté.

Les odeurs qui régnaient à l'intérieur de la demeure déclenchèrent un flot de souvenirs. Un parfum de lavande et de pot-pourri d'épineux flottait dans toutes les pièces, et les murs étaient lambrissés de fins panneaux de bois de cèdre. Alix s'était toujours plainte du riche parfum du bois, prétendant qu'il lui donnait la migraine, mais Raine, elle, l'avait toujours apprécié. L'odeur avait imprégné ses vêtements pendant de longs mois après leur fuite. Elle se souvenait encore du désespoir qu'elle avait ressenti un jour en France, quand elle avait enfoui son visage dans les plis de son manteau et avait découvert que le parfum du cèdre s'était complètement éventé.

Clayborne la conduisit directement dans le bureau bourdonnant d'animation du premier étage, la fit asseoir et entreprit de la bombarder d'instructions avec le débit d'une mitraillette. Raine lui en fut reconnaissante. Elle aurait tant de choses à faire que ses souvenirs ne pourraient pas affleurer dans son esprit.

Elle se trompait.

À un moment, elle découvrit qu'on avait disposé des sandwichs et des fruits sur une petite table d'appoint, mais dans son état de nerfs, elle aurait été incapable d'avaler quoi que ce soit. C'était comme si la maison l'avait reconnue et lui murmurait des paroles de bienvenue. En tournant la tête assez vite, elle aurait sans doute pu apercevoir un reflet de la fillette qu'elle était, la dernière fois qu'elle s'était trouvée entre ces murs, calme et silencieuse, avec des lunettes qui lui faisaient des yeux immenses.

Le vent gémissait dehors, agitant frénétiquement les pins. Des gouttes de pluie crépitèrent contre la vitre à côté de son bureau. Petit à petit, le bourdonnement de ruche qui régnait dans la pièce ne fit plus écran entre elle et ses souvenirs.

Il n'y avait eu aucun autre enfant avec qui jouer pendant son enfance sur l'île. Lorsque son père ne s'enfermait pas dans la bibliothèque avec ses livres, il faisait du bateau avec sa flasque en argent pour seule compagnie, et sa mère passait le plus clair de son temps dans son appartement de Seattle. Raine s'était liée d'amitié avec le silence, les arbres et la mer, les cailloux et les racines. L'île était le décor de son fantasme privé, peuplé de dragons, de trolls et de fantômes. Par la suite, parmi le bruit et le chaos des villes et des langues perpétuellement changeantes qu'elle avait connues, le souvenir du silence de Stone Island avait revêtu pour elle une note paradisiaque. Ce monde fantasmatique essayait à présent de l'attirer, et des milliers de voix étouffées murmuraient à son oreille.

Vers la fin de la journée, Clayborne surgit devant elle.

— Raine, allez dans la bibliothèque, s'il vous plaît, déclara-t-il d'un ton important. M. Lazar doit rédiger une lettre que nous enverrons dès que nous serons de retour à Seattle. Dépêchez-vous de le rejoindre.

Raine ramassa son bloc-notes et se mit en route, puis réalisa à mi-parcours qu'elle aurait dû demander où se trouvait la bibliothèque. Une omission stupide – elle n'était pas censée le savoir – mais il était trop tard pour revenir en arrière.

Il était étrange qu'elle ait oublié la désolation et le froid de Stone Island. Le seul élément chaleureux et coloré des lieux avait été Victor. Comparé au détachement mélancolique de son père et à sa mère uniquement préoccupée d'elle-même, Victor était un perpétuel flamboiement de dynamisme et de danger.

Elle s'arrêta devant la porte de la bibliothèque et la poussa. Elle n'était pas fermée.

La pièce familière se referma sensuellement autour d'elle. Du sol au plafond, les murs étaient garnis de rayonnages de livres, séparés par de hautes fenêtres. Celles-ci étaient ornées d'une bordure de vitrail représentant de la vigne vierge. Des gouttelettes de pluie les faisaient miroiter sur le fond indigo du crépuscule.

Elle avança dans la pièce, irrésistiblement attirée par une console garnie de photos encadrées qui évoquait un autel. Il y avait une photo de Victor et de son père à l'époque où celui-ci n'était encore qu'un gamin de douze ans. Victor, qui en avait dix-huit, portait un maillot de corps. Il passait un bras nu et musclé autour du cou de son frère, une cigarette calée entre ses lèvres.

Il y avait aussi un portrait au crayon un peu passé de sa grand-mère, belle jeune fille brune aux yeux clairs, ainsi qu'une photo d'elle dans la fleur de l'âge, qui avait servi de modèle au grand portrait accroché au-dessus de la console. Raine étudia une de ses photos de classe qui avait été prise au collège de Severin Bay lorsqu'elle était en sixième. Elle se souvint que le col en dentelle de cette robe verte qu'elle détestait grattait affreusement.

La dernière photo était celle du bateau de son père. Raine se tenait devant, en compagnie de sa mère, de Victor et d'un inconnu. Un beau brun avec une épaisse moustache. Il riait. Des picotements s'emparèrent de sa nuque tandis qu'elle le regardait, mais le souvenir qui affleura à son esprit s'enfuit comme un poisson disparaissant dans des eaux sombres, ne laissant derrière lui qu'une pointe d'anxiété. Elle se força à prendre le cadre pour examiner le cliché de plus près.

Le soleil brillait et sa mère était très belle dans sa robe jaune vif, les cheveux retenus en arrière par une écharpe de soie. Victor avait un bras passé autour de ses épaules et ébouriffait de l'autre main les cheveux de Raine. Elle se souvint du maillot de bain orné de grenouilles vertes qu'elle portait, ainsi que des lunettes de soleil dont la monture formait deux têtes de grenouilles. Victor avait tiré sur sa natte ce jour-là, elle ne se souvenait plus pourquoi, mais elle se souvenait qu'elle en avait eu les larmes aux yeux. Sa voix froide au léger accent traînant s'éleva soudain dans sa tête.

— *Pour l'amour de Dieu, Katya, endurcis-toi un peu. Ne commence pas à pleurnicher. Le monde n'est pas tendre avec les pleurnicheuses.*

Raine avait refoulé ses larmes en espérant que ses lunettes grenouilles empêchaient Victor de les voir.

Les lunettes grenouilles reposaient au pied du cadre. Raine tendit la main vers elles, persuadée que sa main allait passer au travers comme s'il s'agissait d'un hologramme. Elles étaient bien réelles. Le plastique était dur et lisse. Elle les contempla, s'émerveillant de leur taille minuscule.

Leur contact déclencha un tourbillon d'écœurement dans son estomac. La peur s'éleva telle une tornade. Elle courait, hurlait. L'eau. Un brouillard vert, elle avait le tournis. Panique aveugle.

— Katya, dit doucement une voix derrière elle.

Elle pivota sur elle-même. Les lunettes tombèrent sur le tapis avec un bruit mat. Personne excepté sa mère ne connaissait son véritable prénom. Personne ne l'avait appelée ainsi depuis dix-sept ans.

Victor Lazar se tenait sur le seuil, les mains dans les poches de son élégant pantalon de laine.

— Désolé, ma chère, je ne voulais pas vous faire peur. On dirait que ça devient une habitude chez moi.

— Oui, vous m'avez fait peur.

Elle inspira à fond et s'efforça de cesser de trembler.

Victor désigna le cadre qu'elle tenait toujours à la main.

— Je faisais allusion à la photo. La petite fille est ma nièce, Katya.

— Oh.

Raine reposa le cadre sur la console.

— C'est... une très jolie petite fille, bafouilla-t-elle. Qu'est-elle devenue ?

Victor prit la photo et la regarda.

— Je crains de ne pas le savoir. Je ne l'ai pas revue depuis des années.

— Oh. Je suis désolée.

Il désigna d'un hochement de tête les lunettes qui se trouvaient sur le tapis.

— Je les garde en souvenir d'elle. Ce sont les mêmes que celles qu'elle porte sur la photo.

Raine les ramassa et les reposa à leur place.

— Excusez-moi, je ne voulais pas, euh…

— N'y pensez plus, l'interrompit-il avec un sourire rassurant. À propos de lunettes, je constate que vous portez toujours les vôtres.

— Je n'y vois pas assez bien pour travailler sans.

— Quel dommage, murmura-t-il.

Raine plaqua sur ses lèvres un sourire professionnel.

— Si nous commencions ? Il faut faire vite, si vous voulez faire partir cette lettre ce soir.

— Comment avance votre romance avec notre mystérieux consultant en sécurité ?

Raine pinça les lèvres.

— Je pensais vous avoir clairement expliqué que je n'ai rien à dire à ce sujet.

— Allons, hier soir, vous prétendiez ne plus jamais vouloir le revoir. Il a dû vous faire une forte impression pour susciter une réaction aussi radicale.

— Je ne veux pas parler de Seth Mackey. Ni maintenant, ni jamais.

— Il vous utilise aussi, vous savez, déclara Victor. Ou s'il ne le fait pas encore, il le fera bientôt, le monde étant ce qu'il est. Mérite-t-il autant de loyauté de votre part sous prétexte qu'il vous a fait jouir ?

Victor recommençait à faire tournoyer le monde autour de lui comme un trou noir avec sa voix basse, lourde d'insinuations. Cette voix envoûtante qui la faisait douter d'elle-même.

— La question que vous posez est déplacée, répliqua-t-elle. Cette conversation est déplacée.

Victor avait un rire agréable, riche et profond. Raine se sentit terne, dépourvue d'humour.

Il désigna les photos.

— Regardez, ma chère, dit-il, sa pointe d'accent russe se renforçant nettement. Vous voyez cette femme ? C'est ma mère. Et ce garçon, là, c'est mon petit frère, Peter. Il y a une quarantaine d'années, j'ai fui l'Union soviétique. J'ai travaillé et intrigué, trouvé l'argent pour faire venir ici ma mère et mon frère. Mon entreprise, c'est pour eux que je l'ai montée. Pour y arriver, j'ai dû faire beaucoup de compromis, tout un tas de choses répréhensibles. Le monde est ainsi fait, c'est inéluctable. On s'y habitue, si on veut faire partie du jeu. Vous aussi, vous voulez en faire partie, j'imagine ?

Raine déglutit.

— À condition que ce soit moi qui décide des règles.

Victor secoua la tête.

— Vous n'êtes pas encore en position d'édicter les règles, ma petite. Le premier pas vers le pouvoir consiste à accepter la réalité. Regardez la vérité en face, et le chemin que vous devez suivre vous apparaîtra beaucoup plus clairement.

Raine refusa de se laisser happer par son charisme.

— De quoi parlez-vous exactement, monsieur Lazar ?

Il cligna des yeux et un sourire appréciateur épanouit ses traits.

— Ah. La voix de la vérité. Je parle trop, n'est-ce pas ?

Pas question qu'elle réponde à cela. Raine garda obstinément le silence et se concentra pour rester dans son univers, ne pas se laisser entraîner dans celui de Victor.

Il gloussa et reposa les photos sur la console.

— Personne n'a eu le courage de me dire cela depuis des années. C'est très rafraîchissant.

— Monsieur Lazar… la lettre ? Le ferry ne va pas tarder et je…

— Vous pouvez passer la nuit ici, si vous le souhaitez.

L'idée de passer toute une nuit à Stone Island avec Victor pour seule compagnie lui donna la chair de poule.

— Je m'en voudrais de donner un surcroît de travail à vos domestiques.

— Ils sont payés pour cela, rétorqua-t-il avec un haussement d'épaules.

Ton univers, pas le sien, se répéta-t-elle.

— J'aimerais mieux rentrer chez moi.

— Dans ce cas, bonne nuit.

— Mais... et la lettre ? demanda-t-elle, désarçonnée.

— Une autre fois, répondit-il avec un sourire charmant.

Raine se souvint subitement de l'homme qui l'avait abordée à l'embarcadère.

— Ah oui, monsieur Lazar : ce matin, j'ai rencontré un homme qui m'a priée de vous transmettre un message.

Son sourire se durcit.

— Ah oui ?

— Un homme d'une trentaine d'années, blond, très élégant. Il ne m'a pas dit son nom. Il lui manquait le bout de l'index de la main droite.

— Je vois de qui il s'agit, fit sèchement Victor. Le message ?

— Il m'a chargée de vous dire que la mise à prix avait doublé.

La bonne humeur et le charme qui animaient le visage de Victor avaient disparu.

— Rien d'autre ?

Raine secoua la tête.

— Qui est cet homme ? demanda-t-elle timidement.

— Moins vous en saurez, mieux vous vous porterez.

La pénombre grandissante le faisait soudain paraître plus vieux.

— Tout ce que je peux vous dire, c'est que vous feriez bien de ne pas encourager cet homme. Évitez-le autant que possible.

— Vous n'avez pas besoin de me le dire, répondit-elle avec ferveur.

— Ah. Vous avez donc un bon instinct, approuva-t-il en lui tapotant l'épaule. Eh bien, faites-lui confiance. Autre chose : j'aimerais vous donner ceci, dit-il en ramassant les lunettes grenouilles et en les lui tendant.

— Oh, non, je vous en prie, protesta-t-elle avec un mouvement de recul. C'est un souvenir de votre nièce. Je ne peux pas…

Il plaça les lunettes dans la main de Raine et referma ses doigts dessus.

— Vous me rendriez service. La vie suit son cours, il n'y a pas moyen de l'arrêter. C'est très important de se détacher du passé, vous ne croyez pas ?

— Euh… oui, je suppose, murmura-t-elle.

Elle baissa les yeux sur les lunettes, craignant que l'étrange sensation de panique ne ressurgisse.

Elles reposaient au creux de sa main, simple morceau de plastique inerte.

— Bonne nuit, Raine.

Il lui signifiait clairement son congé. Raine s'empressa de quitter la pièce, redoutant, si le bateau partait sans elle, de se retrouver coincée sur cette île peuplée de fantômes.

À bord du ferry, un vent glacial soufflant dans ses cheveux, elle repensa aux propos sibyllins de Victor. *Se détacher du passé.* Facile à dire. Comme si elle n'avait pas essayé de s'en détacher. Sa vie devenait de plus en plus compliquée chaque jour. Outre Victor, elle devait désormais se méfier du mystérieux homme blond.

Sans compter Seth Mackey. Elle ne devait pas s'impliquer davantage avec lui. Il était imprévisible, dur et implacable, arrogant. Il risquait de la rendre folle. Mais il saurait dissiper le voile de tristesse et de solitude que Stone Island avait jeté sur elle. Seth était une véritable fournaise, une chaleur vivifiante. Et elle en avait tellement besoin... même si elle devait s'y brûler.

Son cœur se serra au souvenir de l'histoire épouvantable qu'il lui avait racontée au sujet de sa mère. La souffrance qu'il avait maladroitement tenté de dissimuler derrière un masque d'indifférence lui faisait de la peine. Elle aurait voulu pouvoir punir ceux qui lui avaient fait du mal et l'avaient négligé, protéger le petit garçon innocent qu'il avait été. Des larmes picotèrent ses yeux, faisant ressurgir les paroles que Victor avait prononcées il y avait si longtemps.

— *Endurcis-toi, Katya. Le monde n'est pas tendre avec les pleurnicheuses.*

Toute sa vie, elle s'était appliquée à suivre le rude conseil de son oncle. Mais elle commençait seulement à entrevoir la vérité. Le monde n'était pas seulement dur pour les pleurnicheuses. Le monde était dur pour tous.

Les lumières de la rive qui se rapprochait fusionnaient entre elles pour former un à-plat brumeux et luminescent. Et dans sa poitrine, le même phénomène se produisit. Quelque chose qui était resté froissé et figé en elle pendant des années s'épanouissait doucement. Raine se concentra sur cette sensation étrange et se sentit progressivement gagnée par l'émerveillement. Ses yeux s'embuèrent de larmes qu'elle laissa couler. Elle avait le droit de pleurer. Ses larmes n'étaient pas un signe de faiblesse. Elles étaient la preuve que son cœur n'était pas mort.

Et ça, c'était une bonne nouvelle.

Il allait les tuer. Tous les deux. Et après cela, il se maudirait pour avoir eu la bêtise de s'associer avec ces abrutis de frères McCloud.

Connor cessa de faire les cent pas à travers la pièce de sa démarche claudicante et se laissa tomber sur une chaise avec un soupir dégoûté.

— Fais-toi une raison, Mackey. On ne trouvera jamais de meilleur appât. Tu as vu et entendu comme moi. Novak la veut. On pourrait boucler cette affaire plus vite que prévu si…

— Elle l'a remis à sa place. Si ça se trouve, il ne l'approchera plus jamais.

Davy McCloud laissa échapper un grognement et croisa ses longues jambes.

— Pas Novak. Maintenant, il ne doit plus avoir qu'une seule idée : lui donner une leçon.

Seth sentit son estomac se retourner.

— C'est bien pour ça qu'elle va quitter la ville. Embarquer dans le premier avion pour n'importe où, le plus loin possible de Seattle.

Les frères McCloud échangèrent un regard.

— Ah ouais ? lâcha Davy. Parce que tu vas tout lui dire, c'est ça ?

Seth fit pivoter son fauteuil pour lui tourner le dos et frotta ses yeux rougis. Il ne pouvait pas laisser ce monstre poser les mains sur Raine. Impossible.

— Réfléchis, dit Connor du ton qu'on utilise pour faire entendre raison à un demeuré. Qu'on l'utilise ou non, cette fille est de toute façon un appât. Et toi, tu as le prétexte rêvé pour lui coller aux basques en permanence. Tu en meurs d'envie, alors ne te prive pas. Fais-toi plaisir.

— Non, je veux la sortir de là, gronda Seth. C'est trop dangereux.

Connor secoua la tête.

— Si tu la sors de là, tout le boulot qu'on a fait jusqu'ici s'écroule, dit-il gentiment. Ne me claque pas dans les mains. J'ai besoin de ton génie technique.

— Épargne-moi ta condescendance, grinça Seth.

Connor se contenta de l'observer de son regard pâle et serein.

Seth détestait reconnaître qu'il avait tort. Ça lui faisait mal à la mâchoire. Il ferma les yeux pour mettre de l'ordre dans ses pensées.

— Je ne me contenterai pas de lui coller aux basques, je lui ferai un rempart de mon corps, je serai son bouclier vivant, concéda-t-il avec un sourire lugubre.

Les deux frères échangèrent un nouveau regard et Seth détourna les yeux. Leur attitude lui rappelait trop celle de Jesse. Garder le silence n'avait pourtant jamais été le fort de son moulin à paroles de frère.

Bon sang, il était vraiment furieux. Contre les frères McCloud qui étaient toujours là l'un pour l'autre, alors que son frère à lui était mort. Contre Jesse qui s'était laissé tuer comme un imbécile. Et contre Raine qui s'aventurait dans cette fosse remplie de serpents, alors qu'elle n'avait apparemment pas la moindre idée des dangers qu'elle courait.

Seth ouvrit une des mallettes en plastique noir remplies des gadgets de Kearn. Il y prit un téléphone portable, l'ouvrit et se mit à le tripatouiller.

— Qu'est-ce que tu fais ? demanda Davy.

— Je fabrique un cadeau pour ma copine, répondit-il. Un joli portable équipé d'un micro-traceur. J'en mettrai un peu partout dans ses affaires. Quand je ne serai pas avec elle, ce qui n'arrivera pas souvent, je veux savoir où elle sera à chaque seconde.

— Si tu rôdes tout le temps dans les parages, Novak ne se manifestera pas, objecta Davy.

— Je m'en fous, contra Seth. Quand je ne serai pas avec elle, l'un de vous deux la surveillera. Armé et prêt à lui tomber dessus. C'est clair ? Maintenant, dégagez. Je n'arrive pas à me concentrer quand je vous sens derrière mon dos.

Davy lui adressa un signe de tête et quitta la pièce. Connor s'apprêtait à le suivre, mais il se retourna et jeta à Seth un regard compréhensif.

— Plus tôt on bouclera cette affaire, plus tôt tu pourras t'installer avec elle et lui faire dix gosses.

— Dégage, McCloud, répliqua Seth par réflexe.

Mais, pour la première fois, il se demanda pourquoi il réagissait ainsi.

Connor hocha la tête, comme si Seth l'avait poliment salué.

— À plus, mec, dit-il. Reste en contact.

Seth reprit son bidouillage, mais l'image que venait d'évoquer Connor persista à vibrer dans son esprit, telle une flèche qui vient de se ficher dans un poteau de bois.

Il n'avait jamais envisagé d'avoir un jour des enfants. Il était destiné à faire un père épouvantable. Il était grossier, mal embouché et arrogant, immoral, et ne savait pas se tenir en société. Excepté ce vieux croûton de Hank, il n'avait eu pour tout modèle que Mitch Cahill. Ce qui résumait tout.

Quant à la liste de ses talents, elle était brève et tout aussi parlante. Espionnage. Vol. Bagarre. Sexe. Argent.

Pas vraiment les trucs qu'un père est censé apprendre à un bébé gazouillant en le faisant sauter sur ses genoux.

Seth avait grandi en étant parfaitement conscient que sa vie ne ressemblait pas à ce qu'on voit dans les séries télé, dans les publicités ou sur les paquets de céréales. Déjà cynique, il ne lui avait pas fallu longtemps pour comprendre que le monde lisse et prétendument normal que montrait la télé n'existait pas, de toute façon. Il se sentait bien dans son petit univers parallèle, sombre et gothique. Il en connaissait les règles et les pièges. Les joies du mariage et le confort de la vie domestique n'avaient pour lui aucun attrait : ce n'étaient que des contes de fées pour niais.

Il maintenait une apparence de normalité, cependant. Il avait carte d'électeur, permis de conduire et carte grise, il avait servi son pays dans l'armée et payait régulièrement ses impôts. Mais cette normalité apparente n'était là que pour mieux servir ses objectifs. Hank et Jesse avaient été ses points de référence, ses ambassadeurs du monde normal. Sans eux, il se retrouvait seul au monde.

Lui qui excellait dans l'art de refouler pensées et sentiments indésirables, il se retrouvait à présent à fantasmer sur la perspective de faire des enfants à Raine. Les sentiments que cette image avait fait naître étaient si vifs qu'ils le terrifiaient. Il se força à se concentrer sur les gestes qu'il était en train d'accomplir. Il mettait dans un sac le matériel qu'il allait emmener chez Raine. Parce qu'il voulait venger son frère et exterminer ceux qui l'avaient tué. Voilà, c'était à cette idée-là qu'il fallait qu'il s'accroche. Vengeance et extermination.

Il jeta son sac sur la banquette arrière de sa Chevy et prit la direction de Templeton Street.

Vengeance et extermination. Novak voulait Raine. Seth voulait Novak. La formule était simple. Raine était l'appât. Une fois qu'il aurait tué Novak, il serait libre d'éliminer Lazar et l'affaire serait réglée, à moins qu'on ne s'avise de vouloir le traîner en justice, auquel cas il disparaîtrait dans la nature et passerait le restant de ses jours à survivre en marge de la société. Cela ne lui faisait pas peur. Il y avait déjà passé la moitié de sa vie. Il avait préparé toute une panoplie de fausses identités et caché de l'argent. Un homme avec ses talents n'aurait aucun mal à survivre en cavale.

Mais il ne pourrait pas s'encombrer d'une femme. Pas d'un certain genre de femme, en tout cas. Les femmes aiment les réunions de famille et les cartes de vœux. Elles veulent des enfants.

Il se dit soudain qu'il n'avait pas été un si mauvais frère que cela pour Jesse. Il ne se souvenait jamais de son anniversaire, mais il avait toujours été là en cas de malheur, prêt à le défendre contre ceux qui lui voulaient du mal.

Non, mais qu'est-ce qui lui prenait ? On n'est pas fait pour les joies de la vie domestique sous prétexte qu'on n'hésite pas à défendre son frère. N'importe quelle petite frappe pouvait en faire autant.

Non, pour aspirer à ce genre de vie, il fallait maîtriser des compétences bien plus complexes et mystérieuses.

Quand il se gara devant chez Raine, il était parvenu à la conclusion que ces mystérieuses compétences n'incluaient certainement pas d'espionner une femme à son insu, de truffer son appartement de mouchards ou de lui cacher qu'elle était la proie d'un dangereux sadique. Elles devaient plutôt consister à respecter les règles et à toujours dire la vérité comme un gentil boy-scout.

Dommage. Il ne pouvait pas se permettre de dire la vérité, c'était trop risqué. Tant pis pour ses scrupules moraux et sa crise de conscience.

En insérant son parapluie crocheteur dans sa serrure, il eut un sourire de joie mauvaise. Il était guéri. Alléluia.

Il entra dans la maison plongée dans les ténèbres. Raine n'avait laissé traîner aucune trace visible d'elle-même, seulement la vibration lumineuse de sa personnalité. Le frigo et les placards étaient désespérément vides. C'était la première fois qu'il pénétrait dans cette maison depuis qu'elle l'occupait. Son parfum flottait partout. Seth s'agenouilla à côté du lit et enfouit le visage dans son oreiller, en proie à une douloureuse érection.

Il se redressa, se connecta à son ordinateur et désactiva tous les micros et caméras dont il avait truffé la maison. Ce qui allait se passer dans cette chambre ce soir n'avait pas besoin de témoins et ne devait pas être enregistré.

La chose logique à faire après ça, c'était de retourner dans sa voiture, d'attendre son retour et de sonner à la porte. Ding dong, tralala, bonsoir Raine, tu es en beauté ce soir. De jouer son rôle d'être humain civilisé qui respecte les codes imposés par la société. D'ajouter un mensonge à tous ceux qu'il lui avait déjà faits.

Mais pourquoi se donner ce mal ? Elle l'avait déjà dans la peau et savait quel genre d'homme il était. Cela lui plaisait qu'elle le sache. Il était tordu et dangereux, et il appréciait qu'au moins une personne au monde ait une idée de ce que son apparence dissimulait.

Il s'installa dans un fauteuil et activa les caméras de l'embarcadère de Severin Bay. Le ferry approchait. Seth calcula le temps qu'il mettrait à accoster et la durée de la course de taxi jusqu'à Templeton Street. Sa mission consistait ce soir à lui faire dire quel rôle elle jouait dans cette affaire. Seth n'avait encore jamais couché avec une femme pour lui soutirer des informations mais, comme disait Connor, il y a un début à tout.

12

Avec un peu de chance, il lui resterait peut-être de la soupe de poulet et quelques crackers périmés.

Raine se laissa aller contre la banquette du taxi. Son organisme commençait à s'insurger contre le manque de nourriture, mais l'inspection mentale de son garde-manger n'était guère réjouissante. Elle n'avait pas l'énergie de faire des courses, de cuisiner ou même d'aller au restaurant.

Pourtant il fallait qu'elle se nourrisse. Elle ne pouvait pas espérer tenir uniquement grâce à ses nerfs. Chacune de ses journées était plus folle que la précédente.

Une fois de retour chez elle, elle traversa les pièces en retirant son manteau et en se débarrassant de ses chaussures en cours de route. Elle ne prit pas la peine d'allumer la lumière. Son bref sursaut d'appétit était déjà passé, et elle se sentait trop fatiguée pour manger. Elle se dirigea vers la chambre. D'abord une douche pour se réchauffer, puis elle enfilerait son douillet pyjama en maille polaire et…

— Où étais-tu ?

Raine bondit en arrière devant la porte close et son dos rencontra le mur du couloir. Son cœur battait follement dans sa cage thoracique. L'inquiétante lueur bleutée de l'écran d'un ordinateur filtrait sous la porte.

Seth, évidemment. Qui d'autre ? Elle ouvrit la porte et alluma la lumière du plafonnier.

Le fauteuil à oreillettes sur lequel il était affalé semblait trop fragile et trop petit pour supporter son corps. Il était entièrement vêtu de noir, et la brosse de ses cheveux était ébouriffée comme s'il s'était passé les mains dedans toute la journée. Ses yeux étaient cernés, mais il braquait sur elle un regard d'une intensité perçante.

Raine s'appuya à l'encadrement de la porte.

— Tu m'as fait une de ces peurs !

Ses doigts pianotèrent rapidement sur le clavier puis il referma son ordinateur. Il le rangea dans le sac qui se trouvait à ses pieds et la foudroya d'un regard reflétant le plus parfait sans-gêne. Comme si c'était elle qui le surprenait chez lui. Non mais, quelle arrogance !

— J'ai compris ce qu'il me reste à faire, déclara-t-elle en traversant la chambre d'un pas résolu. La prochaine fois qu'un homme s'avisera de me faire une peur bleue en pénétrant chez moi, *je le tuerai*. J'en ai plus qu'assez, tu entends ? Aucune excuse, aucune explication. Est-ce que tu comprends ce que je dis, Seth ?

— Oui, répondit-il sans ciller.

— Oui ? répéta Raine en sentant sa colère bouillonner. C'est tout ce que tu trouves à dire ?

— Oui, déclara-t-il en se levant. Je comprends. Maintenant, passons à ce que tu as fait au cours des seize dernières heures.

Elle était tellement furieuse que le fait qu'il la domine de toute sa stature en la couvant d'un œil noir ne l'intimida pas le moins du monde.

— En quoi est-ce que ça te regarde ? Tu n'as pas le droit de me demander ça ! Tu n'as même pas le droit d'être ici ! Je devrais être en train d'appeler les secours !

— Après ce qui s'est passé hier, j'ai tous les droits.

Sa conviction tranquille la rendit folle. Elle regretta d'avoir retiré ses chaussures. Cinq centimètres de plus n'auraient pas été de trop pour l'affronter.

— Laisse-moi t'expliquer quelque chose, Seth, parce que tu as visiblement des problèmes de communication. Si j'avais un petit ami, je l'inclurais dans tous les aspects de ma vie. Je l'appellerais, je lui enverrais des e-mails et des SMS gentils. Je lui dirais où je vais et à quelle heure je reviens…

— Oui, c'est exactement ce que j…

— Mais je n'ai pas de petit ami, Seth ! hurla-t-elle. Je n'ai même pas de numéro de téléphone, je n'ai strictement rien ! La seule chose que j'ai, c'est un problème. Un énorme problème perpétuellement de mauvaise humeur qui envahit mon intimité et qui me saute dessus dans le noir comme un monstre de film d'horreur ! Un type qui croit que je lui appartiens sous prétexte que j'ai couché avec lui !

— Tu n'as pas fait que coucher avec moi.

— Ah oui ? Et qu'est-ce qu'on a fait d'autre, alors ?

— C'était… bien plus que ça, dit-il en se passant la main dans les cheveux et en secouant la tête. Ça m'a complètement soufflé.

— Oh, mais j'en suis très flattée ! Qu'est-ce que j'ai qui ne va pas, Seth ? Pourquoi tout le monde se comporte avec moi comme si je ne méritais pas qu'on prenne la peine d'adopter un comportement civilisé ? Est-ce que j'ai une marque dans le dos qui signifie « Avec elle, on peut tout se permettre » ?

— Bon sang, Raine, j'étais sur des charbons ardents toute la journée à me demander ce que cette ordure pouvait te faire sur son île, et tu me cries dessus parce que j'ai oublié de te donner mon numéro de téléphone ?

Elle le foudroya du regard.

— Comment sais-tu que j'étais sur l'île ?

— J'ai appelé ton bureau ! Je voulais t'inviter à dîner ce soir, mais tu n'étais pas là. Mademoiselle était sur l'île privée de Lazar !

Raine s'assit sur le lit et enfonça ses orteils dans l'épaisse moquette.

— Qu'est-ce qui te fait penser que Victor a l'intention de me faire du mal ? demanda-t-elle d'un ton posé.

— Ah, parce que maintenant c'est Victor, hein ?

Elle écarta cette réflexion d'un revers de main.

— Réponds à ma question.

— Hier, il t'a offerte à moi comme si tu étais une call-girl, Raine, dit-il d'une voix rauque. Il t'a jetée en pâture aux loups et il a fait ça pour s'amuser. *Pour s'amuser.* Qu'est-ce qui l'empêche de recommencer avec quelqu'un d'autre, si c'est ça qui le fait jouir ?

Raine en resta bouche bée. Il s'était fait du souci pour elle. Il avait eu peur qu'il lui arrive quelque chose de désagréable. Elle en fut si touchée que, l'espace d'un instant, elle oublia sa colère.

— Victor Lazar ne m'a pas forcée à coucher avec toi, objecta-t-elle gentiment. J'avais déjà décidé de mon côté de te séduire.

Il ricana.

Elle redressa le menton.

— J'ai accepté de te suivre parce que j'en avais envie, je ne suis pas aussi stupide et vulnérable que tu sembles le croire. Aujourd'hui, j'ai négocié dans cinq langues différentes des contrats avec un laboratoire pharmaceutique taïwanais, une entreprise de textiles indonésienne et un fabricant de fromages norvégien. Victor n'a pas fait appel à moi pour satisfaire ses caprices sexuels ni ceux de personne d'autre, autant t'ôter cette idée de la tête.

Seth ouvrit la bouche, mais elle leva la main pour lui signifier qu'elle n'avait pas terminé.

— Il existe des règles que tu dois respecter, Seth. Comme frapper à la porte avant d'entrer. Ce n'est pas difficile, tu sais. Je ne tolérerai plus jamais ça, c'est une habitude épouvantable.

— Aussi épouvantable que de pisser sur le tapis pour un chien ?

Raine eut du mal à se retenir de rire devant sa mine contrite.

— Exactement, répondit-elle. Les gens doivent respecter un minimum de règles de comportement. Surtout... s'ils sont amants.

Un profond silence s'abattit dans la chambre. Le regard de Seth scrutait son visage aussi intensément qu'un rayon laser.

— Est-ce que ça veut dire qu'on est amants ?

C'était l'instant de vérité. Raine le sentait approcher depuis sa visite de la nuit précédente. Soit elle plongeait depuis le haut d'une falaise dans des eaux inconnues, soit elle s'enfuyait en courant. Elle ferma un instant les yeux et sentit la tête lui tourner comme si elle était prise de vertige.

— Je ne sais pas, Seth, murmura-t-elle. Qu'est-ce que tu en penses ?

Il fut sur elle en deux enjambées.

— Je pense qu'on est amants.

Elle se raidit sous sa puissante étreinte. C'était trop, trop tôt ; elle était toujours en colère et confuse. Elle eut l'impression que le monde se mettait à tournoyer. Seth l'avait soulevée dans ses bras, allongée sur la moquette et se penchait au-dessus d'elle. Il défit la tresse de ses cheveux et les étala autour de sa tête. Écarta ses jambes et étendit son corps ferme au-dessus du sien.

Raine plaqua les mains sur son torse pour le repousser.

— Arrête, Seth. Attends !

— Détends-toi, dit-il en tirant sur son chemisier pour en faire sortir les pans de sa jupe, laissant échapper un grondement de plaisir quand il fit glisser sa main sur sa peau. Qu'est-ce qui ne va pas ? Tu ne viens pas de dire qu'on était amants ?

Elle saisit ses poignets et écarta ses mains de son chemisier.

— Être amants ne veut pas seulement dire qu'on peut baiser, espèce de chien en rut !

Une lueur malicieuse fit briller ses yeux.

— Wouf ! fit-il. Et qu'est-ce que ça veut dire d'autre ?

— Les amants font des tas de choses ensemble ! Ils louent des films qu'ils regardent, ils vont à la fête foraine, ils sortent manger une pizza, ils jouent au Scrabble. Ils... Ils discutent !

Seth fronça les sourcils.

— Mais on ne fait que ça, discuter, Raine ! Je n'ai jamais autant parlé de ma vie avec une femme !

— C'est bien le problème ! rétorqua-t-elle en tentant vainement de se dégager. Dès qu'on est seuls deux minutes, je me retrouve sur le dos. C'est systématique !

Un lent sourire se dessina sur ses lèvres.

— C'est ta façon de me dire que tu préfères être au-dessus, c'est ça ?

Ce fut la goutte d'eau qui fit déborder le vase. On l'avait malmenée toute la journée, son organisme vibrait encore d'une surcharge d'adrénaline. Son petit sourire satisfait et prétentieux lui fut insupportable. Sans prendre le temps de réfléchir, elle leva la main et le gifla. Durement.

Ils s'observèrent, aussi ahuris l'un que l'autre. Raine tourna les yeux vers sa main endolorie comme si elle appartenait à quelqu'un d'autre. Seth saisit son poignet et plaqua son bras contre le sol sans un mot. Ses yeux brillaient d'une colère maîtrisée.

— Oh, mon Dieu, murmura-t-elle. Je voudrais pouvoir effacer mon geste.

— Moi aussi, dit-il d'une voix basse et menaçante en faisant davantage peser son corps sur elle. Celle-là, je n'en tiendrai pas compte. Mais ne me frappe plus jamais au visage. C'est clair ?

Raine se passa la langue sur les lèvres.

— Seth, je...

— Est-ce que c'est bien clair ?

Elle hocha la tête. Un long moment s'écoula. Ils étaient figés sur place, aussi immobiles l'un que l'autre. Comme s'ils attendaient qu'une bombe explose.

Raine repoussa son torse de sa main libre afin de libérer ses poumons.

— Tu recommences tes jeux de pouvoir, dit-elle. Ne fais pas ça.

— Ce n'est pas un jeu, Raine. Tu me pousses à bout, tu me testes et je me contente de t'expliquer les règles.

— *Tes* règles, objecta-t-elle.

— Mes règles, absolument.

— Ce n'est pas juste.

— Qu'est-ce qui n'est pas juste ? C'est bien toi qui viens de me demander de respecter les règles de base d'un comportement civilisé, non ? Eh bien, les personnes civilisées ne se frappent pas. C'est simple, non ? À moins que ces règles ne s'appliquent qu'à moi et pas à toi ?

— Tu viens de t'introduire chez moi par effraction, espèce de sale manipulateur, cracha-t-elle. Ne t'avise pas de me retourner ce que j'ai dit à la figure ! C'est toi qui me pousses à bout, qui me presses. Tu n'arrêtes pas. « Encore, s'il te plaît. Tout de suite », le singea-t-elle. Tu m'étouffes !

Il la libéra du poids de son torse, prit appui sur un coude et cala son menton au creux de sa main.

— Ça t'excite, quand je te presse, fit-il remarquer. Je sens ce qui te plaît et je me contente de suivre ce que me dictent mes sensations. C'est comme ça que je te fais jouir. En t'amenant là où tu as envie d'aller.

— Mais ça me rend folle !

— J'adore te rendre folle, modula-t-il suavement en baissant la tête pour l'embrasser.

Elle le repoussa.

— Je veux dire que ça m'énerve, pas que ça m'excite ! Je n'avais encore jamais giflé personne de ma vie, Seth ! J'ai horreur de la violence, je suis une vraie trouillarde, et toi... toi, tu m'as forcée à te gifler !

Il scruta son visage d'un regard perçant.

— Tu racontes n'importe quoi, déclara-t-il finalement.

Elle cligna des yeux, stupéfaite.

— Pas la peine de prendre ton air innocent, enchaîna-t-il. Tu te fais passer pour une trouillarde, mais je sais que c'est un rôle que tu joues. Je vois très clair en toi, Raine. Tu ne peux rien me cacher.

— Ah oui ? Et qu'est-ce que tu vois ?

— Quelque chose de lumineux. De beau, de fort et de sauvage. Quelque chose qui m'attire irrépressiblement, qui me fait mal et qui me brûle. Qui me donne envie de hurler à la lune.

Cette déclaration incendia ses sens. Elle se détendit avec un long soupir, rendit les armes et s'enroula autour de lui, douce et docile.

— Ne me pousse pas trop fort, le supplia-t-elle.

— Alors arrête de résister, souffla-t-il en faisant courir ses lèvres le long de sa gorge. Je pourrais t'emmener tellement loin si tu acceptais de te laisser aller. Laisse-moi tenir les rênes, ma belle. Je te jure que je sais où je vais.

Elle laissa échapper un rire étranglé.

— Comment veux-tu que je te fasse confiance alors que tu refuses de me faire confiance ? Regarde-nous, Seth. Je pèse soixante kilos et toi…

— Tu pèses moins que ça, l'interrompit-il. Il n'y a que de la moutarde et deux vieilles pommes ridées dans ton frigo. C'est à se demander s'il t'arrive de manger.

Son ton critique l'irrita violemment.

— Le contenu de mon frigo ne regarde que moi, riposta-t-elle. Ce que je voulais dire, c'est que tu n'as aucune raison de m'écraser de tout ton poids. Je ne serais pas assez rapide pour t'échapper, même si j'avais envie de le faire.

— Tu n'as pas envie de m'échapper ?

Raine n'eut pas la présence d'esprit de répondre autre chose que la vérité.

— Non, je n'ai pas envie de t'échapper, admit-elle. J'ai envie que tu lâches mon poignet et que tu me laisses respirer.

L'étau de ses doigts puissants se détendit.

— Je ne veux plus recevoir de gifle, prévint-il.

— Je te promets de ne plus le faire.

Il la fit basculer sur le flanc de façon qu'ils se retrouvent face à face et contempla son visage comme s'il cherchait à résoudre une énigme.

— Je suis désolé de m'être introduit chez toi sans ton autorisation, déclara-t-il d'un ton solennel. Et je suis désolé de t'avoir fait peur.

Raine porta la main à son visage et caressa l'endroit où elle l'avait giflé.

— J'apprécie tes excuses, répondit-elle.

— Je l'ai fait parce que je m'inquiétais pour toi, précisa-t-il en fronçant les sourcils.

Le charme était rompu. Raine éclata de rire.

— Tu gâches tout en essayant de justifier ta mauvaise conduite !

Un sourire timide passa fugitivement sur ses lèvres.

— Est-ce que ça veut dire que je suis ton petit ami, alors ? Officiellement ?

Raine ne savait pas ce que ce mot signifiait exactement dans l'esprit de Seth. Il était tellement différent d'elle. Mais quelque chose de doux et chaud remua dans son cœur. Elle n'avait pas le droit de se défiler. Elle lut dans son regard l'importance qu'avait pour lui cette étrange déclaration maladroite.

— *Ne vous accrochez pas à une illusion de contrôle,* lui avait conseillé Victor.

Il avait raison. Il était temps qu'elle laisse enfin son cœur s'exprimer librement.

— D'accord, dit-elle. Si c'est ce que tu veux, tu es mon petit ami.

Il poussa un soupir et noua ses jambes aux siennes.

— Oui, c'est ce que je veux. Tu ne peux pas savoir à quel point.

— Alors, c'est d'accord. Tu l'es. C'est officiel. Tu peux te détendre.

Seth fit passer une mèche des cheveux de Raine entre leurs visages et l'approcha de son nez pour en humer l'odeur.

— Je sais que je suis trop brusque, dit-il d'une voix hésitante. Je traverse une drôle de période, en ce moment.

— Tu veux en parler ? proposa-t-elle gentiment.

— Non, répliqua-t-il d'un ton sec.

Raine recula son visage, blessée.

— Excuse-moi, ma douce. Je ne peux pas en parler. Je suis brusque, mais je ne suis pas dangereux.

— Vraiment ? répondit-elle en détournant le visage quand il chercha à l'embrasser.

— Pas pour toi, assura-t-il en prenant son visage entre ses mains, insistant pour l'embrasser, caressant ses joues de ses pouces.

Raine retrouva avec reconnaissance la chaude saveur de sa bouche et la caresse de sa langue.

Ce que venait de dire Seth était faux. Raine était prête à tout donner pour qu'il lui manifeste cette tendresse passionnée – et cela le rendait mortellement dangereux pour elle.

Il s'écarta et lissa ses cheveux sur son front.

— Je t'ai trouvé un téléphone portable, aujourd'hui.

Elle s'était si peu attendue à cela qu'elle ne trouva rien à répondre.

— Tu m'enverras des petits SMS gentils ? demanda-t-il.

— C'est ce que tu veux ? répliqua-t-elle, de plus en plus stupéfaite.

— Ouais, c'est ce que je veux, dit-il d'un ton à la fois défiant et gêné. Si je suis officiellement ton petit ami, je veux tous les avantages qui vont avec le job. Ça te convient ?

— Oui.

Il l'embrassa à nouveau, d'une façon tendre, comme s'il la suppliait silencieusement de lui donner quelque chose qu'elle ne pouvait pas lui refuser, au risque de briser son propre cœur.

Il recula son visage et posa sur elle un regard troublé.

— Qu'est-ce qui se passe ? s'enquit-elle.

— Je me sens nerveux, répondit-il franchement. Je n'ai pas trop l'habitude de ce genre de relation, et je me fais l'effet d'un éléphant dans un magasin de porcelaine.

Elle rit doucement et lissa le pli qui s'était creusé entre ses sourcils.

— Contente-toi d'être gentil. Et tendre.

— J'ai toujours été tendre avec toi, regimba-t-il aussitôt.

— Le fait que tu ne me laisses pas de marques sur le corps ne suffit pas à faire de toi un tendre, Conan le Barbare.

Il caressa lentement ses cheveux.

— N'en rajoute pas. J'ai envie de toi. Tu es tellement belle que j'ai envie de t'emmener dans ma grotte pour te faire l'amour éternellement. Sur une peau d'ours.

Il prit sa main, pressa ses lèvres chaudes au creux de sa paume.

— Ne m'appelle plus jamais Conan le Barbare, dit-il. Cette fois, je veux que tu me dises que tu as envie de moi. Je veux t'entendre me demander de te faire l'amour. Gentiment, s'il te plaît.

— Ça ressemble à un de tes jeux de pouvoir, Seth. Je ne veux p…

— Chuuut, l'apaisa-t-il en posant un doigt sur ses lèvres. Pas du tout. Je te promets que tu te trompes. Je veux juste te montrer quelque chose sur toi. Quelque chose de beau. Qui te plaira.

Il explora de son doigt sa lèvre inférieure légèrement tremblante en posant sur elle un regard ardent.

Saisie d'une audacieuse impulsion, Raine attira son doigt entre ses lèvres pour le sucer. Seth sursauta comme sous l'effet d'une décharge électrique, écarta sa main de sa bouche et entreprit de déboutonner son chemisier.

— Satanés boutons, marmonna-t-il.

— Mes vêtements ne te plaisent pas ? demanda-t-elle en riant.

— Je les déteste. Tu ressembles à un paquet-cadeau trop bien scotché.

— Pauvre petit, ça doit être très frustrant, le taquina-t-elle.

— Attention à ce que tu dis, si tu tiens à ton chemisier, la mit-il en garde.

Quand il le lui eut retiré, il la fit basculer vers lui pour dégrafer son soutien-gorge. Il l'ôta avec une lenteur étudiée, caressa ses seins et frotta ses mamelons érigés contre le creux de ses paumes, puis acheva de la déshabiller en un tournemain.

Il contempla son corps nu, fit courir le bout de ses doigts sur son ventre, chatouilla le creux de son nombril, effleura les boucles de sa toison.

— Tu te touches, des fois ? demanda-t-il.

Raine fut si choquée qu'elle fut incapable de répondre. Elle se contenta de le regarder, bouche bée, tandis qu'un voile rouge et brûlant remontait depuis sa gorge jusqu'à son visage.

— Allez, ma belle, dis-le-moi.

— Tout le monde le fait, non ? répliqua-t-elle d'un ton faussement nonchalant.

— Ce n'est pas tout le monde qui m'intéresse, c'est toi.

— Oui, bien sûr, admit-elle simplement.

— Touche-toi pour moi, dit-il d'une voix étranglée.

— Mais… tu ne veux pas… ?

Il pressa sa main contre l'entrejambe de son jean noir.

— Si. Mais je veux d'abord te regarder t'ouvrir à moi, toute seule. À ton rythme, précisa-t-il en se plaçant entre ses jambes pour les écarter plus largement. Regarde-moi, Raine, murmura-t-il. Je suis l'incarnation du self-control civilisé. Avoue que tu ne m'en aurais jamais cru capable !

— C'est encore un de tes jeux de pouvoir ? demanda-t-elle.

— Pas du tout. C'est un cadeau.

Un rire nerveux la secoua et elle se tortilla pour échapper à son diabolique sourire de satyre.

— Tu triches, Seth ! se plaignit-elle.

Il plongea en avant, la saisit par la taille et l'immobilisa.

— S'il te plaît, Raine. Tu es si belle. Et c'est tellement intime, tellement secret. J'en meurs d'envie. Montre-moi que tu me fais confiance.

Il déposa un baiser sur son ventre, un autre sur sa hanche et fit lentement, amoureusement glisser ses mains sur toute la longueur de ses cuisses. Écarta de nouveau ses jambes.

— Je veux te faire découvrir tes fantasmes. Je veux te regarder jouir sous mon regard. C'est l'idée que je me fais du paradis.

Il prit doucement sa main et la plaça au creux de ses cuisses.

— Montre-moi.

Elle ferma les yeux et fit ce qu'il lui demandait, timidement pour commencer, mais le charme opéra si bien que ses inhibitions fondirent comme le miel qu'on réchauffe. Elle oublia sa chambre. Ils auraient pu se trouver n'importe où, flottant ensemble dans le cœur d'une orchidée blanche, nageant dans une mer tropicale. Elle s'abandonna à l'énergie qui vibrait entre eux. Seth la défiait du regard et de son self-control. Elle le défiait de son corps et de son désir.

Une joyeuse sensation de puissance enfla en elle. Elle jouait avec les replis secrets de son sexe, le dos cambré, ses hanches se soulevant, s'offrant complètement à lui. La sensation qui se déployait en elle ne lui faisait plus peur. Un nuage brûlant dilatait son buste, son bas-ventre. De plus en plus brûlant, de plus en plus lumineux.

— Dis-moi à quoi tu penses, ordonna-t-il.

— Je ne pense pas, j'éprouve des sensations, répondit-elle d'une voix étranglée.

— Quelles sensations ?

— Toi, dit-elle en glissant un doigt en elle avec un frisson.

— Qu'est-ce que je te fais ?

— Tu me caresses… Tu m'embrasses.

— Je te lèche ?

— Oui, gémit-elle. Oui...

Ses hanches se soulevèrent frénétiquement.

— Et maintenant ? s'enquit-il d'une voix basse, hypnotique. Est-ce que ma queue est en toi ?

— S'il te plaît, Seth...

— Est-ce que je te baise ?

— Oui !

Une vague de plaisir la submergea et le va-et-vient de son doigt s'accéléra.

— Dis-le, exigea-t-il. Dis les mots. Qu'est-ce que je te fais ?

— Tu es... à l'intérieur de moi. Tu me baises, haleta-t-elle.

Le simple fait de prononcer un mot aussi cru la fit basculer dans l'extase.

Elle poussa un cri et se désintégra dans un long frisson.

Puis elle bascula sur le côté et se recroquevilla sur elle-même, haletante. La réalité refit peu à peu surface, accompagnée d'un sentiment de honte. Que devait-il penser d'elle ? Comment avait-elle pu se laisser convaincre de s'exhiber ainsi devant lui ? Raine se sentit soudain plus vulnérable que jamais.

Ce qui avait sûrement été l'intention de Seth.

Le bruit de la boucle de son ceinturon suivi du glissement de sa braguette lui firent brusquement rouvrir les yeux. Il retira son T-shirt noir, révélant la somptueuse musculature de son torse, et le lança à travers la pièce. Il enleva ensuite ses bottes et ses chaussettes. Il passa alors ses pouces sous la ceinture de son jean et lui adressa un sourire diabolique.

— À mon tour.

— Tu me rends folle, Seth.

Il fit glisser son jean et son caleçon le long de ses jambes. Son sexe jaillit, pointant avidement vers elle. Il s'allongea près d'elle et l'attira contre lui.

— Tu veux dire que je t'énerve ou que je t'excite ?

Raine passa timidement son bras autour de lui.

— Je ne sais pas encore, avoua-t-elle d'une petite voix.

— Tu ne peux pas me reprocher de t'avoir pressée, cette fois. Tu as tout fait toute seule.

— Si, tu m'as pressée, dit-elle en caressant les muscles de ses épaules. Je crois que tu ne sais même pas ce qu'on ressent quand on ne le fait pas du tout.

Il pressa son torse ferme contre sa poitrine et la contempla d'un regard inquiet, troublé.

— Tu trouves que je suis, euh... pervers au lit, c'est ça ?

Raine faillit rire, mais se retint.

— Je n'ai aucune base de comparaison, souffla-t-elle doucement.

L'étreinte de ses bras se resserra autour d'elle et il déposa un baiser sur son front.

— Ne change rien.

— De toute façon, ce n'est pas un lit, ajouta-t-elle en explorant le relief de son dos musculeux du bout de ses doigts.

— On ne peut pas voir le miroir depuis le lit, répondit-il. J'aime bien ce miroir. Il offre un angle de vue différent sur ton beau corps nu.

Raine regarda le miroir et rougit violemment. Il roula sur le côté et l'attira contre lui de façon que son dos presse contre son sexe, dur et chaud. Il inséra une main entre ses jambes avec un grondement de plaisir.

— C'est magnifique, approuva-t-il. Tu es prête à me recevoir. Demande-moi précisément ce que tu veux, Raine. Allez, n'hésite pas.

Elle ferma les yeux et pressa son entrejambe contre l'audacieuse caresse de sa main.

— Pourquoi me fais-tu cela, Seth ? gémit-elle. Comme si tu cherchais toujours à prouver quelque chose. Je me sens vulnérable quand tu fais ça.

Il effleura son oreille du bout du nez, aspira le lobe entre ses dents et le mordilla doucement.

— Regarde les choses en face, bébé. Tu *es* vulnérable.

Le ton sur lequel il avait dit cela l'irrita profondément. Comme s'il s'agissait d'une évidence. Elle chercha à lui échapper, mais il la fit s'allonger à plat ventre et s'étendit au-dessus d'elle.

Par le truchement du miroir, il verrouilla son regard au sien.

— C'est peut-être trop pervers pour toi ? s'enquit-il avec défi. Tu préférerais que je sois un gentil garçon bien élevé ?

Il écarta ses cuisses et glissa un doigt en elle. Raine chercha à se dégager du poids de son corps avec un gémissement. Il retira son doigt, puis l'inséra à nouveau en lui en adjoignant un autre, plus profondément.

Elle n'arrivait plus à penser ni à parler et se contractait irrépressiblement autour de ses doigts.

— Je t'aime comme tu es, avoua-t-elle. Mais je ne sais pas te donner ce que tu veux. C'est une langue que je ne parle pas.

Il mordit délicatement sa nuque.

— Ce n'est pas si compliqué que ça. Je veux seulement savoir ce que tu veux. Tu ne t'en rends peut-être pas compte, mais je fais de gros efforts pour me comporter de façon civilisée.

Raine éclata de rire.

— Tu te trouves civilisé ? Mais, Seth, tu es un animal sauvage !

Ses yeux s'allumèrent comme ceux d'un loup au clair de lune et elle frissonna, songeant que ses paroles avaient déclenché quelque chose qu'il aurait mieux valu laisser tapi dans l'ombre. Il étreignit ses hanches et lui fit soulever les fesses de manière à la mettre à quatre pattes. Son reflet la fit rougir davantage encore. Derrière elle, Seth s'était redressé et pressait son sexe contre ses fesses.

— C'est ça que tu veux, hein ? Tu aimes que je sois un animal sauvage ?

Cette position la faisait se sentir vraiment trop vulnérable. Elle murmura quelque chose d'incohérent et chercha à s'échapper, mais il fut plus rapide qu'elle. Il passa ses bras puissants devant ses hanches en se courbant pour l'immobiliser.

— Fais-moi confiance, dit-il d'un ton apaisant. C'est ça que tu veux.

Elle secoua frénétiquement la tête.

— Non, Seth. Je me sens trop...

— Attends, l'interrompit-il en la caressant. Attends de voir. Laisse-moi te toucher... comme ça. Écarte un peu plus les jambes. Voilà, comme ça. Tes belles fesses s'offrent comme une pêche bien mûre, juteuse et sucrée à souhait. Je ne ferai rien dont tu n'aies pas envie, Raine. Je te promets que tu vas aimer ça.

Ses doigts s'insérèrent entre les replis de son sexe et son toucher expert déclencha en elle une délicieuse palpitation. Il écarta un peu plus ses jambes et émit un murmure d'approbation lorsqu'elle n'opposa aucune résistance.

— Tu sais pourquoi tu vas aimer ça ? reprit-il d'une voix rauque de désir. Parce que toi aussi, tu es un animal sauvage, Raine.

Son pouce encercla son clitoris et elle se plaqua contre sa main pour intensifier ce contact. Elle avait cru que cette posture de soumission la ferait se sentir faible et sans défense, mais ce n'était pas du tout le cas. Cela lui semblait à présent parfaitement naturel. Un flot de chaleur la traversa et elle se révéla affamée, animée d'un désir primitif. Toute l'énergie de sa nature profonde et indomptée s'éleva en elle.

Elle se sentait forte. Furieuse contre lui, contre son arrogance et ses moqueries, contre sa façon de la faire attendre. Elle creusa les reins, dans un réflexe purement animal visant à le séduire. Elle scruta son regard dans le miroir et constata que sa manœuvre l'avait profondément troublé. L'espace d'un instant, elle eut conscience du pouvoir qu'elle était en mesure d'exercer sur lui.

— Tu es superbe, dit-il d'une voix douce. Cambre-toi bien, tends les fesses. Donne-moi tout.

Raine lui obéit spontanément. Il pouvait la pousser jusqu'où il le voulait, l'emmener au bout d'un glorieux orgasme. Elle mourrait s'il ne le faisait pas.

Quand il sortit un préservatif de son jean et l'enfila, un sanglot de soulagement faillit lui échapper. Elle pressa ses hanches contre lui, impatiente de le sentir en elle. Seth plaqua ses grandes mains sur elle pour l'immobiliser.

— Ne t'inquiète pas, ma douce, tu vas m'avoir autant que tu voudras. Mais c'est moi qui décide du moment.

— Ne joue pas avec moi, Seth. Tu me tues. Je n'en peux plus.

— Qu'est-ce que je t'avais dit ? Je savais que ça te plairait. Mon bel animal sauvage.

Il inséra l'extrémité de son sexe en elle et Raine recula les fesses pour l'inciter à poursuivre.

— Je connais ton secret, mon bel animal. Tu es toute moite et douce. Tu aimes que je te prenne comme ça, hein ?

Elle voulut répondre, en vain. Elle hocha nerveusement la tête.

Il fit basculer ses hanches en avant pour la pénétrer plus profondément, et son souffle haletant résonna dans le silence de la chambre. Sa lenteur la rendait folle.

— Tu aimes ça ? demanda-t-il.

— Oui !

— Tu en veux plus ? Comment tu veux ? Plus profond ?

Elle leva les yeux vers le miroir et fut aussitôt happée par son regard sombre, par le magnétisme de sa puissance sexuelle.

— Oui, plus profond, acquiesça-t-elle.

Seth enfonça les doigts dans la chair de ses fesses.

— Plus fort ?

Elle hocha la tête.

— Oui ! exigea-t-elle énergiquement. Plus fort. Maintenant, Seth.

Il la pénétra de toute sa longueur, jusqu'à ce que ses hanches claquent contre ses fesses. Un cri aigu s'échappa de la gorge de Raine.

— Comme ça ?

— Oh, oui !

Elle se soumit à son rythme et creusa les reins pour aller à sa rencontre. À chacune de ses poussées, elle devenait plus brûlante, plus affamée.

— Regarde-nous, ordonna-t-il. Regarde comme tes seins se balancent vers l'avant chaque fois que je te prends bien à fond… comme ça, ajouta-t-il, accompagnant cette déclaration d'une poussée ferme. Bon sang, je n'ai jamais rien vu d'aussi beau.

Raine se regarda, profondément troublée. La vision était plus érotique que le plus audacieux fantasme qu'elle se soit jamais autorisé. Ses cheveux retombaient devant son visage, ses seins ballottaient, ses jambes étaient largement écartées et ses fesses pointaient vers le ciel. Et derrière elle, Seth, beau comme un dieu, la dominait de son torse musclé et doré, luisant de sueur, le regard baissé sur le va-et-vient de son membre en elle.

Il était tellement puissant et sexy ; ses grandes mains sombres plaquées sur ses flancs blancs, ses tendons saillant le long de sa gorge... Il leva un regard fasciné vers leur reflet, une de ses mains brunes caressant ses seins tandis que l'autre s'insinuait dans la toison de son entrejambe.

Raine s'observait, stupéfaite. Son visage empourpré avait une expression à la fois avide et effrayée. Seth affermit l'étreinte de ses mains sur son buste et son ventre pour faire ployer le haut de son corps en arrière et la plaquer contre lui. Raine renversa la tête contre son épaule, ouverte, le corps bandé comme un arc. Ses coups de reins se firent plus lents et contrôlés tandis que ses longs doigts la cajolaient, la caressaient, l'anéantissaient. La propulsaient dans une cascade de plaisir explosif.

Lorsqu'elle fut à nouveau capable de formuler une pensée cohérente, Seth l'avait fait se remettre à quatre pattes et la possédait puissamment.

— Magnifique, murmura-t-il. Quand tu jouis, ta petite chatte me serre comme un poing humide, j'adore ça. Tu es incroyable, Raine. Douce et ardente.

Une vague de plaisir tourbillonna en elle. Raine creusa les reins, effrayée par l'intensité de l'explosion imminente qui menaçait de nouveau. Le va-et-vient de Seth s'accéléra, lui donnant exactement ce qu'il fallait pour déclencher la charge. Un ultime coup de reins impitoyable lui fit atteindre l'orgasme qu'elle accueillit avec un long cri sauvage.

Il empoigna sa chevelure dans son poing et fit basculer sa tête en arrière.

— Ouvre les yeux, exigea-t-il. Regarde-moi quand je te baise, Raine.

Elle ouvrit les yeux, luttant pour retrouver son souffle.

— Qu'est-ce que c'est que ces manières d'homme des cavernes ? Tu n'as pas l'impression d'en faire un peu trop, à me tirer les cheveux comme ça ?

Seth sourit, écarta la masse de sa chevelure et lui mordit la nuque.

— Tu adores ça, dit-il en regardant son sexe aller et venir aisément dans sa fente délicieusement moite. Moi Tarzan, toi Raine.

Cette réplique ridicule résonna de façon si incongrue qu'elle déclencha en elle un éclat de rire. Son rire céda presque instantanément la place aux larmes et elle s'effondra, riant et pleurant en même temps. Elle devina qu'il lui parlait à l'oreille, mais fut incapable de comprendre ce qu'il disait. Finalement, le ton anxieux de sa voix parvint à se frayer un passage dans son esprit.

— Ne pleure pas, Raine, je t'en supplie. Ne pleure pas à cause de moi, je ne supporte pas ça.

— Tu exagères, dit-elle en riant à travers ses larmes. Si ça ne te plaît pas, va te trouver une fille moins sensible que moi.

Il la fit s'allonger à plat ventre et s'étendit délicatement au-dessus d'elle, l'enveloppant de la chaleur de son corps. La moquette chatouillait sa joue, ses larmes la soulageaient. Le sexe de Seth enfla en elle, la comblant entièrement d'une intimité presque insupportable, et il la serra dans ses bras jusqu'à ce qu'il s'autorise enfin à jouir. Ses hanches se mirent à pistonner furieusement et son énergie explosa en elle, l'incendiant comme une torche.

Quand elle rouvrit les yeux, elle était allongée sur le côté, le visage humide, encore agitée de minuscules sanglots. Seth caressait ses cheveux et ses épaules. Il parsema sa gorge de petits baisers. Raine inspira à fond et attendit que la vibration interne de son corps s'estompe.

Il se retira, se redressa sans un mot et passa dans la salle de bains.

Raine essaya de remuer, mais s'en révéla incapable. Elle resta allongée par terre, alanguie et épuisée, à écouter l'eau couler dans le lavabo de la salle de bains. La porte s'ouvrit. Il s'accroupit à côté d'elle, écarta les cheveux de son visage et riva son regard au sien. Elle perçut l'odeur fruitée de son savon sur ses mains. Framboise sauvage.

— Je suis morte, murmura-t-elle. Je ne peux même plus bouger.

— Tu as besoin de manger, dit-il.

Raine fit la grimace.

— Des pommes ridées à la moutarde ? Berk !

— Non, j'ai fait des courses, annonça-t-il. Il y a du pain, de la salade de pommes de terre, de la dinde, du pastrami, du rosbif et du jambon. Du cheddar en tranches et du fromage suisse. Du thé à la pêche. Et des brownies.

Cette dernière mention lui donna la force de soulever la tête.

— Des brownies ?

Seth passa les mains sous ses épaules et ses genoux et la souleva dans ses bras, visiblement très content de lui.

— Hmm, hmm. Deux sortes. Double praliné et marbré de cheese-cake, dit-il en la portant jusqu'au lit où il l'allongea délicatement. Je vais te faire un sandwich et après, on essaiera de dormir un peu.

Elle plissa les yeux.

— Je ne me souviens pas de t'avoir invité à passer la nuit dans mon lit, protesta-t-elle d'un ton qui manquait de conviction.

— Un petit ami officiel a le droit de passer la nuit chez sa copine, répondit-il en bordant soigneusement la couette autour d'elle. Ça fait partie des avantages de la fonction. Et c'est également préconisé par le manuel du comportement civilisé. Flanquer son petit ami dehors après qu'il vous a donné plusieurs orgasmes successifs est extrêmement grossier.

Raine fut trahie par son rire.

— Je devrais vraiment te flanquer dehors. Rien que pour te donner une leçon.

— C'est ça. Si tu as sous la main dix gars costauds équipés de fusils mitrailleurs, tu as peut-être une chance d'y arriver.

Cette saillie eut également le don de la faire rire, et Seth poussa son avantage avec un baiser ardent qui s'insinua délicieusement en elle. Il s'éloigna d'elle à regret, le souffle court.

— Et puis, qui t'apporterait des sandwichs et des brownies si tu me mettais dehors, hein ?

— Tu es un affreux opportuniste, lui dit-elle.

— Tu progresses, ma belle, tu progresses, répliqua-t-il en affichant un grand sourire qui s'estompa soudain. Si tu voulais vraiment que je m'en aille, je le sentirais, Raine, reprit-il sérieusement. Et je partirais, parce que je ne reste jamais quelque part si je suis indésirable. De la même façon que j'ai senti que tu voulais que je te prenne à quatre pattes, tout à l'heure. Comme un animal sauvage.

Piquée au vif, Raine se redressa, la couette glissant sur son buste et révélant sa poitrine.

— Ne t'avise pas de me dire ce que je veux, Seth Mackey.

Il effleura son sein nu du bout des doigts, et elle lui donna une petite tape sur la main. Il haussa les épaules, mécontent.

— J'ai suivi les indices que tu me donnais, c'est tout ce que je voulais dire. Je n'avais pas l'intention de t'offenser.

Elle ramena la couette sur sa poitrine et l'étudia d'un regard suspicieux.

— Je croyais que tu avais fait cela pour me punir. Parce que je t'avais traité d'animal.

Il écarquilla les yeux.

— Te punir ? Pas du tout !

— C'est ce qu'il m'a semblé. Au début, en tout cas.

— Des orgasmes de folie, pour toi c'est une punition ?

Son expression éberluée faillit la faire rire.

— Les orgasmes n'ont rien à voir.

— Comment ça, rien à voir ? C'est tout l'enjeu ! Si c'est ton idée de la punition, je me demande à quoi ressemble une récompense avec toi !

— Seth...

— Ça me tuerait sûrement, poursuivit-il d'un ton incrédule. Et je ne savais pas non plus que se faire traiter d'animal constituait une insulte. J'ai pris ça comme un compliment. Ça m'a excité.

Raine attrapa l'oreiller et le frappa avec.

— Évidemment ! Toi, tout t'excite !

Seth écarta l'oreiller de ses mains et grimpa sur le lit. Il s'assit en travers de ses hanches et lui prit le menton pour la forcer à le regarder dans les yeux.

— Écoute-moi bien, ma belle. Si tu me trouves trop pervers, trop brutal ou trop tout ce que tu veux au lit, je me calmerai. Rien ne nous oblige à faire l'amour comme des bêtes à chaque fois. Si tu veux y aller en douceur avec des lumières tamisées, c'est parfait pour moi. Je te ferai l'amour comme tu me le demanderas.

— C'est vrai ?

— Vrai de chez vrai. Tendre et romantique, ça me va. J'aime faire l'amour de toutes les façons possibles et imaginables. Mon fantasme, c'est de te faire tout ce que tu voudras. Compris ?

Elle hocha la tête. Il quitta le lit, soulagé.

— Maintenant, je vais préparer à manger, décida-t-il en enfilant son jean. Qu'est-ce que tu veux sur tes sandwichs ? Je ne voudrais pas commettre d'impair, sinon tu me flanquerais dehors comme un chien qui a pissé sur le tapis.

— Oh, arrête, râla-t-elle.

— Je te mets un peu de tout ? Moutarde ? mayonnaise ? ou les deux ?

— Les deux.

Il parut sur le point de dire autre chose, mais se reprit. Il ramassa l'oreiller, le cala délicatement sous sa tête et lissa tendrement ses cheveux.

— Je reviens tout de suite, souffla-t-il.

La porte se referma derrière lui et Raine se glissa sous la couette, frissonnant au contact des draps froids. Elle fixa le ventilateur au plafond et lutta pour intégrer ce qui était en train de lui arriver.

Tâchant de déterminer si c'était une bonne ou une mauvaise chose.

13

Petit ami. Il était le petit ami officiel de Raine Cameron. Il fit rouler le mot dans sa bouche pour en goûter la sonorité. Bon, c'était un rôle d'emprunt, mais un rôle d'emprunt génial. Quelle meilleure couverture pour un garde du corps que le rôle du tout nouveau petit ami, jaloux et possessif ? Personne ne serait surpris de le voir tout le temps avec elle.

Il se sentit à la fois pris de vertige et survolté en traversant la maison. Il attrapa son petit sac de matériel sur l'étagère de la penderie où il l'avait rangé, s'immobilisa et tendit l'oreille vers le premier étage. Pas le moindre bruit.

Il déballa son kit et sélectionna des mouchards de tailles diverses. Il en glissa un dans une pochette visiblement inutilisée du portefeuille de Raine, un autre dans son stylo plume, un dans la doublure de son sac et un autre encore dans la doublure de son manteau.

Avec celui dont il avait équipé son portable, cela suffirait pour le moment. Il se montrerait plus ambitieux et créatif quand il en aurait le temps. Il grimaça en apercevant son reflet dans un miroir. Avec ses cheveux emmêlés et son menton bleu de barbe, ses yeux cernés et légèrement injectés de sang, il n'avait vraiment pas l'allure d'un petit ami officiel. Bah, l'essentiel, c'était que Raine le trouve à son goût.

Il passa dans la cuisine et entreprit d'élaborer quatre énormes sandwichs avec la même application méthodique qui faisait de lui un excellent espion et un bidouilleur informatique génial.

La vache. Petit ami officiel. Il n'avait jamais pensé que cela puisse lui arriver un jour. Jesse l'avait souvent charrié là-dessus. Lourdement charrié, même, comme s'il pensait que c'était un vrai problème, même s'ils finissaient toujours par en rire. Jesse prétendait que si Seth avait du mal à établir une relation sérieuse et à faire confiance à une femme, c'était à cause de sa relation avec sa mère. Jesse s'était passionné pour la psychologie à une époque. L'université produisait souvent cet effet-là sur les types qui avaient un peu trop tendance à cogiter. Mais Seth s'arrangeait pour le faire parler d'autre chose.

Il se prépara mentalement à la pointe de douleur fulgurante qui accompagnait toujours l'évocation de Jesse. Mais rien ne vint. Ou plutôt si, une sensation s'éleva, mais ce n'était pas la même que d'habitude. Ce fut plutôt comme si une main appuyait sur son cœur. Une pression chaude et douloureuse. Presque supportable.

Seth s'était donné du bon temps avec beaucoup de femmes, parfois même du *très* bon temps, mais dès qu'elles s'avisaient de l'inviter aux noces d'argent de papa et maman ou un truc du même genre, il les quittait. Ce qui était une façon de leur rendre service, en fait, parce que toutes ses histoires finissaient autrement toujours de la même façon. Un jour ou l'autre, il disait un truc qui lui passait par la tête, et vlan ! s'ensuivaient cris, larmes et crise d'hystérie se concluant généralement par un « Dégage, espèce de sale égoïste insensible ! ». Ponctué d'un claquement de porte et d'un crissement de pneus.

Le plus horripilant, c'était qu'il ne comprenait jamais ce qui avait bien pu déclencher la crise. Mystère total.

Et maintenant, il se retrouvait dans la peau de l'animal sauvage qui rêve de devenir un animal domestique. Il s'immobilisa devant la porte du frigo, le couteau qu'il tenait à la main dégoulinant de moutarde sur le carrelage. Il venait subitement de réaliser qu'il était prêt à tout pour garder Raine auprès de lui. Absolument tout. Même rencontrer ses parents. Pétrifié de stupeur, il baissa les yeux sur la flaque de moutarde. Oui, il serait même prêt à leur faire le grand numéro. À mentir sur son passé et à s'exprimer poliment. À leur lécher les orteils, s'il le fallait.

Il était en train de devenir fou. Jouer le rôle de petit ami officiel n'exigeait pas un tel sacrifice. Même Jesse le lui aurait fait remarquer. S'il envisageait de faire tout ça, c'était parce qu'il avait une trouille bleue de tout gâcher. C'était tellement ténu, fragile.

Il s'empressa de chasser cette pensée alarmante de sa tête et s'affaira à réunir serviettes en papier et couverts sur un plateau. Puis s'arrêta. Montserrat, l'ex-maîtresse de Lazar, avait la passion des bougies. Avec un peu de chance, il en traînait peut-être encore quelques-unes.

Dans un des tiroirs de la cuisine, il dénicha cinq bougies écarlates et une boîte d'allumettes. Il les déposa sur son plateau et remonta au premier étage.

Raine s'était endormie, une main blottie contre sa joue. Les lèvres rouge cerise de sa bouche pleine et enfantine étaient entrouvertes, et ses cils répandaient une ombre bleutée sous ses yeux. Elle était si belle, et elle paraissait si fatiguée. Le flot de tendresse qui le submergea fit trembler son plateau.

Il le déposa sur la table de chevet, s'agenouilla et alluma une bougie. Fit couler de la cire chaude sur l'assiette et plaça les bougies sur le pourtour. Il contempla son œuvre, satisfait. Elles répandaient un léger parfum de miel qui rappelait celui de Raine.

Il caressa ses cheveux du bout des doigts, pressé de la réveiller.

— Eh, souffla-t-il. Le ravitaillement est arrivé.

Ses cils palpitèrent, et elle posa sur lui un regard endormi.

— C'est moi, ton nouveau petit ami, l'informa-t-il. Je t'ai apporté à manger.

Elle se redressa sur les coudes et aperçut les bougies. Elle eut un sourire de plaisir si lumineux qu'il en eut mal. C'était si simple de lui faire plaisir. Il détourna la tête un instant et cligna des yeux pour chasser une humidité inopportune.

Raine ouvrit la bouche et retint son souffle en découvrant les énormes sandwichs.

— Mon Dieu ! Qui va manger tout cela ?

— Ne t'inquiète pas, je finirai tout ce que tu ne mangeras pas.

Il n'avait plus préparé à manger pour personne depuis que Jesse avait atteint l'âge de se débrouiller tout seul, et si ses talents culinaires lui permettaient de préparer un petit déjeuner ou des sandwichs, cela n'allait pas plus loin. Raine réagissait pourtant comme s'il avait concocté un buffet royal. Ils se régalèrent de bon cœur, assis en tailleur sur le lit. Elle réussit à venir à bout d'un sandwich, et le regarda, fascinée, engloutir les trois autres. Seth eut alors la brillante idée de lui faire manger des petits morceaux de brownie comme on donne la becquée à un oiseau. Sentir sa petite langue rose lécher ses doigts pour ne pas en perdre une miette le ravit.

— Hmm… je crois que je vais faire un orgasme de sucre, gémit-elle. Donne-m'en un autre morceau, vite !

— Praliné ou cheese-cake ?

— Je veux finir par le praliné, alors veille à me le donner en dernier.

Elle ouvrit la bouche et accepta avec gourmandise la miette qu'il y déposa.

— Qui aurait dit qu'une journée aussi étrange s'achèverait aussi bien ?

Seth inséra un autre morceau de gâteau dans sa bouche, et tout son corps se tendit quand elle se passa la langue sur les lèvres pour lécher le chocolat.

— Tu fais allusion à ce qu'on a fait tout à l'heure ou aux brownies ?

Raine s'étira et sourit d'une façon qui déclencha un douloureux élancement au niveau de son entrejambe.

— Pourquoi ? Tu manques tellement de confiance en toi que tu as peur de ne pas faire le poids face à un brownie ?

Seth se sentit stupidement heureux d'avoir réussi à la faire sourire.

— Je ne te demanderai jamais de choisir, lui assura-t-il. Je veillerai à ce que tu puisses toujours profiter des deux.

Elle fit courir le bout de ses doigts sur son torse. Baissa les yeux et les écarquilla tout grand. Seth suivit son regard et découvrit que son sexe en érection pointait le museau dehors.

— Ne t'inquiète pas, dit-il d'une voix chargée d'émotion. Je sais que tu es fatiguée. Je ne te dérangerai pas. Je me contenterai de te serrer dans mes bras quand on dormira.

Raine passa le doigt sur l'extrémité de son sexe, fascinée.

— Me déranger ?

Il regarda son doigt encercler son sexe, luttant pour garder le contrôle.

— Dérange-moi encore, Seth, murmura-t-elle. Dérange-moi doucement et tendrement. Comme tu me l'as promis, d'accord ?

Seth descendit du lit, envoya promener les restes de leur festin sur la moquette d'un ample mouvement de bras, retira son jean et enfila un préservatif en un clin d'œil.

Raine souleva la couette, l'invitant dans l'obscurité tiède et parfumée de sa féminité secrète. Ce geste l'enivra de désir. Doux et tendre, se répéta-t-il en repensant à sa promesse. Lumière tamisée, chocolat, ambiance romantique. C'était ce qu'elle attendait de lui et c'était ce qu'il allait lui donner. La couette flotta dans son dos lorsqu'il la rejoignit et s'allongea au-dessus d'elle, aussi légère et cotonneuse qu'un nuage.

Raine se blottit contre lui, si douce, si tiède et si forte à la fois. Ses bras souples encerclèrent son cou et ses jambes s'enroulèrent autour des siennes. Doux et tendre, se répéta-t-il. Style petit ami officiel. Pas de jeu de pouvoir, pas d'animal sauvage rendu fou par la pleine lune, pas de Conan le Barbare. Il voulait la serrer dans ses bras très fort et qu'elle s'y sente bien.

Il voulait qu'elle se sente en sécurité.

C'était la mission la plus difficile de toute sa vie. Son parfum lui montait à la tête aussi puissamment qu'une drogue et la lueur des bougies donnait à sa chevelure l'apparence d'une cascade en bronze rehaussé d'or chatoyant. Elle était si belle qu'il aurait pu jouir rien qu'en la regardant. Il dut fermer les yeux et serrer les dents pour rester maître de lui.

Elle était encore humide de la dernière fois ; une chance pour lui, car il avait une telle envie d'elle qu'il n'aurait jamais survécu à des préliminaires, aussi brefs soient-ils. Elle laissa échapper un gémissement étranglé quand il la pénétra aisément. Leurs regards se rivèrent l'un à l'autre, silencieusement. Seth se sentit empli d'humilité. Stupéfié par le mystère de la chose. Il n'avait encore jamais réalisé à quel point cet instant était intime. L'énormité de la confiance qu'elle lui accordait.

Il n'avait jamais envisagé une relation sexuelle en termes de confiance. Uniquement en termes de plaisir, à donner et à recevoir. Une simple transaction. Il avait suivi son instinct et recherché le plaisir toute sa vie, mais son instinct avait fini par l'amener sur des chemins qu'il n'avait jamais empruntés. Faire l'amour avec Raine ne ressemblait à aucune de ses expériences antérieures.

Il se mit à aller et venir doucement en elle et se retrouva en train de l'embrasser comme s'ils étaient à l'aube de la fin du monde, les bras de Raine enserrant son cou. Ses poussées s'allongèrent et il la posséda bientôt jusqu'à la garde, d'un va-et-vient profond, les hanches de Raine se soulevant pour accompagner ses mouvements.

Il s'arracha à leur baiser en riant.

— Du calme, protesta-t-il. Tu as dit tendre et doux, mais si tu fais ta folle, qu'est-ce que je suis censé faire ?

— Oh, tais-toi, dit-elle en attirant ses lèvres contre les siennes.

Ses hanches se plaquèrent contre les siennes et il se servit du poids de son corps pour l'immobiliser, la laissant pousser, lutter. Créant un rempart contre lequel elle venait se briser, telle la vague sur le rocher. Il la ralentissait, l'empêchait de se précipiter ou de paniquer. L'emmenait vers l'endroit qu'elle semblait vouloir atteindre. Il la fit jouir ainsi, encore et encore, doucement et tendrement. Les contractions de son plaisir le rapprochaient à chaque fois de l'orgasme, mais il attendit pour y céder de la sentir se laisser aller complètement, se lâcher et s'envoler. Et tissa un filet pour la rattraper, aussi grand et beau que le ciel tout entier.

Raine reposait sous lui, alanguie et repue. Le plaisir déferla alors en lui avec une telle fureur qu'il resta là, à la serrer entre ses bras tremblants pendant une éternité.

La dernière pensée qu'il eut après s'être débarrassé du préservatif, fut que ce serait merveilleux de lui faire l'amour sans. Une telle idée ne lui avait encore jamais traversé l'esprit. Il n'avait pas eu de rapport non protégé depuis l'époque où il était encore trop jeune et mal dégrossi pour réfléchir.

Seth refusa de considérer plus longtemps cette pensée et choisit de se laisser glisser dans un profond sommeil. Pour la première fois depuis des années.

Au début, c'était la scène classique ; l'horreur de la surprise accompagnée de la terrible sensation d'inéluctabilité. Son père, tendant l'index. Elle-même, se penchant en avant pour regarder. Le sang suintant du marbre comme dans un film d'horreur. Elle levait les yeux, et ce n'était pas son père, mais Victor, souriant. Il attrapait sa natte et tirait dessus si fort que des larmes se formaient dans ses yeux.

— Il faut t'endurcir, Katya. Le monde n'est pas tendre pour les pleurnicheuses.

Sa voix éclatait dans sa tête, sonore et métallique.

Elle était sur la jetée de Stone Island, vêtue de son maillot de bain avec les grenouilles vertes. Sa mère portait une robe jaune vif et riait à gorge déployée. Le grand type à moustache enlevait les lunettes de soleil grenouilles de son nez et les levait en l'air, hors d'atteinte pour elle. Il la narguait, les baissait et les relevait. C'étaient aussi des lunettes de vue, et sans elles, elle y voyait flou. Le moustachu ricanait comme si c'était drôle, mais ce n'était pas drôle du tout. Elle avait beau essayer de les retenir, ses yeux s'embuaient de larmes de frustration et si Victor les voyait, il allait la gronder.

Le bateau de son père s'éloignait de la jetée. Il agitait la main et, malgré ses yeux humides, elle distinguait nettement la tristesse désespérée de son regard. Elle en éprouvait une peine immense.

— Souviens-toi.

Il était trop loin pour qu'elle ait pu l'entendre, mais elle eut l'impression de percevoir ses mots à son oreille.

Voilà, elle savait qu'elle ne le reverrait plus jamais. Il rapetissait, on ne voyait plus que ses yeux, aussi sombres que les orbites creuses d'un crâne humain. La panique l'envahit et elle courut jusqu'au bout de la jetée en hurlant, lui cria de faire demi-tour, qu'elle le sauverait, qu'elle trouverait quelque chose.

— S'il te plaît reviens, ne me laisse pas toute seule...

— Raine ! Nom d'un chien, réveille-toi ! C'est juste un rêve, réveille-toi !

Elle lutta contre les bras puissants qui la tenaient. Puis tout reprit sa place. Seth. Encore un rêve.

Elle se laissa aller contre son torse et fondit en larmes, mais ses larmes ne durèrent pas aussi longtemps que d'habitude. Son étreinte irradiait dans tout son corps et la détendait. Ses larmes s'apaisèrent et elle s'essuya les yeux du revers de la main.

— Excuse-moi de t'avoir réveillé, murmura-t-elle.

— Ne dis pas de bêtises. C'était un sacré cauchemar, dis-moi.

Elle hocha la tête et laissa aller son front contre son torse.

— Tu veux en parler ? proposa-t-il.

— Non, je te remercie.

Il l'attira plus étroitement contre lui.

— Il paraît que ça aide.

Elle secoua la tête et il déposa un baiser sur sa joue.
— Comme tu voudras, dit-il. Si jamais tu changes d'avis, je serai là.
— Merci, chuchota-t-elle.
— Tu crois que tu vas pouvoir te rendormir ?
— Non, avoua-t-elle. Pas tout de suite. Peut-être pas du tout.
— C'est donc un truc chronique.
Son ton d'évidence donna un tour moins effrayant à la chose. Il alluma la lampe de chevet et observa son visage trempé de sueur.
— Est-ce que je peux t'aider ? Est-ce que je peux botter les fesses à quelqu'un de ta part ?
Elle déposa un baiser sur le renflement de son biceps.
— Tu ne peux pas résoudre mon problème à ma place, répliqua-t-elle posément. Mais je t'aime d'avoir envie de le faire.
Elle le sentit se raidir et réalisa avec une pointe d'horreur qu'elle venait de dire qu'elle l'aimait. Elle avait entendu dire que cela faisait paniquer les hommes quand on le leur avouait trop tôt.
Cesse de t'accrocher à une illusion de contrôle, se répéta-t-elle. Pour l'instant, il ne s'était pas encore sauvé en courant. Cela laissait une marge d'espoir.
— Bon, dit-il avec une certaine résistance, qu'est-ce qu'on fait maintenant ?
— Maintenant, tu dors, répondit-elle. Et moi, je regarde le plafond.
— Non, je voulais dire, qu'est-ce qu'on fait de *nous* ?
Raine se redressa et lui sourit tout en caressant les poils de son torse.
— Tu peux commencer par me promettre de ne plus jamais me faire peur en entrant chez moi par effraction.
— Tu n'as qu'à me donner une clef, suggéra-t-il. Comme ça, quand tu rentreras le soir, tu diras :

« Chéri ! Je suis là ! » et je répondrai : « Comment s'est passée ta journée, trésor ? »

Son audacieuse proposition l'avait prise de court.

— Te donner une clef de chez moi me semble presque superflu, Seth, biaisa-t-elle.

— Tes voisins risquent de devenir nerveux s'ils me voient tout le temps en train de crocheter ta serrure. De plus, un petit ami officiel se voit toujours remettre une clef par sa petite amie.

— Vraiment ?

— Évidemment.

Raine considéra un instant la question, puis décida, au point où elle en était, d'écouter son cœur plutôt que sa raison.

— Je te donnerai la clef que Victor m'a rendue, déclara-t-elle.

— Quoi ?

— Il m'attendait ici quand je suis rentrée l'autre soir.

— Qu'est-ce qu'il voulait ? s'enquit-il avec un geste d'impatience.

— Il voulait que je t'espionne. Figure-toi que tu l'intrigues.

— Et alors ? Qu'est-ce que tu lui as répondu ?

— Je lui ai dit non et je lui ai demandé de partir. Que voulais-tu que je fasse d'autre ?

— Tu aurais dû démissionner, rétorqua-t-il sèchement. Tu aurais dû lui dire d'aller se faire voir et quitter aussitôt la ville, voilà ce que tu aurais dû faire !

Raine baissa les yeux et secoua la tête.

Seth jura, se laissa retomber contre l'oreiller et contempla le plafond.

— Tu me rends fou, Raine. Je veux dire que tu m'énerves !

— Ça ne te perturbe pas plus que ça que Victor veuille t'espionner ? questionna-t-elle, intriguée par sa réaction.

— Pas plus que ça, non, répondit-il en lui décochant un regard impatient. Je savais déjà que ce type était un vicieux. Tu veux que je te souffle des répliques cinglantes à lui balancer pour qu'il te fiche la paix ?

— Non, je te remercie. J'ai l'intention de ne jamais entrer dans son jeu.

— Dans ce cas, qu'est-ce que tu fais ici ? demanda-t-il d'un ton dur.

— Seth...

— J'ai besoin de comprendre. Tu ne veux pas entrer dans son jeu, mais tu ne peux pas le plaquer. Tu m'as dit que tu avais tes raisons de ne pas le faire. C'est quoi, tes raisons ?

Son ton porta sur ses nerfs, déjà fragilisés par son cauchemar, et son masque de calme apparent s'effrita. Elle repensa au regard vide et triste de son père tandis qu'il s'éloignait sur l'eau. Des larmes lui montèrent aux yeux, irrépressibles, et elle couvrit son visage de ses mains.

Seth émit un soupir impatient.

— Je ne te laisserai pas t'en tirer par des larmes, Raine. Qu'est-ce qu'il y a entre Lazar et toi ? Accouche !

Les mots sortirent spontanément de sa bouche.

— Il a tué mon père.

Il ne réagit pas, ne poussa pas d'exclamation horrifiée, ne parut pas choqué. Il se contenta de l'observer longuement d'un regard pensif, puis tendit la main vers elle et essuya une de ses larmes de ses doigts repliés.

— Tu veux bien répéter ça encore une fois ? s'enquit-il gentiment.

Elle pressa une main sur sa bouche, essayant de faire le tri de ce qu'elle pouvait lui dire. Un seul mot de travers et elle risquait de tout révéler.

— Ça remonte à des années, murmura-t-elle. J'avais onze ans. Mon père... travaillait pour lui. Je ne connais pas les détails, j'étais trop jeune. C'est passé pour un accident de bateau. On s'est enfuies pour ne plus jamais revenir. Ma mère refuse d'en parler.

— Et qu'est-ce qui te fait penser que Victor...

— Ce fichu cauchemar ! Il ne me laisse pas en paix depuis la mort de mon père. Il me montre sa tombe et les lettres qui y sont gravées se mettent à saigner. Je lève les yeux, et je vois Victor qui se moque de moi.

— Tu n'as aucune preuve ? Personne d'autre ne l'a jamais accusé de meurtre ?

— Non, admit-elle. On s'est juste enfuies, ma mère et moi.

Seth essuya tendrement ses larmes.

— Ma douce, dit-il d'un ton prudent, c'est peut-être uniquement lié à ton chagrin, tu ne crois pas ?

Elle s'écarta de lui.

— Tu penses que je ne me suis pas posé la question en dix-sept ans ? Au stade où j'en suis, je ne m'en soucie plus. Je dois le faire, sinon je vais finir à l'asile psychiatrique.

— Faire quoi ? demanda-t-il en fronçant les sourcils. Qu'est-ce que tu comptes faire exactement ?

— Découvrir pour quelle raison mon père s'est fait tuer, répondit-elle en levant les mains avec fatalisme. Chercher des preuves, des mobiles. Ne crains rien, je ne me prends pas pour Wonder Woman.

— Je croyais que tes parents vivaient à Londres.

Elle lui jeta un regard surpris et il haussa les épaules.

— J'ai piraté ton dossier personnel, expliqua-t-il.

— Oh, murmura-t-elle. Hugh Cameron est mon beau-père. Après que mon père a été tué, on a parcouru l'Europe pendant cinq ans. Finalement, ma mère s'est installée à Londres avec Hugh.

— Comment s'appelait ton père ?

C'était le détail qu'elle ne devait surtout pas lui révéler. Elle s'efforça de réprimer le frisson qui la parcourut.

— Il s'appelait Peter. Peter… Marat.

C'était presque vrai. Peter Marat Lazar.

— Tu as fait des études de littérature et de psychologie à Cornell, c'est bien ça ?

— Tu as vraiment étudié mon dossier à fond, hein ?

— Évidemment que je l'ai étudié. Ce que je me demande, c'est ce que peut bien compter faire une secrétaire diplômée en littérature dans le cadre d'une enquête sur un meurtre vieux de dix-sept ans. Est-ce que tu as la moindre idée de la façon dont tu vas procéder ?

— J'ai lu des livres, répondit-elle en détournant le regard.

— Des livres. Mmm.

Une profonde lassitude la submergea.

— Je ne fais pas ça pour m'amuser, Seth. J'y suis obligée. Je ne jouis peut-être pas de toutes mes facultés mentales après tous ces cauchemars. Ça ne m'étonnerait pas, mais ça ne changerait rien. Je ferai quand même ce que j'ai à faire.

— Qu'est-ce que tu as à faire ? C'est quoi ton plan ?

— Disons que je l'élabore au fur et à mesure, avoua-t-elle. Le fait que Victor s'intéresse à moi est très positif…

— Ben voyons, grinça-t-il.

— C'est excellent par rapport à mes objectifs, rectifia-t-elle. C'est une chance qu'il ait requis mes services à Stone Island, hier. Je cherche des souvenirs, des preuves, des signes. Je fais de mon mieux. Mon cauchemar ne me laisse pas d'autre choix.

— En gros, tu n'as pas de plan.

Elle laissa échapper un soupir plaintif.

— En gros, c'est ça.

Seth abattit sa main sur l'oreiller avec assez de force pour que des plumes s'en échappent.

— Je n'ai jamais rien entendu d'aussi fou et stupide de ma vie ! déclara-t-il en la fusillant d'un regard noir.

Raine, elle, se sentait mieux. Lui parler l'avait libérée d'un poids.

— Oui, admit-elle d'un ton guilleret. C'est complètement fou et stupide. Crois-moi, j'en sais quelque chose.

— Lazar est un requin tueur, dit-il d'une voix rauque. Comment peut-on être aussi naïvement stupide et être toujours en vie ?

Raine gloussa, puis fit mine d'adopter une expression sérieuse et réfléchie.

— C'est une question que je me suis souvent posée. La seule réponse à laquelle je suis parvenue, c'est que j'ai bénéficié d'une chance folle.

— La chance ne dure jamais, ma belle. Tu ferais bien d'assurer tes arrières.

Sa brève bouffée euphorique commençait à se dissiper.

— J'y songerai.

— Certainement pas. Tu vas prendre l'avion pour quitter Seattle demain matin à la première heure. Il n'est pas question que je te laisse...

— Tu oublies quelque chose d'essentiel, Seth, l'interrompit-elle en plaquant une main sur son torse. Ce n'est pas à toi de prendre mes décisions.

Ils se mesurèrent longuement du regard. Finalement, Seth plissa les yeux d'un air pensif.

— Tu n'es vraiment pas un papillon, conclut-il.

— Plus maintenant, répondit-elle en secouant la tête.

— Oublie cette ordure, Raine. Coupe les ponts et sauve-toi. Va quelque part où tu pourras mener une vie normale.

Raine cligna des yeux, puis éclata de rire.

— C'est quoi, une vie normale, Seth ?

— Euh... un pavillon en banlieue ? proposa-t-il. Deux virgule quatre enfants par couple, les réunions de parents d'élèves et les vacances au bord d'un lac ? Les courses au supermarché, un film au multiplexe, les gâteaux pour la kermesse et l'entraînement sportif des enfants ? La carte bancaire à débit différé ? conclut-il avec un sourire malicieux.

Raine secoua la tête sans rien dire, et il haussa les épaules.

— Je n'en sais rien, en fait, marmonna-t-il en attirant sa tête contre lui. Je ne saurais pas reconnaître une vie normale même si on me la plantait sous le nez.

— Sur ce point, je crois qu'on fait la paire.

Il enfouit le visage dans ses cheveux.

— J'aime bien quand tu dis ça.

— Je suis contente qu'il y ait au moins une chose qui te plaise dans ce que je dis, répliqua-t-elle d'une voix étouffée.

Il l'allongea sur le dos et s'étendit au-dessus d'elle.

— Rien de ce que je pourrai dire ne te fera prendre l'avion demain matin ?

— J'ai déjà essayé de fuir, répondit-elle simplement. J'ai essayé pendant dix-sept ans. Crois-moi, ça ne marche pas.

— D'accord. Dans ce cas, voilà comment les choses vont se passer à partir de demain, déclara-t-il d'un ton efficace et professionnel. Je t'emmène travailler et je reviens te chercher le soir. Tu ne quittes pas le bureau sans me prévenir. Si tu dois te déplacer, ne serait-ce que pour aller au café du coin, tu me contactes.

— Mais je…

— Lazar voulait que tu m'espionnes, pas vrai ? Eh bien, profites-en ! Séduis-moi, couche avec moi et espionne-moi. Étudie scrupuleusement chaque centimètre carré de mon corps et compte les cheveux de ma tête. Tu as un alibi parfait : tu fais ça pour faire plaisir à ton patron. J'appelle ça un scénario gagnant-gagnant.

Raine était consternée.

— Seth, je crois que tu prends ça trop à cœur.

— Ma petite amie me dit qu'elle a l'intention de s'attaquer toute seule à un type puissant et dangereux qu'elle soupçonne de meurtre. Après quoi, elle me dit qu'elle n'a aucune preuve et aucune expérience dans ce domaine. Et elle ose affirmer que je prends les choses trop à cœur ? Je ne crois vraiment pas, ma belle. C'est le prix à payer pour t'être confiée à moi. Fais ce que je te dis, sinon je vais tellement te compliquer la vie que tu seras obligée de céder.

Un grand sourire stupide s'épanouit irrépressiblement sur le visage de Raine. Le côté très protecteur et paranoïaque de Seth ne la dérangeait pas. Elle se soucierait des détails épineux de sa personnalité au fil du temps. Pour l'instant, cela lui faisait chaud au cœur qu'il se soucie d'elle à ce point.

— D'accord, dit-elle en frottant sa joue contre son menton rugueux. Je t'informerai du moindre de mes déplacements, si c'est ce que tu veux.

— J'y tiens absolument, grogna-t-il en se glissant sous la couette.

Il la fit s'allonger sur lui.

— Seth ? murmura-t-elle.

— Hmm ?

— Je sais que tu penses que je suis folle, mais je me sens tellement mieux maintenant que je t'ai dit tout ça.

— Ah ouais ? Eh bien tant mieux pour toi, parce que moi je me sens comme une merde.

Elle dissimula son sourire contre son torse et fit remonter sa cuisse jusqu'à rencontrer son pénis. Dur et chaud. Elle posa la main dessus et le caressa, de bas en haut. Il était à nouveau dans un état d'érection avancé.

— Ne me cherche pas, gronda-t-il. Bas les pattes. On dort.

Elle écarta sa main à regret.

— Est-ce que c'est, euh… normal ?

— Tu sais ce que je pense de la normalité, ma douce.
— Ne fais pas semblant de ne pas comprendre.
— Ah, tu veux parler de l'état de ma queue, c'est ça ? dit-il en déposant un baiser au sommet de sa tête. Eh bien, si tu veux tout savoir, je n'ai jamais eu aucun problème pour la dresser, mais depuis que je te connais, je n'ai jamais eu autant de mal à la faire mettre au repos.
— Oh. J'en suis très… flattée. Et… tu arrives à dormir comme ça ?
Un rire silencieux fit vibrer son torse.
— Laisse-moi me soucier de ça. Dors.
À sa grande surprise, Raine réalisa qu'elle en était capable. Elle se sentait parfaitement détendue, allongée ainsi sur son corps puissant.
Pour la première fois de sa vie, elle n'était plus toute seule dans les ténèbres peuplées de monstres.

Elle n'avait jamais fait un rêve aussi agréable, baigné de sensations délicieuses. Douce moiteur, chaude lascivité, lumineux kaléidoscope de couleurs. Elle se sentait fondre dans un tourbillon de caresses sensuelles, et un plaisir divin la submergeait comme si un dieu était en train de lui faire l'amour. Elle émergea en douceur de ce rêve érotique. La lueur matinale qui baignait la chambre pressa légèrement sur ses paupières. Raine essaya de ne pas se réveiller pour faire durer son rêve, mais la délicieuse sensation ne se dissipa pas. Au contraire, elle s'amplifia. Elle ouvrit prudemment les yeux.
Le dessus-de-lit était rabattu sur son buste – et Seth était posté entre ses jambes.
Occupé à la lécher.
Elle sursauta et il saisit ses hanches en murmurant des paroles rassurantes. Elle écarta le dessus-de-lit et il

leva brièvement la tête, le temps de lui décocher un petit sourire satisfait.

— Bonjour, dit-il avant de replacer sa bouche sur elle.

Un voluptueux frisson parcourut son corps.

— Seth, tu es obsédé, murmura-t-elle.

Il rit et elle sentit la vibration de sa voix, accompagnée du souffle de son haleine sur ses lèvres.

— C'est vrai, avoua-t-il. J'adore te lécher. Ton goût me rend fou.

Il leva la tête et la regarda.

— Ça te pose un problème ?

— Mon Dieu, non, haleta-t-elle.

Sa langue glissa le long de sa fente avant d'encercler son clitoris. Il l'aspira entre ses lèvres et le suça avec une exquise délicatesse.

— Je trouve que tu es... Oh, mon Dieu !

— Que je suis quoi ? demanda-t-il.

— ... le petit ami idéal, balbutia-t-elle.

Elle avait du mal à parler, et plus encore à réfléchir. Elle laissa sa langue exercer sur elle sa magie érotique, laper et danser sur le point le plus doux et le plus brûlant de son intimité, jusqu'à ce qu'elle lui fasse irrépressiblement franchir la crête du plaisir. Les spasmes d'une extase lumineuse la submergèrent.

Il laissa aller sa joue contre sa cuisse un long moment, jusqu'à ce qu'elle se redresse. Il tourna les yeux vers elle, son regard reflétant une étrange combinaison de désir et d'émerveillement.

Raine contempla le corps de son amant. Longs et sinueux, ses muscles étaient parfaitement proportionnés et son sexe en érection pointait vers son nombril.

— Bonjour, répondit-elle enfin, subitement timide.

Au fond d'elle-même, la reine des pirates faisait des bonds sur place en désignant son sexe : Il est à moi ! Et je le veux. Tout de suite !

— Seth, dit-elle, se creusant désespérément la tête pour formuler cette requête en termes corrects. Est-ce que tu veux, euh…

— Évidemment. Mais tu es nouvelle à ce jeu-là. Je ne voudrais pas abuser de toi. Je ne suis pas un maniaque.

— Moi, si, répliqua-t-elle audacieusement.

Une lueur affamée fit briller ses yeux.

— Attention, je ne peux pas te garantir douceur et tendresse. Je suis largement au-delà de ce stade.

— Tant mieux. Je n'en suis plus là, moi non plus.

La reine des pirates cabriola de joie et poussa un cri de victoire lorsque Seth attrapa un préservatif parmi le tas qui réduisait à vue d'œil sur la table de chevet. Une fois qu'il l'eut enfilé, il l'attrapa par les chevilles et la fit glisser sur le dos jusqu'à ce que ses fesses atteignent le bord du lit. Il lui fit replier les genoux, écarta lentement ses cuisses, et son sexe se révéla sous la chaleur de son regard comme une fleur s'épanouissant au soleil.

— Je ne veux pas que tu retournes travailler dans ce fichu bureau.

— J'en suis désolée pour toi, dit-elle en saisissant ses bras pour l'attirer vers elle. Allez, viens, Seth.

— Ouvre-toi pour moi, murmura-t-il. Ouvre-toi complètement.

Raine s'exécuta et il écarta délicatement les pétales de son sexe, du bout des doigts.

— J'adore quand tu t'exhibes comme ça devant moi, souffla-t-il d'une voix rauque de désir.

— Je suis prête, Seth, dit-elle d'un ton impatient.

— Je sais, ma belle. Ta petite fente rose est sous mes yeux et j'ai encore ton goût dans la bouche.

Il glissa les mains sous ses fesses et la pénétra du bout de son sexe.

— Dieu que tu es belle !

— Vas-y ! Qu'est-ce que tu attends !

Son premier coup de reins lui tira un cri qui ne devait rien à la douleur. Seth s'immobilisa, alarmé.

— Ça va ?

— Ça va très bien. J'adore ça. Ne me fais pas attendre, je t'en supplie.

— Message reçu, marmonna-t-il. Mais je t'ai prévenue : aujourd'hui, pas de fioritures.

Il lui donna ce qu'elle voulait, la besogna et s'immergea au plus profond de sa douceur soyeuse qu'il s'appliqua à caresser d'un va-et-vient savamment rythmé. Les muscles de ses épaules roulaient sous sa peau et son visage tendu reflétait une intense concentration. Des sanglots d'extase échappaient à Raine à chacune de ses poussées, et elle s'agrippait farouchement à ses bras pour l'inciter à continuer. Le rythme vif qu'il avait adopté lui convenait parfaitement et un même désir les animait : plus fort, plus loin, encore et encore, jusqu'à ce qu'ils explosent à l'unisson.

Il se laissa aller sur elle et l'enveloppa de ses bras tremblants.

— Mon Dieu, souffla-t-il. C'est toujours comme ça avec toi. Ça me fait peur.

Raine faisait nonchalamment courir ses doigts dans ses cheveux trempés de sueur.

— Qu'est-ce qui te fait peur ? demanda-t-elle.

Seth s'écarta d'elle, s'agenouilla au pied du lit et posa sa tête sur son ventre.

— Toi. C'est toi qui me fais peur, marmonna-t-il.

— Seth, murmura-t-elle en se tortillant, je suis complètement trempée.

— Oui. Je voudrais m'enduire tout le corps de ton fluide. Ton parfum m'excite comme un fou, dit-il en inspirant bruyamment.

Son impertinence la fit rire.

— Je ne porte pas de parfum.

— Je ne parle pas de parfum en flacon. Je parle de *ton* parfum. Tous ces trucs parfumés que tu utilises, ton savon et tes lotions s'y mélangent, mais ton parfum à toi est comme…

Il s'interrompit, enfouit son nez dans son nombril.

— … à mi-chemin entre le miel et les violettes. Les violettes après l'averse. En plus chaud. Ajoute à ça l'odeur du sexe et je suis un homme mort !

Elle se redressa sur ses coudes et le regarda, émue.

— Tu es un vrai poète, Seth, souffla-t-elle doucement.

— Pas du tout, répliqua-t-il, visiblement alarmé à cette idée. Je me contente d'énoncer des faits. S'ils semblent poétiques, c'est purement accidentel.

— Oh, je vois. Dieu me garde d'imaginer que tu puisses avoir une facette poétique.

Il fronça les sourcils et se débarrassa du préservatif.

— C'est ça, dit-il d'un ton suspicieux. Dieu t'en garde.

Raine s'assit au bord du lit et fit appel à tout son courage.

— Seth, la prochaine fois…

— Quoi ? Qu'est-ce que j'ai encore fait de mal ?

— Rien, s'empressa-t-elle d'assurer. Rien du tout. Tu as tout fait très bien. Je me demandais juste si, la prochaine fois, tu voudrais bien me laisser essayer… euh, tu sais quoi.

— Je n'ose pas deviner, répondit-il en secouant la tête. Dis-le, ma douce.

Elle prit une profonde inspiration et ferma les yeux.

— Le sexe oral, murmura-t-elle. J'aimerais essayer, mais je ne l'ai jamais fait. J'ai peur de mal faire.

Quand elle osa enfin ouvrir les yeux, Seth posait sur elle un regard de consternation presque comique.

— Mon Dieu, Raine. Mais tu n'as pas besoin de le demander. Tu peux me faire tout ce que tu veux. Si tu me fais ça, je serai ton esclave. C'est quand tu veux, où tu veux, et je ne plaisante pas. Tout de suite, si tu veux.

Elle rougit et secoua la tête.

— Je suis déjà en retard. Une autre fois.

— Je saurai te le rappeler, dit-il en plongeant sur elle pour la plaquer sur le lit. Mais il y a une dernière chose que j'ai besoin de savoir avant d'affronter cette journée. Comment aimes-tu tes œufs ?

— Mes œufs ? répéta-t-elle sans comprendre. Mais il n'y a pas d'œufs, Seth.

— Bien sûr que si. J'ai aussi pensé au petit déjeuner en faisant les courses, hier. Il y a des œufs, du bacon, du jus d'orange, des toasts et du café. Tu as besoin de te remplumer.

Il semblait tellement content de lui que Raine ne put s'empêcher de rire.

— Tu étais très sûr de toi en faisant les courses, dis-moi, fit-elle remarquer en lui caressant le visage.

— J'espère que tu ne vas pas retenir ça contre moi, répliqua-t-il en frottant sa joue contre sa main à la façon d'un chat, avant de déposer un baiser au creux de sa paume.

Les yeux de Raine se posèrent sur le réveil et elle fit la grimace.

— Je suis vraiment en retard. Je ferais mieux de prendre ma douche et de filer. Je dois…

— Pas question de te laisser partir l'estomac vide, l'interrompit-il sèchement. Tes collègues attendront. Ça fait des semaines que tu te sacrifies pour cette boîte. Ça commence à bien faire.

Sa parfaite connaissance des moindres détails de sa vie l'irrita.

— Comment sais-tu cela ? demanda-t-elle.

— Il suffit de te regarder.

— Je fais pitié à ce point ?

— Ne dis pas de bêtises. Tu es superbe et tu le sais aussi bien que moi. Mais tu as besoin de manger davantage. De toute façon, c'est moi qui t'emmène au boulot et je ne le ferai pas tant que tu n'auras pas avalé ton petit déjeuner.

Le regard de Raine passa de son froncement de sourcils à son corps doré et glorieusement nu.

— Tu veux prendre ta douche avec moi ?

Le froncement de sourcils s'évanouit et son regard s'alluma.

— Oh, oui ! Mais tu sais très bien ce qui se passera. Et je veux que tu manges, dit-il en reculant. Tu es vraiment dangereuse. Si tu ne te dépêches pas de filer immédiatement sous la douche, je te saute dessus tout de suite ! la menaça-t-il.

Raine s'empressa de se réfugier dans la salle de bains et ouvrit les robinets de la douche. Lorsqu'elle se plaça sous le jet d'eau tiède, elle réalisa, stupéfaite, qu'aucun résidu de terreur ou de chagrin lié à ses cauchemars ne lui collait à la peau. Elle était reposée et détendue, débordante d'énergie. Heureuse.

Elle avait aussi très faim. C'était bien la première fois de sa vie qu'elle avait de l'appétit le matin. Ces derniers temps, elle avait même complètement oublié ce que c'était. Elle se dandina sous l'eau en fredonnant tandis qu'elle faisait mousser le shampoing sur ses cheveux. Une ombre se rapprocha de la paroi vitrée de la cabine de douche. Seth la fit coulisser et parcourut son corps du regard.

— J'ai essayé d'être sage, commença-t-il. J'ai essayé de me contrôler, de me comporter comme un être civilisé et respectueux d'autrui. J'ai essayé de résister à la tentation.

Raine rinça la mousse de ses yeux et battit des cils.

— Oh. Et alors ?

Il entra dans la douche, les mains tendues vers elle.

— J'ai échoué.

14

— Tu te souviens de la consigne ?

Raine s'inclina en travers de son siège et l'embrassa.

— Ne t'inquiète pas, Seth.

— Je ne te demande pas si je dois m'inquiéter, rétorqua-t-il, irrité. Je te demande si tu te souviens de la consigne que je t'ai donnée ! Tu ne mets pas un pied en dehors du bureau sans m'en aviser. Compris ?

— Compris. Bonne journée à toi aussi, Seth. J'espère que ta visite des entrepôts sera amusante.

Elle lui adressa un dernier sourire par-dessus son épaule, avant que la porte à tambour du bâtiment abritant les bureaux de Lazar Import-export ne l'avale.

Seth lutta contre l'envie de lui courir après et décida de se distraire en enregistrant les codes de transmission des mouchards qu'il avait placés dans ses affaires sur son ordinateur portable. Il en ajusta la fréquence jusqu'à ce qu'elle soit parfaitement réglée. Satisfait, il composa le numéro de téléphone de Connor.

Celui-ci décrocha à la première sonnerie.

— Trouve-moi tout ce que tu peux sur un certain Peter Marat et demande à Davy d'en faire autant. Peter Marat travaillait pour Lazar il y a dix-sept ans, date à laquelle il est officiellement mort par noyade accidentelle.

— Quel est le rapport ?

— C'est le père de Raine. Elle cherche la preuve que Lazar l'a liquidé.

Un long silence accueillit cette révélation.

— Le mystère s'épaissit, déclara finalement Connor.

— Contente-toi de faire ce que je te dis. Je file aux entrepôts de Renton. Pendant ce temps-là, l'un de vous surveillera ses déplacements. Elle est à son bureau. J'ai placé cinq traceurs sur elle, hier. Je te file les codes, tu as de quoi noter ?

Seth lui transmit les codes.

— Enregistre-les immédiatement dans ton portable et ramène tes fesses par ici en vitesse. Je veux savoir où elle se trouve à chaque seconde. Sean se chargera de filer Lazar aujourd'hui.

— OK, pas de problème, mon général. Tu sais, Seth, quand cette affaire sera terminée, il faudra vraiment qu'on ait une discussion sérieuse au sujet de ton comportement en société, toi et moi.

— Sûrement pas.

Seth raccrocha et inséra sa voiture dans le flot de la circulation. Parvenu au carrefour, il avisa un étalagiste qui installait des décorations de Thanksgiving dans la vitrine d'un magasin et le regarda faire en attendant que le feu passe au vert. Une corne d'abondance en osier débordant d'épis de maïs, une énorme dinde en papier mâché, des mannequins en tenue de pèlerins. Son ventre se serra. Jesse était mort en janvier. Bientôt, Seth devrait affronter le premier Thanksgiving, puis les fêtes de fin d'année, sans son frère. Il n'était pas prêt.

Non que ces festivités aient signifié grand-chose pour eux quand ils étaient petits ; mais elles avaient acquis une certaine importance à partir du moment où ils avaient connu Hank. Celui-ci était attaché à ces commémorations, qui constituaient à ses yeux une sorte de lien émotionnel avec sa défunte épouse, et Jesse et Seth s'étaient vus dans l'obligation de respecter le rituel. Chaque année, ils achetaient une dinde précuite et prête à farcir au supermarché ainsi que des tartes à la citrouille. Ils mangeaient cela dans des assiettes en carton et passaient la soirée à écouter les vieux albums de Julie Andrews et Perry Corno qui rappelaient des souvenirs à Hank, aidé en cela par une bouteille de Jack Daniel's. Lorsque Hank commençait à devenir excessivement sentimental au sujet de sa Gladys disparue, ils savaient ce qu'il leur restait à faire : ils le prenaient par les aisselles et le transportaient dans sa chambre pour le mettre au lit.

Après la mort de Hank, Jesse et lui avaient gardé l'habitude de se retrouver pour Thanksgiving. Ils se faisaient un restaurant mexicain ou thaïlandais, plutôt que le repas traditionnel, mais la bouteille de Jack Daniel's était leur façon de rendre hommage à la mémoire de Hank. Le premier Noël après sa mort avait été particulièrement déprimant. Ils s'étaient raconté des tonnes de blagues idiotes, avaient serré les dents, bu pas mal de whisky et affronté l'épreuve ensemble.

Seth ne savait pas comment il allait affronter cela tout seul.

Dans la vitrine, l'étalagiste arrangeait les cheveux blonds d'un mannequin féminin, et Seth comparait la couleur de la soie artificielle à la chatoyante nuance dorée de la chevelure de Raine, quand une idée lui vint.

Il savait comment il surmonterait l'épreuve de Noël.

Il kidnapperait Raine et l'emmènerait sur la côte avec lui. Il trouverait une chambre d'hôtel avec vue sur l'océan et Jacuzzi, et passerait toutes les vacances dans un délicieux brouillard d'endorphines. Ils pimenteraient leurs ébats de champagne et d'huîtres, pendant que la pluie tambourinerait aux carreaux et que les vagues viendraient s'échouer sur le rivage. De grandes vagues frangées d'écume qui se répandraient sur le sable à un rythme délicieusement sensuel.

Il faillit pousser un cri de joie. Ce serait la distraction rêvée. Jesse aurait été fier de lui.

Il n'aurait aucun mal à la persuader. Elle était si douce et affectueuse. Ce serait génial. Il lui tardait d'y être. Il s'excita tellement à cette idée que, pendant une minute ou deux, il oublia complètement pourquoi il était là.

Jesse, Lazar, Novak. Venger le sang par le sang.

Bon sang, mais qu'est-ce qui lui prenait ? La seule chose qui comptait, c'était son enquête.

Elle serait peut-être bouclée d'ici Noël, ne put-il s'empêcher de penser. Et ces vacances avec Raine seraient sa récompense. S'il était encore en vie.

Un concert de klaxons s'éleva. Quelqu'un hurla une obscénité. Le feu était passé au vert et il contemplait toujours le sourire vide du mannequin blond. Il démarra dans une embardée et se força à repenser à l'état du cadavre de Jesse une fois que Novak en avait eu fini avec lui.

Une image susceptible de lui rappeler l'ordre de ses priorités plus sûrement qu'une douche glacée.

— Vous pouvez m'attendre ? demanda Raine au chauffeur de taxi. Je n'en ai pas pour longtemps.

Le chauffeur se laissa aller contre son dossier et attrapa un livre de poche sur le siège voisin.

— Je laisse tourner le compteur, l'informa-t-il.

— Aucun problème.

Elle vérifia le numéro de la rue sur le bout de papier qu'elle tenait à la main, s'approcha prudemment de la maison et sonna à la porte. La porte s'entrouvrit, bloquée par la chaîne de sécurité, et une femme aux cheveux blancs l'inspecta du regard.

— Vous désirez ?

— Docteur Fisher ?

— Elle-même.

— Raine Cameron. Je vous ai appelée tout à l'heure au sujet du rapport d'autopsie de Peter Lazar.

La vieille dame retira la chaîne de sécurité.

— Entrez.

Le médecin la fit asseoir dans un petit salon, avant d'apporter un plateau de café et de biscuits, et prit place à l'autre bout du canapé.

— En quoi puis-je vous être utile, miss Cameron ? J'aurais tout aussi bien pu répondre à vos questions par téléphone, vous savez.

— Je n'avais malheureusement pas l'intimité nécessaire pour parler librement. Je voudrais vous poser quelques questions au sujet de ce rapport, dit-elle en sortant de son sac l'enveloppe contenant le document que lui avait adressé le bureau du procureur de Severin Bay.

Les sourcils du docteur se rejoignirent tandis qu'elle le consultait.

— C'est aussi clair et détaillé que dans mon souvenir. Nous avions conclu à la thèse accidentelle. Je m'en souviens très bien. À l'époque, j'étais le seul médecin pathologiste de la région et on faisait très souvent appel à mes services pour pratiquer les autopsies des communes voisines. Dans un endroit aussi petit que Severin Bay, les cas de mort à caractère douteux étaient cependant rares. C'est pourquoi je m'en souviens.

— Vous souvenez-vous du moment où vous avez pratiqué l'autopsie ?

— Oui. Tout s'est passé exactement comme c'est écrit dans ce rapport. L'examen toxicologique avait révélé un taux d'alcool assez élevé. Il portait une trace de coup à l'arrière de la tête, provenant certainement de la bôme du voilier. Il y avait eu une vilaine tempête ce jour-là, que tout le monde avait eu le temps de voir venir. Il y avait un mélange d'eau et d'air dans les poumons et l'estomac, indiquant qu'il s'était effectivement noyé.

— Y avait-il un élément quelconque pouvant indiquer que la mort n'ait pas été accidentelle ?

Le Dr Fischer pinça les lèvres.

— S'il y en avait eu un, je l'aurais consigné dans ce rapport.

— Je ne mets absolument pas votre compétence professionnelle en doute, docteur, lui assura-t-elle. Je me demande simplement s'il aurait été possible que quelqu'un l'ait frappé. Y avait-il une trace sur la bôme du bateau correspondant à la blessure qu'il avait à la tête ?

— D'un point de vue strictement théorique, il est effectivement possible que quelqu'un l'ait frappé, concéda le médecin à contrecœur. Mais des témoins oculaires ont affirmé l'avoir vu quitter Stone Island seul à bord, et le coup n'a pas entamé la peau. Il n'y avait donc aucune raison pour qu'une bôme d'aluminium porte la moindre trace dudit coup. D'autant que le bateau est resté retourné dans l'eau pendant plusieurs heures.

Rose se leva en luttant contre la nausée qui menaçait de s'emparer d'elle.

— Je vous remercie du temps que vous avez bien voulu m'accorder, docteur Fischer, dit-elle d'une voix faible. Je vous prie de m'excuser si mes questions vous ont paru déplacées.

— Pas le moins du monde.

La vieille dame la suivit dans l'entrée, sortit son manteau du placard où elle l'avait rangé et le lui tendit. Elle s'apprêtait à dire quelque chose, mais s'interrompit et secoua la tête.

Raine, qui tendait les bras pour prendre son manteau, se figea sur place.

— Que se passe-t-il ? demanda-t-elle.

— Je ne sais pas si ça a quelque chose à voir, ni si ça vous sera utile, mais vous n'êtes pas la seule personne à vous intéresser à ce rapport. Deux agents du FBI étaient venus me trouver à l'époque et m'avaient posé exactement les mêmes questions que vous. Ils semblaient frustrés que Peter Lazar se soit noyé. Convaincus que je ne connaissais pas mon métier. Aussi affreusement arrogants l'un que l'autre.

— Pourquoi s'intéressaient-ils à Peter Lazar ? questionna Raine, la gorge sèche.

— Ils ne me l'ont pas dit, mais toutes sortes de rumeurs circulaient à l'époque.

— Des rumeurs ? À quel propos ?

Le visage de la vieille dame se plissa, comme si elle regrettait d'avoir évoqué un souvenir déplaisant.

— Oh, les orgies qui se déroulaient à Stone Island, entre autres. Les drogués disent qu'ils sont *stone* quand ils atteignent un état second, et les gens prétendaient que l'île portait bien son nom. On y donnait des fêtes somptuaires. Peu de gens du coin y étaient invités, mais chacun avait une histoire à raconter. Des balivernes, évidemment, mais vous savez comment sont les gens. Et Alix faisait scandale, évidemment, avec sa garde-robe tapageuse et ses poses de star de cinéma. Les gens adoraient raconter des histoires à son sujet.

— Vous la connaissiez ? demanda Raine prudemment.

— De vue seulement, répondit le Dr Fischer avec un haussement d'épaules. Elle était suivie par son médecin de Seattle.

— Ces agents du FBI... vous vous souvenez de leurs noms ?

Les yeux de la vieille dame brillèrent de malice.

— Vous pouvez dire que vous avez de la chance. Le plus âgé des deux portait le même nom qu'un de mes amoureux de l'université, et ça m'a frappée. Haley. Bill Haley.

Raine saisit sa main pour la serrer.

— Merci infiniment, docteur. Vous avez été très aimable.

Le Dr Fischer lui rendit sa poignée de main, mais garda sa main prisonnière et scruta Raine avec une telle intensité que celle-ci se sentit mal à l'aise.

— J'imagine que votre identité est un sombre secret ? s'enquit la vieille dame.

Raine ouvrit la bouche, mais aucun son n'en sortit.

Le Dr Fischer caressa la lourde tresse de cheveux blonds qui reposait sur son épaule.

— Vous auriez dû couper et teindre vos cheveux, mon petit.

— Comment avez-vous... Comment...

— Allons, allons. Qui d'autre s'intéresserait à Peter Lazar de nos jours ? dit gentiment le médecin. De plus, vous êtes tout le portrait de votre mère. En plus... chaleureux, cependant.

— Oh, mon Dieu, murmura-t-elle. Vous croyez que quelqu'un qui l'a connue remarquerait la ressemblance ?

— Tout dépendrait de son sens de l'observation.

Raine secoua la tête, horrifiée par sa propre bêtise. Elle avait essayé de porter une perruque brune, au début, mais le contraste avec la pâleur de sa peau créait un effet si artificiel qu'elle en avait conclu que cela attirerait l'attention. De plus, sa mère lui avait toujours répété qu'elle était tellement dépourvue de chic que personne n'irait jamais s'imaginer qu'elle était sa fille. Du coup, elle s'était sentie en sécurité avec ses grosses lunettes à monture d'écaille.

Quelle idiote. Victor n'avait pas le sens de l'observation : il avait un véritable œil de lynx, aucun détail ne lui échappait.

— Je vous ai examinée une fois, vous savez ?

Raine la regarda avec des yeux ronds.

— Vraiment ?

— L'infirmière de l'école élémentaire de Severin Bay était une amie à moi. Vous passiez vos après-midi à l'infirmerie avec elle à cause de vos migraines et vous lui racontiez des histoires de fantômes et de lutins, vos rêves aussi. Elle se faisait du souci pour vous. Elle pensait qu'un psychiatre ou un neurologue aurait dû vous examiner.

— Oh, murmura Raine.

— Elle avait contacté votre mère à ce sujet, mais s'était heurtée à un mur, poursuivit la vieille dame en fronçant les sourcils. Elle m'avait donc demandé de passer, à l'occasion, pour vous examiner.

— Et alors ?

— Mon diagnostic fut que vous étiez une petite fille de dix ans intelligente et sensible, douée d'une vive imagination et dont la situation familiale était très stressante, révéla le Dr Fischer en lui tapotant affectueusement l'épaule. J'ai été tellement désolée pour votre père. Et pour vous, aussi. Mais pas pour le reste de la populace de l'île, si vous voulez bien me passer cette expression.

Raine refoula un afflux de larmes.

— J'apprécierais que vous ne parliez de ma visite à personne.

— Dieu du ciel, ça ne me viendrait même pas à l'esprit, répondit Fischer en ouvrant la porte. Je suis d'autant plus heureuse de pouvoir vous apporter mon concours aujourd'hui que je n'ai pas pu le faire à l'époque. Bonne chance, miss Cameron. Donnez-moi de vos nouvelles. Et, euh... soyez prudente.

Raine se hâta de regagner le taxi.

— Je vous le promets, lança-t-elle.

Elle s'assit sur la banquette, terriblement gênée. Reine des pirates, tu parles ! Elle était sur le point de fondre en larmes à la première manifestation de sympathie. Cela ne voulait pas dire qu'elle était faible, rectifia-t-elle, mais stressée. Elle déglutit pour calmer les palpitations de sa gorge.

— On va où ? demanda le chauffeur.

— Je le saurai dans une minute, lui répondit-elle.

Elle utilisa le portable que lui avait donné Seth pour appeler les renseignements et localiser Bill Haley. Pendant qu'on faisait basculer son appel d'un poste à un autre, le chauffeur de taxi fit décrire de grands cercles à son véhicule autour du quartier résidentiel dans lequel ils se trouvaient. On lui transmit finalement le numéro de téléphone de son bureau. Raine le composa, demanda à parler à Bill Haley et attendit, le ventre noué.

Sa chance était en train de tourner, elle le sentait. Ce matin, elle avait menti à Harriet sans ciller, prétextant qu'elle devait s'absenter pour un rendez-vous chez le médecin. Elle n'avait pas pris la peine de prévenir Seth, parce qu'elle trouvait ses exigences exagérées et qu'elle savait qu'il serait occupé toute la matinée à inspecter les entrepôts. Elle n'avait pas envie de se disputer avec lui par téléphone, et sa visite au Dr Fischer était parfaitement inoffensive. Ce n'était pas comme si elle avait rendez-vous avec un inconnu dans un endroit désert à minuit.

Le disque d'attente qui passait la musique synthétisée de *Jingle Bells* s'interrompit brusquement.

— Bureau de Bill Haley, dit une voix féminine.

— Je m'appelle Raine Cameron et j'ai des questions à poser à M. Haley au sujet d'une affaire sur laquelle il a travaillé, concernant le décès de Peter Lazar en 1985.

— Pour quel motif vous intéressez-vous à cette affaire ?

Raine n'hésita qu'un instant.

— Je suis la fille de Peter Lazar.

— Ne quittez pas.

Le disque d'attente massacrait à présent *Noël blanc* et Raine sentit la tête lui tourner d'avoir dit la vérité pour la première fois depuis dix-sept ans – par téléphone, à une femme sans visage. Désormais, trois personnes sur terre connaissaient sa véritable identité : cette femme, sa mère et le Dr Fischer. Lorsque Bill Haley le saurait, cela ferait quatre.

La musique s'interrompit à l'instant précis où elle se faisait cette réflexion.

— M. Haley serait ravi de vous rencontrer. Quand pourriez-vous venir ?

— Tout de suite ?

— C'est faisable. Mais dépêchez-vous, parce qu'il a une réunion à midi et demi.

Raine nota l'adresse que lui dicta la secrétaire, électrisée à l'idée qu'un jour peut-être, elle n'aurait plus besoin de mentir à personne.

Oh, mon Dieu. Ce serait le plus beau jour de sa vie.

Il n'aurait jamais imaginé qu'un tel visage d'ange serait capable de mensonge. Il avait cru au douloureux accent de sincérité qui faisait trembler sa voix, la veille. C'était le genre de choses qui arrivait quand on se mettait à penser avec son sexe au lieu de penser avec sa tête. Les autres en avaient peut-être l'habitude, mais pour lui, c'était une déplaisante nouveauté.

Les yeux rivés sur l'écran de son ordinateur qui indiquait que Raine n'était pas sagement restée à son bureau de Lazar Import-export comme il le lui avait demandé, Seth composa le numéro de Connor

McCloud. Elle se trouvait dans la zone I-5 du plan et se dirigeait vers la côte. Seth était repassé par sa base d'Oak Terrace pour prendre des vêtements de rechange et de l'équipement, et il avait vérifié la localisation de Raine par acquit de conscience. Pour se détendre. Tu parles !

McCloud décrocha.

— Pourquoi tu ne m'as pas appelé dès qu'elle a filé ? gronda Seth.

— Parce que tu étais occupé et que j'avais la situation en main, répondit tranquillement Connor. Du moins jusqu'à maintenant.

— Ah ouais ? Qu'est-ce que tu veux dire exactement ?

— Je veux dire que Raine t'a fait de sacrées cachotteries, mec. Je viens de parler à Davy. Aucun Peter Marat n'a jamais travaillé pour Victor Lazar, révéla Connor avant d'émettre un claquement de langue. J'attends que tu aies clarifié la situation avec elle avant d'envoyer les invitations de mariage, ne t'inquiète pas.

— J'en ai assez de tes vannes foireuses, McCloud.

— Que veux-tu, c'est ma spécialité. Pour en revenir à Barbie la cachottière, je l'ai filée toute la matinée. Elle a rendu visite à un médecin en retraite, le Dr Serena Fischer. Davy s'est renseigné : Fischer a exercé en tant que généraliste à Severin Bay. Raine est restée chez elle une vingtaine de minutes.

— Et maintenant, qu'est-ce qu'elle fait ?

— C'est là que ça commence à devenir intéressant. Je me suis connecté à son portable. Figure-toi qu'elle va voir mon patron. Elle est actuellement en route pour le bureau de Bill Haley.

Seth en perdit un instant l'usage de la parole.

— Elle est sacrément fortiche, non ? reprit Connor. Tu es sûr que tu ne te serais pas laissé aller à des confidences sur l'oreiller avec ta Mata Hari ?

— Je te jure que non, répliqua Seth, tellement stupéfait qu'il ne prit pas ombrage de cette accusation.

— Mais tu ne devineras jamais ce qu'elle a dit à Donna, la secrétaire de Bill, quand elle a appelé la Grotte. J'espère que tu es bien assis ?

— Accouche, McCloud.

— Elle a dit qu'elle était la fille de Peter Lazar. Peter... Marat... Lazar. Félicitations, Mackey, tu t'es envoyé la nièce de Victor Lazar.

Des serres glacées se refermèrent sur les entrailles de Seth. Il s'assit.

— Davy a donc lancé une nouvelle recherche, poursuivit implacablement Connor. Les choses se sont à peu près passées comme elle te l'a raconté, excepté le détail du nom de famille. Le frère cadet de Victor, Peter, s'est noyé en 1985. Il avait une fille, prénommée Katerina. La gamine et sa mère ont quitté le pays après le décès de Peter Lazar et n'ont plus jamais donné signe de vie.

Connor attendit un commentaire de la part de Seth, mais celui-ci était sans voix.

— Ce n'est pas tout, enchaîna-t-il. Sean a filé la Mercedes de Lazar toute la matinée, branché sur son portable. Il va y avoir une de ces soirées auxquelles est convié tout le gratin mondain à Stone Island, ce soir. Victor a appelé les membres de son club de collectionneurs illicites ainsi que son agence préférée d'escort-girls pour les divertissements de fin de soirée. Ça serait intéressant de savoir qui sera là.

— Intéressant, oui, grommela Seth.

— Mais le plus intéressant de tout, c'est le coup de fil que Lazar a reçu sur la ligne soi-disant privée de son bureau – j'adore le bidule que tu as mis dans son téléphone. Davy a surpris une conversation de vingt-cinq secondes entre Lazar et un appelant non identifié, qui a seulement dit que la rencontre pour le « cœur des ténèbres » aurait lieu lundi matin.

Seth se frotta les yeux.
— Pas de localisation ?
— Non. Que dalle. Le mystérieux correspondant a dit que les détails suivraient.
— Merde.
— Ouais. On va devoir improviser. Bref, pour en revenir à Barbie, je ne peux pas la suivre à la Grotte, tu comprends. Alors j'ai demandé à Sean de me relay…
— Je suis en route, l'interrompit Seth. Ne la perdez pas de vue.
— Mais elle te connaît, objecta Connor. Alors qu'elle ne connaît pas Sean. Tu déconnes, Mackey…
— Elle ne me verra pas.
Il raccrocha et fourra le téléphone dans sa poche d'une main tremblante. Il devait garder la tête froide. Pas de voile rouge. Sinon, il allait dérailler et ce serait la fin de tout.
La nièce de Victor Lazar. Bon sang.
Dans un moment pareil, il aurait fallu que Cyborg-man prenne la relève, mais il ne restait de lui qu'un tas de pièces détachées. Circuits grillés, rouages fumants. Raine Cameron venait de l'anéantir.

— Vous avez vraiment de la chance de me trouver, déclara Bill Haley. Je pars à la retraite. Dans une semaine à cette heure-ci, je serai en train de pêcher le saumon. Asseyez-vous, je vous en prie.
— Félicitations pour votre retraite. Je suis contente de pouvoir vous rencontrer, répondit Raine.
Bill Haley était un homme d'une soixantaine d'années aux yeux pétillants de malice, avec de bonnes joues rouges de Père Noël, des sourcils broussailleux et des cheveux bouclés gris acier.

— Inutile de vous demander la preuve que vous êtes bien celle que vous prétendez être, dit-il. Vous êtes tout le portrait de votre mère.

— Il paraît, oui.

Il joignit le bout de ses doigts et la gratifia d'un sourire affable.

— Je vous écoute, miss Cameron. Que puis-je pour vous ?

— J'ai entendu dire que vous vous étiez intéressé au décès de mon père, et j'aimerais savoir pourquoi.

Le sourire de Haley disparut.

— Vous ne devez pas vous rappeler grand-chose de cette époque, pas vrai ? Quel âge aviez-vous ? Neuf, dix ans ?

— Presque onze. Et le peu de choses dont je me souviens me rend très nerveuse.

Bill Haley scruta attentivement son visage.

— Vous avez de quoi être nerveuse, répliqua-t-il sans détour. L'accident de son frère tombait à pic pour Victor Lazar. Il trempait dans tout un tas d'affaires louches à l'époque, et Peter avait fini par accepter de témoigner contre lui.

Haley étudia sa réaction en tapotant le bout de son stylo sur son bureau. Toute lueur de malice avait déserté son regard et ses yeux brillaient à présent d'un éclat froid et métallique.

Raine se sentit gagnée par la nausée.

— Je vous en prie, poursuivez.

— Il n'y a pas grand-chose à dire. Avec le témoignage de Peter, on pouvait envisager de coincer son frère en 1985, mais Victor est parti en Grèce et avant qu'on ait eu le temps de dire ouf, Peter flottait sur le ventre dans le Sound. Euh... désolé, miss.

Raine attendit patiemment, et Haley haussa les épaules.

— Après ça, Victor a été malin. Il s'est racheté une conduite et a mené ses affaires le plus légalement du monde. On n'a rien pu trouver contre lui. Il est extrêmement vicieux. Très prudent. Et surtout, il a le bras long.

— Pensez-vous que Victor ait fait tuer mon père ? demanda-t-elle.

Le visage de Haley perdit toute expression.

— Il n'y avait aucune preuve que sa mort n'ait pas été accidentelle. C'est comme ça, parfois. On n'y peut rien. D'autant que sa femme et sa fille avaient disparu. On n'a pas pu les interroger, dit-il en la fixant d'un regard froid et calculateur. Mais vous revoilà enfin. Avez-vous vu ou entendu quoi que ce soit, miss ?

La panique nauséeuse ressurgit en force, accompagnée cette fois d'un brouillard verdâtre. Des hurlements retentirent dans sa mémoire. Elle déglutit et résista vaillamment au malaise.

— Je ne me souviens de rien concernant ce jour-là, expliqua-t-elle. Ma mère prétend que nous n'étions pas ici.

— Je vois, dit-il en recommençant à tapoter son stylo sur le bureau. Votre oncle sait-il que vous posez des questions sur Peter ?

Raine secoua la tête.

— À mon avis, il vaudrait mieux pour vous qu'il ne l'apprenne pas.

— Je sais, répondit-elle en se raidissant.

— Faites attention à vous, miss. Les gens qui s'intéressent de trop près aux affaires de Victor Lazar ont la fâcheuse habitude de mourir avant l'heure. Et le fait de lui être apparenté ne garantit apparemment aucune protection.

— Apparemment pas, admit-elle.

Le silence de mort qui s'abattit dans la pièce annonça que l'entretien touchait à sa fin. Raine était passée en mode automatique. Elle remercia machinalement

Haley du temps qu'il avait bien voulu lui consacrer. Une fois dans le couloir, elle évita tout aussi machinalement de se cogner aux personnes qu'elle croisait.

Elle avait enfin acquis un élément qui corroborait ses rêves. C'était un progrès. Mais si les agents du gouvernement fédéral, avec toute leur expérience et leurs vastes ressources, avaient baissé les bras, que pouvait-elle espérer accomplir ?

Elle devait continuer sa mission d'infiltration. Au moins, elle savait qu'elle n'était pas folle et qu'elle ne poursuivait pas une chimère. Elle était sur la piste de quelque chose d'affreusement réel.

Un homme se retourna sur son passage. Elle lui jeta un rapide coup d'œil, juste le temps qu'il fallait pour le regarder sans paraître s'intéresser à lui. Dès qu'elle détourna la tête, elle sentit son estomac se retourner.

Sans raison. Elle n'avait encore jamais vu cet homme. Elle passa en revue les éléments qu'elle avait enregistrés au cours de ce bref coup d'œil photographique. Grand, bedaine saillante. Cheveux bruns clairsemés, rasé de près, lunettes bifocales. Aucun signe particulier, excepté son expression. Loin de refléter l'appréciation masculine, les traits de son visage avaient formé un masque horrifié.

Raine se retourna à nouveau. L'homme s'éloignait dans le couloir d'un pas vif. Il courait presque. Elle le vit franchir la porte d'un bureau. Celui qu'elle venait justement de quitter. Le bureau de Bill Haley.

Raine continua d'avancer avec un frisson de panique. Le tourbillon nauséeux la submergeait complètement. Hurlements, voile verdâtre. C'était absurde. Pourquoi avait-elle une crise de panique après avoir vu un inoffensif quadragénaire bedonnant ? Elle se remit à douter de sa raison mentale.

Le mieux à faire, si elle voulait en avoir le cœur net, c'était de regagner le bureau de Haley et demander directement à l'homme s'ils s'étaient déjà vus quelque part. Raine tourna les talons et fit un pas.

Un craquement sonore retentit alors, et une douleur fulgurante s'empara de sa main. Elle la sortit de la poche de son manteau. Elle serrait les lunettes grenouilles si fort qu'une des branches s'était cassée. L'armature métallique s'était plantée dans sa main, assez profondément pour la faire saigner.

— *Faites confiance à votre instinct*, avait dit Victor.

Elle remit les lunettes dans sa poche et se dirigea vers la cage d'escalier. Elle ne voulait pas attirer l'attention sur elle en courant comme une folle.

15

— Ah. Vous voilà. Harriet m'a dit que vous vous étiez absentée pour un rendez-vous chez le médecin. J'espère que vous allez mieux ?

Raine leva les yeux de l'écran de son téléphone portable sur lequel elle était en train de composer un message pour Seth. Elle le glissa dans sa poche, le message inachevé, et se força à reporter son attention sur Victor.

— Je vais très bien, je vous remercie.

— Mon médecin personnel serait ravi de vous recevoir à tout moment.

— Non, vraiment, je vais très bien, répéta-t-elle.

— Je suis ravi de l'entendre. J'ai besoin de vous à Stone Island pour finaliser un projet urgent cet après-midi.

Raine entendit la réaction de Seth dans son esprit et grimaça intérieurement à cette idée.

— Je... euh, c'est-à-dire que je ne l'avais pas prévu et je...

— N'apportez rien, vous trouverez sur place tout ce qui vous sera nécessaire. La voiture vous attend pour vous conduire à l'embarcadère. Je vous rejoindrai sur l'île une fois que j'aurai réglé les affaires en cours. Ne perdez pas de temps. Il y a beaucoup à faire.

Sur quoi, il tourna les talons sans attendre sa réponse.

Raine le regarda s'éloigner, stupéfaite. Harriet évolua vers son bureau d'un pas glissant et se pencha vers elle avec un sourire hypocrite.

— « N'apportez rien, vous trouverez sur place tout ce qui vous sera nécessaire », siffla-t-elle.

Raine releva le menton et la fusilla du regard, révulsée par le climat inutilement toxique de ce bureau.

— Ça ne vous fatigue pas d'être perpétuellement vipérine, Harriet ? rétorqua-t-elle. Vous n'en avez pas marre ?

Sa voix avait porté plus loin qu'elle n'en avait eu l'intention. Un silence choqué se répandit dans le bureau. Plus le moindre froissement de papier. Les téléphones cessèrent même de sonner.

Harriet décrocha le manteau de Raine et le lui lança.

— Votre carrosse attend, cracha-t-elle. Sortez d'ici. Ne revenez plus.

Il fallut au cœur de Raine tout le trajet jusqu'à l'embarcadère pour retrouver un rythme normal. Elle s'efforça au calme en composant un message pour Seth. *Partie pour Stone Island. Pas le choix. Ne t'inquiète pas.* Elle ajouta trois petites icônes en forme de cœur. Des messages gentils, c'était ça qu'il voulait. Inutiles, aussi. Évidemment qu'il s'inquiéterait. Elle devait chasser cette pensée et se concentrer.

Sur l'île, elle fut accueillie non par Clayborne, mais par une très belle femme brune aux yeux noisette qui lui dit s'appeler Mara. Au grand étonnement de Raine, elles passèrent sans s'arrêter devant l'escalier principal conduisant au bureau du premier étage.

— Mais est-ce que je ne dois pas… ? Je croyais que Clayborne avait besoin de moi au bureau.

— Clayborne n'est pas ici. Aucun membre du personnel administratif n'est ici, répondit Mara en grimpant les premières marches de l'escalier en colimaçon desservant la chambre de la tour qui était autrefois celle de la mère de Raine.

Son appréhension monta d'un cran.

— Dans ce cas, pourquoi M. Lazar m'a-t-il...

— C'est à lui qu'il faut le demander, pas à moi.

Mara poussa la porte de la chambre.

La pièce était brillamment éclairée par un miroir de star encadré d'ampoules. Un portant surchargé de vêtements recouverts de housses en plastique se dressait au pied du lit. Raine se tourna vers Mara, éberluée.

— Mais M. Lazar m'a dit qu'il avait un projet urgent à...

— C'est vous le projet, ma chère, coupa une petite femme mince aux cheveux courts.

Une femme replète aux cheveux blancs et la femme qui venait de parler se levèrent d'un même mouvement et l'étudièrent en plissant les yeux d'un regard professionnel.

— Débarrassez-vous de cette tenue affreuse et allez prendre une douche, je vous prie. Shampouinez-vous les cheveux, parce que je vais devoir lisser vos boucles.

Raine secoua la tête.

— Mais je...

— Faites ce qu'elle vous dit, conseilla platement Mara. Il y a une grande réception ce soir. Il faut vous montrer à votre avantage, alors ne tardez pas.

— Mais...

— Vous avez des verres de contact avec vous, j'espère ? s'enquit Mara.

— Euh, oui, j'en ai dans mon sac, mais...

— Dieu merci, souffla la femme aux cheveux blancs en commençant à dénouer la tresse de Raine.

Il n'y eut pas moyen de les arrêter. Épilation, bain de vapeur, gommage, massage et hydratation, aucun soin ne fut épargné à sa peau. Shampoing, masque, rinçage, démêlage, séchage et lissage. Raine sentit instinctivement que résister n'aurait constitué qu'une perte d'énergie. Cela faisait partie du sortilège de Stone Island. Une étape de la transformation qu'elle subissait jour après jour.

On avait même prévu la lingerie. Raine n'avait jamais rien vu d'aussi délicat – culotte en dentelle bleu nuit et bas assortis, garnis d'un revers de dentelle. Elle chercha du regard le soutien-gorge, mais Mara secoua la tête.

— Pas avec la robe que vous porterez. Vous n'en aurez pas besoin.

— Moi ?

Raine baissa nerveusement les yeux sur sa poitrine nue et se demanda quel genre de robe elle pourrait bien porter sans soutien-gorge, mais on ne lui laissa pas le temps de s'attarder sur cette considération. On l'avait déjà fait asseoir devant le miroir de maquillage. Lydia, la femme aux cheveux courts, disciplina sa chevelure en un élégant chignon qu'elle fixa au-dessus de sa nuque, tandis que la femme replète, qui s'appelait Moira, procédait au maquillage. Elle appliqua les cosmétiques d'une main délicate tout en émettant de petits bruits appréciatifs, puis balaya son visage de poudre translucide à l'aide d'un pinceau et recula d'un pas avec un sourire de triomphe.

— Parfait.

— La robe, à présent.

Mara décrocha un cintre du portant et étala le vêtement sur le lit. Un long jupon volumineux dépassait de la housse, formant un contraste saisissant avec la dentelle blanche du couvre-lit. Il était taillé dans un taffetas bleu paon intense, parcouru de subtils reflets arc-en-ciel. Il s'agissait d'un ensemble composé de deux pièces, une jupe tourbillonnante et un corset baleiné, dépourvu de bretelles, dont l'encolure festonnée formait un U entre les seins. Raine comprit enfin la raison de l'absence de soutien-gorge. Ce corset moulant était une véritable guêpière. Il faisait remonter ses seins, révélant audacieusement leur galbe pâle et une large portion de leur sillon ombragé. Lydia fronça les sourcils quand elle l'agrafa dans son dos.

— Vous êtes plus mince que ce qu'on m'avait dit.

Son ton accusateur faillit tirer un rire à Raine.

— Désolée, je n'ai pas eu le temps de manger ces derniers temps.

— Si vous ne mangez pas, vous perdrez vos charmes, la gronda Lydia en enfilant une aiguille. Ne bougez pas, je vais arranger ça.

Elles s'affairèrent autour d'elle, tirant et ajustant, plissant et pinçant. Finalement, elles reculèrent, la laissant seule face à son reflet devant le miroir de l'armoire.

Raine se retint d'ouvrir la bouche de surprise, mais resta un instant stupéfiée par son apparence. La couleur de la robe faisait ressortir la blancheur de sa peau, lui donnait un aspect nacré et lumineux. Le maquillage subtil rehaussait ses traits et accentuait ses pommettes. La forme de ses sourcils épilés était plus précise et éclairait son regard. Ses yeux paraissaient immenses. Sa bouche aux lèvres pleines, qui lui avait toujours donné quelque chose d'enfantin et de vulnérable, semblait elle aussi différente. Sensuelle et souple. Raine était scintillante, lumineuse. Presque... belle.

Elle ne s'était jamais trouvée belle. Jolie, peut-être, d'une façon discrète, mais la beauté était le territoire exclusif d'Alix, et Raine avait senti dès son plus jeune âge qu'il serait dangereux de s'y risquer.

Se savoir belle ne lui procura cependant aucun plaisir. La beauté est un avantage, parfois même une arme, si on a le courage de s'en servir. Alix n'avait pas hésité à le faire. Souvent, et impitoyablement. Elle frémit à ce souvenir.

La beauté ne lui donnait aucune sensation de puissance. Pas ici, en tout cas. Au contraire, elle se sentait plus vulnérable que jamais dans cette robe sensuelle. Victor jouait avec elle.

Le bleu de la robe était celui d'un ciel d'été dans les dernières lueurs du crépuscule. Elle lui rappelait un livre de contes de fées illustrés qu'elle avait lu quand elle était petite. La femme de Barbe Bleue portait une robe exactement comme celle-ci, mais avec des manches ballon. Oui, la femme de Barbe Bleue était vêtue de ce même bleu paon au cours de sa traversée horrifiée du sanglant château de son époux...

Un frisson la parcourut et Mara, croyant qu'elle avait froid, attrapa quelque chose derrière elle.

— Il y a aussi un châle, dit-elle en enveloppant les épaules de Raine d'une étole de taffetas de la même couleur que la robe.

Les reflets arc-en-ciel ondulèrent et miroitèrent. Raine détacha les yeux de son reflet et se tourna vers les trois femmes qui guettaient sa réaction. Elle se façonna un sourire.

— Merci. Vous êtes très douées. Je suis superbe.

— Suivez-moi, dit Mara. M. Lazar a demandé qu'on vous conduise dans la bibliothèque, une fois que vous serez prête.

Elle suivit Mara dans le corridor. Le jupon de taffetas froufroutait à chacun de ses pas, effleurant le sol d'une caresse sensuelle. Des courants d'air frais passaient sur la peau nue de ses épaules et de sa gorge, et faisaient gonfler l'étole dans son dos comme les ailes d'une fée. Mara ouvrit la porte de la bibliothèque, hocha brièvement la tête en signe d'adieu et se fondit dans les ténèbres du couloir.

Raine foula d'un pied prudent la moquette écarlate. La bibliothèque n'était éclairée que par une lampe à abat-jour en vitrail, placée au-dessus de la console supportant les photographies encadrées et le portrait de sa grand-mère. Elle s'immobilisa au centre des motifs serpentins du tapis persan et le silence des lieux se referma sur elle, l'enveloppant d'un voile d'irréalité.

Elle regarda le portrait. L'image peinte de sa grand-mère semblait baisser les yeux vers elle, son regard gris pâle éclairé d'une subtile lueur d'amusement. Raine réalisa qu'elle avait ses yeux et ses sourcils.

Elle aurait voulu pouvoir appeler Seth, mais son portable était resté dans son sac, dans la chambre de la tour. Elle n'avait pas de sac de soirée assorti à sa robe pour l'emmener avec elle. Elle avait craint sa réaction, mais maintenant qu'on l'avait habillée et amenée ici comme une vierge sacrificielle, sa colère lui apparaissait comme le moindre de ses soucis. Elle jeta un coup d'œil à son reflet dans la vitre de la fenêtre. La nuit était tombée et la peau exposée de sa gorge et de ses épaules semblait d'une pâleur choquante dans la pénombre de la pièce.

Un courant d'air passa sur ses épaules lorsque la porte de la bibliothèque s'ouvrit silencieusement derrière elle. Raine ne sursauta pas, ne poussa aucun cri de surprise. Avant même de se retourner, elle sut qui venait d'entrer.

Elle resta au centre du vortex rouge sang de l'étrange motif du tapis et attendit tranquillement, sans détacher les yeux du portrait de sa grand-mère. La silhouette de Victor se refléta sur la surface vernie du tableau. Elle le vit ainsi se rapprocher et n'eut pas un frémissement quand il posa la main sur son épaule. Il la retira au bout d'un moment et désigna le portrait.

— Tu lui ressembles beaucoup, tu sais.

Raine émit un long soupir silencieux. Il savait qui elle était, il l'avait toujours su.

Elle se tourna vers lui.

— Vraiment ? On me dit toujours que je suis tout le portrait de ma mère.

Victor écarta l'évocation d'Alix d'un revers de main.

— Superficiellement, corrigea-t-il. Tu as son aspect, mais la structure de tes os est plus prononcée et plus délicate. Ta bouche est plus pleine. Et tes yeux et tes sourcils sont ceux des Lazar. Regarde-la.

Ils contemplèrent le portrait.

— Tu partages bien plus que son nom, ajouta Victor. Tu permets que je t'appelle Katya ? Cela me ferait tellement plaisir.

Le réflexe qui l'incitait à toujours se montrer accommodante et agréable se heurta à la volonté de la nouvelle femme qui se tenait au centre du vortex écarlate. L'affrontement ne dura qu'un millième de seconde, et l'assurance implacable de cette nouvelle femme lui permit de remporter la victoire.

— Je préfère qu'on m'appelle Raine. Ma vie est chaotique et j'ai besoin de maintenir toutes les lignes de continuité possibles. Autrement, je ne m'y retrouve plus.

Une lueur de mécontentement passa fugitivement dans le regard de Victor.

— Cela me déçoit. J'avais espéré que le prénom de ta grand-mère lui survivrait à travers sa descendance.

— On ne peut pas toujours avoir ce qu'on veut, répondit Raine sans céder d'un pouce.

La bouche de Victor se tordit sur un sourire.

— Voilà ce que j'appelle parler d'or, ma chère, dit-il en lui offrant son bras. Viens, nos invités ne vont pas tarder.

— Nos invités ? répéta-t-elle sans prendre son bras.

Le sourire de Victor s'élargit.

— J'en prends trop à mon aise, n'est-ce pas ? Pour ma défense, je dirai qu'étant donné que nous n'avions pas établi officiellement ton statut de nièce chérie et depuis longtemps perdue de vue, je ne pouvais pas me permettre de te faire part de mes projets. J'imagine que c'est un soulagement pour toi de pouvoir enfin être toi-même ?

— Oui, admit-elle du fond du cœur. Et vos invités ?

— Simple réunion d'amis et de partenaires d'affaires autour d'un dîner. À l'origine, il s'agissait de rassembler les membres de mon club de collectionneurs afin d'exhiber mes nouvelles acquisitions. Je collectionne les œuvres d'art et les antiquités, vois-tu. Mais après ton arrivée, mon projet a pris de l'ampleur.

— Je vois, dit-elle, toujours déconcertée. Mais pourquoi toute cette mise en scène ? Cette robe, ces chichis ? Pourquoi tenez-vous tant à ce que j'assiste à cette réception ?

— N'est-ce pas évident ?

— Je crains que non.

Victor sourit et effleura délicatement sa joue de ses doigts repliés.

— Par vanité, je suppose. Je n'ai pas d'enfant. Je ne peux pas résister à la tentation de présenter une mystérieuse jeune femme, ravissante et cultivée, à mes amis et associés comme étant ma nièce. Considère cela comme ton entrée dans le monde.

Raine soutint son regard sans un mot.

— C'est idiot, je sais, convint-il avec un haussement d'épaules. Mais je vieillis. Je dois saisir les occasions tant qu'elles passent encore à ma portée.

— Depuis combien de temps savez-vous qui je suis ?

Son cœur se serra quand elle réalisa à quel point son sourire était identique à celui de son père.

— J'ai toujours su où tu te trouvais à dater du jour où ta mère s'est enfuie avec toi. Je n'ai jamais perdu ta trace, ne serait-ce qu'une journée.

— Toute cette cavale pour rien, murmura-t-elle, soufflée.

— Alix a toujours eu tendance à dramatiser. C'était mon devoir d'oncle de veiller sur toi, et je ne faisais pas confiance à ta mère pour s'acquitter de cette tâche. Elle est... Je crois que le terme « égocentrique » est le plus charitable que je puisse trouver pour la définir.

Le ton nonchalamment méprisant de Victor la crispa.

— Ma société d'import-export me permet d'avoir des contacts partout dans le monde, et j'ai fait passer le mot afin qu'on m'informe du moindre de vos déplacements. Je te laisse imaginer ma joie, le jour où j'ai reçu un message dans ma boîte mail m'annonçant que Raine Cameron – que je savais être ma nièce – venait de postuler au poste de secrétaire de direction dans ma propre société. J'étais... fasciné.

— Vous avez dû vous demander pourquoi je ne vous avais pas directement contacté ? s'enquit-elle prudemment.

— Les Lazar sont subtils et retors, répondit-il avec un sourire conquérant. C'est un trait de famille. J'ai immédiatement compris que tu voulais en apprendre un peu plus au sujet des événements qui ont entouré la mort tragique de Peter.

L'estomac de Raine se serra. Le visage souriant de Victor ne révélait strictement rien.

— Vous n'êtes pas fâché ?

Il secoua la tête.

— Pas le moins du monde. Ta quête de la vérité est à mes yeux un hommage que tu rends à mon frère. Je suis fier que mon unique nièce manifeste autant de courage et d'initiative.

La bouche de Raine était si sèche que ses lèvres s'étaient collées. Elle contempla son sourire, cherchant à déceler le piège caché derrière cet affable compliment.

— Je suis heureux de pouvoir enfin te dire cela face à face, ma chère petite. J'étais à l'étranger quand Peter s'est noyé. Sa mort m'a dévasté. Il était déprimé. Il n'aurait pas dû naviguer seul. Ce que je regrette le plus, c'est la tension qu'il y avait entre nous à l'époque. Essentiellement à cause de ta mère. Alix attisait les braises, envenimait tout. Quoi qu'en disent les gens, j'aimais mon frère.

Les mots vibrèrent entre eux, bas et dépassionnés.

Raine essuya ses larmes du bout des doigts tandis qu'elle luttait intérieurement pour s'accrocher au message de son rêve, aux paroles de Bill Haley. Ton univers, *pas le sien*, se répéta-t-elle comme une formule magique permettant de résister à l'attrait de son charisme.

Victor la gratifia d'un demi-sourire.

— Tu n'es pas convaincue.

Elle ne répondit pas, et il éclata de rire.

— L'honnêteté est si rare de nos jours. C'est aussi rafraîchissant qu'un seau d'eau glacée. Quoi qu'il en soit, ma chère, accepterais-tu de mettre tes doutes de côté le temps d'une soirée en compagnie de mes amis ?

— Si vous voulez bien m'excuser, il faudrait d'abord que je téléphone à quelqu'un.

Il désigna le téléphone qui se trouvait sur une table.

— Je t'en prie.

Raine hésita. Elle n'avait pas envie qu'il écoute sa conversation.

— J'imagine que tu veux appeler ton jeune ami ? s'amusa Victor. Afin de lui assurer qu'on ne t'a pas entraînée dans je ne sais quelle dégradante orgie ? Figure-toi que je t'ai devancée. J'ai invité M. Mackey à se joindre à nous.

Son expression stupéfaite fit étinceler les yeux de Victor.

— Quand je lui ai dit que tu serais présente, il ne s'est pas fait prier. Il m'a fait l'effet d'un homme jaloux et possessif, et je me suis mis à sa place. Savoir que tu passerais la nuit ici, en butte à Dieu sait quels appétits dépravés, ne pouvait qu'attiser la jalousie d'un jeune homme aussi impétueux. Je me suis dit qu'il valait mieux l'inviter afin de lui tranquilliser l'esprit. J'espère avoir bien fait. Que sa présence ne t'importunera pas.

— Oh, non. Pas du tout, assura-t-elle. Je suis très contente qu'il vienne.

Seth serait furieux lorsque Victor la présenterait comme étant sa nièce, mais il comprendrait une fois qu'elle lui aurait expliqué les circonstances. Sa présence l'aiderait à résister au charisme de Victor.

— Ce sera amusant de voir sa réaction quand il te découvrira comme ça, dit celui-ci en faisant glisser son regard sur elle. Tu es tout simplement renversante, déclara-t-il avec un ample geste de la main.

— Merci, répondit-elle en rougissant.

— Ce qui me rappelle...

Victor se dirigea vers le mur et écarta une estampe japonaise, révélant le coffre que celle-ci dissimulait. Il composa une série de chiffres, attendit un instant et en composa une seconde. Le lourd cliquetis d'une serrure d'acier retentit.

Il fit pivoter la porte du coffre, déplaça plusieurs objets et en retira finalement un coffret plat gainé de velours noir.

— Ta mère l'a toujours convoité, mais je n'ai jamais autorisé Peter à le lui donner. J'estimais qu'elle n'en était pas digne, dit-il en déposant le coffret dans les mains de Raine. Vas-y. Ouvre-le.

Elle souleva le couvercle et retint son souffle. C'était une opale de feu, sertie d'or et d'une myriade de minuscules diamants. Elle la souleva vers la lumière et de vieux souvenirs ressurgirent en elle. La surface lisse et nacrée de l'opale miroitait à la lumière, palpitant d'un feu bleu, vert et violet.

— Je me souviens de ce collier, murmura-t-elle.

— Tu jouais avec quand ta grand-mère te prenait sur ses genoux, précisa Victor. Tu étais sa joie. Ce collier s'appelle le Chasseur de Rêves.

— Je croyais qu'un minuscule arc-en-ciel était emprisonné dans la pierre, dit Raine en effleurant révérencieusement la surface. Un arc-en-ciel vivant.

— C'est un bijou de famille. Un cadeau de ton arrière-arrière-grand-père à son épouse. Il te revient enfin.

Il le plaça à son cou et ajusta le fermoir sur sa nuque. Le froid de la pierre et de la chaîne la fit frissonner. Le passé essayait de l'atteindre de ses doigts glacés. Il l'appelait doucement, dans un murmure de voix, comme une musique lointaine.

Victor la fit pivoter sur elle-même afin qu'elle puisse s'admirer dans le miroir. Le pendentif avait la longueur idéale pour son décolleté. La pierre se nichait naturellement dans le U du corset, somptueuse et élégante.

— Je ne sais pas quoi dire, balbutia-t-elle.

— Le Chasseur de Rêves te rappellera de ne pas t'arrêter à la surface des choses. De chercher la passion et le feu au-delà d'un extérieur banal, dit Victor en posant une main sur son épaule. Porte-le souvent, s'il te plaît. Tout le temps, si tu peux. Il t'attend depuis des années. Ta grand-mère serait heureuse de savoir que tu le portes. Elle aurait été fière de ta beauté et de ton intelligence. De ton courage, aussi.

Raine referma la main sur la pierre. Des larmes menaçaient de couler sur ses joues, et elle les refoula pour ne pas abîmer son maquillage. Victor lisait clairement en elle. Il voyait ses peurs, ses faiblesses, son besoin dévorant d'amour et d'approbation. Lui résister était extrêmement difficile. D'aussi loin qu'elle se souvienne, personne n'avait jamais été fier d'elle. Alix la désapprouvait perpétuellement et se plaçait en position de rivale vis-à-vis d'elle. Quant à Hugh, son beau-père, c'est à peine s'il tenait compte de son existence.

Elle savait que ce bijou était un piège – et elle était presque prête à passer outre. Presque.

Victor déposa un tendre baiser sur son front et lui offrit son mouchoir. Elle se tamponna les yeux et lui adressa un sourire prudent, qu'il lui rendit. Il lui offrit son bras.

— J'aurais été ravi de te faire admirer ma collection, mais malheureusement, nous n'en avons plus le temps. Demain, peut-être. Si cela t'intéresse.

— Oui, avec plaisir, murmura-t-elle.

— Viens, on va faire le tour de la demeure avant que nos invités n'arrivent. Permets-moi de te faire redécouvrir la maison de ton enfance.

Raine accepta son bras. Piège ou pas, mensonges ou pas, elle ne pouvait pas faire disparaître ses cicatrices, ses peurs et ses besoins par la seule force de sa volonté. Elle ne pouvait que les regarder flotter, aussi capricieux et changeants que l'eau d'une rivière.

— Volontiers, dit-elle. Ça me ferait très plaisir.

16

Être invité à une des célèbres soirées de Stone Island en tant que petit ami officiel de la nièce de Victor Lazar était bien le dernier de tous les scénarios qu'il aurait pu imaginer.

Une fois son bateau amarré à la jetée de l'île, Seth se concentra pour régler le dispositif détecteur de mouvements à infrarouge de son embarcation. Si quelqu'un s'en approchait à moins de deux mètres en son absence, un gadget accroché à sa ceinture se mettrait à vibrer, et la caméra qui se déclencherait automatiquement enregistrerait tout.

Il y avait seulement trois jours de cela, il aurait rampé sur du verre pilé pour avoir une chance de franchir le rempart de sécurité entourant Stone Island. Mais à présent, il était dans un tel état d'esprit qu'il n'arrivait pas à se concentrer. Il essaya d'élaborer un plan d'action à mettre en pratique ce soir, sans succès. Il serait contraint d'improviser. Voilà à quoi il en était réduit. Victor Lazar était vraiment un génie.

La villa était illuminée comme un sapin de Noël. Remonter l'allée principale à découvert lui fit une impression étrange, que le poids du Sig Sauer dans son holster d'épaule ne parvint pas à dissiper.

Un feu flambait dans l'immense cheminée de la salle de réception. Il y avait une formation de jazz dans un coin, et le saxophoniste se lança dans un solo langoureux au moment précis de son entrée. La pièce était pleine de gens en tenue de soirée. Sur la terrasse, il aperçut un politicien local en grande conversation avec une charmante jeune femme vêtue d'une courte veste de fourrure. Elle prit une gorgée de champagne, renversa la tête en arrière et éclata de rire. Seth regretta l'absence de Connor. Il connaissait le bottin mondain sur le bout des doigts. Seth savait seulement que Victor avait toutes sortes de gens dans sa poche dont le dénominateur commun était la richesse, le pouvoir, et une faille secrète qu'il avait su exploiter. Comme il l'avait fait avec Seth. Il était aussi compromis que n'importe lequel de ces abrutis qui se gargarisaient de champagne.

— Ah, le voilà ! Notre intrépide consultant en sécurité. Venez, venez par ici, monsieur Mackey.

Lazar s'empressa au-devant de lui et lui serra vigoureusement la main.

— Je suis heureux que vous soyez venu. Raine va être ravie. Elle désespérait de vous voir quand le dernier bateau est arrivé.

— Je suis venu avec mon bateau.

Victor haussa les sourcils.

— Ah. Ma foi, vous avez bien fait. Où est-elle ? Ah, la voilà, en train de bavarder avec Sergio. Ton invité d'honneur est arrivé, ma chère.

Mais Seth n'écoutait plus ce que disait Lazar. Le monde avait disparu autour de lui et ses poumons s'étaient vidés de tout l'air qu'ils contenaient. Il ne voyait que Raine.

Parée de cette façon, c'était une vraie déesse. Une star de Hollywood. Elle était belle comme une richissime héritière, glaciale et inaccessible. Elle avait toujours été sexy et délicieuse, même fagotée d'un de ses atroces tailleurs et affublée de grosses lunettes à monture d'écaille. Elle était adorable dans son pyjama de flanelle informe et elle était à mourir quand elle était nue, la cascade de ses longs cheveux ruisselant jusqu'à ses fesses.

Mais il ne l'avait jamais imaginée ainsi. Son corset bleu moulait ses courbes à la perfection, rehaussant ses seins pâles pour mieux les offrir aux regards. Tout à la fois déesse du sexe et princesse de glace. Un bijou apparemment coûteux était niché au creux de ses seins. Ses cheveux étaient parfaitement coiffés, lissés et ramassés sur sa nuque en un chignon compliqué. C'était une princesse tout droit sortie des bandes dessinées de son enfance. Elle brillait comme une étoile.

Il avait horreur de cela. Ses dents se serrèrent et son sexe durcit. Il eut envie de casser quelque chose, de donner des coups de poing contre les murs, de fracasser des assiettes. De l'entraîner dans un coin et d'arracher le voile de ses illusions. De lui rappeler qu'elle était son bel animal sauvage, pas cette chose distante et parfaite. Qu'elle était la terre et la sueur, la chair et le sang. Qu'elle faisait partie de lui.

Elle s'élança vers lui avec un sourire si doux et accueillant qu'il sentit ses entrailles se pétrifier. Il ne lui manquait plus que des ailes de fée, un diadème et... Bon sang, il fallait qu'il se reprenne. Tout de suite. Exécution ! comme aurait dit Hank.

— Seth ! Je suis tellement heureuse que tu aies...

— Tu ne m'as pas appelé.

Le ton de sa voix l'arrêta dans son élan. Ses yeux s'arrondirent sur un regard incertain.

— Je sais. Je suis désolée. J'ai eu une journée très chargée. Je peux t'expliquer...

— Pour ça, je te fais confiance.

Elle eut un mouvement de recul, la lueur chaleureuse de son regard s'éteignit, et Seth eut aussi horreur de cela. Autour d'eux, les gens avaient perçu la tension. Ils avaient interrompu leur conversation et tournaient vers eux des regards curieux.

Reprends-toi, Mackey, se dit-il. Ne pisse pas sur le tapis.

— Quelque chose ne va pas ?

Ses poils se dressèrent sur sa nuque au ton mielleux de Victor Lazar. Seth disciplina les muscles de son visage pour se façonner un sourire poli.

— Tout va bien, assura-t-il entre ses dents.

— Je suis content que vous ayez pu vous joindre à nous. Cette soirée est exceptionnelle, monsieur Mackey. Après dix-sept ans d'absence, je viens enfin de retrouver ma très chère nièce. Les gens qui lui sont proches doivent fêter cet événement avec nous.

— Votre nièce, hein ? répliqua-t-il d'une voix sourde.

Il scruta les yeux de Raine. Naturellement grands et étirés, l'appréhension et son maquillage les faisaient paraître immenses.

— Votre nièce, répéta-t-il lentement. Mais c'est... incroyable.

Raine pinça les lèvres.

— N'est-elle pas merveilleuse ? demanda Lazar en posant sur elle un regard de propriétaire qui lui donna la nausée.

— Je la préférais avant.

Il avait dit cela d'une voix basse et plate. Raine tiqua visiblement. Bien fait, lui dit-il avec les yeux. Si elle voulait s'amuser à le piquer avec des banderilles à travers les barreaux de sa cage, il fallait qu'elle s'attende à ses coups de dents.

— Chez les Lazar, les femmes ont tendance à se montrer imprévisibles, répliqua froidement Lazar. Vous

vous y habituerez certainement. À condition qu'elle s'intéresse toujours à vous, cela va de soi.

— Victor ! s'exclama spontanément Raine d'un ton choqué.

Seth soutint le regard argenté et satisfait de cette ordure. Le brouillard de colère menaçait de l'envelopper et le sang battait sourdement à ses tempes. Il sentit que Raine le tirait par la manche.

— Seth, dit-elle d'une voix suppliante. Je t'en prie...

— Raine, pourquoi n'emmènerais-tu pas notre hôte au bar pour lui proposer un rafraîchissement qui le détendrait ? suggéra Victor. Le dîner sera servi dans un quart d'heure. Je crains que nous n'ayez raté les hors-d'œuvre, mais le dîner lui-même sera tout aussi excellent. Mike Ling œuvre aux fourneaux ce soir, emprunté au Topaz Pavillion pour l'occasion. Cuisine fusion asiatique, comme on dit ici. J'espère que vous apprécierez.

Seth offrit son bras à Raine.

— Ça semble prometteur, répondit-il. Montre-moi donc le bar, ma belle.

Elle prit son bras et ils traversèrent en silence la salle immense. Seth savait qu'il aurait dû en profiter pour récolter des informations, mais il était comme tétanisé et ne pouvait penser qu'au bout de ses doigts, brûlants à travers l'étoffe de sa veste.

Il demanda une bière pour lui et une coupe de champagne pour elle, puis l'entraîna dans un coin tranquille près de la fenêtre. Ils s'observèrent comme s'ils avaient peur l'un de l'autre.

— Tu es furieux, murmura-t-elle en baissant les yeux sur sa coupe de champagne.

— Ouais, acquiesça-t-il avant de prendre une gorgée de bière. Tu n'as pas arrêté de me mentir depuis le début. Le mensonge me rend malade.

— Je ne t'ai pas menti.

Le ton outragé de sa réponse lui tira un rire mauvais.

— Ben voyons… Peter *Marat* ?

— C'est la seule chose que j'ai gardée pour moi, et tu ne peux pas m'en vouloir. Essaye de me comprendre, Seth, je te connais à peine et je suis en train de faire quelque chose qui m'effraye mortellement…

— Mortellement, hein ?

Il prit son pendentif dans sa main et elle frémit quand ses doigts s'attardèrent sur la peau de son décolleté. Il tourna l'opale vers la lumière et en admira les couleurs chatoyantes.

— Très joli, commenta-t-il. Qu'est-ce que tu as fait pour mériter ça, ma belle ?

Raine lui arracha l'opale des mains.

— Ne sois pas grossier. Ça me vient de ma grand-mère.

Elle recula et rabattit son étole sur sa poitrine.

— Je te déteste quand tu es comme ça, déclara-t-elle d'une voix tendue. Arrête, s'il te plaît.

— Je ne peux pas, répliqua-t-il franchement. C'est comme ça que je suis, ma belle. Je ne triche pas, je ne mens pas. Et tu ne peux pas en dire autant, Raine Cameron Lazar.

Elle rosit, le défia du regard, porta sa coupe de champagne à ses lèvres et la vida d'un trait.

— Nous parlerons de cela plus tard, dit-elle. C'est l'heure de passer à table. Penses-tu être en mesure de te tenir correctement en présence des invités de Victor ?

— Qu'est-ce que ça te rapportera ? demanda-t-il.

Ses lèvres blanchirent.

— S'il te plaît, Seth.

Au-delà du voile glamour, son visage plissé et hanté l'émut profondément et, malgré sa colère, il se sentit dans la peau du sale gosse surpris en train de flanquer des coups de pied à un chien.

— Les autres se dirigent vers la salle à manger. Tu viens ?

Il s'inclina et lui offrit son bras.

— À ton service.

À table, il prit place à côté d'elle avec un sourire tendu. Il comprenait enfin la valeur et l'utilité des bonnes manières. Elles étaient simples : lorsqu'on ne pouvait pas faire autrement, on opérait un repli. Exactement comme dans les arts martiaux. On apprend les coups de pied et les coups de poing, on apprend à parer et on apprend les chutes jusqu'à ce que ça devienne une seconde nature.

Bonnes manières. Arts martiaux. Même combat.

Après coup, Raine aurait été incapable d'expliquer comment elle y parvint, mais elle accomplit l'exploit de discuter art médiéval avec Sergio, le conservateur de musée assis à sa gauche, et de bavarder avec l'aimable vieille dame assise en face d'elle de son intérêt pour les armes historiques ; elle rit, sourit et échangea toutes sortes de propos sans importance pendant le repas, alors qu'elle était assise à côté d'un volcan en éruption.

Après les fruits, le dessert et le café, les invités regagnèrent progressivement la salle de réception où la présentation des nouvelles acquisitions de Victor devait avoir lieu. Celui-ci s'approcha d'eux et replaça une mèche de cheveux échappée du chignon de Raine, qui sentit aussitôt la colère rentrée de Seth monter d'un cran, même s'il n'en manifesta rien ouvertement.

Le sourire de Victor montra qu'il avait lui aussi perçu le phénomène.

— Je me suis dit que des jeunes gens comme vous auraient sans doute besoin de se retrouver un peu seuls. J'ai l'intention de montrer toute ma collection demain à Raine, et il n'y a aucune raison d'ennuyer M. Mackey avec ça. Pourquoi ne lui ferais-tu pas visiter la maison, ma chère ?

— J'aimerais assez visiter la maison, acquiesça Seth en passant un bras autour des épaules de Raine. Elle est vraiment très belle, félicitations, ajouta-t-il à l'intention de Victor.

— Parfait. Vous redescendrez boire un verre un peu plus tard, si le cœur vous en dit.

Il déposa un léger baiser sur la joue de Raine, hocha la tête à l'intention de Seth et s'éloigna.

Aussitôt, Seth l'entraîna à l'extérieur de la villa à longues enjambées décidées. Raine dut trottiner pour rester à sa hauteur.

— Où m'emmènes-tu ? demanda-t-elle.

— Sur mon bateau.

Elle tira sur son bras et enfonça ses talons dans le sol.

— Sur ton bateau ? Mais, Seth, je ne peux pas partir. Je dois...

— Mon bateau est le seul endroit de l'île où je suis certain que personne ne nous entendra. Si on ne se crie pas dessus, évidemment. Et ça, je reconnais que ce n'est pas gagné d'avance.

— Oh, murmura-t-elle.

Lorsqu'ils se rapprochèrent des eaux sombres lapant les poteaux de la jetée, le froid se fit plus vif. Il l'aida à grimper à bord et à rétablir son équilibre sur ses hauts talons. Elle demeura sur le seuil de la cabine à le regarder détacher le bateau et démarrer le moteur.

Il attendit d'être à une cinquantaine de mètres de la rive pour couper le moteur. Elle s'écarta pour lui céder le passage quand il entra dans la cabine.

Il alluma la lanterne dont le socle était vissé à la table, puis pianota sur le clavier d'un ordinateur fixé à la cloison de la cabine. Une fois qu'il eut fini, il se tourna vers elle et croisa les bras.

— Bien. Nous sommes hors de portée des micros directionnels que Victor pourrait pointer sur nous. Je t'écoute.

— Qu'est-ce que tu veux entendre ? s'enquit-elle en resserrant son étole sur sa poitrine.

— Pourquoi as-tu rompu ta promesse ? Pourquoi ne m'as-tu pas dit où tu allais ce matin ?

Elle s'assit sur les coussins de la banquette et lissa le taffetas froissé de sa robe tandis qu'elle rassemblait ses pensées.

— Je savais que tu devais travailler toute la matinée, commença-t-elle lentement. Je ne voulais pas que tu t'inquiètes. Que tu aies une réaction disproportionnée.

— Je vois.

Il attendit la suite, et Raine ferma les yeux sous l'intensité de son regard.

— Je n'étais pas prête à dire, à toi ni à personne, que j'étais la nièce de Lazar, avoua-t-elle. Mais je suis contente que tu le saches, maintenant. Tout le monde peut le savoir parce que Victor le savait depuis le début, de toute façon. Dire que je me suis crue si habile…

— Tu veux que je te dise ce que je pense ? Je n'ai pas eu l'impression que c'était si terrible que ça quand je t'ai vue toute pimpante avec le collier de ta grand-mère dans la salle de réception, tout à l'heure. La petite chérie de tonton Victor. Tu m'as donné l'impression de prendre très bien les choses.

— Je n'avais pas prévu tout ça ! se défendit-elle. Il m'a envoyée sur l'île pour travailler, Seth ! Quand je suis arrivée, trois bonnes femmes se sont jetées sur moi et m'ont habillée comme une poupée ! Je ne savais pas comment réagir, alors je les ai laissées faire.

— Fais-moi voir le résultat. Allez, écarte un peu ton châle, que je voie ça mieux.

Il écarta l'étole. Elle tomba par terre et il arrêta son geste pour la rattraper en saisissant fermement le haut de ses bras.

— J'aime beaucoup la façon dont cette robe fait ressortir tes seins, dit-il. Tous les hommes qui étaient là ce soir avaient l'air de trouver ça à leur goût, eux aussi. Tu as vu comment ils te dévoraient des yeux, Raine ? Tu l'as forcément remarqué. Ça t'a plu ?

— Ne fais pas ça, Seth.

Elle porta la main à son visage pour l'inciter à croiser son regard, mais il fixa obstinément ses seins. Il saisit le bas de son corset et tira dessus. Ses mamelons durcis par le froid jaillirent du décolleté.

Elle essaya d'écarter ses mains.

— Arrête, Seth ! Tu vas abîmer ma robe !

— Qu'est-ce que ça peut faire, princesse ? Tonton Victor t'en achètera une autre, répliqua-t-il en faisant remonter ses mains pour soupeser ses seins et faire rouler ses mamelons entre ses doigts.

— Ce n'est pas du tout comme ça, protesta-t-elle.

— Ah bon ? s'étonna-t-il en faisant glisser ses mains sur ses fesses. J'aime bien cette jupe. J'aimerais bien te baiser avec tous ces trucs froufroutant autour de toi et tes seins jaillissant du corset, comme ça. Cette robe est faite pour baiser. D'habitude, j'ai plutôt envie de déchirer la robe d'une fille qui me plaît, mais celle-là... tu peux la garder sur toi sans problème.

Elle saisit ses poignets.

— Arrête, siffla-t-elle. Ne t'avise pas de me toucher quand tu es en colère. Je...

— Et vise-moi un peu ce joyau. La touche royale, dit-il en soulevant son pendentif vers la lumière. La princesse de Victor a été une bonne petite aujourd'hui, hein ?

— Je t'ai déjà dit que c'était à ma grand-mère. C'est un... Oh !

Victor lui arracha le collier et le lança par-dessus son épaule. Il rebondit contre la cloison avec un claquement sec et tomba par terre.

— Maintenant, si tu détaches tes cheveux et que tu effaces la peinture que tu as sur le visage, je te reconnaîtrai peut-être.

C'en fut trop pour Raine. Elle se jeta sur lui avec un cri de fureur. Seth laissa échapper un grognement de surprise lorsqu'il se retrouva sur la banquette. Emportée par son élan, Raine atterrit sur lui.

— Maintenant, tu vas bien m'écouter, Seth, siffla-t-elle.

Il ouvrit la bouche, mais elle plaqua la main dessus.

— J'ai dit, tu vas *m'écouter* !

Il riva son regard au sien, puis hocha légèrement la tête.

Elle ne s'attendait pas à ce qu'il obéisse aussi docilement et, l'espace d'un instant, ne sut plus quoi dire. Elle ferma les paupières pour rassembler ses pensées.

— Tu dis que tu peux sentir ce que je veux vraiment même quand je te dis le contraire, espèce de petit arrogant. Eh bien, je vais te dire ce que je veux vraiment, là, tout de suite. Je veux que tu te calmes et que tu m'écoutes comme quelqu'un de raisonnable et civilisé. Que tu arrêtes de te comporter comme un dément en crise. Tu peux faire ça pour moi, Seth ? Je te mets au défi de faire ça pour moi.

Il la contempla un moment, et des plis d'expression apparurent autour de ses yeux. Il acquiesça et elle sentit son visage changer sous sa main. Il souriait.

Elle écarta sa main.

— J'aime assez cette position, dit-il doucement.

Raine baissa les yeux. Elle était assise sur lui à califourchon, l'entrejambe en appui sur sa proéminente érection. La chaleur de son sexe irradiait à travers ses vêtements. Elle s'empressa de se lever.

— N'y pense même pas ! gronda-t-elle. Je n'ai pas fini.

— Je t'écoute. Raconte-moi encore des histoires, répliqua-t-il sans cesser de regarder ses seins qui débordaient toujours du corset. Tu peux dire ce que tu veux, j'aime bien la vue que j'ai, d'ici.

— Je ne t'ai pas menti, nom d'un chien !

— Du calme, bébé.

— Arrête de m'énerver, alors ! Et ne m'appelle pas comme ça !

Elle fit remonter son corset et y logea sa poitrine tant bien que mal.

— Je ne t'ai jamais menti. La seule chose que je t'ai cachée, c'est le nom de mon père et…

— Un détail sacrément important, si tu veux mon avis.

— Comme je disais, reprit-elle d'une voix glaciale, tout ce que je t'ai dit est vrai et vérifiable.

Seth tendit la main vers sa jupe, l'empoigna et tira dessus pour l'inciter à se rapprocher de lui.

— D'accord. Alors dis-moi où tu es allée ce matin.

Il l'attira jusqu'à ce qu'elle chevauche ses cuisses, plaqua ses grandes mains sur ses hanches et attendit sa réponse.

— Je suis allée voir le médecin qui avait signé le rapport d'autopsie de mon père, révéla-t-elle, se décidant à lui accorder une confiance prudente. Elle m'a appris que deux agents du FBI enquêtaient sur Victor à l'époque, et elle se souvenait du nom de l'un d'eux. Je suis allée le trouver et il m'a dit qu'à l'été 1985, mon père était sur le point de témoigner contre Victor. Juste avant sa mort, donc.

Seth plissa pensivement les yeux, mais ne fit aucun commentaire.

— Il n'a pas été très encourageant. Il m'a conseillé de garder profil bas et de ne pas faire de vagues.

— Un excellent conseil, approuva Seth. Tu n'as qu'un mot à dire et je démarre le moteur du bateau pour t'emmener loin d'ici à tout jamais.

Raine ferma les yeux, se laissa aller à envisager cette éventualité, puis secoua la tête.

— Non. Les rêves ne s'arrêteront pas si je m'en vais. Je veux passer la journée de demain avec Victor et voir ce qui se passe. Il me montrera sa collection.

— Sa collection ? Vraiment ? releva Seth en caressant le taffetas qui recouvrait ses fesses avec un regard distant.

Raine se sentit soudain épuisée et se laissa aller contre son torse. Elle aurait dû être furieuse, mais il couvrait son décolleté et son cou de doux baisers, et elle avait tellement besoin de sentir la rassurante chaleur de son corps.

— Seth ? murmura-t-elle.

— Hmm ? répondit-il en embrassant le galbe de sa poitrine avant d'enfouir son visage entre ses seins. Quoi ?

— Je me demandais si tu voudrais bien… m'aider.

— T'aider à quoi ? s'enquit-il en reculant la tête.

— À enquêter sur Victor. J'avance à tâtons et je sais que tu as beaucoup d'expérience pour… pour…

— Pour fourrer mon nez là où il ne faut pas ?

Elle hocha énergiquement la tête.

— Exactement. J'aurais vraiment besoin de conseils.

Il caressa son épaule de sa joue et elle le sentit très nettement se concentrer avant de lui donner sa réponse. Le bateau oscillait de droite à gauche, comme un berceau. L'eau léchait ses flancs et le rythme lent de son clapotis mesurait son silence.

— Je le ferai, déclara-t-il en levant les yeux. Mais à condition que tu fasses quelque chose pour moi.

Un flot de chaleur empourpra son visage, et Seth laissa échapper un rire rauque.

— Non, ma douce. Rien de ce genre. Ça, je suis sûr de l'obtenir quel que soit l'accord auquel on parviendra. Pas question de négocier sur cette base-là. Compris ?

Elle hocha la tête.

— Qu'est-ce que tu attends de moi, Seth ?

Sa main caressa son dos nu comme si elle était un petit animal sauvage risquant de s'effaroucher et de prendre la fuite.

— Un service. Tu as dit que Victor avait l'intention de te montrer sa collection demain, n'est-ce pas ?

Raine sentit son ventre se contracter.

— Oui, répondit-elle lentement. Pourquoi ?

— J'ai besoin de suivre les déplacements d'un des éléments de sa collection. Je ne veux rien voler. Je veux seulement obtenir des informations.

Tout se mit soudain en place.

— Je m'en doutais, souffla-t-elle. Tu n'es pas ici pour améliorer le système d'inventaire de Lazar Import-export, n'est-ce pas, Seth ? Tu poursuis un objectif personnel.

Son visage demeura parfaitement impassible, mais il ne chercha pas à la retenir quand elle s'écarta de lui.

— Alors, es-tu prête à m'aider, Raine ?

Elle détesta le ton froid et implacable de sa voix, mais elle était complètement perdue et il représentait le seul chemin qu'elle parvenait à distinguer.

— Oui, murmura-t-elle.

— Ce que j'attends de toi est simple. J'aimerais que tu places un micro-traceur sur un des éléments de la collection de Victor pour que je puisse suivre ses déplacements. Il s'agit d'un transmetteur minuscule, pas plus gros qu'un grain de riz. Pas compliqué.

Raine ramassa son étole et la mit sur ses épaules en frissonnant.

— Pourquoi ne le fais-tu pas toi-même, si c'est aussi simple ?

— Je suis doué, mais quand même pas à ce point. Victor range sa collection dans une chambre forte pratiquement inviolable. Je pourrais peut-être y pénétrer, mais ça exigerait un énorme travail préparatoire et le temps presse.

— Pour quoi faire ? demanda-t-elle en sentant sa gorge se nouer.

— Tu te sens prête ?

Raine chancela sur ses hauts talons et posa la main sur la table pour garder l'équilibre.

— Tu veux que je pose un traceur, répéta-t-elle. Mais pourquoi ? Quel est cet objet que tu veux suivre à la trace ?

— Dois-je prendre cette question pour un oui ?

Raine s'assit en face de lui sur la banquette et tritura nerveusement le taffetas de sa jupe.

— Je ne sais pas si j'en serai capable, répondit-elle franchement. Je ne suis pas vraiment douée pour le mensonge et la dissimulation.

— Tu progresses, Raine. Tu progresses chaque jour.

Cette remarque la blessa, mais lorsqu'elle leva les yeux vers lui, elle ne lut aucune moquerie, aucune ironie dans son regard. Il avait seulement l'air sombre et attentif.

Si elle refusait de l'aider, elle risquait de se retrouver en plus fâcheuse posture qu'elle ne l'était déjà. Elle réfléchit à cette éventualité et la repoussa.

Instinctivement, elle sentait que Seth ne lui ferait aucun mal volontairement. Elle prit une profonde inspiration.

— D'accord, dit-elle. J'accepte.

— Bon. Alors, écoute-moi attentivement parce que je ne pourrai plus rien dire à ce sujet une fois qu'on aura quitté le bateau. L'objet qui m'intéresse est un revolver Walther PPK. Je ne sais pas s'il sera dans une mallette ou dans un sac en plastique, ce qui compliquerait les choses. Improvise si tu peux. Si tu ne peux pas, tant pis. Ne prends pas de risques inutiles. Si tu vois que ce n'est pas faisable, laisse tomber.

— Pourquoi t'intéresses-tu à cette arme ?

— C'est l'arme qui a servi à tuer Belinda Corazon.

— Mais... Oh, non. Mon Dieu. Comment se fait-il qu'elle soit en possession de Victor ?

— Ça, ma belle, c'est une question à laquelle bien des gens aimeraient pouvoir répondre, dit-il avec un sourire sinistre. Mais je n'en fais pas partie.

— Ah bon ?

— Je me contrefiche de la façon dont il se l'est procurée. La seule chose qui m'intéresse, c'est la personne à laquelle il destine cette arme. Pas un mot de tout ceci une fois qu'on aura quitté le bateau, Raine.

— Je comprends. Mais tu ne m'as pas dit pourquoi tu veux pister cette arme.

— Ne te soucie pas de ça.

Elle se hérissa comme un chat en colère.

— Je préfère que tu me cries dessus plutôt que tu t'adresses à moi sur ce ton condescendant.

— D'accord. Je m'en souviendrai la prochaine fois que tu me poseras une question déplacée.

— Tu ne me fais pas du tout confiance, hein ? lança-t-elle avec défi. Tu connais tous mes secrets, mais tu ne partageras aucun des tiens avec moi.

Une lueur implacable fit briller ses yeux.

— Fais-toi une raison. Tu veux coincer Victor, non ? Alors fais ce que je te dis et ne pose pas de questions. Parce que tu as vraiment besoin d'aide, ma douce. Toute seule, tu es un désastre ambulant.

Raine rougit et détourna les yeux, piquée au vif. Elle aurait tellement aimé qu'il lui fasse confiance, mais un tel souhait était aussi stupide qu'irréalisable. Elle resserra son étole autour de ses épaules.

— Qu'est-ce qu'on fait maintenant ? demanda-t-elle.

Seth caressa son corps du regard et s'attarda sur ses seins.

— Victor m'a invité à cette soirée pour que je m'occupe de toi et je compte bien m'acquitter de ma mission, répliqua-t-il en saisissant ses poignets pour l'inciter à se lever.

— Seth, soupira-t-elle avec lassitude, est-ce que ça t'arrive de penser à autre chose qu'au sexe pendant plus de trente secondes d'affilée ?

— Avant, oui, répondit-il d'un ton contrit en s'agenouillant devant elle pour soulever sa jupe et faire remonter ses mains le long de ses cuisses. J'étais capable d'une concentration extraordinaire, mais tu as ruiné ce talent, Raine.

Elle enfouit ses doigts dans la brosse épaisse et soyeuse de ses cheveux et frémit lorsque ceux de Seth effleurèrent son mont de Vénus à travers la dentelle de sa culotte.

— Scellons notre pacte ici même, suggéra-t-il.

Raine plongea son regard au fond de ses yeux, mais résista au charme de sa voix de velours. Elle devina instinctivement qu'il avait l'intention de la posséder sans prendre la peine de se déshabiller et qu'elle se retrouverait, échevelée et tremblante, à sangloter d'extase contre lui. Elle avait envie de lui, mais elle le voulait selon ses propres termes. Il était impératif qu'elle inverse la dynamique du pouvoir entre eux, autant pour son bien que pour celui de Seth.

— Pas ici, déclara-t-elle d'une voix coupante.

Les doigts de Seth s'immobilisèrent.

— Pourquoi pas ?

— Je ne veux pas que ça se passe comme ça, par terre ou debout. J'aime avoir mon confort, dit-elle d'un air hautain.

— Toutes mes excuses, princesse, répondit-il en plissant les yeux.

Elle resserra l'étole autour de ses épaules en frissonnant.

— Ne m'appelle pas comme ça à moins de le penser sincèrement, rétorqua-t-elle. Dans ma chambre au sommet de la tour, j'ai un lit à baldaquin garni de draps brodés à la main, de couvertures en cachemire et d'un couvre-lit en dentelle blanche.

— Génial, grommela-t-il. Les mecs dans mon genre raffolent des couvre-lits en dentelle blanche.

Il se retourna pour attraper sa veste en cuir, et elle profita de l'occasion pour ramasser discrètement son collier cassé. Seth plaça sa veste sur les épaules de Raine, qui tâtonna la doublure jusqu'à ce qu'elle trouve une poche intérieure dans laquelle elle glissa le pendentif.

Que Victor soit ou non responsable de la mort de son père, cette opale était le seul lien l'unissant à sa grand-mère et il était hors de question qu'elle s'en défasse. Ce geste consacrait l'ouverture de la campagne qu'elle était déterminée à mener contre tous ceux qui s'aviseraient de lui marcher sur les pieds. Tous, sans exception.

17

Ils regagnèrent la villa en silence. Un bras passé autour des épaules de Raine, Seth s'efforçait de justifier à ses propres yeux son impulsion subite. Il n'avait pas pu résister à l'attrait de ce coup de poker. L'aide qu'elle lui apporterait arrivait à point nommé, et le fait qu'elle lui soit fournie par la nièce de Lazar en personne lui apparaissait comme une merveilleuse ironie du sort. Il n'avait pas menti en lui promettant son concours. S'il se vengeait, Raine aurait elle aussi sa revanche. Tous deux désiraient la même chose. En vengeant la mort atroce de son frère, Seth garantirait en même temps la sécurité de Raine.

Elle l'entraîna dans un escalier en colimaçon dont il ne put que deviner la forme, car il était plongé dans des ténèbres impénétrables. Parvenus à la porte de la chambre, il la fit passer derrière lui et balaya la pièce d'un regard attentif avant de la laisser entrer.

Il savait que des yeux et des oreilles traînaient partout dans cette maison, et même s'il ne l'avait pas su, il les aurait sentis. Il percevait nettement l'œil froid et implacable d'une caméra sur sa peau.

Il verrouilla la porte, ouvrit son sac et installa son alarme portative au-dessus de la porte. Une invention de Kearn, qui se révélait très pratique quand on voulait avoir son intimité.

— Qu'est-ce que tu fabriques ? demanda Raine.

— Je fais la chasse aux mouchards, répondit-il en grimpant sur une chaise.

— Tu crois qu'il y en a ? s'étonna-t-elle en écarquillant les yeux.

— Non, je le sais. C'est pour ça qu'il m'a invité. Il veut nous regarder et probablement aussi nous filmer. Pour la postérité.

— Je ne te crois pas !

— Victor est un voyeur, lui révéla-t-il sans détour. Et je suis bien placé pour savoir qu'il est prêt à dépenser des sommes folles pour des gadgets de surveillance comme ceux que je ne vais pas tarder à te montrer.

Seth dénicha un premier mouchard dans le ventilateur fixé au plafond, et un autre dans l'ampoule du plafonnier. Il repéra ensuite quatre trous d'épingle assez haut placés dans le plaquage en cèdre, impossible à déloger sans l'arracher. Il sortit un paquet de chewing-gum de sa poche, en mâcha un jusqu'à ce qu'il soit ramolli et s'en servit pour boucher les trous.

Grâce au détecteur, il repéra deux autres mouchards parfaitement invisibles dans la lampe de chevet et le réveil. Il les démonta entièrement jusqu'à ce qu'il les ait trouvés. Lazar faisait décidément toujours tout en grand.

Au risque de passer pour un grave paranoïaque, il enfila ses lunettes thermiques afin de s'assurer qu'aucun émetteur à laser infrarouge n'avait été installé… et en débusqua deux ! Sacré Lazar…

Il les désactiva, puis scruta une dernière fois la chambre en ne se fiant plus cette fois-ci qu'à son instinct.

Négatif. La chambre était désormais propre.

Il se tourna vers Raine et tendit vers elle le fruit de sa cueillette.

— Tu ne me croyais pas ? Je vois que tu as encore beaucoup de choses à apprendre sur tonton Victor, princesse.

— Ne m'appelle pas comme ça, répliqua-t-elle. Tu les as trouvés, pas vrai ? L'essentiel, c'est qu'on ait notre intimité.

Elle contempla la lampe et le réveil démantelés, enfouit son visage dans ses mains et éclata de rire.

— Qu'est-ce qui te fait rire ? demanda-t-il, abasourdi.

Elle écarta ses mains de son visage, révélant ses joues rouges.

— Tout. Cet endroit est complètement surréaliste. J'ai l'impression d'être Alice au fond du terrier du lapin.

— Ravi que ça t'amuse, grogna-t-il.

— Je ne vois pas pourquoi tu en fais tout un plat. Dans toutes les familles il y a un... tonton un peu excentrique, acheva-t-elle en réprimant un gloussement nerveux.

— Excentrique ? Tu appelles ça *excentrique*, toi ? lança-t-il en retournant sa main pour laisser rouler les gadgets par terre.

— J'essaye de m'adapter, Seth. Et j'apprécierais que tu en fasses autant. Essaye de voir cette situation comme une sorte... d'épreuve.

— Tu veux dire comme dans les bandes dessinées que je lisais étant môme ? Je suis dans le château d'un méchant roi sorcier et si je résous l'énigme, j'ai le droit de coucher avec la belle princesse. Mais si j'échoue, je serai coupé en morceaux qu'on donnera un à un à manger au dragon.

Raine secoua la tête, altière et lointaine.

— Que nenni, vil manant. Si tu résous l'énigme, tu te *maries* avec la belle princesse, et vous vivrez heureux et vous aurez beaucoup d'enfants.

Seth se raidit et ses oreilles se mirent à bourdonner.

— Oh, dit-il bêtement en la dévorant des yeux. C'est comme ça que ça se termine, alors ?

— Oui, dans les contes de fées traditionnels, c'est comme ça. Le chevalier errant n'est ni grossier, ni vulgaire, ni suspicieux, ni obsédé sexuel, et surtout, il n'a rien à reprocher au mariage.

— Je n'ai pas dû lire les BD qu'il fallait quand j'étais petit. J'imagine que si le chevalier pourfend le dragon et résout l'énigme pour avoir la princesse, c'est normal qu'après ça, il ait envie de s'installer dans un gentil petit pavillon de banlieue avec elle.

— On recommence à avoir des fantasmes de normalité ? se moqua-t-elle, malicieuse.

— Non, je me fiche de la normalité. J'ai résolu l'énigme et je veux ma récompense. Enlevez cette robe, Majesté, que je puisse admirer ma digne récompense.

Raine recula.

— Attends une minute, Seth…

Il la plaqua contre le lambris de cèdre et apprécia la façon dont le corset faisait remonter ses seins pour les offrir à son regard comme des fruits succulents.

— Pourquoi attendre ? Je suis ici pour te servir, non ? Qu'est-ce que tu dirais de jouer à un petit jeu sexy ? Tu serais la nièce préférée d'un milliardaire au passé trouble et moi, je serais l'étalon sans cervelle, tout en muscles et perpétuellement en rut, qu'il aurait convié sur son île secrète pour combler tous les caprices érotiques de sa jeune protégée. Qu'est-ce que tu en dis ?

Raine se passa la langue sur les lèvres et une lueur d'intérêt félin illumina son regard.

— J'en dis que le scénario est bâclé et absolument pas crédible, mais qu'il recèle néanmoins un certain potentiel.

— Je reconnais que ça fait penser au scénario d'un porno, concéda-t-il en effleurant le galbe de ses seins du bout des doigts.

Raine pinça les lèvres.

— Je n'en sais rien, je ne regarde pas ce genre de films.

Son ton méprisant l'irrita et il tira sur le bas de son corset comme il l'avait fait sur le bateau.

— Vraiment ? Votre Majesté trouve sans doute ces films trop sales ? ironisa-t-il.

Elle écarta ses mains.

— Ne fais pas ça ! se rebiffa-t-elle. Tu redeviens mauvais et ça me met en colère. Si tu me parles encore sur ce ton et si tu continues à poser sur moi ce regard salace, je ne joue plus avec toi !

Seth laissa retomber ses bras le long de son corps, presque aussi confus qu'il était excité.

— Bizarre, marmonna-t-il.

— Qu'est-ce qui est bizarre ?

— Je viens de découvrir en moi une nouvelle perversion. Ton numéro de déesse intraitable m'asticote prodigieusement. Je suis dur comme de l'acier, ajouta-t-il en prenant sa main pour la poser sur sa braguette. Aie pitié de moi, la supplia-t-il avec un grand sourire. Je suis désespéré. Je serai gentil. Je serai sage. Je ferai tout ce que tu voudras.

Elle laissa fuser un rire perlé destiné à masquer son trouble tandis que sa main prenait la mesure de sa souffrance.

— Ça tombe bien, étant donné ce que j'ai l'intention de faire, déclara-t-elle.

— Tu es d'accord pour jouer à la pimbêche vicieuse et à l'étalon sans cervelle ? demanda-t-il d'un ton plein d'espoir.

Elle glissa le long du mur pour lui échapper.

— Non, j'ai un meilleur scénario.

— Je t'écoute, dit-il en souriant largement.

— Va te mettre au milieu de la pièce, ordonna-t-elle.

Seth lui obéit, dévoré de désir et de curiosité.

Raine se mit à tourner autour de lui, parcourant son corps d'un regard avide. Il tourna la tête pour la suivre des yeux.

— Je suis la reine des pirates et j'ai capturé ton vaisseau, annonça-t-elle.

Il se retourna, stupéfait. Jamais encore il ne lui avait vu ce sourire sensuel et cette flamme dans le regard ; il se retrouvait en présence d'une créature parfaitement inconnue. Mystérieuse et imprévisible.

— Waouh, souffla-t-il. Ça te fait de l'effet, à ce que je vois.

— Oh, oui. J'ai failli t'infliger le supplice de la planche, mais quand je t'ai bien regardé, quand j'ai vu ces muscles, ces petites fesses bien fermes et cette grosse bosse sur le devant de ton pantalon, je me suis dit que ce serait dommage de donner un aussi beau spécimen à manger aux requins.

— Est-ce que j'étais le capitaine du bateau que tu as capturé ?

Elle lança son étole sur le lit.

— Cela a-t-il de l'importance ?

Elle leva gracieusement les bras en continuant à tourner autour de lui, comme si elle lui jetait un sort. Seth la suivait des yeux, hypnotisé.

— Pour moi, ça en a, avoua-t-il.

— D'accord, tu es le capitaine, mais ça ne fait aucune différence car désormais, tu es mon esclave. Plus tu t'accrocheras au pouvoir que tu as perdu, plus tu souffriras. Allons, esclave, accepte le sort qui t'est échu !

Seth ouvrit la bouche sur un rire silencieux.

— Tu es une reine des pirates cruelle et sans cœur. Je suis vraiment dans de sales draps, c'est ça ?

— Oui, acquiesça-t-elle froidement. Mes fidèles hommes de main qui m'adorent t'ont traîné dans ma cabine. Ton sort dépend à présent du plaisir que tu seras en mesure de me procurer. Tu vas devoir te donner du mal… moussaillon.

— Quand tu crieras de plaisir, tes hommes se précipiteront pour m'exécuter ?

— Ils savent ce qu'ils ont à faire, susurra-t-elle. Ils ont l'habitude de mes caprices. Déshabille-toi !

La voix de Raine habituellement musicale et gracieuse avait soudain acquis une sèche autorité. Seth s'empressa de lui obéir et, les mains tremblantes d'impatience, se débarrassa de ses vêtements. Il eut un instant de doute lorsqu'elle aperçut le Sig Sauer. Elle cligna des yeux, mais ne fit aucun commentaire quand il déposa le holster sur la table de chevet. Il acheva de se déshabiller avec une hâte fiévreuse, abandonnant ses vêtements en tas par terre.

Nu comme un ver, son sexe pointant glorieusement vers le plafond, il resta là, au milieu de la pièce, à attendre ses ordres. Elle se remit à tourner autour de lui, si près qu'il percevait son parfum de miel et de violettes après l'averse et sentait son souffle tiède passer sur ses épaules et sa nuque. Ses longs doigts frais entreprirent ensuite de le caresser, mesurant, flattant, agaçant. Soupesant ses testicules, empoignant sa verge. La caressant avec une lenteur infinie. L'enserrant.

Oh, mon Dieu. Ce petit jeu allait le tuer.

— Splendide. Grand et fort, d'aspect vigoureux, murmura-t-elle. Il y avait longtemps que je n'avais pas admiré un aussi beau spécimen.

— Tu en as vu beaucoup ? s'enquit-il en réprimant un gémissement.

— Plus que tu ne saurais l'imaginer.

Ses mains avaient tiédi quand elle agrippa les muscles de ses fesses avec un soupir de satisfaction.

— De toutes les couleurs et de toutes les tailles. Je suis insatiable, vois-tu. Je les garde tant qu'ils m'excitent. Tu as intérêt à faire tout ton possible pour me plaire, si tu souhaites repousser le jour inéluctable où je serai fatiguée de toi et où je déciderai de t'infliger le supplice de la planche.

— Je ferai de mon mieux, promit-il.

— Sage garçon, approuva-t-elle en faisant glisser ses mains sur son torse. Va t'allonger sur le lit.

Le scénario de son fantasme ne prévoyait sans doute pas qu'il sourie comme un bienheureux, mais Seth fut incapable de s'en empêcher et ce fut avec un sourire béat qu'il s'allongea sur le lit, bras et jambes écartés.

Raine s'approcha du lit et passa les mains derrière son dos pour dégrafer sa jupe.

— Dois-je t'attacher, ou promets-tu d'être un bon garçon ?

— Pour le moment, je serai sage. Après, je ne sais pas…

Il réprima un gémissement lorsqu'elle laissa tomber sa jupe sur le sol. Celle-ci se gonfla comme la toile d'un parachute puis retomba autour de ses chevilles. Elle l'écarta d'un coup de pied et il contempla, bouche bée, le galbe parfait de ses cuisses émergeant de la dentelle bleu nuit de ses bas et la minuscule petite culotte assortie qui recouvrait à peine son sexe.

Elle se retourna et se pencha en avant pour défaire la bride de ses escarpins à talons aiguilles, lui présentant ainsi délibérément ses fesses roses, délicatement encadrées par la troublante dentelle de sa culotte. Elle ôta ses escarpins et se redressa en pivotant vers lui. Glissa ses pouces sous l'élastique de sa culotte et la fit lentement glisser, centimètre par centimètre, jusqu'à ce qu'elle ait franchi l'arrondi des cuisses, révélant le triangle de boucles blondes et soyeuses. Elle attrapa le bas du corset, s'immobilisa, lui décocha un sourire enjôleur, puis tira sur le corset jusqu'à ce que ses mamelons jaillissent du décolleté.

Plus encore que tout le reste, l'expression de son visage le bouleversa. Minaudière, chargée d'une puissante magie érotique. Elle irradiait. C'était une louve au clair de lune ; un bel animal sauvage découvrant l'étendue du pouvoir qu'elle avait sur lui. Elle grimpa sur le lit, replia ses jambes sous elle et fit glisser ses doigts le long de son corps.

Il tendit une main vers elle, mais elle l'écarta d'une petite tape sèche.

— Ah, ah ! Sois sage, esclave. Fais ce que je te dis, sinon j'ordonnerai à mes hommes de te corriger.

— Raine, tu me rends dingue.

— Tu veux dire que je t'énerve ou que je t'excite ?

Il secoua la tête, et elle éclata de rire.

— Mes hommes adorent que je torture mes esclaves, dit-elle en faisant courir le bout de son doigt sur la longueur de son sexe. Parfois, quand ils ont été très obéissants... je les autorise à regarder.

— Quoi ? s'exclama-t-il en se redressant.

Elle le repoussa.

— Tout doux, esclave. L'idée qu'ils te regardent te dérange ? demanda-t-elle en prenant son sexe en main. Hmm... fit-elle d'un ton moqueur, ça n'a pas l'air de te déranger tant que ça. Je pourrais même penser que ça t'excite.

— Je croyais que tu n'étais pas exhibitionniste.

— Je ne le suis pas, gros bêta. C'est seulement un fantasme.

Elle fit passer sa jambe par-dessus son torse de façon à l'enjamber et rapprocha lentement son sexe de sa bouche.

— À présent, silence, moussaillon. Fais meilleur usage de ta langue.

Seth ne se le fit pas redire. Raine avait l'art de le rendre complètement fou sans même chercher à le faire, mais il avait plus d'un tour dans son sac et était disposé à utiliser chacun d'eux si cela s'avérait nécessaire.

Il plaça ses mains sur ses hanches et pressa son visage contre sa petite chatte qu'il lapa avec une tendre férocité. Il ne se lasserait jamais de la saveur de ses lèvres, des boucles blondes et humides qui les protégeaient, de la petite perle de chair durcie de son clitoris. Son corps souple ployait et se cambrait au-dessus de lui, ses hanches ondulaient. Elle poussa un cri sauvage quand elle explosa, traversée par de puissantes vagues de plaisir.

Il l'attrapa et l'allongea délicatement sur le flanc. L'énergie farouche et conquérante qui avait alimenté sa personnalité de reine des pirates, s'était dissoute comme de l'or fondu. Elle était liquéfiée, sans défense. Ses cheveux s'échappaient de son chignon, et il libéra sa chevelure des épingles en y faisant glisser ses doigts comme un peigne jusqu'à ce qu'il n'y en ait plus aucune. On avait fait quelque chose à ses cheveux pour faire disparaître leurs boucles. Il espéra qu'il ne s'agissait pas d'un traitement définitif. C'était très joli ainsi, mais il préférait ses longues ondulations plutôt que ce rideau de satin parfaitement lisse.

Il se leva et fouilla tranquillement dans son sac jusqu'à ce qu'il trouve la boîte de préservatifs. Raine reposait sur le côté, ses seins débordant toujours aussi audacieusement de son corset. Seth enfila un préservatif sur son sexe palpitant.

Raine avait les yeux clos et un mystérieux sourire flotta sur ses lèvres lorsqu'elle sentit ses doigts dégrafer son corset. Un soupir de soulagement lui échappa quand il le retira.

Il la fit rouler sur le dos, écarta ses jambes et lui ôta lentement ses bas. Il fit ensuite remonter le bout de ses doigts jusqu'à ses cuisses. Elle s'étira comme une chatte, se tordit et se cambra sous le voluptueux plaisir que lui procuraient ses caresses, avant même que ses doigts n'effleurent sa fente moite.

— Alors, admis ou recalé ? demanda-t-il.

— Hmm ?

— La reine des pirates m'autorise-t-elle à vivre pour l'aimer un jour de plus ?

Raine tendit la main vers son sexe érigé, déjà gainé de latex, nota-t-elle avec intérêt.

— Tout dépend de ton endurance, déclara-t-elle d'un ton sévère. Tu ne pensais quand même pas que la reine des pirates se contenterait d'un petit orgasme de rien du tout, j'espère ?

— Comment ça, un petit orgasme de rien du tout ? Il a duré des heures et des heures, dit-il en la soulevant pour la faire asseoir en travers de ses cuisses. Montre-moi qui est le maître à bord, reine des pirates. Chevauche-moi.

Raine étala ses mains sur son torse et se pencha légèrement en avant. Le contact chaud et dur de sa colonne de chair forgeant son chemin en elle était toujours un choc, mais grâce à la tendre expertise de sa langue, elle était détendue et idéalement lubrifiée. Elle l'accueillit aisément et laissa échapper un gémissement de plaisir. Elle cueillit son visage entre ses mains. La franchise et la spontanéité de son regard la bouleversèrent. Elle passa les bras autour de son cou et se laissa aller contre lui.

Tous leurs jeux de pouvoir et les scénarios qu'ils inventaient venaient de se révéler à elle pour ce qu'ils étaient. Ils les distrayaient de la puissance de leurs sentiments. Elle ne se sentait plus ni conquérante, ni conquise. Elle se sentait révélée. Elle se connaissait soudain bien mieux qu'elle ne s'était jamais connue. Ses peurs, ses besoins, sa solitude, tout lui apparaissait sous un jour lumineux.

Elle le voyait tout aussi clairement, distinguait en lui une infinité de détails émouvants : le grain de beauté qu'il avait à l'épaule, les ailes déployées que formaient ses épais sourcils, les plis encadrant ses lèvres comme des parenthèses. Le dessin précis de ses lèvres pleines. Son regard reflétant la conscience de leur vulnérabilité mutuelle.

Une sensation de tendresse, quasi douloureuse, la submergea. Elle blottit son visage au creux de son épaule et se laissa porter par le voluptueux tempo de son corps sous le sien. Tandis qu'elle l'enveloppait de ses contractions, elle ne rendait pas les armes devant son pouvoir. Elle traversait un pur émerveillement. Un émerveillement à couper le souffle, qui faisait enfler son cœur et qui la laissait toute douce et sans défense.

Il enfouit les doigts dans ses cheveux et l'incita délicatement à lever la tête. Son regard intense pénétra en elle et lui révéla silencieusement qu'il l'acceptait et la désirait telle qu'elle était.

— Eh, dit-il en la faisant rouler sur le dos sans se retirer d'elle. Tu ne m'as pas raconté la suite de l'histoire.

Raine agrippa ses épaules en creusant les reins, s'ouvrant à lui.

— Quelle histoire ?

— Ce qui arrive à la reine des pirates et à son prisonnier.

Elle rit, charmée par son sourire coquin.

— Je ne connais pas encore la suite, avoua-t-elle.

— Moi, je la connais. Le marin prisonnier se révèle ardent et insatiable, et il fait jouir sans relâche la reine des pirates. Il la rend complètement folle. Aucune bouche avant la sienne n'a su lui donner autant de plaisir. Elle faiblit. Elle est bouleversée. Elle tombe amoureuse.

C'était la première fois que Raine l'entendait prononcer ce mot. Elle affermit l'étreinte de ses bras et de ses jambes autour de lui et se lécha les lèvres.

— C'est très dangereux, dit-elle. Si elle compromet son pouvoir de la sorte, ce sera sa perte.

— Oui, je sais, mais la pauvre n'y peut rien, c'est plus fort qu'elle. Il suffit qu'il la touche pour qu'elle oublie tout le reste. Comme ça, ajouta-t-il en glissant sa main entre eux pour encercler son clitoris de son pouce, tu vois ?

Raine poussa un gémissement d'extase et souleva les hanches.

— Elle adore sentir sa grosse queue en elle, bien à fond, comme ça... et qu'il la ramone bien... encore et encore... comme ça, tu vois ? Qu'il titille ses petits boutons d'amour partout, partout. Elle en a besoin, c'est trop bon. Elle ne peut plus se passer de lui...

Un cri franchit ses lèvres et elle perdit le fil de l'histoire, bouleversée par la caresse de son sexe associée à celle de ses doigts experts, farouchement déterminés à déclencher en elle une nouvelle explosion sensuelle.

Lorsqu'elle rouvrit les yeux, il attendait patiemment, le regard rivé sur elle. Il lui fit plier les jambes afin de jouir d'une meilleure vue quand il se retira lentement pour caresser sa fente du bout de son sexe, de haut en bas.

— Elle est insatiable, fit Raine d'une voix haletante, mais elle est forte. Elle ne se laisse pas dominer par les sens, aussi doué que soit son amant. Ce n'est pas qu'un corps en chaleur. Elle a aussi un cerveau, tu sais. Sinon, elle ne serait pas devenue la reine des pirates.

— Oui, mais tu oublies qu'elle a aussi un cœur.

Raine en resta sans voix et scruta son regard.

Seth inséra à nouveau l'extrémité de son sexe en elle.

— C'est ça qui la perd, vois-tu. Son cœur. Le marin a su trouver la clef de son cœur. Il la voit au-delà de son armure, il voit toutes ses blessures secrètes. Il comprend pourquoi elle est devenue aussi effrayante et méchante, pourquoi elle veut toujours commander. Il découvre la femme vulnérable que dissimule cette armure et, pour la première fois de sa vie, il apporte à la reine des pirates un sentiment de sécurité.

Raine laissa échapper un soupir hoquetant.

Seth glissa une main sous ses fesses et la souleva pour s'enfoncer en elle jusqu'à la garde.

— Mais le marin a déclenché un mécanisme à double détente, reprit-il. Il se retrouve pris à son propre piège. Lui non plus n'a jamais connu un plaisir aussi intense. Il sent qu'il est sur le point de céder. Qu'il est prêt à accepter une vie de captivité humiliante pour se faire chevaucher par l'ardente reine des pirates, perpétuellement assoiffée de sexe, qui le fait crier d'extase et le plonge dans un délicieux oubli tous les soirs. Il n'a pas le temps de comprendre ce qui lui arrive que, crac ! il se retrouve lui aussi amoureux d'elle.

Raine tendit les bras et s'agrippa à ses épaules comme si c'était son seul espoir de rester en vie.

— Quel désastre, souffla-t-elle. Et quel dilemme.

— Oui, le pauvre marin nage en plein cauchemar. Son cœur est pris dans un étau, expliqua Seth en glissant en elle.

Raine ferma les yeux.

— Qu'est-ce qu'il décide de faire ? haleta-t-elle doucement.

Elle retint son souffle, comme si son sort était suspendu à sa réponse. Mais tout cela n'était peut-être qu'un jeu pour lui. Elle ne pouvait pas le savoir ni le deviner. Elle rouvrit les paupières lorsque sa main caressa son visage et se sentit instantanément perdue sous l'intensité de son regard sombre. Il écarta une mèche de cheveux de ses yeux. Ses doigts effleurèrent délicatement, révérencieusement sa joue.

— Je ne connais pas encore la suite de l'histoire. J'invente au fur et à mesure, comme toi, Raine.

Sa voix tremblante et incertaine l'emplit d'une joie terrifiée.

— Eh bien, euh, les pirates s'agitent pendant ce temps-là, dit-elle d'un ton faussement léger. Ils sont dévorés de jalousie.

— Parce que la reine des pirates ne veut plus que le marin et ne les laisse même pas regarder. Pas une seule fois, ajouta-t-il en braquant sur elle un regard qui la mettait au défi de le contredire.

— Pas une seule fois, concéda-t-elle gentiment. La porte de sa cabine est verrouillée, et elle a bouché tous les trous des parois.

— Les pirates sentent que leur univers parfait est menacé. Leur déesse, leur unique raison d'être, leur a été ravie par ce maudit prisonnier et ils veulent que les choses redeviennent comme avant. Mais leur déesse a changé et on ne peut pas revenir en arrière. On ne peut pas arrêter la force de la nature. On ne peut pas arrêter l'amour.

— Non, murmura-t-elle, c'est impossible.

Elle sentit son cœur fondre. Il plaça les bras de Raine autour de son cou et passa les siens sous ses épaules.

— Maintenant, écoute bien, dit-il. Voilà ce qui se passe ensuite. Les pirates décident d'entraver les mains et les pieds du marin et de le jeter par-dessus bord, mais la reine des pirates l'apprend au tout dernier moment. Elle plonge dans l'océan, un poignard entre les dents, rattrape le marin avant qu'il se noie et tranche ses liens. Elle le fait alors qu'elle sait que l'équipage s'est mutiné et qu'ils n'ont plus d'autre issue que d'être mangés par les requins.

Raine voulut sourire, mais ses lèvres tremblaient trop.

— Allons, protesta-t-elle, tu exagères, Seth. Elle ne ferait jamais une chose pareille.

— Le marin sait la lécher comme personne, expliqua Seth en se retirant d'elle pour glisser le long de son corps, joignant le geste à la parole.

Il cueillit délicatement son clitoris entre ses dents et fit aller et venir sa langue dessus, sans s'arrêter.

Un délicieux plaisir la submergea, encore et encore, jusqu'à ce qu'elle agrippe ses cheveux et tire dessus pour l'obliger à relever la tête.

— D'accord, d'accord, dit-elle d'un ton suppliant, je capitule. Elle se jette à l'eau, elle se bat contre les requins avec son poignard, elle fait tout ce que tu veux, promis. Mais reviens en moi, j'ai besoin de sentir tes bras autour de moi.

Seth frotta ses lèvres contre sa cuisse, chatouilla son nombril du bout du nez et traça un lent chemin de baisers tour à tour ardents et humides pour remonter le long de son corps. Il fut distrait par ses seins, les lécha et les suça jusqu'à ce qu'elle se torde d'exquise frustration et lutte pour l'amener là où elle voulait qu'il soit.

Finalement, il s'étendit à nouveau au-dessus d'elle, la recouvrant de sa chaleur. Il la pénétra, haletant, puis s'immobilisa avec une expression perplexe.

— Mais qu'est-ce qui se passe après ? Ils se noient, ils se font manger par les requins ou quoi ?

Raine bondit de protestation entre ses bras.

— Mon Dieu, non ! Comment peux-tu dire une chose pareille ?

— Désolé. Je suis cyniquement réaliste. Je t'autorise à m'intenter un procès en diffamation.

Elle réfléchit un instant, puis le regarda droit dans les yeux.

— Ils échouent sur une île déserte et mènent une vie de splendeur primitive, se nourrissant de noix de coco, de mangues et de poisson grillé. Ils passent le restant de leurs jours à nager, à jouer sur la plage et à faire passionnément l'amour dans une hutte faite de feuilles de palmier.

— Tu crois ? demanda-t-il en fronçant les sourcils.

Elle attira son visage vers le sien et l'embrassa tendrement.

— J'en suis sûre. Le marin partage son temps entre la pêche et la cueillette de fruits et de fleurs, dont il lui tresse des guirlandes.

— Des guirlandes de fleurs ? répéta-t-il, dubitatif. Cette fois, je crois que c'est toi qui exagères, Raine.

— Garde à l'esprit qu'elle aussi sait l'aimer comme personne.

Il sourit de toutes ses dents.

— D'accord. Va pour les guirlandes de fleurs. Autant que tu voudras. Des tas de guirlandes parfumées.

— Le soir, ils s'asseyent sous la frondaison des palmiers et regardent le soleil se coucher, reprit-elle d'une voix douce. Ils ont laissé la violence et la laideur du monde derrière eux. Ils oublient toutes les souffrances et les trahisons du passé et se donnent l'un à l'autre, corps et âme. Plus de jeux de pouvoir, plus de mensonges, plus de manipulation. Rien que la passion, la vérité et la tendresse. Il est tout pour elle, et elle est tout pour lui.

L'émotion vibrait entre eux comme un fil d'acier tendu.

— J'aime bien cette fin, murmura-t-il. Elle me plaît.

— Ce n'est pas la fin, Seth, répliqua-t-elle en couvrant son visage de petits baisers. C'est le début.

Ils se regardèrent longuement, aussi perdus et terrifiés l'un que l'autre. Lui seul pouvait la sauver, elle seule pouvait le sauver. Elle nageait au milieu des requins, un poignard entre les dents. Elle sentit des larmes lui picoter les yeux.

— Non, supplia-t-il en la serrant dans ses bras. Je t'en prie, aie pitié de moi, ma douce. Ça me démolit quand tu pleures.

Elle pressa son visage contre son cou pour qu'il ne voie pas ses larmes.

— Ce n'est pas grave, chuchota-t-elle. Tu ne risques rien avec moi, Seth. Si tu te retrouves en morceaux, je t'aiderai à te reconstruire.

— Ne fais pas ça, dit-il en enfouissant son visage dans ses cheveux.

Seth avait raison.

— Distrais-moi, alors, lui ordonna-t-elle. Vite !

Il prit son visage dans ses mains et l'embrassa.

— D'accord. Euh... couchers de soleil sur la plage, guirlandes de fleurs, je suis tout pour toi, tu es tout pour moi, énonça-t-il en caressant ses cheveux d'une main tremblante. Plus de petits jeux.

Elle lui rendit son baiser et le serra très fort contre elle.

— D'accord, donne-moi tout, Seth, murmura-t-elle. Je veux tout de toi.

Ils s'éloignèrent du bord du précipice insondable qu'ils venaient de frôler pour s'abandonner au plaisir sauvage qui montait en eux. Se fondre l'un à l'autre au cœur du coucher de soleil de leur paradis secret suffisait pour l'instant à leur bonheur.

18

L'écran qui aurait dû afficher la chambre de la tour sous quatre angles différents restait obstinément sombre.

Victor s'en détourna avec un gloussement. Il n'était pas déçu de ne pas pouvoir s'introduire dans l'intimité de sa nièce et de son amant. Cela aurait été déplacé, de toute façon, même si cette idée le faisait rire. De tels scrupules, cela ne lui ressemblait vraiment pas.

Il était même secrètement satisfait que ce jeune homme se soit montré assez astucieux pour protéger son intimité et celle de Katya. Dans son for intérieur, il n'arrivait pas à l'appeler Lorraine, ni même Raine, quelles que soient ses préférences. Quel nom ridicule. Alix devait l'avoir choisi. Cela lui ressemblait bien.

Maintenant que Novak avait eu l'audace de révéler l'intérêt malsain qu'elle lui inspirait, il tenait à ce que le garde du corps autoproclamé de sa nièce soit à la fois intelligent, possessif et hautement motivé. Il ne restait plus à Victor qu'à trouver le moyen d'accroître l'instinct protecteur de Mackey sans compromettre sa propre sécurité. Un équilibre délicat, mais il ne doutait pas que la solution finirait par se présenter d'elle-même.

Mackey s'accordait plutôt bien avec Katya, se dit-il. Il débordait de colère rentrée, évidemment, mais c'était le cas de la plupart des hommes, pour peu qu'on gratte la surface. Il était brillant et agressif. Les recherches qu'il avait menées sur son compte avaient révélé une enfance sordide dans les bas-fonds de Los Angeles, mais Victor s'était lui aussi extirpé de la boue. Mackey était un self-made-man. Un peu brut de décoffrage, mais ce qui lui manquait en vernis était largement compensé par son implacabilité absolue. Et Katya, qu'elle le sache ou non, avait toute la force voulue pour le manœuvrer. Il ne lui manquait qu'un peu d'expérience.

L'interphone émit une sonnerie mélodieuse et il l'alluma.

— Monsieur Lazar, c'est encore M. Riggs.

Mara avait cette suave voix d'alto qui effleurait sa peau aussi délicatement que la caresse d'un coûteux manteau de zibeline.

— Je lui ai dit plusieurs fois que vous ne vouliez pas être dérangé, mais il est à l'embarcadère de Severin Bay et demande à être conduit sur l'île.

L'idée qui commença à germer dans son esprit chassa l'irritation qu'avait d'abord déclenchée la présomption de Riggs.

— Réveille Charlie et dis-lui d'aller le chercher. Quand il sera arrivé, tu me l'amèneras ici.

— Dans la salle de contrôle ? s'enquit Mara, légèrement interloquée.

— Oui. Au fait, Mara...

— Oui, monsieur ?

— Tu as une très jolie voix.

Un silence surpris accueillit cette déclaration.

— Euh... merci, monsieur.

Il alluma une cigarette et profita de son attente pour envisager toutes les solutions possibles à son dilemme.

Un pas lourd retentit dans le couloir, accompagné du délicat cliquetis des talons de Mara, avant qu'il en ait achevé le tour. La porte s'ouvrit et la puanteur de bourbon suintant par tous les pores de la peau de Riggs traversa la pièce. L'homme était sur la mauvaise pente et ne lui serait bientôt plus d'aucune utilité.

Le cliquetis des talons de Mara s'éloigna dans le couloir. Victor ne prit même pas la peine de détacher les yeux de l'écran qu'il observait.

— C'est incroyablement stupide, même pour quelqu'un comme toi, de venir ici, commenta-t-il.

— Tu ne réponds pas à mes messages, rétorqua l'autre d'une voix vibrante de tension. Je ne savais pas quoi faire.

Victor ricana.

— Tu n'as pas l'air de comprendre à quel point la situation est dangereuse ! s'écria Riggs. Elle m'a vu aujourd'hui ! La fille de Peter est allée trouver Haley, lui a posé tout un tas de questions ! Il faut s'occuper d'elle, Victor. J'aurais pu le faire il y a dix-sept ans, mais Alix... Bon sang, je suis désolé, mais il faut le faire. Je sais que c'est ta nièce, mais reconnais...

— Je n'ai strictement rien à faire.

Le ton sec de Victor interrompit le monologue de Riggs qui resta là, haletant, comme le chien docile qu'il était, attendant que son maître lui donne l'autorisation de parler. Victor tira une longue bouffée de sa cigarette.

— Ce qui s'est passé il y a dix-sept ans t'a peut-être donné une vision erronée de moi, Edward. La vérité, c'est que je préfère ne tuer aucun membre de ma famille si je peux l'éviter.

— Ça ne t'a pas dérangé d'envoyer les hommes de mon équipe dans le piège de Novak, grinça Riggs. Prendre cette décision ne t'a pas empêché de dormir, que je sache.

— Ah, lâcha Victor en soufflant un rond de fumée parfait qu'il regarda se désintégrer. Tu en es encore à remâcher ça.

— Cahill est mort dans ce guet-apens. Salement. McCloud s'est tapé deux mois de coma et il se traîne encore comme un éclopé. C'étaient mes deux meilleurs agents, Victor, alors oui, j'en suis encore à remâcher ça.

— Nous avons déjà fait le tour de cette question, Edward. Je n'ai pas touché à un seul cheveu de ces hommes, c'est Novak qui a tout fait. D'autre part, je t'ai déjà dit que tu aurais dû mieux contrôler tes hommes. Tu n'aurais pas dû les laisser approcher autant. Tu as importuné un de mes clients les plus importants. Il serait temps que tu assumes ta part de responsabilité dans ce fiasco, mon ami.

— Je ne suis pas ton ami, grogna Riggs.

Victor pivota sur sa chaise et lui sourit.

— Qu'est-ce que tu es, alors ? Mon ennemi ? Réfléchis bien avant de répondre, Edward. Je fais un redoutable ennemi.

La pomme d'Adam de Riggs effectua un aller-retour. Un profond désespoir hantait ses yeux injectés de sang.

— Tu ne comprends pas, Victor. Je te dis qu'elle m'a vu. Et qu'elle a réagi.

Le sourire de Victor fut sans pitié.

— C'est ton problème.

— C'est le tien aussi !

— Pas du tout. Moi, je n'ai rien à perdre, lui rappela-t-il. Ce qui est loin d'être ton cas. Ta carrière, ta réputation, ton aura au sein de la communauté. Sans parler de ta chère épouse, de tes filles...

— Tu me menaces ?

Victor émit un claquement de langue.

— Te menacer, moi ? En quoi prendre un amical intérêt à la vie personnelle d'un associé constitue-t-il une menace ? Suivre les progrès de tes charmantes filles a été pour moi un plaisir, et j'ai été heureux pour toi et Barbara quand Erin est sortie diplômée de l'université de Washington. C'est devenu une très jolie jeune femme, avec ses longs cheveux bruns et son ossature délicate. Elle tient cela de ton épouse. Et elle est très intelligente. La plus haute mention en histoire de l'art et en archéologie, si je ne me trompe. Une jeune femme splendide. Je te félicite.

— Ne t'approche pas de ma famille, cracha Riggs, le visage violacé de rage impuissante.

— Et la plus jeune, Cindy. Plus vive encore. Je t'avouerais que c'est ma préférée. Elle t'aura donné bien du fil à retordre, n'est-ce pas ?

— Satané fouineur, marmonna Riggs.

— Cette adorable petite Cindy vient d'entrer en première année à l'Endicott Falls Christian College avec une bourse d'étude de l'orchestre philharmonique. On m'a rapporté que c'est une saxophoniste de grand talent. Douze de moyenne, m'a-t-on dit aussi. Elle devrait s'appliquer un peu plus. Mais elle aime tellement s'amuser. Ah ! Il faut bien que jeunesse se passe. Et les filles seront toujours les filles.

Riggs s'affala sur une chaise et détourna le regard, mais Victor poursuivit impitoyablement.

— Et Barbara semble beaucoup s'investir dans les bonnes œuvres de la paroisse, ces derniers temps. Serait-il possible que ce débordement philanthropique soit pour elle une façon de compenser le fait qu'elle a épousé un meurtrier alcoolique qui fréquente assidûment les prostituées ? Elle doit bien sentir la vérité, ne serait-ce qu'inconsciemment. Les femmes sentent toujours ces choses-là.

— Non, gémit Riggs en portant les mains à ses tempes. Non !

— Je suis certain que, même si elle date d'il y a plus de quinze ans, Barbara serait très intéressée par une cassette vidéo qui se trouve en ma possession. On t'y voit lutiner mon ex-belle-sœur dans toutes sortes de positions des heures durant. Des positions parfois étranges – oral, anal, tout y passe. Toi, un agent des forces de la loi, un père de famille respectable, ajouta Victor en secouant tristement la tête. À bien y réfléchir, je crois que tes filles seraient encore plus choquées par cette vidéo.

— Tu l'as baisée aussi, sale hypocrite ! siffla Riggs.

— Absolument. Qui ne l'a pas fait ? Mais je me suis lassé d'elle au bout de dix minutes. Elle était creuse, Edward, une jolie coquille vide. Alors que Barbara, elle, est une femme bien plus substantielle. Tu ne la mérites pas, si tu veux mon avis.

— Ne prononce pas le nom de ma femme, lâcha Riggs d'un air abattu.

— Ah, Alix ! s'exclama Victor d'un ton nostalgique. C'était une garce cupide et sans scrupule, mais quand elle avait décidé d'obtenir quelque chose, elle ne rechignait pas à la tâche.

Riggs retira ses lunettes et frotta ses yeux injectés de sang. Victor en conclut qu'il n'avait plus besoin d'en rajouter. Il était temps de passer à la tactique suivante. Il se leva et versa un verre de scotch de la carafe qui se trouvait devant lui. Au bruit du liquide s'écoulant dans le verre, Riggs redressa la tête comme un chien à l'arrêt.

— Que veux-tu de moi, cette fois ? demanda-t-il.

Pathétique. Il n'y avait décidément plus grand-chose à tirer de lui.

— Commence par te détendre, répondit Victor en lui tendant le verre. Ne prends pas tout cela trop à cœur. La vie est faite pour qu'on en profite, pas pour qu'on se ronge les sangs.

Riggs lampa une rasade de scotch et s'essuya la bouche d'un revers de main. Ses yeux étaient roses et larmoyants.

— Ne joue pas avec moi.

— Oh, Edward ! Puisque tu es dans mon repaire d'iniquités, tu devrais profiter des avantages dont je suis en mesure de te faire profiter. Regarde donc l'écran, tout au bout sur ta droite. Le deuxième en partant du haut. Vas-y, regarde.

Riggs leva les yeux. Il bondit sur ses pieds, chaussa ses lunettes et s'approcha de l'écran.

— Sainte Mère de Dieu ! souffla-t-il.

Victor tourna la tête pour dissimuler son sourire.

— Elle s'appelle Sonia, précisa-t-il. Je pensais te la présenter depuis un moment. Le juge Madison a l'air d'apprécier ses attentions, tu ne trouves pas ? Elle sera bientôt libre, si le cœur t'en dit. Avec le juge Madison, ça ne traîne jamais bien longtemps. Si tu es disposé à attendre, je pense qu'il n'y en aura même pas pour une heure – il faut bien laisser le temps de se rafraîchir à cette jeune personne.

Bouche bée, Riggs promena son regard sur les autres écrans. Il vida son verre d'un trait et coula un regard vers la carafe.

— Tu essayes d'enfoncer tes griffes encore plus profondément en moi, hein ?

Victor eut un rire sans joie.

— Je ne pourrais pas les enfoncer plus profondément qu'elles ne le sont déjà. J'ai seulement pensé t'offrir un rayon de soleil pour te changer un peu des mensonges, des trahisons et du dégoût de soi qui sont ton lot quotidien.

Riggs foudroya Victor d'un regard de haine pure, que celui-ci accueillit avec un soulagement clinique. Riggs avait peut-être encore assez d'énergie pour qu'il lui confie une dernière tâche. Il n'était pas encore tout à fait mûr pour faire de l'engrais pour terreau.

— Alors, Edward ? Qu'est-ce que tu en dis ? Hou !... Regarde-moi ça ! Monsieur le juge a déjà jeté l'éponge, le pauvre vieux. Dans moins de cinq minutes, il fera un bon gros dodo. Tu as envie de te faire plaisir ?

— Je t'emmerde, répliqua Riggs à travers ses dents serrées.

— Allons, allons…

Victor attrapa une photo encadrée. C'était un agrandissement de celle qui se trouvait dans la bibliothèque. Un jour ensoleillé sur la jetée avec Alix, Katya, Riggs et lui-même.

— Pourquoi gardes-tu cette photo ? C'est dangereux !

Victor replaça la photo sur l'étagère où il l'avait prise.

— Pour garantir ton honnêteté, Edward, répondit-il doucement.

— Tu es fou, complètement tordu !

— Peut-être, admit Victor avec un haussement d'épaules. Bien, puisque tu ne veux pas profiter de mon hospitalité, passons directement au service que j'attends de toi.

— C'est ça. Crache le morceau et arrête de jouer avec ma tête.

— C'est une tâche très simple. Il s'agit de veiller sur ma nièce.

— Quoi ? s'exclama Riggs en écarquillant les yeux. Tu as perdu la tête ?

— Pas du tout. Ne t'inquiète pas, il ne sera pas nécessaire que tu l'approches. Je ne veux pas qu'elle soit informée de notre arrangement. Je veux seulement que tu gardes l'œil sur elle en permanence. Que tu surveilles ses déplacements. Que tu la files.

— C'est du délire ! La Grotte…

— Tu n'as pas pris de vacances depuis cinq ans, Edward, le coupa Victor. Prends-en.

Riggs le contempla, éberlué.

— Mais je viens tout juste d'avoir de l'avancement. Je ne peux pas…

— Bien sûr que tu peux. Ne joue pas les victimes, je t'en prie. Tu es un homme riche grâce à ton association avec moi. Tu n'as pas à te plaindre. C'est le dernier service que je te demanderai.

Riggs cligna des yeux, incrédule.

— Vraiment ?

— Le tout dernier, assura Victor.

— De quoi a-t-elle besoin d'être protégée ? demanda Riggs. Qui lui en veut ?

— Ça ne te regarde pas.

— C'est Novak, pas vrai ? dit lentement Riggs. Novak cherche à t'atteindre à travers elle.

— Il n'est pas nécessaire que tu saches pourquoi, répliqua sèchement Victor, irrité par la brève lueur d'intelligence que venait de manifester Riggs. Contente-toi de faire ce que je te demande. Et si tu venais à être découvert, tu sais ce qui arrivera si tu as le malheur de mentionner mon nom.

Riggs serra les poings.

— Tu veux seulement que je la surveille ? C'est tout ce que tu veux ?

— Absolument.

Victor ouvrit un placard et lui remit un écran de surveillance portatif.

— Prends ça. Il est déjà relié aux micro-traceurs que j'ai placés dans ses vêtements et ses bijoux, et il a une portée de cinq kilomètres. Ça te permettra de la retrouver au cas où elle t'échapperait. L'icône permettant de la localiser a la forme d'un pendentif. Des questions ?

Riggs prit l'appareil comme si c'était une bombe à retardement.

— Combien de temps devrai-je la surveiller ?

— Je ne sais pas encore.

Riggs commença à secouer la tête.

— Juste ça et ce sera fini, répéta Victor d'une voix adoucie. Pense à la liberté, la tranquillité d'esprit. Et, Edward... ajouta-t-il comme celui-ci atteignait la porte.

Riggs tourna vers lui un regard traqué.

— Je ne veux pas que quiconque s'avise de toucher un seul cheveu de ma nièce, énonça-t-il d'une voix claire. S'il lui arrive quoi que ce soit, je te briserai. Complètement. Tu m'as bien compris ?

— Tu es malade, Victor, grimaça-t-il. Pourquoi fais-tu cela ? Cette fille peut nous détruire tous les deux !

— Parce que cette fille en vaut largement dix comme toi, pauvre cloporte. Disparais, maintenant. Je ne supporterai pas de te voir une seconde de plus.

Riggs tiqua et ses lèvres se retroussèrent sur ses dents, formant un rictus animal. Un courant de haine mortelle s'éleva entre les deux hommes, aussi visible que la lame d'un poignard.

— Tu me hais à cause de ce que j'ai fait à Peter, n'est-ce pas ? Tu n'as pas eu le courage de le faire toi-même, et tu me hais parce que c'est moi qui me suis tapé le sale boulot à ta place.

Les narines de Victor palpitèrent de mépris. L'homme puait l'effondrement, la déchéance, la mort violente et prématurée.

— Ne pousse pas ma patience à bout, Edward, lâcha-t-il sobrement.

— Tu te souviens de ce que tu as dit à propos de trahison et de dégoût de soi ? Regarde-toi dans un miroir, Victor. Quand tu me craches à la figure, c'est sur toi-même que tu craches.

— Tais-toi et fais ce que je t'ai demandé. Sors.

Victor écouta son pas lourd décroître dans le couloir, serrant les poings de rage contenue, puis soupira et se servit un verre.

Demander à l'assassin de Peter de protéger Katya était un peu fou, songea-t-il. Mais c'était une folie maîtrisée. Malgré tous ses défauts, Riggs était un excellent professionnel. Un professionnel aussi jetable qu'un rasoir ou un appareil photo. Mackey allait forcément remarquer que Katya était suivie, et sa réaction serait aussi rapide que prévisible.

Ce serait amusant que ce soit Mackey qui finisse par tuer Riggs. Cela épargnerait à Victor l'ennui et la dépense d'arranger ça lui-même. Et comme Mackey ne saurait jamais que c'était lui qui l'avait engagé, il resterait sur ses gardes et repérerait Novak ou quiconque Novak enverrait pour nuire à Katya. Un plan parfait. Hermétique.

Malheureusement, Riggs avait sapé sa bonne humeur. Voir ce soir la beauté de Katya se déployer dans un cadre digne d'elle, loin de l'ombre néfaste d'Alix, lui avait procuré un tel plaisir ! Et il avait fallu que ce crétin de Riggs ouvre la boîte de Pandore, libérant les mauvais souvenirs qu'il sentait encore palpiter autour de lui comme des chauves-souris.

La porte s'ouvrit derrière lui et il reconnut le parfum de Mara, séduisant mélange d'huiles essentielles. Elle traversa silencieusement le tapis d'Aubusson couleur crème.

— J'ai raccompagné Riggs à la porte et chargé Charlie de le remmener sur le continent.

— Merci, Mara.

Il fut sur le point de la congédier, sachant d'amère expérience que le sexe pouvait se révéler désastreux quand il était d'humeur aussi précaire, mais il avait ses faiblesses, lui aussi. Il se retourna et la regarda.

Elle s'était changée. Elle ne portait plus la robe de soirée noire et fendue jusqu'à la hanche qui avait été choisie pour mettre en valeur une exquise antiquité – une coiffe constituée de perles japonaises et de lapis qu'elle avait portée par-dessus le macaron de ses cheveux noirs. Elle avait lâché ses cheveux, et les légères ondulations qu'y avait laissées sa tresse lui donnaient l'air plus doux, plus vulnérable. Elle portait une courte tunique de soie blanche qui faisait ressortir le bronzage et la perfection de ses cuisses. Son anneau d'orteil avait disparu.

Elle croisa son regard de ses insondables yeux de topaze et vint se placer devant la rangée d'écrans. Elle les étudia un moment, puis désigna l'écran vide.

— Un problème technique ?

Victor secoua la tête.

— L'amant de ma nièce aime avoir son intimité.

Elle hocha la tête sans manifester la moindre surprise.

Victor s'approcha d'elle par-derrière, pencha la tête pour inhaler son parfum et caressa ses cheveux.

— C'est toi qui as choisi sa robe ?

Mara eut un léger haussement d'épaules.

— Le choix s'imposait. Ce n'était pas difficile de la faire belle. Elle est naturellement éblouissante.

— Toi aussi, ma chère, dit Victor. Toi aussi.

Il souleva sa chevelure pour admirer la cambrure de son dos, la volute de cheveux bruns à la base de sa nuque.

— Tout à fait charmante.

Les yeux de Mara sourirent sous le couvert de ses cils épais et charbonneux, puis elle reporta son attention sur les écrans. Elle posa la main sur la souris placée à côté du clavier et cliqua avec dextérité sur les différentes icônes, jusqu'à toutes les éteindre à l'exception d'une seule, et agrandit une des quatre images pour qu'elle occupe tout l'écran.

Sergio, le conservateur de musée, était imbriqué dans un nœud étrange avec deux jeunes femmes asiatiques et un garçon blond et musclé, créant une configuration mouvante.

Victor avait depuis longtemps perdu tout intérêt à épier les turpitudes de ses invités, mais observer Mara tandis qu'elle contemplait la scène incita son énergie sexuelle à se déployer lentement, comme un serpent sortant d'hibernation.

— Tu aimes regarder, Mara ? demanda-t-il doucement.

Elle se laissa aller en arrière jusqu'à prendre appui contre lui de son corps aussi léger qu'une plume.

— J'aime beaucoup de choses, répondit-elle.

Il posa la main sur la peau soyeuse de sa cuisse et la fit remonter sous sa tunique, découvrant avec plaisir qu'elle ne portait rien en dessous. Entièrement épilée, aussi. Seule une minuscule touffe de poils protégeait son clitoris. Elle écarta les jambes avec un soupir.

Il mordit sa nuque et savoura le frisson qui parcourut son corps souple.

— Tu es une coquine, hein ?

— Si je ne l'étais pas, je ne serais certainement pas ici, répliqua-t-elle d'une voix étranglée avant de laisser échapper un gémissement quand la main de Victor se fit plus intrusive.

De l'autre main, il se débraguetta, tandis que Mara agrippait le rebord de la table des deux mains en cambrant les fesses en arrière.

— Bien répondu, acquiesça-t-il.

Il la pénétra avec une violence qui les surprit l'un comme l'autre. Mara poussa un cri, perdit l'équilibre, s'affala sur la table et s'y raccrocha plus fermement. Sa tunique de soie relevée sur ses côtes révélait ses fesses parfaites. Elles étaient aussi luisantes à la lueur de l'écran que le sexe de Victor allant et venant entre elles.

Il entendait à peine ses propres grognements, le claquement de leurs peaux à chacun de ses coups de reins.

La partie froide et détachée de son esprit savait bien que c'était la fureur déclenchée par les propos de Riggs qui alimentait son énergie brutale. Il ne voulait pas faire mal à Mara, mais il payait assez généreusement ses services pour assouvir avec elle ses plus bas instincts sans avoir à lui demander son autorisation ou lui présenter des excuses. Il était monstrueusement excité. Plus vivant et lucide qu'il ne l'avait été depuis des années. Depuis que son frère Peter…

Non. Il chassa cette pensée avant qu'elle se déploie, avant qu'elle le déconnecte de cette délicieuse expérience. Les profondeurs du corps de Mara l'excitaient au-delà de toute mesure tandis qu'il caressait ses belles fesses, s'abandonnant au rythme effréné de ses poussées.

Un véritable incendie érotique embrasa ses sens, et il franchit le sommet de l'extase qui oblitéra toute pensée de son esprit.

Quand il fit mine de se retirer, Mara émit un son de protestation inarticulé et se plaqua contre lui.

— Attends, haleta-t-elle.

Le flot de jouissance qui la parcourut fut d'autant plus délectable qu'il était totalement inattendu. Victor se régala du spectacle qu'elle offrait et des contractions de son vagin massant son pénis encore érigé.

Lorsque ce fut fini, il se retira, se rajusta et attendit que les battements de son cœur ralentissent. Mara s'écroula sur le tapis, les jambes écartées, aussi molle qu'une poupée de chiffon. Elle tremblait toujours. Le dos penché en avant, elle paraissait fragile et vulnérable. Il posa la main sur son épaule nue. Elle leva les yeux vers lui. La reconnaissance qu'il y lut déclencha un choc en lui.

Ce qu'ils venaient de faire lui avait vraiment plu. Cette découverte le laissa un instant fasciné.

Il tendit la main vers elle et l'aida à se relever.

— Merci, Mara. Ce fut une révélation, dit-il. Tu peux partir.

Son visage se crispa.

— Ne me chassez pas comme ça !

Victor traversa un nouvel instant de stupeur.

— Pardon ?

Mara parut subitement beaucoup moins sûre d'elle.

— J'ai dit... ne me chassez pas comme ça. Pas juste après... qu'on a fait ça. Comme ça.

— Ma chère, je peux faire ce que je veux avec toi, dit-il gentiment. Tu as donné ton accord quand tu as été embauchée, tu te souviens ?

Sa bouche ouverte trembla. Elle le regarda de ses grands yeux brillant de larmes contenues.

— Ne faites pas ça.

Son audace le prit de court, l'émut, presque. Étant donné les circonstances, elle révélait son courage et son honnêteté. Deux denrées extrêmement rares dans son entourage.

En temps normal, il n'aurait jamais autorisé un membre de son personnel à exiger quoi que ce soit de lui. Mais ce soir était un soir qui appelait à rompre les règles et à prendre des risques.

La fille frissonnait. Ses mamelons sombres et érigés étaient clairement visibles à travers l'étoffe délicate. Il réalisa que cette vision déclenchait en lui un nouvel élan de désir. Il visualisa Mara, nue sur des draps blancs, sa chevelure répandue autour de sa tête. Ses grands yeux de topaze reflétant un authentique désir.

Oui. Ce serait bien. Ça pourrait marcher. Il était déjà dur rien que d'y penser. Il hocha brièvement la tête.

— Viens, alors. Allons dans ma suite.

Victor s'engagea dans le couloir d'un pas décidé et regarda Mara s'empresser devant lui de ses petits pieds nus parfaitement silencieux sur les dalles de pierre. Elle lui jetait des coups d'œil nerveux par-dessus son épaule.

Mara était une fille intelligente. Elle avait raison d'être nerveuse.

Il ouvrit la porte avec un sourire prédateur et lui fit signe d'entrer. Un besoin dévorant animait Mara. Et en récompense de sa charmante honnêteté, Victor allait veiller à lui donner ce qu'elle voulait.

Tout ce qu'elle se révélerait capable de prendre.

19

Riggs tangua sur la route obscure et braqua *in extremis*. Il avait forcé la dose, ce soir. Depuis la mort de Jesse Cahill, ses ulcères s'étaient réveillés et leur morsure brûlante ne lui laissait pas une seconde de répit. Les médicaments le soulageaient à peine, mélangés au bourbon, mais il avait besoin d'alcool afin d'oublier qu'il n'était plus qu'une loque irrécupérable. Il ne survivait que pour empêcher aussi longtemps que possible que Barbara et ses filles ne le découvrent.

Il repensa à l'insistance de sa femme, ce matin-là, pour qu'elle l'accompagne chez un psychologue.

— Il faut que tu affrontes ce que tu ressens, Eddie, avait-elle dit avec ce satané regard anxieux qui le rendait malade de rage et de honte, qui lui donnait envie de la gifler.

Il n'était pas encore tombé aussi bas, mais cela n'allait plus tarder.

La fille ressemblait énormément à Alix, malgré ses vêtements hideux, ses grosses lunettes et sa tignasse ramassée n'importe comment à l'arrière de sa tête. La somptueuse crinière d'Alix était toujours impeccablement coiffée, et la moindre de ses robes coûtait au moins un mois de son salaire d'agent fédéral. Quand il l'avait connue, il n'avait encore jamais vu une femme aussi belle, une telle créature auréolée de gloire. Barbara était jolie, mais c'était juste une bonne fille. Une épouse et une mère parfaites.

Lorsqu'il avait rencontré Alix, une sorte de détonation l'avait dévasté, balayant tout ce qu'il avait cru être jusqu'alors. Un homme pouvait mourir heureux une fois qu'il avait eu la chance de coucher avec une femme comme Alix. Au lit, c'était une vraie tigresse, une chienne en chaleur. Après deux lignes de coke sniffées sur ses seins parfaits, ils faisaient pendant des heures des trucs dont il avait seulement entendu parler et qu'il n'avait même jamais rêvé de faire un jour. Des choses qu'il n'aurait pas imaginées avec sa douce et tendre Barbara.

Il avait réussi à tenir debout au cours de l'hallucination éveillée qu'avait été pour lui cet été 1985, en maintenant une frontière étanche entre les deux univers parallèles dans lesquels il évoluait. Haley lui-même ne s'était jamais douté de rien, Dieu merci. Il était heureusement resté en retrait pendant qu'il chargeait Riggs d'infiltrer l'entourage de Lazar. Barbara avait occupé un segment de sa réalité, avec ses sages twin-sets, son carré de cheveux impeccable, ses pains de viande, ses biberons et ses céréales sécurisantes, tandis qu'Alix régnait sur l'autre segment. Nue, cuisses écartées, brûlante de désir pour lui.

Il avait mené une petite vie paisible avant que cette chienne ne le propulse en enfer. Les crochets de Victor s'étaient si insidieusement plantés dans sa chair qu'il s'en était à peine rendu compte sur le moment. Il avait tellement perdu contact avec la réalité que lorsque l'ordre était tombé, lorsqu'il avait découvert à quel point il était mouillé, il avait vraiment eu *envie* de buter ce rabat-joie geignard de Peter Lazar. Il avait eu envie de l'écarter de sa route pour avoir Alix pour lui tout seul...

Riggs grimaça en repensant à sa propre crédulité. L'univers lui avait explosé au visage et quand il avait rampé à travers les débris, il avait réalisé qu'il n'était pas le gentil garçon que Barbara voyait en lui. Qu'il ne l'avait peut-être jamais été. Il n'était plus qu'une loque. Une créature de Victor qui rampait dans la fange.

Pendant les longues périodes, s'étendant parfois à plusieurs années, où Victor ne faisait pas appel à lui, il avait l'impression de redevenir quelqu'un de normal. Mais un jour ou l'autre, Victor finissait par l'appeler. Si Lazar rencontrait le moindre problème avec la justice, les vidéos infamantes parviendraient à sa famille et aux médias locaux. Les détails d'importants dépôts d'argent sur des comptes offshore seraient rendus publics. Les circonstances de la mort de Peter Lazar seraient réexaminées. Et si Victor venait à mourir dans des circonstances douteuses, ce serait la même chose. Si Riggs voulait maintenir un semblant de vie normale, il avait tout intérêt à ce que Victor reste heureux et en bonne santé. Cahill et McCloud avaient outrepassé les ordres qu'il leur avait donnés. Fichus francs-tireurs. Ils avaient bien failli tout faire s'écrouler.

Son regard se posa sur l'écran de surveillance que lui avait remis Victor, sur le siège passager. Si seulement il avait pu noyer cette petite garce comme il avait noyé son père. Elle l'avait vu et si elle ne l'avait pas reconnu, la mémoire lui reviendrait bientôt. Ces grands yeux clairs avaient été témoins de sa déchéance. Il aurait voulu pouvoir fermer ces yeux-là. À jamais.

Un panneau le fit subitement braquer à droite. Un relais routier. Il pénétra dans l'établissement mal éclairé et commanda une dose de bourbon et un verre de lait. Il ne pouvait pas se permettre autre chose, vu son état. S'il ne s'évanouissait pas de douleur à cause des brûlures d'estomac, une dose de bourbon ne l'empêcherait pas de conduire. Il versa une poignée de comprimés antiacides dans sa main, les avala et les fit descendre avec une gorgée de lait. Un truc qui ne donnait plus aucun résultat depuis longtemps et qui était devenu un tic. Il réfléchit à ce qui se passerait s'il perdait connaissance au volant et percutait un arbre. Cela mettrait définitivement fin à ses souffrances. Un fracas de verre brisé et de tôle froissée, l'obscurité. Et puis le néant.

Il abandonna un billet sur le comptoir et ressortit d'un pas pesant. Sur le parking, une brise glaciale ridait la surface des flaques d'eau. Il grimpa dans la Taurus, s'assit et ferma les paupières, la main pressée sur sa gorge en feu.

Ses pensées tournaient en rond, comme un rat dans un labyrinthe, mais il n'y avait aucune issue. Un vieux rat épuisé et vaincu, voilà ce qu'il était.

Il inséra la clef de contact dans la serrure d'une main tremblante, perçut un crissement de cuir et sentit la morsure glaciale d'un canon de revolver contre sa nuque.

— Pas un geste, siffla une voix.

La portière s'ouvrit du côté passager. Un homme saisit le petit écran de contrôle et s'assit sur le siège. Une bouffée d'air glacé l'accompagna, comme si la porte d'une chambre froide venait subitement de s'ouvrir.

— Bonsoir, monsieur Riggs, dit l'homme avec un sourire affable.

— Qui êtes-vous ?

— Nous n'avons jamais été présentés, répliqua l'homme en retournant l'écran de contrôle entre ses mains pour l'inspecter sous tous les angles, mais nous sommes en quelque sorte liés par le destin. Tu permets que je t'appelle Edward ?

— Si c'est de l'argent que vous voulez, je n'ai...

— C'est moi qui me suis chargé de l'exécution de Jesse Cahill, Edward. Je devrais t'en remercier, d'ailleurs. Ce fut très divertissant.

Riggs sentit son sang se figer dans ses veines et ses intestins se liquéfièrent.

— Novak, murmura-t-il.

Le sourire de l'homme s'élargit étrangement, creusant des ombres profondes dans son visage qui n'était ni jeune, ni vieux. Ses yeux semblaient phosphorescents dans la pénombre.

Riggs lutta pour maîtriser sa panique.

— Que me voulez-vous ?

— Plusieurs choses, en fait, répondit Novak. Dis-moi d'abord tout ce que tu sais au sujet de Raine Cameron.

— Je ne connais personne de... commença Riggs d'une voix chevrotante.

— Silence.

La voix de Novak claqua comme un coup de revolver, et le canon de l'arme pressa douloureusement sur ses cervicales.

— Toutes ces années à lécher la main de Victor Lazar, ça ne te suffit pas ?

Riggs ouvrit la bouche, mais aucun son n'en sortit.

— Je t'offre une chance, mon ami, dit Novak. La chance de lui rendre bien profond tout ce qu'il t'a fait.

Le visage de Barbara apparut dans son esprit. Plus rien ne pourrait effacer le profond pli d'anxiété qui s'était creusé entre ses sourcils.

— Je ne travaille pas pour Victor Lazar, bredouilla-t-il pitoyablement.

Le néon rouge sang de l'enseigne du relais routier fit étinceler les canines de Novak comme des dents de vampire.

— Bien sûr que non, rétorqua-t-il d'un ton doucereux. Tu travailles pour moi.

Riggs libéra ses poumons de tout l'air qu'ils contenaient et secoua la tête.

— Non. Allez-y, pressez la détente. Tuez-moi. Allez-y, je m'en fous.

Novak le regarda pensivement, puis fit un geste à l'homme qui était resté silencieusement assis sur la banquette arrière. Le canon du revolver cessa de presser sur sa nuque.

— Bien, dit sèchement Novak. Nous allons aborder les choses autrement. Si la perspective de punir Victor et de sauver ta misérable vie ne constitue pas une motivation suffisante, laisse-moi te dire que ta chère petite Erin est une sacrée cachottière avec son papa.

Riggs n'aurait pas cru possible d'être plus effrayé qu'il ne l'était déjà. Quel idiot. La frayeur est un abîme sans fond et il se sentit chuter, de plus en plus...

— Est-ce que tu te souviens que ta fille se trouve actuellement à Crystal Mountain, au sommet du mont Rainier ? Elle est partie faire du ski avec ses camarades. Marika, Bella, et Sasha.

— Oui, râla-t-il.

— Erin a rencontré un jeune homme au chalet, hier. Elle buvait un bon chocolat chaud près de la cheminée, quand un éblouissant jeune homme blond l'a abordée avec un accent étranger qui lui a semblé merveilleusement romantique. Il s'est présenté à elle sous le nom de Georg.

— Non, croassa Riggs.

— Ta fille se montre étonnamment résistante. Mais Georg a confiance dans son pouvoir de séduction. Il ne doute pas un instant de réussir à franchir la porte de sa chambre et à coucher avec elle. Et toi, mon ami, tu détiens la clef qui garantira la qualité de cette expérience pour elle.

— Vous ne pouvez pas faire ça.

— Oh, mais je l'ai déjà fait. À toi de décider, Edward. Cette histoire peut déboucher sur le souvenir doux-amer d'un amour inexplicablement perdu... ou bien, sur un simple coup de téléphone de ma part, devenir quelque chose d'entièrement différent. Quelque chose qu'un père aimant devrait s'efforcer par tous les moyens d'épargner à sa fille.

Riggs ferma les yeux. Il vit Erin patauger dans le petit bassin de la piscine. L'aidant à ratisser les feuilles mortes. Assise devant la fenêtre de sa chambre avec son journal intime. Sa douce et sage petite Erin, qui s'efforçait toujours de faire plaisir à tout le monde et de donner satisfaction à ses parents.

— Je t'en prie, prends tout ton temps, murmura Novak. Réfléchis. Rien ne presse. Ses réticences de vierge effarouchée excitent énormément Georg. Erin est une très jolie fille. Il adore ce genre de missions.

— Ne vous avisez pas de toucher à ma fille.

Ses paroles résonnèrent platement à ses propres oreilles. Novak les ponctua d'un léger gloussement.

— Un simple coup de téléphone, répéta-t-il.

— Si je coopère, vous me jurez que cet homme ne touchera pas à Erin ?

Novak rit.

— Oh, je ne peux pas te promettre cela. Je crains que cela ne dépende que d'Erin elle-même. Georg est très beau et très persuasif. Ce que je peux te promettre, si tu coopères, c'est qu'Erin n'aura pas lieu de se plaindre. Georg est un professionnel extrêmement habile. Quelle que soit ta décision, il remplira sa mission avec enthousiasme.

— Si vous me promettez qu'il ne la touchera pas, je le ferai, dit Riggs d'un ton rauque et suppliant.

— Ne dis pas de bêtises. Et n'envisage même pas d'appeler la Grotte à la rescousse. J'ai placé Crystal

Mountain sous étroite surveillance. Au moindre faux pas, à la moindre tentative de communication interceptée, le sort d'Erin sera scellé. Mais si tu n'es pas convaincu, je peux aussi m'occuper de Cindy ou de ta femme...

— Non, marmonna Riggs.

— Allons, Edward, fit Novak en lui tapotant l'épaule, lâche-toi. Raine Cameron. Dis-moi tout ce que tu sais, mon ami. Tout.

— Je ne suis pas votre ami.

Novak le gratifia d'un sourire approbateur, comme s'il était en présence d'un élève peu doué qui vient de résoudre un problème de mathématiques.

— C'est tout à fait exact, Edward. Tu n'es pas mon ami. Tu es mon esclave.

Jesse se tenait sur le bateau, vêtu de la veste en cuir noir de Seth. Il savait que c'était la sienne parce qu'elle était bien trop grande pour Jesse. Les manches recouvraient entièrement ses mains.

Il était très pâle, ses taches de rousseur ressortant de façon saisissante sur la blancheur de sa peau, et ses yeux verts étaient sombres.

— Fais attention, dit-il. Le cercle se resserre.

Dans son rêve, Seth comprenait parfaitement ce qu'il voulait dire.

— Il est petit comment ? demandait-il.

Jesse levait la main, son pouce et son index formant un cercle. Et puis il redevenait le garçon de cinq ans qu'il était quand il était revenu vivre avec eux. La veste en cuir lui arrivait maintenant aux chevilles.

— Tout petit, pépiait-il d'une voix d'enfant.

Un rayon de soleil transperçait les nuages et faisait miroiter l'eau derrière lui. Quelque chose de brillant pendait au bout des doigts de Jesse, projetant des éclairs verts et bleus. Le collier de la grand-mère de Raine.

Seth glissa vers un état de conscience éveillée en fixant les détails de son rêve dans sa mémoire. Lorsqu'il ouvrit les yeux, il remarqua les draps luxueux dans lesquels il était entortillé et sentit la douceur de pétale de rose de Raine, blottie au creux de ses bras. Elle s'étira et il ferma les paupières, feignant de dormir, quand elle déposa un baiser sur son épaule. Elle se faufila hors de ses bras et il l'entendit ouvrir la porte de la salle de bains. Un bruit de chasse d'eau ne tarda pas à suivre, suivi du crépitement de la douche.

Il avait résisté au sommeil autant qu'il l'avait pu, mais Raine s'était montrée aussi farouche et exigeante que lui, et après des heures de sexe débridé, le sommeil avait finalement eu raison de lui. Il s'étira de tous ses membres, appréciant le confort du lit immense. La porte de la salle de bains se rouvrit. Il perçut le grincement d'une porte d'armoire, suivi d'un cri étouffé, et ouvrit les yeux.

Enroulée dans une petite serviette de bain, ses cheveux mouillés cascadant dans son dos jusqu'à ses fesses parfaites, Raine se tenait devant l'armoire ouverte. Seth constata avec soulagement que ses boucles étaient revenues en force.

— Qu'est-ce qui se passe ? demanda-t-il.

Elle lui adressa un sourire par-dessus son épaule, mais son regard était anxieux.

— On m'a pris toutes mes affaires ! Mes vêtements, mes lunettes, mes chaussures, tout ! Je les avais laissés là et il n'y a que… ces trucs, dit-elle en désignant des vêtements recouverts de housses en plastique.

— Et alors ? Ces lunettes étaient vraiment bizarres, de toute façon, et tu as toujours tes lentilles de contact, non ? Tout va bien. Et tu n'as qu'à t'habiller avec les vêtements qui sont là. Je suis sûr qu'ils te sont destinés.

Raine fit glisser les cintres le long de la tringle.

— Je ne peux pas prendre ça. Armani, Gianfranco Ferré, Nannini, Prada... il y en a pour une fortune là-dedans !

— Et alors ?

— Je veux qu'on me rende mon petit tailleur noir à trois sous. Je l'ai payé, il est à moi.

Sa serviette avait glissé tandis qu'elle s'animait, révélant ses seins. L'érection matinale de Seth palpita douloureusement, comme si la longue séance de passion érotique qu'ils avaient connue cette nuit ne lui avait pas suffi. Il rabattit les couvertures et s'élança vers elle. Elle voulut reculer, mais l'armoire l'en empêcha et Seth la serrait déjà dans ses bras, humant la fragrance du savon, du shampoing et... de Raine. Miel et violettes.

— Je suis trop tendue pour faire l'amour, Seth, murmura-t-elle.

— Pourquoi es-tu tendue ? Peu importe ce que tu mets, tu es toujours superbe. Mais je reconnais que je te préfère toute nue.

Elle passa les bras autour de sa taille et frotta doucement le bout de son nez contre son torse. Seth la souleva dans ses bras et l'allongea sur le lit défait.

— Et la tenue que tu portes est bien le cadet de tes soucis, ce matin.

Raine se méprit sur le sens de cette phrase et une réelle frayeur assombrit son visage.

— Seth, je ne suis pas sûre que je pourrai, au sujet du...

Il l'embrassa durement, puis approcha sa bouche de son oreille.

— Pas un mot.

Raine ferma les yeux. Deux perles de cristal franchirent le rempart de ses cils et roulèrent sur ses joues.

— Mais…

Il couvrit sa bouche de sa main et effaça ses larmes sous ses baisers, tâchant de lui dire silencieusement que le marché était clos, qu'il n'y avait pas de retour en arrière possible, que ce n'était pas négociable. Raine scruta son regard. Coincée sous le poids de son corps, elle respirait difficilement.

Écarter ses jambes pour la caresser lui parut aussi naturel que respirer. Elle remua sous ses doigts, devint presque instantanément glissante et moite, et il inséra l'extrémité de son sexe en elle. Il plongea sa langue dans sa bouche, étouffant le cri qui remonta dans sa gorge lorsqu'il la pénétra d'une longue poussée. La chaleur incandescente de son corps le choqua. Il n'avait pas mis de préservatif.

Mais c'était tellement bon. Juste quelques poussées, prudentes et maîtrisées. Il ne jouirait pas en elle, il se contenterait de savourer cette sensation délicieuse l'espace d'un bref moment. Raine aimait cela, elle aussi. Il sentait son petit corps palpiter sous le sien. Mais l'intensité de la caresse directe de son sexe lui faisait perdre la tête. Ses assauts se firent plus forts, plus rapides.

Raine essayait encore de parler. Il chassa ses mots d'un baiser. Il ne voulait pas les entendre, il voulait faire durer cet enchantement. Mais elle le repoussait, écartait son visage.

— S'il te plaît, ne fais pas ça, dit-elle.

Seth rouvrit les paupières et contempla, horrifié, les larmes qui tremblaient dans ses yeux. Il aurait pourtant juré que cela lui plaisait.

— Quoi ? demanda-t-il.

— N'utilise pas la sexualité pour me contrôler, répondit-elle d'une voix vibrante de colère.

Sidéré, il la scruta longuement.

— Je ne savais pas que je faisais ça, dit-il. J'avais simplement envie de toi.

— Tu es un excellent manipulateur. Tu utilises toutes les armes qui sont à ta disposition.

Il se retira de son corps brûlant et se laissa retomber sur le dos, le regard vers le plafond. Un courant d'air froid passa sur son sexe qui reposait, humide et inconsolé, contre son ventre. Le fiasco de toutes ses tentatives de relations passées parada dans son esprit. Il essaya de trouver les mots pour la convaincre qu'elle se trompait, mais n'en trouva aucun.

— Je suis désolé, jeta-t-il finalement, histoire de dire quelque chose pour briser le silence.

Raine s'agenouilla et posa une main sur son torse.

— Merci, murmura-t-elle.

— De quoi ? demanda-t-il d'une voix renfrognée.

— De cette très gentille excuse. J'ai apprécié qu'elle ne soit pas suivie de « si » ou de « mais ». C'était très simple et très efficace.

— Oh, souffla-t-il en clignant des yeux, éberlué. Je, euh... je suis content que ça t'ait plu. Est-ce que ça veut dire que tu n'es plus en colère contre moi ?

Raine étouffa son rire en plaquant une main sur sa bouche et secoua la tête. Elle plaça les mains de part et d'autre de sa tête, plongea un regard de pure tendresse au fond de ses yeux et approcha ses lèvres des siennes pour y déposer un doux baiser.

Elle se redressa, esquissa un sourire incertain, et il laissa échapper un soupir de soulagement qui se bloqua dans sa gorge quand elle fit glisser ses mains le long de son corps et s'empara de son sexe.

— Ne bouge pas, murmura-t-elle.

Elle entortilla la masse de sa chevelure sur elle-même, rabattit la torsade dans son dos et empoigna son sexe à deux mains pour le gratifier d'une audacieuse caresse qui le fit se redresser sur les coudes. Une goutte de liquide séminal se forma à l'extrémité de son gland et elle se pencha en avant pour la cueillir d'un coup de langue.

— Qu'est-ce que tu fais, Raine ? Tu veux prouver quelque chose ? Tu cherches à te venger, c'est ça ?

— Non, chuchota-t-elle. Je veux seulement te donner du plaisir.

Son souffle tiède passa sur son sexe comme la plus délicieuse caresse qu'il ait jamais reçue... jusqu'à ce qu'elle le prenne en bouche. Cette caresse-là fut la plus douce et la plus tendre qu'on lui ait jamais faite. Sa petite langue rose l'encerclait inlassablement. Oh, mon Dieu, c'était divin.

Elle avait perdu toute sa maladresse. Soulevant ses fesses d'une main, elle l'attira plus profondément dans sa bouche pulpeuse, tandis que de l'autre, elle enveloppait ses testicules pour les faire rouler entre ses doigts. Sa langue lapait son gland, parcourait sa tige jusqu'à ce qu'elle soit glissante, puis sa main coulissait de haut en bas, accompagnant sa bouche, l'enserrant et le suçant tout à la fois.

C'était extraordinaire, mais il ne pouvait pas se permettre de se sentir aussi vulnérable. Pas sous le toit de Lazar. Il prit délicatement son visage entre ses mains et l'arrêta.

Elle releva la tête.

— Ça ne te plaît pas ?

Seth faillit sourire. Il voulut parler, mais ses cordes vocales refusèrent de coopérer. Il prit une longue inspiration et réessaya.

— C'est incroyable. Mais je ne me sens pas à l'aise dans cette maison. Il faut qu'on s'en aille. Tu recommenceras ce truc de folie quand on sera en sécurité.

Une lueur de compréhension éclaira son regard. Elle tendit le bras au-dessus de lui et attrapa un préservatif sur la table de nuit. S'agenouilla auprès de lui, le lui enfila en le caressant tendrement, puis s'allongea sur le dos et l'incita à basculer sur elle.

— Viens, retournons sur notre île tropicale, murmura-t-elle.

Seth obéit en veillant à ne pas faire peser le poids de son corps sur elle et la laissa prendre les rênes. Raine guida habilement son sexe en elle, puis plaqua ses mains sur ses fesses. Alors seulement, il s'autorisa à la pénétrer.

Enlacés l'un à l'autre, leur étreinte fut d'abord douce et sensuelle, puis fusionna à la façon d'un ruisseau se réveillant au dégel pour les précipiter dans une cascade d'extase infinie, unis corps et âme. Et Seth comprit enfin la futilité de ses efforts pour arriver à la fusion charnelle qu'il désirait de toute son âme. Il suffisait de se laisser porter.

Ils restèrent accrochés un long moment, jusqu'à ce que Raine se dégage. Elle s'assit au bord du lit.

— J'aperçois un bateau à l'horizon, dit-elle.

— Ah ?

Elle jeta un coup d'œil par-dessus son épaule.

— Un matin, alors que la reine des pirates et son marin sont en train de faire l'amour sur la plage, ils aperçoivent un bateau toutes voiles dehors à l'horizon. L'idylle est terminée. On ne peut pas s'évader du monde éternellement. Tôt ou tard, il finit toujours par te rattraper.

Seth s'assit à son tour, soudain refroidi.

— Je vais prendre une autre douche, annonça-t-elle en se levant.

Il tendit la main vers elle.

— Je t'accompagne.

— Certainement pas, répliqua-t-elle en écartant sa main d'une petite tape sèche.

Ils se préparèrent dans un silence absolu. Raine choisit des vêtements dans l'armoire qui lui allaient comme un gant. Évidemment.

Une fois qu'ils furent prêts, Seth sortit le micro-traceur de son sac et le plaça dans la main de Raine sans prononcer un mot. Elle le regarda et s'apprêtait à dire quelque chose, mais Seth plaça l'index sur sa bouche.

Raine pinça les lèvres et glissa le minuscule gadget dans la poche de son pantalon.

Seth enfila sa veste en cuir et repensa subitement à son rêve.

Le cercle se resserre. Il ne savait pas ce que cela voulait dire, mais il sentait la chose se produire. Comme des doigts enserrant son cou.

20

Mal à l'aise dans ses vêtements d'emprunt, Raine picora au petit déjeuner. Le cachemire bleu Armani et les bottes Prada étaient superbes, ils s'adaptaient parfaitement à son corps et elle aurait eu mauvaise grâce de se plaindre, mais ils la rendaient nerveuse.

Seth s'assit en face d'elle et déposa devant lui sa troisième assiette surchargée de mets qu'il était allé récolter au buffet – omelette aux fruits de mer, bagels au fromage et au saumon, saucisses, pommes de terre sautées et biscuits. Il planta sa fourchette dans son assiette et désigna celle de Raine d'un hochement de tête.

— Mange, murmura-t-il. Fréquenter ces gens-là brûle les calories à la vitesse grand V.

— C'est toi qui brûles toutes mes calories, répondit-elle sur le même mode.

Le regard de Seth se figea par-dessus son épaule. Elle se retourna et aperçut Victor qui serrait la main à Sergio, le conservateur de musée avec lequel elle avait bavardé la veille. Elle agita la main à son intention avec un sourire, et il lui rendit son salut.

Victor alla se servir un café et s'approcha d'eux, tout sourire.

— Bonjour, ma chère. Cette couleur te va à ravir. J'espère que vous avez bien dormi ?

Raine ne put s'empêcher de rougir.

— Correct, répliqua Seth avant d'enfourner un morceau de saucisse dans sa bouche.

— Quels sont vos projets pour la journée, monsieur Mackey ? demanda Victor.

— Raine et moi, on rentre à Seattle.

Victor prit une gorgée de café sans cesser de l'observer par-dessus le rebord de sa tasse.

— En fait, j'avais l'intention de passer un moment avec Raine, ce matin. Je suis sûr que vous comprendrez. Je retourne moi-même en ville cet après-midi et je me ferai un plaisir de la raccompagner…

— Pas de problème, l'interrompit Seth. J'attendrai. Elle rentre avec moi.

— Je m'en voudrais de vous faire perdre un temps précieux.

— Aucun problème, répéta Seth. J'ai mon portable avec moi. J'ai largement de quoi m'amuser pendant vos petites retrouvailles familiales. Si vous voulez, je peux concevoir un projet de vidéosurveillance à la pointe de la technologie pour la chambre d'amis. Les éléments que j'ai démontés hier soir dataient vraiment.

Le regard de Victor se durcit.

— C'est très aimable à vous, mais ne vous donnez pas cette peine. Stone Island est avant tout un lieu de détente.

— Comme vous voudrez, répliqua Seth avec un grand sourire.

Victor se tourna vers Raine.

— Tu as terminé ton petit déjeuner ?

— Oui, répondit-elle en se levant.

La main de Seth saisit son poignet au passage. Il l'attira vers lui et l'embrassa longuement sur la bouche.

Raine rougit, troublée par l'amusement qu'elle lut sur le visage de Victor.

— Il y a un peu de soleil aujourd'hui, dit-il. Que dirais-tu d'aller en profiter ?

Raine le suivit sur le perron et le long de l'allée. Arrivés près de la jetée, ils s'arrêtèrent pour contempler les miroitements du soleil à la surface de l'eau.

— Tu avais peur de l'eau, expliqua Victor. Tu te souviens que c'est moi qui t'ai appris à nager ?

— Difficile d'oublier, rétorqua-t-elle en grimaçant.

— Tu refusais d'apprendre, se justifia Victor. Tu ne voulais pas non plus apprendre à faire du vélo ni à tirer. Mais j'ai insisté.

— Je ne vous contredirai pas sur ce point.

L'apprentissage de la bicyclette avait été particulièrement épouvantable. Elle s'était retrouvée en sang et en larmes, mais Victor avait été inflexible. Il l'avait forcée à se remettre en selle sur le maudit engin jusqu'à ce qu'elle trouve son équilibre. L'apprentissage de la natation s'était déroulé sur le même mode. Il s'était contenté de maintenir sa tête hors de l'eau pendant qu'elle crachait et se débattait, en lui prodiguant ses conseils.

Mais elle avait appris. De même qu'elle avait appris à tirer, même si le bruit et le recul lui faisaient horreur, sans parler des bleus douloureux que cela laissait dans ses petites mains.

— Vous estimiez que c'était votre devoir de m'endurcir, dit-elle en détournant les yeux de la surface de l'eau pour le regarder.

— Peter et Alix étaient veules et paresseux. Si j'avais laissé ton sort entre leurs mains, tu serais restée une petite peureuse pleurnicharde.

C'était vrai. Une fois ses peurs surmontées, c'était à lui qu'elle devait la joie et l'exaltation d'avoir trouvé son équilibre à bicyclette. Et lorsqu'elle avait accompli son premier plongeon incertain, Victor avait brièvement applaudi avant de lui ordonner de recommencer jusqu'à ce qu'elle ait amélioré sa technique.

Alix et son père s'étaient même donné la peine de venir l'admirer.

Elle laissa errer son regard sur les vaguelettes scintillantes du bras de mer, perdue dans ses souvenirs. Elle avait tout à la fois vénéré et craint Victor quand elle était petite. Il était imprévisible. Exigeant et moqueur. Parfois cruel, parfois tendre. Toujours vif et attachant. Tout le contraire de son père, lymphatique et rêveur, perpétuellement absent, perdu dans les vapeurs du cognac et ses réflexions mélancoliques.

— Pendant un temps, j'ai craint que ta mère n'ait réussi.

— Quoi donc ?

— À faire de toi une petite peureuse pleurnicharde. Mais les gènes des Lazar sont résistants. Elle n'a pas réussi.

Son regard argenté exultait de fierté. Victor pouvait lire dans ses pensées, les suivre tandis qu'elles se déroulaient dans son esprit comme si elles étaient projetées sur un écran. Il la comprenait comme personne. Une part d'elle-même appréciait cette faculté. Mais l'autre en était horrifiée. Elle ne pouvait se lier à lui ni se soucier de lui en aucune façon. Pas après ce qu'il avait fait.

— Où mon père est-il enterré, Victor ?

— Je me demandais quand tu te déciderais à me poser la question. Il est enterré ici.

— Sur l'île ?

— Oui. J'ai enterré ses cendres et érigé un monument à sa mémoire ici même. Viens, je vais te montrer.

Elle n'était pas préparée à se confronter à la réalité de la tombe de son père en compagnie de Victor, mais il n'y avait pas moyen de reculer. Elle le suivit le long du chemin sinueux et escarpé qui débouchait sur le plus haut point de vue de l'île. Il l'entraîna au bord d'une petite vallée entourée de rochers balayés par les vents. Une cuvette tapissée de mousse et dénuée de tout arbre. Un grand obélisque de marbre noir s'y élevait depuis un piédestal.

Identique à celui de ses rêves.

Elle le contempla, s'attendant presque à voir du sang s'écouler des mots qui étaient gravés sur la pierre.

— Tout va bien, Raine ? Tu es toute pâle, subitement.

— J'ai rêvé de cet endroit, répondit-elle d'une voix étranglée.

Le regard de Victor s'éclaira.

— Tu l'as aussi, alors ?

— Quoi donc ?

— Le don des rêves. C'est un don héréditaire chez les Lazar. Ta mère ne t'en a jamais parlé ?

Elle secoua la tête. Sa mère s'était plainte des cauchemars de Raine, jusqu'à ce qu'elle apprenne à ne plus lui en parler.

— Je l'ai. Ta grand-mère l'avait. Des rêves vivaces et récurrents d'événements passés ou à venir. Je me demandais si je te l'avais transmis.

— Vous ? À moi ? s'étonna-t-elle.

— Bien sûr. Je pensais qu'une fille aussi intelligente que toi l'aurait déjà compris.

Il attendit patiemment qu'elle retrouve l'usage de sa voix.

— Vous voulez dire que vous... que ma mère...

— Ta mère a beaucoup de secrets.

Raine eut l'impression que le sol se dérobait sous ses pieds.

— Vous l'avez séduite ?

Victor ricana.

— Séduite, c'est un bien grand mot. Cela supposerait des efforts de ma part.

Raine était tellement abasourdie qu'elle remarqua à peine l'insulte qu'il faisait à sa mère.

— Vous en êtes certain ?

Victor eut un haussement d'épaules.

— Avec Alix, rien n'est jamais certain. Mais à en juger d'après ton apparence et ton don des rêves, tu es soit ma fille, soit celle de Peter. Et je suis personnellement convaincu que tu es à moi. Je le sens.

À moi. La formule possessive se répercuta dans sa tête.

— Pourquoi ?

Il eut un geste impatient.

— C'était une très belle femme, dit-il d'un ton nonchalant. Et je voulais prouver quelque chose à Peter, j'imagine. Mais ça n'a servi à rien. Mon frère était faible. Je l'ai trop gâté, je lui ai épargné toutes les corvées. C'était une erreur. Je pensais qu'il protégerait sa part d'innocence si je lui épargnais la laideur de la vie. Mais ça n'a pas marché. Il a fallu qu'il la cherche quand même. Et il l'a trouvée avec Alix.

— Victor...

— Il avait besoin de quelqu'un qui apprécie sa sensibilité, poursuivit celui-ci sur sa lancée, le visage crispé par une ancienne colère. Pas d'une garce cupide qui écartait les cuisses devant n'importe quel homme capable de lui faire baisser les yeux.

— Assez ! cria Raine.

Il sursauta, choqué par le ton de sa voix.

Elle se força à soutenir le regard dont il la foudroyait, horrifiée par sa propre audace.

— Je ne tolérerai pas que vous parliez de ma mère de cette façon.

Victor applaudit silencieusement.

— Bravo, Katya. Alix ne mérite pas d'avoir une fille aussi loyale.

— Je m'appelle Raine. Et ne mentionnez plus jamais Alix.

Victor scruta son visage tendu.

— Cet endroit te rend nerveuse, constata-t-il. Rentrons.

Elle le suivit le long du chemin, retournant dans sa tête l'énormité de la révélation qu'il venait de lui faire sans parvenir à l'assimiler.

Arrivés sur la véranda qui s'étendait à l'arrière de la maison, Victor ouvrit la porte, puis lui fit signe de le précéder vers le bas d'un escalier.

— Je t'ai promis de te montrer ma collection, dit-il. La chambre forte est à la cave. Après toi, ma chère.

Raine repensa au château de Barbe Bleue et eut l'impression que le traceur que lui avait remis Seth brûlait sa peau à travers l'étoffe de son pantalon. Elle nageait parmi les requins, un poignard entre les dents.

Victor ouvrit la porte d'un placard métallique placé à côté de la chambre forte, et composa une série de chiffres sur le clavier qu'elle dissimulait.

— Oh, ça me rappelle, murmura-t-il. Ce matin, j'ai changé le code d'accès de mon ordinateur personnel. Je le change pratiquement tous les jours. Il me permet d'accéder à n'importe quelle partie du système.

Raine hocha poliment la tête, comme si elle comprenait.

— Un seul mot de quatre lettres au minimum, dix au maximum. La clef est... ce que j'attends de toi.

— Vous voulez dire que vous êtes en train de me confier votre mot de passe ? Mais qu'attendez-vous de moi, Victor ?

Il ricana.

— Pour l'amour de Dieu, Raine ! Tu me connais trop bien pour me poser cette question. Si je te le disais, ça n'aurait plus aucun intérêt. Et si tu le trouves toute seule, ajouta-t-il avec un sourire malicieux, c'est que tu es divine.

Il composa une seconde série de chiffres. La lourde porte de la chambre forte s'ouvrit et pivota lentement.

— Après toi, murmura Victor.

Elle pénétra dans la chambre. L'atmosphère, dont le taux d'humidité était scientifiquement régulé, se referma sur elle comme une étreinte suffocante.

Victor attrapa un coffret de bois sur une étagère, le posa sur la table et l'ouvrit.

— On m'a dit que cette rapière avait porté un coup mortel au cours d'un duel qui a eu lieu en France au XVIIe siècle. Une affaire de cocufiage. Le mari bafoué aurait tué son épouse et son amant avec cette épée, à en croire la documentation qui l'accompagne, mais ces histoires sont souvent inventées pour augmenter la valeur de l'objet. J'ai pourtant des raisons de penser que celle-ci est vraie.

Victor observa la réaction de Raine tandis qu'elle inspectait la rapière, le léger frémissement de ses mains, son regard qui se faisait lointain. C'était bien sa progéniture, exulta-t-il silencieusement. Ses rêves en étaient la preuve irréfutable.

Elle soupesa la rapière, en porta un coup dans le vide et se tourna vers lui.

— Oui, déclara-t-elle. Je pense que c'est vrai aussi.

Elle percevait ces choses-là, tout comme lui. Montrer ces splendeurs à quelqu'un qui les comprenait aussi bien que lui l'emplit d'une joie profonde.

— Tu la sens, n'est-ce pas ? demanda-t-il en tendant les mains vers l'épée qu'elle lui rendit avec un soulagement visible.

— Quoi donc ? s'enquit-elle en écarquillant les yeux.

— La tache. Je dirais bien la « vibration », mais le terme a été tellement galvaudé par la mouvance New Age qu'il s'est pratiquement vidé de sa substance.

— Je ne suis pas certaine de comprendre.

— Tu comprendras bientôt, dit-il en lui tapotant l'épaule. Si tu as le don des rêves, tu as certainement hérité d'autres dons. C'est le prix à payer quand on est une Lazar.

— Je l'ai déjà payé assez cher.

— Ne gémis pas, rétorqua-t-il. Le pouvoir a son prix. Et tu dois apprendre à utiliser ton pouvoir pour en apprécier les bienfaits.

— Les mauvais rêves auraient une utilité, selon vous ? demanda-t-elle d'un ton dubitatif.

— Le savoir est toujours le pouvoir, dit-il en ouvrant la serrure d'un tiroir pour en sortir une mallette en plastique noir. Jette donc un œil à cela. C'est ma plus récente acquisition. Je suis curieux de savoir l'effet qu'elle aura sur toi. Contrairement aux autres objets qui se trouvent ici, celui-ci n'est ni ancien, ni rare, ni beau.

— Pourquoi l'avoir acheté, dans ce cas ?

— Ce n'est pas pour moi, c'est pour un client.

Raine mit les mains dans ses poches.

— Quelle est son histoire ?

— À toi de me le dire. Fais le vide dans ton esprit et dis-moi ce qui affleure.

Elle se rapprocha de l'objet et le contempla d'un air vaguement dégoûté.

— Ne me regardez pas d'aussi près, protesta-t-elle. Ça me rend nerveuse.

— Pardon, fit-il en reculant.

Raine plaça les mains de part et d'autre du revolver.

— C'est différent de la rapière, dit-elle. La… tache est plus fraîche.

— Tout à fait.

Elle écarquillait les yeux et posait sur l'arme un regard aveugle, comme si elle voyait au-delà. Victor fut saisi d'un élan de compassion. Elle était si jeune pour supporter le poids de tous ces dons. Mais tel était son lot. Le fardeau des Lazar.

— Une femme assassinée, devina-t-elle. Par une personne... non, une... chose. Une chose tellement morte à l'intérieur qu'elle n'a plus rien d'humain. Oh, mon Dieu.

Elle se pencha en avant et toussa comme si elle allait vomir. Sa chevelure retomba au-dessus de la mallette. Un frisson la traversa.

Victor plaça une chaise derrière elle et la fit asseoir, alarmé. Elle enfouit le visage dans ses mains, ses épaules tremblant si fort qu'il crut un instant qu'elle sanglotait, mais elle n'émettait pas un bruit. Il lui versa un verre de cognac de la carafe qu'il gardait en réserve sur une étagère.

— Katya, je suis désolé. Comment te sens-tu ?

Elle releva la tête. Il plaça le verre dans sa main et elle la referma autour, aussi raide qu'une poupée.

— Qu'est-ce que c'est que cette chose, Victor ?

Il fut aussi surpris par la froideur distante de son ton que par sa question directe.

— C'est le pion d'un jeu auquel je joue, répondit-il, sur la défensive. Cette arme est l'arme d'un meurtre qui a été volée. Je suis désolé, ma chère. Mon intention n'était pas de t'indisposer. Je voulais savoir si tu pouvais sentir...

Il s'interrompit.

— Sentir quoi ? demanda-t-elle en posant le verre de cognac.

— La tache.

— Je l'ai sentie, assura-t-elle d'une voix sourde. J'espère bien ne plus jamais sentir une chose pareille.

Victor ressentit une pointe de culpabilité.

— Je ne me doutais pas que tu étais aussi sensible. Je te promets que si...

— Votre jeu ne mérite pas ça. Quel qu'il soit.

— Que veux-tu dire ?

— Cette chose est empoisonnée, déclara-t-elle fermement.

Victor fut surpris de se sentir aussi mal à l'aise.

— À travers les âges, les aristocrates ont souvent pris la précaution de s'administrer d'infinitésimales doses de poison pendant plusieurs années afin de s'immuniser contre ceux de leurs ennemis. C'est ce qui m'est arrivé, ma chère. Je me suis immunisé.

— Pas autant que vous le pensez. Et si vous tenez à affronter la vérité, affrontez celle-ci : vous ne devriez pas être en possession de cette chose. Quoi que vous ayez fait pour vous la procurer, c'était une erreur. Et quoi que vous comptiez en faire, c'est aussi une erreur.

La profonde amertume de sa voix le stupéfia tellement qu'il en resta un instant muet.

— Peux-tu me dire d'où te vient ce talent pour le prêchi-prêcha ? riposta-t-il finalement d'un air moqueur. Pas de moi, en tout cas. Et certainement pas d'Alix.

— Je ne le dois peut-être qu'à moi-même, rétorqua-t-elle. Je n'ai pas forcément besoin de l'aide de l'un ou de l'autre pour déployer mes propres talents.

— Ah. L'ange du jugement s'élève du cloaque de son passé. Il transcende les péchés de mensonge, de vol et de fornication de ses ancêtres.

— Ça suffit, Victor.

Il referma le couvercle de la mallette et la rangea dans le tiroir.

— Assez de révélations choquantes pour aujourd'hui, déclara-t-il d'un ton sec. Il est temps de te remettre aux bons soins de ton nouveau chien de garde. Dieu sait ce qui risque de lui arriver s'il doit venir te chercher dans un tel lieu de perdition.

— J'ai dit « ça suffit », Victor.

La souffrance qu'il lut sur son visage remua quelque chose de rouillé et raidi en lui. Quelque chose qu'il valait mieux ne pas toucher. Cette sensation ne fit qu'aviver sa colère. Il ouvrit la porte de la chambre forte.

— Après toi.

Raine le précéda hors de la pièce en se tenant très droite.

Il enclencha le système d'alarme en se demandant s'il devait changer son code d'accès. Mais, d'un autre côté, pourquoi se donner cette peine ? Vu l'opinion qu'elle avait de lui, cette fille ne devinerait jamais le code, de toute façon.

Dût-elle réfléchir un million d'années.

21

Il aurait tout le temps de la questionner plus tard. Inutile de la déranger si elle avait besoin de solitude et de silence, se répéta Seth.

Il avait voulu l'inciter à s'asseoir dans la cabine du bateau pour le trajet de retour en ville, mais elle s'était contentée de secouer la tête. Elle contemplait la surface de l'eau, sans se soucier du vent, du froid et de la pluie battante. Une fois qu'il eut amarré le bateau, elle dédaigna son aide et se hissa sur le quai toute seule.

Dans la voiture, il mit le contact et poussa le chauffage à fond.

— Alors ? s'enquit-il.

Elle eut un vague haussement d'épaules. La patience de Seth ne tenait plus qu'à un fil.

— Eh ! fit-il en agitant la main devant ses yeux. Il y a quelqu'un là-dedans ? Raconte-moi ce qui s'est passé.

— Tout s'est bien passé, dit-elle d'une voix atone. J'ai fait exactement ce que tu m'as demandé.

Son regard vide attisa ses soupçons.

— Il t'a dit que c'était le Corazon ?

Elle détourna la tête.

— Pas spécifiquement. C'était un Walther PPK dans un sac en plastique, placé à l'intérieur d'une mallette noire. Une acquisition récente pour un de ses clients. Il m'a dit qu'il s'agissait d'une pièce à conviction volée.

— Jusqu'ici, tout concorde, commenta-t-il prudemment.

— Il m'a dit que la tache… était fraîche.

— La tache ? répéta-t-il. Quelle tache ?

— La tache de violence, répondit-elle, les traits tendus.

— Hmm. Et c'est tout ce qu'il t'a dit ?

Elle secoua la tête.

— Je l'ai plus ou moins guidé. J'ai fait semblant de sentir qu'elle avait servi au meurtre d'une femme. Sa réaction a paru le confirmer.

Seth n'en revenait pas d'une telle chance.

— Tu as placé le traceur ?

— Oui. Sur la mousse de la mallette.

— Et tu es sûre qu'il ne t'a pas vue faire ?

— Mes cheveux recouvraient ma main et mon corps lui bouchait la vue. Je suis raisonnablement sûre qu'il ne m'a pas vue faire.

Seth étudia son visage crispé et triste.

— Qu'est-ce qui ne va pas ? murmura-t-il. Tu devrais être contente. Tu veux coincer ce type, non ?

— Je suppose que oui, répliqua-t-elle mollement. C'est juste ce climat de…

— Quoi ?

Elle leva les mains.

— Trahison, duplicité. Je n'en peux plus. J'ai besoin d'honnêteté. De clarté. Avec Victor, avec tout le monde.

Le ton de sa voix lui fit serrer les dents.

— On est parfois obligé de compromettre ses principes pour survivre, princesse.

— Oh, mon Dieu, je t'en supplie, ne dis pas ça. Pas toi.

Bon sang. Elle recommençait à pleurer, et c'était sa faute. Ils n'avaient pas le temps pour ça. Il essaya de l'attirer dans ses bras, mais elle résista. Il la laissa tranquille et fit démarrer la voiture en se sentant très nul. Elle restait là, les épaules secouées de sanglots. Des boucles blondes et emmêlées s'échappaient de sa capuche. Elle finit par s'intéresser à la route et rabattit sa capuche en arrière, alarmée.

— Où m'emmènes-tu ?

— Dans un endroit sûr, répliqua-t-il, soulagé qu'elle se décide enfin à parler, même si c'était sur un mode accusateur.

Il préférait qu'elle soit cassante et en colère plutôt que catatonique. Ou, pire encore, en larmes. Il ne supportait pas de la voir pleurer.

— Je veux rentrer chez moi, Seth. J'ai besoin d'être un peu seule.

— Tu peux toujours rêver. Pas question que je te laisse seule. Pas après ce que tu viens de faire.

Ses yeux lancèrent des éclairs.

— Je te préviens que je suis à ça de craquer, Seth, dit-elle en approchant son pouce à deux millimètres de son index. Ramène-moi chez moi immédiatement !

— Aller chez toi est la pire des idées. Je le sens.

— Je le sens aussi, Seth. Mais j'ai besoin de m'enfermer dans ma chambre et de m'affaler à plat ventre sur mon lit pendant un bon moment. Toute seule.

— Tu pourras aussi bien t'affaler sur un lit d'hôtel.

— Pas si tu es là. Tu accapares tout l'espace psychique, Seth Mackey. Fais demi-tour et conduis-moi chez moi !

— Avoir trahi ton oncle chéri tourmente ta conscience, c'est ça ? C'est vrai qu'il t'a offert un très joli collier…

Raine baissa les yeux sur ses mains tremblantes et serra les poings jusqu'à voir blanchir ses jointures.

— Tu ne peux pas savoir à quel point tu m'énerves.

— Il n'y a que la vérité qui blesse, ricana-t-il. Victor est peut-être ton oncle, il est peut-être riche et puissant, il te fait des cadeaux somptueux et te traite comme une princesse, mais il n'en demeure pas moins une ordure criminelle qui a bien cherché ce qui va lui arriver, martela-t-il impitoyablement. Alors si ta petite conscience te démange, retiens-toi jusqu'à ce qu'on arrive à l'hôtel. Tu auras une chambre pour toi toute seule.

— D'accord, marmonna-t-elle.

Elle déboucla sa ceinture de sécurité et ouvrit sa portière lorsqu'il ralentit à l'approche d'un feu rouge.

Seth, trop occupé à freiner sur la route mouillée, ne put l'empêcher de descendre.

— Où crois-tu aller comme ça ?

— Quelque part où tu ne pourras plus me voir.

Raine claqua la portière et s'élança sur la chaussée encombrée de voitures à l'arrêt.

Le feu passa au vert. Des coups de klaxons retentirent tandis que les voitures qui étaient derrière lui contournaient la sienne. Seth suivit sa silhouette grise dans le rétroviseur, la vit traverser la ligne continue et remonter la file opposée.

Sa silhouette s'estompait de plus en plus sous la pluie battante. Avec toutes ces satanées voitures autour de lui, le temps qu'il parvienne à s'engager en sens inverse, elle aurait disparu.

Il agonit le pare-brise d'obscénités, et les autres conducteurs lui jetèrent des regards inquiets. L'un d'eux parlait d'un ton urgent sur son portable. Seth s'empara du sien et se connecta à la fréquence de Connor, qui décrocha aussitôt.

— Il était temps que tu me contactes. Je t'ai déjà laissé six messages et il faut qu'on...

— Connor, rends-moi service. Enclenche le spectre de rayons X sur la maison de Raine. Tout de suite ! Ne quitte pas l'écran des yeux jusqu'à ce que j'y sois.

Un silence choqué accueillit cette requête.

— Ça doit être vraiment grave pour que tu m'appelles Connor, répondit-il lentement.

— Je suis mortellement sérieux. Je la suis vers sa maison, mais elle a pris de l'avance sur moi et j'ai un sale pressentiment.

— Compris, fit Connor en passant en mode professionnel. Je te rappelle.

Seth sortit son ordinateur portable de la boîte à gants. Voilà, elle avait presque cinq kilomètres d'avance sur lui, elle était déjà quasi hors de portée. Il lâcha le portable sur ses genoux et se concentra sur une conduite très rapide. Il se faufila dans le flot des voitures, ignorant la cacophonie de coups de klaxons indignés et priant pour qu'aucun flic ne l'arrête.

La sonnerie de son portable retentit et son estomac opéra une descente en chute libre.

— Ouais ?

— Ça s'annonce très mal à Templeton Street, annonça Connor d'une voix tendue. Ta copine a de la compagnie dans le garage. Un type encagoulé avec un flingue. Tu es plus près de chez elle que n'importe lequel d'entre nous. Fonce !

Elle avait cru qu'échapper aux réflexions sournoises de Seth lui permettrait de se sentir mieux, mais ce n'était pas le cas.

Elle frissonnait sur la banquette du taxi. Le court trajet jusqu'à l'abri d'autobus l'avait trempée et les belles bottes Prada avaient pris l'eau, mais ce n'était pas de froid qu'elle frissonnait. Elle pensait encore à la révélation de Victor.

Son *père*. Comment cela était-il possible ?

Elle n'avait pas osé le dire à Seth. Il avait déjà assez mal réagi comme ça en apprenant qu'elle était sa nièce. Elle se recroquevilla sur elle-même en imaginant sa réaction s'il apprenait qu'elle était en réalité la fille de Victor.

Elle contempla les lumières floues qui défilaient à travers la vitre embuée du taxi en espérant que Seth ne ferait pas irruption chez elle. Elle ne se sentait pas la force d'affronter sa colère. Elle était épuisée. Elle lui avait menti en disant qu'elle avait fait semblant de sentir qu'il s'agissait de l'arme d'un meurtre quand elle avait touché le Corazon. Elle avait bel et bien *senti* le revolver frémir entre ses mains comme un animal traqué. Un frémissement tout à la fois chaud et affreusement froid. Ce souvenir lui donnait la nausée. Elle croisa les bras sur son ventre et s'efforça de penser à autre chose. Des aigles planant dans un ciel pur, des sommets de montagne enneigés au lever du soleil, l'océan.

Aucune image de beauté tranquille ne fut assez forte pour balayer l'odieux souvenir de cette sensation de coup de poing dans le plexus solaire. Pas plus que les flashs qui affluaient à présent massivement dans son esprit : moquette blanche éclaboussée de sang, tulipes gisant sur le sol. Hurlements. Oh, mon Dieu. Elle pressa sa main sur son estomac en se demandant combien de temps cela allait durer. C'était encore pire que ses rêves, parce qu'il n'y avait pas moyen de se réveiller pour y échapper. Elle pouvait seulement serrer les dents et endurer son supplice.

Se retrouver avec Victor à Stone Island l'avait réglée comme une radio sur une nouvelle fréquence horrible.

Elle se sentait écorchée vive, retournée sur elle-même. Trop d'informations se déversaient en elle. C'était peut-être un tour que lui jouait son imagination débordante, songea-t-elle pour se rassurer. Un chœur de voix sarcastiques caqueta et hua dans sa tête devant cette pitoyable tentative de déni.

Elle était la fille de Victor. Elle devait venger son oncle de ce que son père lui avait fait, et non l'inverse. Elle risquait de devenir folle si elle s'avisait de formuler cela à voix haute, mais au fond, rien n'avait changé. Un meurtre reste un meurtre.

Le taxi se gara devant chez elle et elle poussa un soupir de soulagement. Sa maison serait sombre et froide, mais au moins elle serait enfin seule. Elle régla difficilement la course, pièces et billets s'obstinant à glisser de ses doigts gourds.

Une atmosphère désolée, presque menaçante, enveloppait sa maison. Les hortensias déployaient leurs longues branches dégoulinantes de pluie et de part et d'autre de la porte d'entrée les fenêtres posaient sur elle un regard froid, inamical.

Elle se retourna pour demander au chauffeur de ne pas partir tout de suite, mais ses feux arrière s'éloignaient déjà. Arrivé au bout de la rue, il disparut.

— *Ne sois pas fantasque. Ne sois pas ridicule. Ne te laisse pas déborder par ton imagination.*

La voix d'Alix se répercuta dans sa tête lorsqu'elle remonta l'allée. Ce n'était rien de plus qu'une maison vide et sa voiture se trouvait dans le garage. Si elle ne se sentait vraiment pas bien chez elle, rien ne l'empêchait de boucler une valise et d'aller se réfugier dans une chambre d'hôtel.

C'était une bonne idée, en fait. C'était exactement ce qu'elle allait faire. Elle approchait si lentement de sa maison que des gouttes d'eau s'insinuèrent dans le col de son manteau comme des doigts glacés.

Au terme d'une telle journée, rien d'étonnant à ce qu'elle soit un peu parano, se dit-elle en s'apprêtant à insérer sa clef dans la serrure. La sonnerie du téléphone se mit à retentir à l'intérieur, mais ses doigts refusaient de coopérer.

Elle n'aurait pas dû fuir Seth. Il était rude et difficile à gérer, mais elle aurait donné n'importe quoi pour l'avoir près d'elle, quitte à l'entendre lui tenir des propos sarcastiques qui l'auraient rendue furieuse. Sa présence solide aurait chassé les esprits qui hantaient les ténèbres.

Pour la première fois de sa petite vie convenable, elle s'était autorisé une crise de colère et se sentait à présent complètement idiote. Ses clefs lui échappèrent pour la troisième fois, et elle faillit hurler de frustration.

Finalement, elle parvint à entrer. Il faisait sombre et froid mais, Dieu merci, aucun monstre ne se jeta sur elle pour la mordre. Elle ôta son manteau, remonta le thermostat et alluma toutes les lumières sur son chemin jusqu'à la chambre. Le téléphone se remit à sonner alors qu'elle venait de s'asseoir sur le fauteuil à oreillettes pour délacer ses bottes trempées. Elle avait laissé des traces de pas boueuses sur la moquette beige. Elle aurait dû les retirer dans l'entrée. Elle laissa le téléphone sonner, incapable d'affronter une conversation avec sa mère.

Elle jeta cependant un coup d'œil au répondeur. Cinq messages.

Bizarre. Elle n'en avait jamais eu autant. Cela ne ressemblait pas à Alix de se déchaîner de façon aussi obsessionnelle, et personne d'autre ne connaissait son numéro de téléphone. Son estomac amorça un lent retour sur lui-même.

Le répondeur cliqueta et le message défila. Le bip retentit.

— Raine ? Tu es là ? Décroche. Décroche tout de suite ! Vite !

Elle se précipita sur l'appareil.

— Seth ?

— Bon sang, Raine ! Pourquoi as-tu éteint ton portable ?

— Je suis désolée. Je...

— Pas grave. Pas le temps. Dans quelle pièce es-tu ?

— Dans la chambre, bredouilla-t-elle. Pourquoi...

— Il y a un verrou sur la porte ?

— Oui, un petit loquet, répondit-elle en se mettant subitement à trembler.

— Merde, marmonna-t-il. Va le pousser. Prends une arme. Une lampe, une bouteille, ce que tu trouves. Va dans la salle de bains et verrouille aussi la porte. Tout de suite !

— Seth, mais qu'est-ce qui se passe ? Pourquoi...

— Raccroche ce putain de téléphone et fais ce que je te dis !

La puissance de sa volonté traversa les fils du téléphone comme une rafale de vent, et le combiné lui échappa des mains. Il entraîna le socle de l'appareil dans sa chute et le tout atterrit par terre dans un enchevêtrement de fils et un fracas retentissant.

Dans le silence qui suivit, elle l'entendit. Le grincement de la porte de communication entre la salle à manger et l'escalier. Il s'interrompit immédiatement.

Les marches de l'escalier étaient recouvertes d'une épaisse moquette et la porte suivante était celle de sa chambre.

Elle se rua sur la porte, en proie à la panique. Première étape, pousser le loquet. Deuxième étape, trouver une arme...

L'intrus montait les marches de l'escalier. Ce n'était pas un effet de son imagination. C'était affreusement réel, et elle devait réagir. Vite. Elle attrapa la bombe de laque sur sa coiffeuse, le sèche-cheveux. Son regard tomba sur la lampe de chevet en cuivre. Elle s'en empara au moment précis où la poignée de la porte tournait. On secoua la porte.

Elle plongea dans la salle de bains, serrant ses armes improvisées contre elle. Elles s'écrasèrent sur le sol et l'ampoule de la lampe se brisa sur le carrelage. Elle alluma la lumière, ferma la porte et la verrouilla.

Trois épouvantables craquements retentirent, et elle entendit la porte de la chambre céder. Blottie à côté de la cuvette des toilettes, elle tremblait si fort qu'elle pouvait à peine bouger, des larmes de panique roulant sur son visage. Tout était blanc autour d'elle. Carrelage blanc, lavabo blanc... C'était la malédiction du Corazon. Elle n'aurait jamais dû toucher ce maudit truc ; il fonçait à travers le temps et l'espace pour venir la chercher, et des giclées de sang écarlates allaient se répandre sur le carrelage immaculé...

Raine serra les dents. Un son étranglé remonta dans sa gorge. Elle n'était pas une peureuse pleurnicharde. Elle n'allait pas mourir comme ça. Elle était une Lazar. Elle n'avait pas parcouru tout ce chemin pour finir dans la peau d'une victime. Elle se redressa et saisit la lampe par le haut de façon à utiliser le poids du socle comme un gourdin.

S'il voulait son sang, le monstre qui se trouvait derrière la porte devrait d'abord se battre.

La poignée de la porte de la salle de bains tourna, et la porte trembla dans l'encadrement. Les lèvres de Raine se retroussèrent sur un rictus silencieux. Elle leva la lampe bien haut et attendit.

Tout allait se jouer à la première seconde. Elle réprima un gémissement quand le monstre donna un coup d'épaule contre la porte. Une fois, deux fois. Il émit un grognement et lâcha un juron. Raine en éprouva un certain soulagement. Au moins, c'était un mortel. Pas un monstre surgi des profondeurs. Le monstre que le Corazon lui avait montré.

Un craquement retentissant s'éleva et il fit irruption, immense, cagoulé.

Elle abaissa la lampe de toutes ses forces. Il pivota sur lui-même et para le coup de son avant-bras avec un hurlement furieux. Il la projeta contre le mur et ses poumons se vidèrent. Elle griffa la cagoule qui dissimulait son visage.

— Petite salope, siffla-t-il en braquant sur elle des yeux injectés de sang à travers les trous de sa cagoule.

Il la gifla d'un puissant revers de main qui la laissa abasourdie. La première inspiration qu'elle parvint à prendre amena son odeur à ses narines. Sueur rance, alcool et… peur.

L'odeur d'alcool lui rappela son père. Non, son oncle, rectifia stupidement son esprit. Comment pouvait-elle avoir une pensée aussi déplacée dans un moment pareil ?

— Pourquoi ? coassa-t-elle.

— La ferme !

Il empoigna l'encolure de son pull, la fit pivoter contre le mur et tordit douloureusement ses poignets derrière son dos. Il appliqua une grande claque sur l'arrière de sa tête, et son visage percuta violemment le carrelage du mur. Elle perçut un craquement, du sang tiède s'écoula de son nez. La douleur surgit alors. Puis tout devint noir.

Seth garnit le barillet de son arme tandis qu'il bondissait vers la porte. Verrouillée, évidemment. La panique le rendait stupide. Il maudit les précieuses secondes perdues à attraper les clefs que Raine lui avait données. Il ouvrit la porte à la volée et traversa l'entrée, l'arme au poing. Il s'immobilisa au pied de l'escalier en levant les yeux. Le temps se ralentit et la scène se figea.

Un grand homme encagoulé se tenait en haut des marches, une arme à la main, tenant Raine devant lui. Elle avait les yeux fermés, du sang coulait de son nez, mais elle était vivante et elle tenait debout. Et en plein dans sa ligne de tir.

L'homme masqué baissait les yeux. Seth levait les siens. Chacun attendait que l'autre abatte une carte.

Le monde se mit brusquement en mouvement. L'homme masqué poussa Raine devant lui. Elle rebondit contre le mur, chancela, trébucha et tomba. Seth s'élança avec un cri pour la rattraper. Ils s'écrasèrent lourdement contre le noyau de l'escalier. Raine atterrit sur lui, rebondit et roula.

L'homme sauta au-dessus d'eux, franchit les portes battantes de la cuisine et disparut dans le garage.

L'instinct de chasseur de Seth lui cria de se lancer à sa poursuite, mais lorsqu'il se redressa, il aperçut le corps de Raine parfaitement immobile sur la moquette, le sang de son visage luisant affreusement sur la pâleur de sa peau.

Il oublia tout. L'agresseur encagoulé, Lazar, Novak, Jesse. La panique lui balaya complètement l'esprit.

Il tâtonna à la recherche de son pouls et faillit s'effondrer de soulagement quand il le trouva, puis parcourut son corps de ses mains tremblantes, à la recherche d'éventuelles blessures. Il comprit, avec toute la brutale énergie de la peur, à quel point elle était unique et précieuse. Que la valeur qu'il lui accordait n'avait rien à voir avec sa beauté, la sexualité ou le pouvoir, mais tenait uniquement à l'espace lumineux qu'elle occupait dans sa vie.

Seth répéta son nom d'une voix rauque et suppliante tandis qu'une litanie incohérente tournait en boucle dans sa tête.

S'il te plaît réveille-toi, s'il te plaît dis-moi que tu vas bien, s'il te plaît ne me laisse pas tout seul, s'il te plaît…

Ses paupières palpitèrent et se soulevèrent sur un regard incertain. Elle l'accommoda avec difficulté. Tenta de sourire.

Seth s'affala sur elle comme une marionnette à laquelle on vient de couper les fils et pressa son visage contre sa poitrine. Raine remua les bras et en enveloppa ses épaules. Des doigts froids lui tapotèrent la tête. Il se retint de fondre en larmes.

Il se trompa six fois de suite en composant le numéro de téléphone. Il aurait eu besoin d'un verre, juste un, pour que ses mains cessent de trembler et que ses gros doigts arrivent à appuyer sur les touches de ce maudit téléphone microscopique. Son bras enflait. La sale petite garce lui avait flanqué un sacré coup avec cette lampe. Elle ressemblait plus à Alix qu'il ne l'avait cru.

Bon sang, quel merdier. Il aurait dû descendre son mec. Ou le contrôler en utilisant la fille comme otage. Il aurait pu faire un million de choses s'il en avait eu l'intelligence et le courage.

Il finit par composer correctement le numéro, et la sonnerie qui retentit déclencha en lui une nouvelle vague de frayeur. Son estomac noué brûlait atrocement.

Un cliquetis à l'autre bout de la ligne lui apprit que son correspondant avait décroché.

— Oui ?

— Euh… il y a eu un problème, balbutia-t-il. Mais si vous me laissez un peu de temps, ça peut s'arranger…

— Que s'est-il passé ? demanda Novak d'une voix si distinguée qu'il sentit un frisson passer le long de son dos en sueur.

— Son mec s'est interposé et je…

— Je suis très déçu, Edward. Je t'ai choisi pour ce travail pour des raisons artistiques, pas pour des raisons pratiques. Me la faire livrer par le meurtrier de son père… la dramaturgie de la chose me plaisait. Je regrette à présent de m'être montré aussi fantasque. Je le regrette beaucoup.

— Non, non, je vous en prie. Je vous jure que j'avais la situation en main.

— Je pensais que même un pauvre raté dans ton genre arriverait à s'acquitter d'une tâche aussi simple.

Riggs ferma les yeux.

— Le type s'est subitement matérialisé chez elle comme s'il surgissait de nulle part. Il n'y avait pas moyen de la faire sortir sans le tuer, et je me suis dit…

— Demande-moi si je me soucie que tu doives tuer quelqu'un, Edward. Vas-y. Demande-le-moi.

— S'il vous plaît, laissez-moi réessayer, supplia-t-il. Je la vois toujours sur l'écran de contrôle. Ils n'ont pas bougé. Je peux l'avoir, je le jure.

— Et son amant ? Penses-tu être en mesure de faire le poids contre lui ?

Riggs voulut déglutir, mais sa gorge était trop sèche. Il repensa à la lueur mortelle qu'il avait vue briller dans les yeux sombres que l'homme avait levés vers lui, guettant un faux mouvement de sa part. Sa façon décontractée de tenir son arme, sa posture de guerrier entraîné.

Puis il songea à Erin. Mon Dieu, ma petite fille…

— C'est un professionnel, reconnut-il. Si je ne le tue pas, c'est lui qui me tuera. Ça sera cinquante-cinquante.

Une estimation plus qu'optimiste, pensa-t-il.

Novak ne dit rien. Une minute s'écoula. Puis une autre.

— S'ils bougent, suis-les, ordonna-t-il finalement. Je vais te donner le numéro de téléphone d'une personne que tu contacteras et à qui tu communiqueras ta localisation. Tu lui diras de te rejoindre, tu le conduiras jusqu'à la fille et tu n'interviendras plus jusqu'à ce qu'il ait accompli sa mission. Compris ?

— Oui, murmura-t-il. Et... et...

— Quoi ? Parle donc !

— Erin, lâcha-t-il d'un ton désespéré.

— Oh. Le marteau ne va pas s'abattre tout de suite. Georg se comporte en parfait gentleman. Un vrai rêve de jeune fille. Je te communique le numéro. Tu m'écoutes bien ?

— Oui, répondit Riggs en notant le numéro que Novak lui dictait.

— Et, Edward... ?

— Quoi ? demanda-t-il en retenant son souffle, sa main libre s'agrippant au volant.

Novak gloussa doucement.

— Essaye de te détendre.

Le bras de Riggs devint mou et le téléphone lui échappa. Il toucha son bras. La douleur l'élançait de plus en plus, mais c'était sans importance. Seule Erin comptait. Tout ce qu'il voulait, c'était la sauver du désastre de sa vie. Plus les heures passaient, moins il en demandait pour lui-même. Cours, cours, vieux rat décati. Il ferma les yeux et pensa au joli sourire d'Erin.

Fais attention à toi, ma douce. Ce soir, tu te retrouveras peut-être toute seule face au démon. Je supplie Dieu qu'Il te vienne en aide. Même s'Il ne peut plus rien pour moi.

Raine rit devant l'expression nauséeuse de Seth et chercha à lui prendre le gant de toilette des mains.

— Donne-moi ça. Ce n'est pas aussi gore que ça, quand même !

— Tu ne vois pas ce que je vois, répliqua Seth en refusant de lâcher le gant.

Il tamponna son visage.

— C'est bizarre, ajouta-t-il. C'est bien la première fois que la vue du sang me dérange.

— Donne-moi ça, répéta-t-elle en lui arrachant le gant des mains pour finir le travail.

Lorsqu'elle eut terminé, elle jeta le linge imprégné de sang à la poubelle, passa les bras autour de la taille de Seth et laissa aller son visage contre lui.

— Merci d'avoir volé à mon secours, mon preux chevalier.

Seth la serra contre lui, et elle écarta vivement la tête.

— Attention à mon nez, je te prie !

— Pardon. Bon sang, Raine, tu peux te vanter de m'avoir fait peur, marmonna-t-il.

Elle pressa sa joue sur le cuir frais de sa veste.

— Je suis désolée d'avoir piqué une crise. Je t'autorise à me répéter « Je t'avais prévenue » jusqu'à la fin de mes jours, si tu veux.

— Fais-moi confiance pour te le répéter jusqu'à plus soif, répondit-il en l'incitant à lever les yeux vers lui. Mais je crois qu'il vaut mieux parler d'autre chose, sinon je vais encore m'énerver.

— Bonne idée, s'empressa-t-elle d'acquiescer. Comment puis-je savoir si mon nez est cassé ou non ?

Seth le toucha délicatement.

— Aïe ! Doucement !

— Pas cassé, annonça-t-il d'un ton docte.

— Comment le sais-tu ? s'étonna-t-elle. Ça fait un mal de chien.

— Je me suis cassé le mien trois fois. Je sais ce que je dis, fais-moi confiance. Mais tu vas avoir deux beaux coquards.

Raine fit la grimace.

— Ça aurait pu être pire, remarqua-t-il. Allez viens, je t'emmène aux urgences.

— Pourquoi ? demanda-t-elle en clignant des yeux.

— Coucou, Raine, ricana-t-il. Je te rappelle que tu viens de te faire agresser par un homme qui t'a envoyée valdinguer dans les escaliers.

— Et j'ai très confortablement atterri sur toi, dit-elle en se hissant sur la pointe des pieds pour embrasser son menton. Je vais bien. Un peu secouée et bobo au nez, mais c'est tout.

Seth étudia son visage d'un air inquiet.

— Je te trouve beaucoup trop calme.

— Je sais. Je pense que je n'ai pas encore eu le contrecoup. Je m'effondrerai plus tard. Du moment que tu es avec moi quand ça se produira, tout ira bien. Ne me laisse pas toute seule ce soir, Seth. Avec toi, je me sens assez forte pour affronter n'importe quoi.

Il prit sa main et l'embrassa.

— Pas question que je te laisse seule, ni ce soir, ni jamais.

Le tremblement de sa voix l'émut tellement qu'elle en eut les larmes aux yeux. Elle les refoula et caressa son visage tendu.

— J'ai l'impression que ce type ne voulait pas me tuer. Il ne m'a pas affreusement malmenée par rapport au coup que je lui ai donné. Il m'a juste giflée et m'a cogné la tête contre le mur.

— Je trouve que c'est déjà pas mal, grogna Seth. Et je te rappelle qu'il t'a aussi poussée dans les escaliers. Tu aurais pu te rompre le cou.

— Si tu ne m'avais pas rattrapée. Mais il savait que tu le ferais.

— Où veux-tu en venir ? gronda-t-il.

— Nulle part. Mais certains détails me troublent. J'ai senti qu'il avait peur, par exemple.

— Comment ça ?

— Je l'ai senti à son odeur. Il était mort de trouille.

— De toi ? demanda Seth d'un air dubitatif.

— Je ne crois pas, non, répliqua-t-elle en haussant les épaules. Mais il avait peur de quelque chose.

Seth déposa un baiser au sommet de sa tête.

— Il aura de bonnes raisons d'avoir peur quand j'aurai mis la main sur lui. Allez, viens. On n'a déjà que trop traîné ici.

Il la souleva dans ses bras et l'emporta jusqu'à la porte.

— Pose-moi par terre, Seth. Ne sois pas ridicule. Je peux marcher.

— Cesse de gigoter.

Il la déposa sur le siège du passager, puis inspecta la rue du regard, comme s'il humait le vent, se mit au volant et démarra.

— Tu ne crois pas qu'on devrait appeler la police ? demanda-t-elle.

— La police ? Tu te vois passer toute la soirée à expliquer à un gentil officier de police ce que tu as fait ces derniers temps ? Et les raisons que pourrait avoir un tueur masqué de s'en prendre à toi ?

— Je reconnais que ce n'est peut-être pas une très bonne idée, répondit-elle en baissant les yeux. Mais alors, tu penses que cet homme... a un rapport avec ce qui se passe ?

Seth la gratifia d'un regard éloquent.

Raine se sentit idiote et se tordit les mains.

— Je n'aurais jamais pensé que Victor puisse chercher à me faire du mal, dit-elle.

Seth émit un ricanement de dérision.

— Tu es bien certaine qu'il ne t'a pas vue placer ce traceur ?

— Cesse d'être condescendant avec moi, riposta-t-elle. Je viens de passer un mauvais moment.

— À qui le dis-tu ! Une chose est sûre en tout cas, mon ange, c'est que tu n'as pas besoin de quiconque pour traquer les fantômes de ton passé. Ils t'épargnent cette peine. Il suffit que tu restes immobile cinq minutes pour être certaine de les voir débouler à fond de train.

22

Il devait partir du principe que sa voiture était repérée. Donc, s'en débarrasser et s'en procurer une autre. Il n'avait pas quitté son sac des yeux depuis la veille, pas plus que ses vêtements. Raine, en revanche, allait devoir se débarrasser de tous les vêtements que Lazar lui avait offerts. Ils ne pourraient pas se mettre en quête d'une planque avant d'avoir réglé ça. Il repéra l'enseigne d'un centre commercial et alluma son clignotant.

— Seth, comment savais-tu qu'il y avait quelqu'un chez moi ?

Aïe. La question qu'il redoutait. Il secoua la tête, envisageant et écartant plusieurs mensonges et atermoiements. Raine attendit patiemment.

— Tu avais caché tes gadgets d'espion chez moi, c'est ça ?

Elle avait dit cela d'une voix tranquille qui ne trahissait rien. Seth exhala lentement.

— Oui, avoua-t-il.

— Pourquoi ?

Il s'engagea vers l'entrée du centre commercial, avisant avec satisfaction un revendeur de voitures juste en face.

— Au départ, ça n'avait rien à voir avec toi, dit-il à contrecœur. Avant toi, la maîtresse de Victor occupait la maison. C'est elle qu'on surveillait. Et puis elle a disparu, et tu es arrivée.

— Et tu m'as observée, acheva-t-elle.

— Oui, admit-il en se garant et en coupant le moteur. Je t'ai observée. Au bout d'un moment, je ne pouvais plus m'empêcher de te regarder. C'était devenu une vraie drogue. Je ne le regrette pas et je ne m'en excuserai pas.

Il se prépara à un éclat de fureur outragée, mais rien ne se produisit. Quand il osa couler un œil vers elle, elle regardait le Home Depot en face d'eux, le visage songeur et perplexe. Elle tourna vers lui un regard soucieux.

— Quelqu'un nous a vus faire l'amour ?

— Surtout pas ! assura-t-il. J'y ai veillé personnellement.

Elle baissa les yeux.

— Tant mieux. Ça ne m'aurait pas plu.

— À moi non plus, dit-il en lui prenant la main. Ce qui m'appartient n'appartient qu'à moi.

Elle regarda son poignet qu'engloutissait sa grande main et éclata de rire.

— Conan le Barbare, murmura-t-elle.

Il haussa les épaules et resta là, à lui tenir la main, pendant quarante précieuses secondes qu'ils ne pouvaient pas se permettre de perdre. Elle remua les doigts à l'intérieur de sa main.

— Je t'ai tout dit, Seth. À ton tour de jouer cartes sur table.

— L'heure des révélations attendra. On doit d'abord se débarrasser de tes fantômes.

Elle écarquilla les yeux.

— Tu penses qu'on est poursuivis ?

— Disons qu'il vaut mieux prendre des précautions radicales.

— Tu me promets qu'une fois qu'on sera en sécurité, tu me diras tout ?

— Promis, répliqua-t-il sans réfléchir en déverrouillant les portières. Allez, viens.

Ils coururent main dans la main sous la pluie jusqu'au premier magasin de vêtements. Seth héla une vendeuse.

— On est très pressés. Apportez-nous un jean, un T-shirt, un pull, des sous-vêtements, des chaussettes, des chaussures de randonnée et un manteau d'hiver. Taille trente-six. Vite !

La jeune femme demeura un instant interdite devant le regard halluciné de Seth, puis aperçut le pull couvert de sang de Raine et retint son souffle.

— Vous ne préférez pas choisir vous-mêmes ? bafouilla-t-elle. À cause des couleurs et tout ça ?

— Pas le temps ! aboya-t-il. Exécution !

Elle recula.

— Je vais appeler le responsable.

— Inutile, intervint Raine en foudroyant Seth d'un regard furieux. Je vais choisir moi-même, mais restez dans les parages, d'accord ?

Un véritable tourbillon s'ensuivit, à sélectionner les articles sur les portants en vérifiant les étiquettes en toute hâte. Seth avisa une corbeille de sous-vêtements. Il plongea la main dedans et prit une pleine poignée de strings. En dentelle transparente et de toutes les couleurs. Noir, rose bonbon, violet, vert fluo, rouge baiser… Il les flanqua sur le comptoir.

— Vous ajouterez ça.

— Mais Seth, ce sont des strings, dit Raine en rougissant.

Il la couva d'un œil concupiscent.

— Miam !

Alors que Raine se débattait dans une parka bleu marine, une adorable nuisette tira l'œil de Seth.

Moulante, couleur pêche, elle lui arriverait à mi-cuisses et mettrait ses courbes somptueusement en valeur. Le tissu fluide et élastique permettrait de la retirer aisément. Il en rêvait depuis le premier jour.

Il alla la décrocher de son cintre et l'ajouta à la pile que la vendeuse avait déjà sur les bras.

— Et ça aussi. Allez, vite.

— Oui, dépêchez-vous avant qu'il trouve autre chose qui lui plaise, lança Raine.

Seth régla le tout avec l'épaisse liasse d'argent liquide qu'il gardait toujours sur lui pour les cas d'urgence. Une fois qu'ils eurent regagné la voiture, il s'empressa de sortir les vêtements des sacs et d'arracher les étiquettes avec ses dents.

— Déshabille-toi en vitesse, ma belle.

Raine regarda les voitures qui passaient autour d'eux et reporta les yeux sur Seth.

— Ici ?

— Oui, retire tout ! Je les sens souffler dans mon cou.

Raine hésita, interloquée. Seth grogna et écarta les pans de son trench-coat. Ce geste la décida à passer à l'action.

— Non, non, je m'en occupe.

Elle ôta ses bottes avec un soupir de regret.

— Elles étaient tellement belles…

Pendant qu'elle retirait jean et sous-vêtements, il sortit un couteau de sa poche et en inséra la lame sous la semelle d'une des bottes qu'elle venait d'enlever, tout en observant du coin de l'œil l'adorable nid de bouclettes qu'elle venait de révéler. Elle se dépêcha d'enfiler un des strings. Le rose bonbon, nota-t-il avec intérêt.

— Ce truc n'est vraiment pas confortable, Seth, se plaignit-elle.

— Désolé, ma belle, dit-il avec un sourire carnassier dénué de tout repentir.

Il baissa les yeux sur la botte. Bingo. Il en sortit une minuscule puce informatique équipée d'une antenne.

— Regarde ça.

Elle interrompit son frétillement, abandonnant l'enfilage de son jean à mi-cuisses et contempla l'objet qu'il balançait devant ses yeux, bouche bée.

— Victor ?

— Qui d'autre ? Allez, dépêche-toi, Raine.

Elle n'eut pas besoin d'autre encouragement. En un clin d'œil, elle fut rhabillée de neuf.

— Laisse tout par terre, dit-il. Viens.

— On abandonne la voiture ?

— On la récupérera plus tard si on peut, répondit-il avec indifférence.

Il attrapa le sac contenant son matériel et l'entraîna au pas de course sous la pluie battante, s'attendant à chaque instant à ce qu'une paire de phares leur fonce dessus ou à ce qu'un tireur embusqué ouvre le feu sur eux. Ils traversèrent la route et atteignirent le magasin de voitures d'occasion Schultz. Un quart d'heure plus tard, son matelas de billets de banque avait sérieusement rétréci et Samuel Hudson, une de ses identités de rechange, était le fier propriétaire d'une Mercury Sable 94 couleur bronze, à peine cabossée. Pas forcément celle qu'il aurait prise s'il avait eu le choix, mais c'était la meilleure de celles que proposait Schultz par rapport au prix qu'il pouvait mettre.

Après trois quarts d'heure de zigzags dans des rues excentrées, Seth fut raisonnablement sûr qu'ils n'étaient pas suivis. Il s'engagea sur une route grimpant vers les collines. La pluie s'était intensifiée, plus proche du déluge que de l'averse. À la sortie d'une petite ville appelée Alden Pines, une enseigne au néon annonçait : *Lofty Pines Motel – Chalets – Chambres libres*. Il s'engagea sur un chemin bordé d'arbres et se gara.

L'employé de la réception était un vrai rêve de fugitif en cavale. Il détacha à peine les yeux de son écran de télé de trente-cinq centimètres sur lequel passait un film de Clint Eastwood pour regarder le permis de conduire de Seth, et ne tiqua même pas lorsque celui-ci régla la chambre en espèces.

— Chalet sept, dit-il en déposant une clef à laquelle était attaché un petit bloc de cèdre sur le comptoir éraflé. Restitution de la chambre à 11 h 30.

La chambre elle-même était humide et froide. Seth batailla contre l'antique appareil de chauffage, et Raine sortit des couvertures supplémentaires de l'armoire. Le radiateur vrombit et cliqueta. L'abat-jour brun et craquelé du plafonnier projetait une lueur diffuse sur les lambris de faux bois et l'ameublement dépouillé. La dure réalité des dernières vingt-quatre heures les laissait sans voix. Ils s'observèrent, de part et d'autre du lit.

Raine retira son manteau et s'approcha de lui. Poussa doucement son torse jusqu'à ce qu'il comprenne qu'elle voulait qu'il s'asseye. Il s'exécuta. Le matelas plein de bosses s'affaissa sous leur poids.

Elle croisa les bras, adorable dans son nouveau pull framboise qui moulait divinement sa poitrine dépourvue de soutien-gorge.

— Alors ? demanda-t-elle.

Les boursouflures rose pâle de son visage formeraient deux yeux au beurre noir demain matin. Elle avait frôlé la mort. Seth frémit à cette idée.

— Glissons-nous sous les couvertures, suggéra-t-il.

Un demi-sourire recourba le pli sérieux de sa bouche.

— Si tu crois me détourner de cette conversation par des manœuvres sexuelles, tu ferais mieux d'y réfléchir à deux fois.

— Pas du tout, se défendit-il. Je proposais ça pour qu'on se réchauffe.

Il alla fouiller dans les sacs en plastique, jusqu'à ce qu'il trouve la nuisette.

— Enfile ça.

Elle prit le minuscule morceau d'étoffe et le toisa d'un air suspicieux.

— Ça aussi, c'est censé me réchauffer ?

— Non, c'est moi qui vais te réchauffer.

Elle disparut dans la salle de bains. Seth se déshabilla, posa le Sig sur la table de chevet, sortit la boîte de préservatifs de son sac et se glissa tout nu sous les couvertures en retenant son souffle. C'était aussi agréable que de plonger dans le Puget Sound en plein hiver.

Après un temps ridiculement long, la porte de la salle de bains grinça. Raine s'attarda un instant sur le seuil, sa silhouette se découpant en ombre chinoise contre la lumière, avant de pénétrer dans la chambre.

Seth fut ébloui. Il n'arrivait pas à s'habituer à sa beauté hors norme. Le vêtement pêche moulait divinement son corps, le galbe de sa poitrine, la courbe de son ventre et le creux de son nombril. Ses yeux avaient cette douce lueur qui lui serrait douloureusement la gorge.

— Viens là, dit-il en se glissant du côté glacé du lit. Je t'ai chauffé la place.

Elle le remercia d'un sourire, se faufila sous les couvertures et soupira d'aise quand il l'attira vers la chaleur de son corps. Il fit courir ses mains sur sa peau pour s'assurer qu'elle était bien réelle et vivante. Douce et tiède, dans ses bras. Il pressa son sexe en érection contre sa cuisse et souleva sa nuisette. Elle était nue en dessous, et il effleura du bout de ses doigts taquins les boucles de sa toison.

Aussitôt, elle se raidit.

— Attends. Tu m'as promis, Seth. J'ai besoin de savoir…

— S'il te plaît, Raine. L'adrénaline m'a survolté. J'ai besoin de te toucher. J'ai eu tellement peur de te perdre.

Elle repoussa doucement son torse.

— Cette fois, tu ne t'en tireras pas comme ça, mon amour. L'adrénaline n'est pas une excuse. Je ne sais pas pourquoi tu as tellement peur de me parler, mais c'est un blocage que tu dois dépasser. Maintenant.

Il roula sur le dos et contempla le plafond. Bon, il y avait au moins un point positif : elle l'avait appelé « mon amour ». Il s'accrocherait à cette idée pour éviter de sombrer.

— C'est vrai, dit-il d'une voix tendue. Je n'aime pas parler. Quand je parle, les ennuis commencent. Quand il s'agit de... relations, je veux dire.

— Les ennuis ? Quels ennuis ?

Il se passa la main sur le visage.

— Tu as vu comment je suis. Tu as vu ce qui s'est passé ce soir. J'ouvre la bouche, et ça sort. Et je gâche tout. À chaque fois.

— Oh, Seth, murmura-t-elle.

— J'ai tellement peur de tout gâcher, avoua-t-il d'une voix rauque, à vif, qui le choqua lui-même.

Il cacha son visage dans ses mains. Raine se rapprocha de lui.

— La vérité ne me fait pas peur, assura-t-elle d'un ton apaisant en caressant ses cheveux. Et même quand je m'emporte contre toi, ce n'est pas la fin du monde. Je me suis déjà emportée plusieurs fois contre toi, tu te souviens ? Et je suis toujours là.

— Ouais, grâce à l'intervention d'un tueur, convint-il avec amertume.

— Ne dis pas de bêtises, répondit-elle en déposant un baiser sur le bout de son nez.

Il ferma les yeux et s'autorisa à savourer ses baisers de papillon et la caresse de ses doigts dans ses cheveux.

— Tu dis ça maintenant, mais attends que j'aie une nouvelle saute d'humeur. On verra si tu dis toujours la même chose.

— Je t'ai déjà vu sous ton pire jour, Seth Mackey. Plus d'une fois. Et c'est vrai, il t'arrive d'être affreux. Méprisable.

Il rouvrit les yeux. Elle ne plaisantait qu'à demi, mais la petite lueur malicieuse qui brillait dans ses yeux ne lui dit rien qui vaille.

— Je ne vois pas ce qu'il y a de drôle, grogna-t-il.

Elle approcha sa main de ses lèvres et embrassa ses phalanges.

— C'est tellement simple, Seth, dit-elle. Quand tu es gentil avec moi, c'est merveilleux. Tout se passe bien. Il suffit... que tu sois gentil avec moi.

Il regarda ses lèvres roses effleurer ses grosses phalanges, les couvrir de tendres baisers.

— Je ne peux pas toujours être gentil, répondit-il sans ambages.

— Pourquoi ?

Il l'attira contre lui d'un geste brusque, presque coléreux.

— Parce que le monde n'est pas gentil.

Le sourire de Raine était si lumineux qu'il sentit une brûlure s'élever dans sa poitrine. Les doigts qui caressaient sa joue étaient si doux et frais...

— Dans ce cas, changeons le monde, chuchota-t-elle.

L'air afflua par saccades dans ses poumons, comme les soubresauts d'un sanglot. Raine ne protesta pas lorsqu'il roula au-dessus d'elle, calant son poids dans le berceau de ses hanches. Son corps se détendit, puis l'enveloppa. Elle l'acceptait.

Seth était à un millimètre de craquer. La seule façon de ne pas laisser ses émotions prendre le dessus, c'était de l'embrasser de tout son être. De toute la faim qu'il avait d'elle. Il s'efforça d'exprimer à travers ce baiser tout ce qu'il n'arrivait pas à dire. Sa colère, sa douleur, sa confusion, le sentiment grandissant de l'importance qu'elle avait pour lui. L'émerveillement et la terreur que cela lui inspirait.

Si un baiser pouvait exprimer tout cela en même temps, ce baiser-là le fit. Il abaissa les fines bretelles de sa nuisette le long de ses bras, qui tomba jusqu'à sa taille, et s'immergea dans la magie du paysage de son corps, dans le moindre sillon et le moindre repli secret.

Il la caressa et la lécha jusqu'à ce qu'elle atteigne l'état qu'il souhaitait lui voir atteindre, épanouie, bouleversée, dévorée de désir. Il apprendrait tous les langages qu'elle voudrait qu'il apprenne, mais pour l'instant, c'était le seul qu'il avait à sa disposition. Et il se montrerait aussi éloquent qu'il en était capable.

Il l'effleura entre les cuisses, un poème d'amour tout en volutes et en spirales. Elle s'ouvrit et se pressa contre lui dans une prière muette. Alors, il glissa jusqu'au creux de ses cuisses pour poursuivre son poème avec sa bouche. Sa saveur était exquise, la peau de bébé de ses cuisses enserrait son visage d'une étreinte divine, les pulsations des replis moites de son sexe l'entraînaient vers les sommets de l'extase.

Elle saisit sa tête entre ses mains et l'attira sur elle.

— Je veux que tu sois toujours dans cet état avant qu'on fasse l'amour, dit-il en attrapant un préservatif. Épanouie de jouissance, tes lèvres toutes roses et douces de mes baisers et des caresses de ma langue.

Raine s'agrippa à ses épaules et souleva avidement les hanches vers lui afin qu'il la pénètre. Elle cala son menton au creux de son épaule et il sentit le moment exact où quelque chose céda au plus profond de son corps et de son esprit, où elle s'abandonna totalement à lui. Il la suivit, s'immergea dans un monde nouveau, un monde merveilleux. Ils fusionnèrent corps et âme. Son plaisir et le sien ne formaient plus qu'une seule aura de lumière et de chaleur.

Cette fois, il ne fut absolument pas alarmé lorsqu'elle fondit en larmes. Il en comprit enfin la justesse. Comme une douce averse de printemps qui fait bruisser les feuilles. Un baume parfumé et apaisant.

Il caressa ses cheveux et les mots jaillirent spontanément.

— Je t'aime, Raine.

Elle fut si stupéfaite qu'elle cessa de pleurer. Quand elle retrouva son souffle, elle frissonna et s'accrocha à lui.

— Je le savais, murmura-t-elle. Mais je ne savais pas que tu le savais. Et je ne m'attendais pas…

— À quoi donc ?

— À ce que tu sois le premier de nous deux à le dire, conclut-elle d'un ton embarrassé.

Il la serra plus étroitement dans ses bras et sentit ses larmes tièdes sur son torse. Elle renifla, le souffle hoquetant.

— Alors ? demanda-t-il.

Elle renifla encore.

— Mmm ?

— Tu as quelque chose à me dire ? hasarda-t-il.

Elle le plaqua sur le dos et s'allongea sur lui en s'essuyant le visage, riant à travers ses larmes.

— Tu veux une déclaration en bonne et due forme ? Je t'aime, Seth Mackey, énonça-t-elle. Je t'ai toujours aimé. Depuis le premier jour.

Il encercla sa taille de ses bras, effrayé par l'immensité de la joie qui le submergeait.

— Vraiment ?

— Oh, oui, répondit-elle. Mon Dieu, oui.

Il la contempla, partagé entre l'émerveillement et l'humilité. Les mots l'avaient une fois de plus déserté, mais il ne s'en souciait pas. Il n'avait plus besoin d'eux. Toucher ses cheveux, sentir son corps contre le sien, plonger son regard au fond de ses yeux lui suffisait amplement. Les deux moitiés d'un tout. Il en tremblait de bonheur.

Il sombra dans un profond sommeil en se disant qu'il ferait tout pour la protéger. Absolument tout.

Seth dormait profondément, mais Raine planait encore. Elle planait si haut qu'elle était terrifiée à l'idée de baisser les yeux et de considérer la chute qui l'attendait.

Son esprit turbinait follement. Tant d'informations à analyser. Était-il possible que Victor ait chargé quelqu'un de lui faire du mal ? Cela ne collait pas avec les souvenirs qu'elle avait de lui, ce qu'elle avait senti de lui. Était-il possible que le reproche qu'elle lui avait adressé l'ait tellement irrité qu'il ait décidé de lui infliger une punition ? Elle était absolument certaine qu'il ne l'avait pas vue placer le traceur. Elle aurait perçu un changement d'énergie en lui.

Mais elle se racontait peut-être cela parce qu'elle refusait de croire que son père – c'était tellement étrange de penser à Victor de cette façon-là – puisse ordonner à quelqu'un de lui faire du mal. Quelle pauvre idiote sentimentale elle faisait. Il avait tué son propre frère. Elle se sentait par-dessus tout blessée. Elle était bien une Lazar pour avoir une réaction pareille. On lançait un tueur à ses trousses, et Mlle Lazar se sentait blessée !

Seth marmonna dans son sommeil. Elle donna de petits coups de coude contre son torse jusqu'à ce que ses paupières palpitent. Elle lui appliqua alors un autre coup de coude, plus énergique. Il dormirait plus tard, une fois qu'il aurait tenu sa promesse.

— Parle, ordonna-t-elle laconiquement.

Il grogna et s'étira.

— Qu'est-ce que tu veux savoir ?

Raine s'assit en tailleur et couvrit ses épaules d'une des couvertures.

— Commence par le commencement et ne m'oblige pas à te tirer les vers du nez, s'il te plaît.

Il caressa la bordure en satin de la couverture, le regard tourné vers le plafond.

— J'avais un frère, dit-il finalement d'une voix dure.

Elle hocha la tête.

— Et… ?

— Un demi-frère, en fait. Je l'ai plus ou moins élevé. Il avait six ans de moins que moi. Il s'appelait Jesse.

Elle attendit qu'il poursuive. Il secoua la tête.

— Il a fallu qu'il entre dans la police. Une grosse blague, vu le milieu dans lequel on avait grandi, mais Jesse était un romantique. Il voulait sauver le monde. Sauver les petits chats coincés dans les arbres et les bébés dans les immeubles en flammes. Il avait regardé trop de séries policières, quoi.

Elle devina ce qui allait suivre et s'y prépara.

— Qu'est-ce qui lui est arrivé, Seth ?

— Il a participé à une mission d'infiltration visant ton oncle.

— Oh, non, murmura-t-elle.

— Si. Gagner des millions de façon légale ne suffisait plus à Victor. Depuis quelques années, il s'est remis à tremper dans des affaires louches. Trafic d'antiquités et de pièces à conviction volées, essentiellement. Mais ce qui excitait Jesse et son partenaire, c'était un des clients de Lazar, Kurt Novak. Un autre collectionneur d'armes volées. Novak est un vrai méchant. À côté de lui, Victor est doux comme un chaton. Son père est un type important de la mafia des pays de l'Est. En surveillant Victor, c'était Novak qu'ils cherchaient à coincer. Ils ont failli y arriver, mais quelqu'un a renseigné Lazar. Je ne sais pas qui… pas encore. Ce renseignement a signé l'arrêt de mort de Jesse. C'est Novak qui l'a exécuté. Lentement.

— Oh, Seth, chuchota-t-elle.

— J'aurais dû être là pour l'aider. J'aurais peut-être pu éviter que ça finisse comme ça.

Raine aurait voulu pouvoir le réconforter, mais elle savait que ses paroles seraient creuses et vaines. Elle pressa ses lèvres l'une contre l'autre et attendit.

Les minutes passèrent. Seth ouvrit les yeux et la regarda.

— Voilà toute l'histoire. Ça fait des mois que je surveille Victor, que j'attends qu'il prenne contact avec Novak. Le jour où il le fera, je les éliminerai tous : Lazar, Novak, et le traître. Je ne vis que pour cela. Je ne m'attendais vraiment pas à... ce que quelque chose comme toi m'arrive.

Elle prit appui sur son torse, laissant sa chevelure le recouvrir.

— Ce qui fait qu'on a plus de points communs que je ne le pensais, toi et moi.

— Peut-être, répliqua-t-il d'un ton dubitatif en jouant avec une boucle de ses cheveux.

— Parle-moi de Jesse, demanda-t-elle gentiment.

— Qu'est-ce que tu veux savoir ?

— Comment était-il ?

Son regard se voila l'espace d'un instant, puis il haussa légèrement les épaules.

— Il était dingue, marmonna-t-il. Un vrai clown. Incroyablement intelligent. Des cheveux de savant fou. Quand il n'avait pas le temps de se les faire couper, il se faisait des dreads. Et c'était surtout un cœur d'artichaut. Perpétuellement amoureux, toujours prêt à donner sa chemise. Il n'a jamais appris. Jamais.

Le portrait qu'il venait de brosser fit sourire Raine.

— Continue, dit-elle.

Le regard de Seth se fit lointain et il redevint silencieux. Elle était sur le point de lui demander ce qui n'allait pas quand il reprit la parole d'une voix altérée.

— Une fois, pour Halloween – il devait avoir dans les huit ans –, Mitch, mon beau-père, m'avait enfermé dans un placard pour je ne sais plus quelle raison...

— Mon Dieu ! s'écria Raine en se raidissant.

— Oh, c'était pas bien grave et je devais l'avoir cherché, assura-t-il. Toujours est-il que Mitch s'est bourré la gueule et m'a oublié. Il m'a laissé là-dedans pendant plus de douze heures. Jesse n'arrivait pas à trouver la clef, alors il a traîné sa couverture et son oreiller jusqu'au placard pour dormir de l'autre côté de la porte. Il ne voulait pas me laisser tout seul dans le noir. Il m'a donné toutes ses friandises de Halloween qui pouvaient passer sous la porte. Il a même écrasé ses barquettes de beurre de cacahuète. Je lui ai dit d'aller dans son lit, mais rien à faire : il est resté là toute la nuit.

Raine sentit sa gorge se serrer.

— Après ça, je n'ai plus mangé de chocolat pendant plusieurs années, ajouta-t-il en souriant. Ça me rappelait trop l'odeur du tas de vieilles godasses sur lequel j'avais passé cette mémorable nuit.

Son pâle sourire se convertit lentement en un pli d'amertume. Il tourna les yeux vers elle.

— Voilà. Jesse était comme ça. Satisfaite ?

Raine pressa sa joue contre son torse pour lui cacher ses larmes.

— Je crois que j'aurais aimé ton frère, Seth.

— Ouais... Ce qui est sûr, c'est que moi je l'aimais.

Son visage se contracta. Il s'écarta d'elle, roula sur le ventre et enfouit sa tête contre l'oreiller.

Raine le recouvrit de son corps et absorba le tremblement de ses sanglots. Elle n'aurait pas su dire combien de temps ils demeurèrent ainsi. Ils avaient glissé hors du temps. Elle serait restée comme ça des années pour le guérir. Des siècles.

Il finit par remuer, et elle s'écarta.

— Seth...

— Plus d'histoires de Jesse. Il est mort, maintenant.

Il la prit dans ses bras et s'allongea au-dessus d'elle. Son corps était rigide et son regard si sombre et hanté que la gorge de Raine se noua.

— Pense aux couchers de soleil sur notre île, dit-elle en couvrant son visage de baisers. Pense aux guirlandes de fleurs tropicales.

Il roula sur le dos en l'entraînant avec lui et pressa ses hanches.

— C'est toi qui mènes, répondit-il d'une voix rauque. Je ne peux rien contrôler. Je ne sais pas te donner ce que tu veux.

Elle chassa d'un baiser les larmes au coin de ses yeux et frotta sa joue contre la sienne.

— Bien sûr que si. Tu ne fais que ça depuis le début. Tu es très doué pour ça. Très inspiré.

Elle lui enfila un préservatif d'une lente caresse et le guida pour s'empaler sur sa chaleur brûlante. Il la saisit par la taille avec un grognement lorsqu'elle se hissa sur les genoux et coulissa audacieusement sur lui pour le sentir plus profondément en elle.

Elle étala ses mains sur le lit, ondula au-dessus de lui dans une danse d'amour, ravie qu'il lui fasse enfin assez confiance pour se montrer à elle dans toute sa vulnérabilité, qu'il appelle son amour et son réconfort. Raine ne pouvait pas faire autrement que de lui donner ce dont il avait besoin. S'en empêcher l'aurait détruite.

Elle voulait guérir toutes ses blessures, accomplir tous ses rêves.

Elle voulait l'aimer éternellement.

23

S'écarter de sa douceur veloutée lui fut une torture, mais son dos l'élançait à l'endroit où il avait heurté le noyau de l'escalier. Il commençait seulement à s'en apercevoir.

— Qu'est-ce qui se passe ? demanda Raine d'une voix ensommeillée.

— Mal au dos. Rien de grave.

— Prends une douche bien chaude, murmura-t-elle en faisant courir ses mains le long de sa colonne vertébrale. Ça te soulagera.

Il grimaça.

— Ne le répète à personne, mais j'ai passé l'âge de faire des galipettes dans un escalier.

— Quel âge as-tu ?

— Presque trente-six.

— J'en ai vingt-huit, dit-elle en déposant un baiser sur son épaule. Ce qui fait de toi un affreux pervers pédophile.

— Tu veux prendre une douche avec moi, ma petite mignonne ? s'enquit-il en la couvant d'un regard concupiscent.

Raine s'étira voluptueusement sous les couvertures.

— Je n'ai pas envie d'affronter le froid. Et je n'ai pas encore la force de bouger. Mes os sont complètement liquéfiés.

— Ce ne sont pas tes os qui sont liquéfiés, ma douce.

Le baiser qu'il lui donna aurait pu céder la place à une longue et délicieuse étreinte, mais il s'écarta d'elle. Ils auraient le temps de faire l'amour plus tard. Des tas de fois. Jusqu'à la fin de leurs jours.

— Tu veux que je nous fasse livrer de quoi manger ? suggéra-t-elle.

L'estomac de Seth gargouilla bruyamment à cette idée.

— Avec plaisir.

— Des envies particulières ?

— Je ne suis pas difficile, répliqua-t-il avec un grand sourire.

La pression de l'eau se révéla bien meilleure que ce à quoi il s'était attendu dans un bouge pareil. Il se détendit longuement sous le jet d'eau chaude et quand il regagna la chambre, Raine s'était rendormie. Il traversa la pièce sur la pointe des pieds pour ne pas la réveiller. Il avait l'impression de flotter. Chacune des pensées qui lui passaient par la tête lui donnait envie de rire et de pleurer en même temps. Il enfila son jean, puis rapprocha silencieusement le fauteuil de la tête du lit pour la regarder dormir. Le plus infime détail de son visage le troublait profondément. La délicate teinte rosée qui colorait ses joues était la chose la plus bouleversante qu'il ait jamais contemplée. Il aurait pu passer sa vie à l'explorer.

C'était ce qu'il comptait faire, d'ailleurs. Elle ne le savait peut-être pas encore, mais elle ne pourrait jamais se débarrasser de lui.

La sonnerie du téléphone la réveilla en sursaut. Elle tendit le bras vers le combiné en lui adressant un sourire ensommeillé.

— Hmm ?... La livraison ? Oh, oui. Combien ?... D'accord. J'arrive tout de suite.

— Je m'en charge, dit-il lorsqu'elle eut raccroché.

Il mit son pull et chaussa ses bottes, enfila sa veste et glissa le Sig à l'arrière de la ceinture de son pantalon. Lui grappilla un baiser pour se donner des ailes et sortit du chalet d'un pas léger. La pluie s'était calmée, et les aiguilles de pin mouillées amortissaient ses pas. Leur parfum embaumait. Il avait une faim de loup.

Ce ne fut pas le bruit qui l'alerta, car l'homme était parfaitement silencieux. Ce fut un déplacement d'air. Un frisson sur sa nuque, comme un souffle animal – mais froid au lieu d'être tiède.

Il pivota sur lui-même, juste à temps pour voir un sombre boulet de canon foncer sur lui. La lueur de la fenêtre de leur chalet fit étinceler la lame pointée vers ses entrailles.

Il plongea en avant, parant le coup de son bras replié, mais l'homme était trop près. La pointe de sa lame atteignit Seth en bas des côtes d'une estafilade brûlante. Il pivota, envoya son coude dans sa mâchoire, perçut l'impact du coup suivi d'un grognement. Bondit de côté juste à temps pour accueillir un coup de genou contre sa cuisse alors que l'autre visait l'entrejambe. Il enregistra à peine la douleur et n'eut pas le temps d'attraper son arme, obligé de reculer pour échapper à deux autres coups de lame qu'il évita de justesse en s'accroupissant, mais il tomba à la renverse sur les aiguilles de pin glissantes.

Son assaillant profita aussitôt de son avantage et plongea sur lui, mais Seth bloqua le bras qui tenait le couteau. Projeta ses deux pieds bottés dans l'estomac du type qui fit un roulé-boulé en l'air et retomba souplement sur ses pieds. Seth roula sur le côté et attrapa son arme dans son dos. La jambe de l'homme se détendit, aussi vivement qu'un coup de fouet, et fit sauter l'arme de sa main.

Derrière Seth, la lumière s'alluma au-dessus de la porte du chalet. Il souhaita qu'elle aveugle son assaillant et lui offre un avantage d'une demi-seconde, parce qu'il en avait sacrément besoin.

— Seth ? Qu'est-ce qui… Oh, mon Dieu !

Le tueur se rua sur lui avec un cri. Seth le contourna en pivotant deux fois sur lui-même, puis saisit le poignet de la main qui tenait le couteau. La leva, tordit son bras derrière son dos et le rabattit. Un craquement sec se fit entendre. L'homme laissa échapper un grognement de douleur qui s'acheva dans un gargouillis.

Il y avait un petit appentis en parpaings accoté à leur chalet, et Seth opta pour le moyen le plus simple et le plus rapide d'en finir. Il tordit le bras cassé du type jusqu'à ce qu'il pousse un glapissement et se plie en deux, puis le projeta contre le mur de parpaings la tête la première, le rattrapa, recommença, histoire de faire bonne mesure, puis le laissa s'écrouler par terre. Il baissa les yeux sur la forme disloquée, le souffle court, et se mit à trembler de frayeur rétroactive. Waouh. Il l'avait échappé de justesse.

Raine fonça vers lui, ses pieds nus formant un contraste saisissant avec le sol boueux.

— Seth, tu vas bien ?

Il avait du mal à respirer. Il plaqua la main sur ses côtes et sentit quelque chose de chaud et gluant sous ses doigts. Il souleva son pull et inspecta sa blessure. Son pull et son jean étaient coupés, l'entaille était longue et irrégulière, mais elle semblait assez superficielle.

Il écarta la main de Raine sans se soucier de ses questions pressantes. Les terrifiantes pensées qui assaillaient les portes de son esprit l'empêchaient de l'entendre. Il aurait préféré affronter un autre assassin, toute une horde de tueurs même, pour se retrouver hors d'état de raisonner. D'utiliser son pitoyable cerveau pour la première fois depuis des semaines à se demander comment ce type les avait retrouvés malgré les précautions qu'il avait prises. Juste après qu'il eut révélé ses secrets à l'unique héritière de son ennemi juré.

Il glissa son pied sous le type et le retourna sur le dos. S'accroupit à côté de lui avec un sifflement de douleur et rabattit sa cagoule sur son front. Son crâne n'était plus qu'une masse sanguinolente, mais son visage était reconnaissable. Cheveux bruns et courts, la trentaine. Des traits quelconques, sans rien de remarquable. Ses yeux bruns et mi-clos tournaient un regard vide vers le ciel. Seth plaça l'index et le majeur sur la carotide. Rien. Tant mieux, même s'il aurait apprécié de lui poser quelques questions. Ce n'était pas le type auquel il avait eu affaire à Templeton Street. Celui-ci était plus léger, plus rapide. Bien plus dangereux.

Il se redressa en réprimant une grimace de douleur. Attira Raine vers le corps de l'homme et l'obligea à le regarder.

— Tu le connais ?

Elle secoua la tête, les mains plaquées sur sa bouche.

— Comment nous a-t-il trouvés ? demanda-t-il encore.

Elle contemplait le cadavre d'un regard aveugle.

Il écarta ses mains de sa bouche, la saisit par les épaules et la secoua.

— Réponds-moi, Raine !

— J... Je ne s... sais p... pas ! bredouilla-t-elle avant de se mettre à trembler violemment.

Il n'y aurait pas moyen de l'interroger tant qu'elle ne se serait pas calmée.

Seth récupéra son arme dans les buissons et la remit dans son pantalon. Raine était restée là où il l'avait laissée, les yeux rivés sur l'homme, sans se soucier de la pluie qui tombait sur elle, l'air complètement hagard.

Il rentra dans le chalet pour récupérer son sac de matériel, puis l'attrapa par le bras.

— Viens, dit-il en l'entraînant dans l'allée.

Raine le suivit d'un pas chancelant, pieds nus dans la boue.

Seth balaya du regard les voitures qui se trouvaient sur le parking et repéra une berline noire qui n'était pas là quand ils étaient arrivés et dont le moteur était encore chaud. La lueur bleutée d'un téléviseur palpitait à la fenêtre du chalet de la réception. Le seul bruit qui régnait était celui de la pluie. Il déverrouilla les portières de leur voiture, fit monter Raine à l'intérieur et s'engagea en direction de la route.

Cyborgman avait repris le contrôle, plus froid et efficace que jamais. Il pouvait tuer un homme et abandonner son cadavre dans la boue sans aucun problème. Traîner une femme à demi nue, tremblante et pieds nus sur un chemin gravillonné sans le moindre frémissement. Il pouvait aussi observer la sensation lumineuse qui avait envahi son esprit un peu plus tôt grâce à Raine avec le plus parfait détachement, et l'envisager comme le phénomène bizarre et dangereux qu'il était.

Au bout d'une demi-heure de silence, Raine cessa de claquer des dents. Seth décida qu'il avait assez attendu.

— Ce n'était pas censé se passer comme ça, hein ? lança-t-il.

— Quoi donc ?

Sa voix était douce. Perplexe. Reflet de la plus parfaite innocence.

— Je n'étais pas censé survivre. C'est embêtant, n'est-ce pas ? Ça change tout.

— Seth, de quoi parles-tu ?

Il devait lui reconnaître au moins ça : elle était parfaitement crédible.

— Allez, Raine. Tu n'as rien à gagner à garder ça pour toi. Dis-moi comment ton copain nous a retrouvés.

— Tu ne penses quand même pas que j'ai…

Elle s'interrompit et secoua la tête. Des larmes roulèrent sur ses joues, dignes d'une actrice de grand talent.

— Je suis clean, tu es clean, la voiture est clean, répliqua-t-il. Pas de mouchards, pas de traceurs, rien. On n'a pas utilisé de cartes de crédit. On est au milieu de nulle part et j'ai présenté un faux permis de conduire à la réception. Je veux bien croire qu'ils auraient fini par nous retrouver, mais comment ont-ils fait pour nous retrouver aussi vite ? Tu veux bien m'expliquer ça, ma belle ?

Elle secoua la tête.

— Ne fais pas ça, Seth.

— « Prends une douche bien chaude, Seth, la singea-t-il d'une voix chantante, ça te soulagera. » « Je vais commander à manger. Ne t'occupe de rien. »

— Oui, j'ai commandé des cheeseburgers, des frites et du Coca, murmura-t-elle.

Seth évalua l'authenticité de sa réponse.

— J'aurais dû m'en douter, dit-il. Tu es la petite chérie depuis longtemps disparue de Victor, n'est-ce pas ? Il paraît qu'il pèse au bas mot cent cinquante millions de dollars. Je peux comprendre, au fond, même s'il a buté ton père. On passe l'éponge sur le passé. Après tout, ce n'était qu'un petit meurtre. Ça arrive dans les meilleures familles.

— Arrête ! protesta-t-elle. Tu as bien vu ce qui s'est passé chez moi ! C'est toi qui m'as prévenue, Seth, tu étais là !

— Je reconnais que ça complique un peu le tableau. Mais une femme comme toi doit avoir des tas d'ennemis. Surtout si tu as l'habitude de traiter tes amants comme tu m'as traité.

Elle avait réussi à contrôler ses larmes à présent – en admettant qu'il se fût agi de vraies larmes.

— Je ne t'ai jamais menti, Seth, dit-elle d'une petite voix très digne. Où est-ce qu'on va ?

— Là où tu ne pourras plus nuire à personne.

— Je ne ferai jamais rien qui puisse te nuire, Seth, répliqua-t-elle en pâlissant.

Seth fut tenté de la croire. Mais il savait que cette femme était son talon d'Achille. Il ne pouvait pas se permettre de la croire.

Le scénario dans lequel Raine l'avait vendu et piégé faisait sens dans le monde où Jesse avait été torturé et tué. Il s'inscrivait en droite ligne logique du monde dans lequel une mère avalait délibérément tellement de cachets qu'elle ne se réveillait pas le lendemain matin. C'était cela, le monde réel : un monde dans lequel toutes les horreurs étaient possibles.

Il pressa sa main contre son flanc, pris d'un léger vertige. Son pull était imprégné de sang et la coupure le brûlait et l'élançait. Raine aperçut le sang sur sa main.

— Mais tu es blessé !

— Rien de grave. On est presque arrivés.

— Pourquoi ne m'as-tu rien dit ? Arrête la voiture que je te remp…

— Un mot de plus, et je t'enferme dans le coffre.

Elle contemplait la pluie qui crépitait sur le pare-brise. Des tueurs mystérieux les pourchassaient et son amant était persuadé qu'elle lui avait tendu un piège. La situation n'aurait pu être pire.

Non, elle se trompait. Si l'homme du motel avait réussi à tuer Seth, la situation serait encore bien pire. Ce serait la fin du monde.

Il ralentit et s'engagea sur une petite route escarpée et gravillonnée. La voiture peina et les roues patinèrent, mais finirent par mordre et ils avancèrent en bringuebalant sur l'étroit chemin défoncé.

Les phares éclairèrent bientôt le porche d'une grande bâtisse délabrée au bout du chemin. La lumière brillait à la fenêtre du rez-de-chaussée située près de la porte. Seth coupa le moteur.

La porte de la maison s'ouvrit et une silhouette haute et massive se découpa dans le rectangle de lumière. Seth descendit de voiture.

— C'est moi, annonça-t-il.

Il ouvrit la portière côté passager et attira Raine à l'extérieur en enserrant fermement le haut de ses bras.

— Ce n'est pas la peine, siffla-t-elle.

Il l'ignora et l'entraîna vers la maison. Un homme musculeux, doté d'un nez en bec d'aigle et d'une courte barbe, la regarda, stupéfait, quand Seth lui fit franchir le seuil.

Elle cligna des yeux, intégrant un fugitif brouillard d'images. Une grande cuisine enfumée dans laquelle semblait régner une chaleur tropicale. Une lampe à kérosène posée sur la table. Un jeu de cartes éparpillé, une cafetière. Des verres, des tasses, une bouteille de whisky. Un évier débordant d'assiettes sales. Deux hommes assis à la table. Celui à la barbe referma la porte, les suivit et se laissa aller contre le mur en croisant les bras sur son torse puissant.

Un des hommes assis fumait une cigarette. Il avait le même nez en bec d'aigle que le barbu, et ses grands pieds reposaient sur la porte ouverte d'un poêle à bois. Il y avait un trou au niveau du gros orteil d'une de ses chaussettes, remarqua-t-elle avant qu'il ne pose les pieds par terre. Il était grand et maigre, ses cheveux longs étaient emmêlés et un début de barbe dorée brillait sur son visage émacié. Regard vert acéré, attentif.

L'autre homme était rasé de près et très beau. Sa chevelure fauve était retenue en arrière par une queue-de-cheval. Il avait les mêmes yeux verts que l'autre et étudiait Raine sans chercher à dissimuler son intérêt.

Le maigrichon à la chaussette trouée fut le premier à rompre le silence.

— Que se passe-t-il ? demanda-t-il.

— J'ai besoin d'une pièce qui ferme de l'extérieur, d'un cadenas. D'un radiateur et de couvertures.

Les trois hommes se regardèrent. Puis reportèrent les yeux sur elle.

— Vous lorgnez quoi, là ? grinça Seth.

Le beau garçon aux cheveux longs se leva.

— La chambre du grenier devrait faire l'affaire. Je vais y monter un futon.

— Je vais chercher un cadenas dans la grange, annonça le barbu.

Le maigrichon se leva et attrapa une canne.

— J'apporte des couvertures, déclara-t-il en braquant sur Seth le regard dur de ses yeux verts quand il passa devant lui. Après ça, il faudra qu'on parle, toi et moi.

— Si tu veux. Mais pas avant qu'elle ne soit bouclée, répondit Seth en plaquant une main sur ses côtes, plus pâle que jamais.

Le maigrichon écarquilla les yeux.

— Nom d'un chien, mec, qu'est-ce que tu t'es fait ?

— Plus tard.

Ils la conduisirent au grenier et s'affairèrent autour d'elle. L'un d'eux installa un radiateur et l'alluma juste à côté d'elle sans que la chaleur atteigne son corps glacé. L'homme à la queue-de-cheval mit une couverture sur ses épaules. Le maigrichon lui parlait, mais elle n'entendait pas sa voix. Il fit claquer ses doigts devant ses yeux d'un air soucieux, puis parla à Seth qui haussa les épaules.

Les hommes sortirent de la pièce, Seth le dernier. Il lui jeta un regard noir par-dessus son épaule. Raine ferma les yeux.

La porte se ferma. Un claquement, suivi d'un cliquetis. Il l'avait enfermée.

Connor ouvrit la trousse de premiers secours et en sortit un rouleau de gaze.

— Enlève ton pull, que je voie un peu ça.

— C'est trois fois rien, je te dis. Sers-moi plutôt un whisky.

— Fais ce que je te dis, tête de pioche. Un peu de pommade et un pansement ne vont pas te tuer.

Seth fit passer son pull par-dessus sa tête en soupirant.

Davy extirpa un torchon d'un tiroir, fit couler de l'eau chaude dessus et le lui tendit.

Il épongea les taches de sang et grimaça lorsque Connor appliqua un gel antiseptique sur la vilaine coupure, avant de la bander. Sean lui lança une chemise de flanelle rouge qu'il enfila lentement et précautionneusement. Il était trop fatigué pour se donner la peine de la boutonner.

Les trois frères se relayèrent alors pour lui servir à boire et lui soutirer toute l'histoire. Quand il eut achevé son récit, Seth était tellement épuisé que les longs regards qu'ils échangèrent ne le dérangèrent même pas. Un silence pesant s'abattit sur la pièce, seulement interrompu par le ronflement du poêle à bois.

— OK, dit-il en se préparant à essuyer le feu de leurs critiques. C'est le moment où vous êtes censés dire que je suis un abruti. Allez-y. Je suis prêt.

— Non, fit Connor en remettant une bûche dans le poêle. C'est le moment où on discute calmement des choix dont on dispose.

Seth lampa une gorgée de whisky et s'essuya la bouche.

— Je lui ai tout dit, tu comprends ça ? Lazar veut ma peau. Si on suit la piste du Corazon, on va tomber dans un traquenard.

— Tu déduis tout ça du fait qu'un tueur vous a retrouvés ce soir ? demanda Davy d'un ton sceptique.

— C'est la seule explication logique.

— Pas nécessairement, intervint Sean. Tu fais peut-être erreur. Tu n'es pas surhumain. Quelque chose t'a peut-être échappé.

— Il y a trois possibilités, déclara Connor. Première possibilité, elle n'a jamais placé le traceur et elle a tout dit à Lazar depuis le début. Deuxième possibilité, elle a mis le traceur, Lazar l'a découvert et veut votre peau à tous les deux. Ou alors, dernière option, elle a mis le traceur, Lazar n'en sait rien et ces deux tueurs masqués ont été engagés par quelqu'un d'autre que Lazar. Personnellement, je ne crois pas à la première hypothèse. Pourquoi le tueur numéro un s'en serait-il pris à elle si elle était de mèche avec Lazar ? De toute façon, ça ne colle pas avec ce que je sais d'elle personnellement.

— Depuis quand tu la connais personnellement ? demanda Seth d'un ton amer.

Connor haussa un sourcil.

— Figure-toi que je bénéficie de l'insigne avantage de ne pas être amoureux d'elle. Aussi, crois-moi, mon jugement est infiniment plus fiable que le tien. Pourquoi ferait-elle appel à un tueur pour te buter alors que tu viens de lui sauver la vie ? Un peu de bon sens, s'il te plaît, Seth.

Il secoua la tête.

— Ce type n'avait aucun autre moyen de savoir où…

— Tais-toi et écoute-moi, pour une fois, l'interrompit sèchement Connor. La deuxième hypothèse ne me plaît pas non plus. Victor n'est pas le genre de type à charger un tueur incompétent d'éliminer sa nièce. Lui, son genre, c'est de se frotter les mains en attendant de te voir tomber dans le piège qu'il t'a tendu.

— Le deuxième tueur était loin d'être incompétent, corrigea Seth en touchant son bandage. Il a bien failli m'avoir.

— Ouais, le tueur numéro deux m'inquiète, moi aussi. Ce qui nous amène à la troisième hypothèse. Les deux tueurs ont agi sur ordre de Novak, pas de Lazar. On sait qu'il la veut. Et il est prêt à tout pour obtenir ce qu'il veut.

— Je suis sûr qu'elle est dans le coup, répéta obstinément Seth. Ce type ne pouvait pas nous trouver autrement. Lazar avait placé des traceurs dans ses affaires.

— Et alors ? Tu as bien collé des mouchards et des traceurs partout chez elle, toi aussi, fit remarquer Davy. Peut-être que Lazar considère qu'elle lui appartient, tout comme toi.

— Et il a placé des mouchards sur elle parce qu'il voulait la garder à l'œil, comme toi, renchérit Sean. Parce que c'est un paranoïaque qui veut toujours tout contrôler.

— Comme toi, conclurent Davy et Connor à l'unisson.

Ils échangèrent un grand sourire et se tapèrent dans la main.

— Ne vous attendez pas à ce que j'aie le sens de l'humour ce soir, grogna Seth.

— Tu n'as jamais le sens de l'humour, observa Sean. Pourquoi refuses-tu d'envisager la possibilité qu'elle ne t'ait pas menti ?

Le whisky et l'épuisement lui firent lâcher la vérité.

— Parce que je ne peux pas me permettre de l'envisager. Parce que je voudrais trop que ce soit vrai.

— Ouais, en gros, tu as la trouille, quoi, résuma Sean.

Seth était trop fatigué et déprimé pour réagir.

— Je préfère passer pour un parano si ça me permet de vivre plus longtemps.

— Mouais. Tu risques aussi de te pourrir la vie.

Seth ne lui accorda même pas un regard.

— Je m'en fous, répondit-il d'un ton las. Qu'elle l'ait fait ou pas, elle reste bouclée là-haut jusqu'à ce que ce soit fini. Je suivrai la piste du Corazon tout seul. J'accepte les conséquences de ce que j'ai fait, mais vous, rien ne vous y oblige.

Davy lui resservit une bonne rasade de whisky.

— Ne sois pas mélodramatique comme ça, Mackey. Ce n'est pas à toi de décider ce qu'on va faire.

Seth contempla la profonde couleur ambrée de l'alcool.

— Vous n'avez pas à risquer vos vies par loyauté envers Jesse. Il est mort. Il n'a plus besoin de vous.

— Mais toi, si, répliqua Connor en se redressant pour lui appliquer une bourrade sur l'épaule. Ce n'est pas seulement pour Jesse. C'est pour toi. Ne me demande pas pourquoi. Tu es pénible et on devra discuter de tes manières un de ces quatre, mais c'est comme ça. On est là pour toi, mec.

Seth faillit s'étrangler sur sa gorgée de whisky.

— J'apprécie, McCloud, mais au stade où j'en suis, je m'en fiche complètement de tomber dans un traquenard, tu vois ce que je veux dire ? Je veux en finir une bonne fois. Ranger mes cartes et quitter la table. Je ne peux pas prendre cette responsabilité, je ne veux pas de votre aide.

— J'en suis, fit Davy en levant la main.

— Moi aussi, pépia Sean.

— Pareil, approuva Connor en levant son verre avec un sourire.

— Pas toi, gronda Davy en fronçant les sourcils. Tu te déplaces avec une canne. Tu ne vas nulle part. Tu fais le chien de garde.

— Pas question, riposta Connor.

— Si tu essayes de désobéir, je t'attache, déclara Davy de sa grosse voix de frère aîné.

— OK. Je propose qu'on joue ça au poker.

— Pour te laisser tricher ? Pas question. C'est non et ce n'est pas négociable. Oublie.

La conversation dégénéra en querelle entre frères. Seth cessa de les écouter et s'absorba dans la contemplation du feu. Seul un idiot qui avait envie de mourir pouvait décider de suivre la piste d'un traceur vers une destination inconnue pour affronter un nombre d'adversaires inconnu, disposant de ressources inconnues. Il n'avait jamais eu l'intention d'entraîner les frères McCloud jusqu'au dénouement final. Depuis le début, il comptait jouer la dernière manche en solo.

Il interrompit la dispute qui en était déjà au stade des cris.

— Laissez-moi régler ça à ma façon, les gars. Comme ça, si ça foire, ils ne pourront pas remonter jusqu'à vous.

Ces paroles furent accueillies par un profond silence.

— C'est ça, dit lentement Connor. Et on est censés faire quoi de la blonde ? La garder au grenier comme la princesse Raiponce ?

— Putain, souffla Seth en se frottant les yeux. Je n'en ai pas la moindre idée. Quel merdier. Je suis vraiment désolé, les mecs.

Le feu crachota et siffla pendant quelques minutes.

— Je sais pourquoi tu l'as amenée ici, énonça posément Connor. Et tu as bien fait.

— Ah ouais ?

— Ouais. Tu l'as amenée ici pour qu'elle soit en sécurité.

Seth secoua la tête, mais ce n'était pas en signe de dénégation.

— Je suis un crétin.

— Tu n'es pas le premier, et tu ne seras pas le dernier, déclara sentencieusement Davy.

— À ta place, je monterais au grenier pour passer du bon temps avec ma copine, lança Connor. Elle n'avait pas l'air d'aller très fort et tu ferais bien de te reposer, toi aussi. Tu as une sale tête. On a fait le plein de la Cherokee et on a chargé tout le matériel. L'écran de localisation du traceur du Corazon est prêt. On va se relayer pour le surveiller cette nuit. S'il bouge, on t'appelle. On partira dans la minute.

— Ouais, détends-toi, lui conseilla Sean. On aura besoin de toi en pleine forme quand ça va débuter. Tiens, j'ai préparé un sandwich. Va lui porter.

— À mon avis, ce ne sera pas long, prédit Connor. Les choses ne vont pas tarder à bouger.

— Le cercle se resserre, dit Seth.

Les trois frères McCloud tournèrent la tête vers lui.

— Qu'est-ce que tu racontes ? s'étonna Sean.

Seth haussa les épaules.

— C'est un truc que Jesse m'a dit dans un rêve, marmonna-t-il.

Les trois frères braquèrent sur lui des regards reflétant divers degrés d'inquiétude et de contrariété. Plus personne ne l'avait regardé ainsi depuis la mort de Jesse.

Il attrapa la bouteille de whisky et la leva, portant un toast silencieux aux frères McCloud. Puis il prit le sandwich destiné à Raine et se dirigea vers l'escalier.

24

Raine se leva dès qu'elle entendit le cadenas cliqueter et resserra la couverture autour de ses épaules. Elle tremblait, mais ce n'était pas la peur qui la faisait trembler. Elle avait laissé la peur si loin derrière elle qu'elle ne se souvenait même plus de l'effet que cela faisait.

Seth entra, posa le cadenas aussi large que la paume de sa main sur la commode et plaça à côté une assiette contenant quelque chose qui était enveloppé dans une serviette en papier. Elle fut soulagée de constater que sa blessure avait été pansée. Le bandage blanc formait un contraste avec sa peau dorée. Une chemise de flanelle rouge usée jusqu'à la trame pendait au-dessus de son jean taché de sang. Il tenait une bouteille de whisky par le col. Il en but une gorgée au goulot.

— Tu es saoul, dit-elle.

Ses yeux brillèrent d'une lueur sauvage, puis son regard se fit lointain.

— C'est pour calmer la douleur, répliqua-t-il en désignant son bandage. Je t'ai apporté un sandwich, si tu as faim.

— Tu plaisantes, j'imagine.

— Comme tu voudras, dit-il avant de reprendre une gorgée de whisky.

— Tu as l'intention de me donner des vêtements ? demanda-t-elle d'une voix hautaine.

Il posa la bouteille sur la commode et avança lentement vers elle.

— Je ne vois pas pourquoi, répondit-il en attrapant un coin de la couverture pour la rabattre en arrière. Ce truc est complètement trempé, ajouta-t-il en découvrant l'état de sa nuisette. Tu vas tomber malade. Enlève-la. Il fait chaud, maintenant.

— Je ne veux pas me mettre nue devant toi.

À peine eut-elle prononcé cette phrase qu'elle comprit qu'elle aurait mieux fait de se taire.

Il fit glisser les bretelles de la nuisette sur ses épaules et ses mains s'attardèrent sur sa peau. Elle retomba sur le sol autour de ses pieds boueux et écorchés. Raine réprima l'envie de cacher son corps de ses mains. Tant pis, qu'il la regarde. Elle pouvait garder sa dignité même si elle était nue.

Il étudia son corps avec une attention avide et minutieuse. Le contact de ses mains la brûla quand il les posa sur ses hanches pour les faire remonter le long de ses côtes. Ses doigts l'exploraient attentivement, comme pour garder ses courbes dans sa mémoire.

Malgré son humeur instable et son haleine empestant l'alcool, elle n'avait absolument pas peur de lui. Elle plaqua ses mains sur ses joues.

— Tu es fiévreux, constata-t-elle.

— Ça me fait ça chaque fois que je te regarde.

— Tu devrais prendre de l'aspirine ou quelque chose…

— Quelle blague, l'interrompit-il sans prêter attention à ce qu'elle disait. C'est la première fois que je perds la tête pour une femme, et il faut que ça se passe comme ça.

— Tu sais que je ne ferais jamais rien pour te nuire, dit-elle en posant une main sur son front pour tenter de l'apaiser.

— Chuuut. Pas question de parler de ça.

— Mais, Seth, il faut bien qu'on…

Il plaça un doigt sur ses lèvres.

— Non. Domaine interdit. Je ne m'aventurerai pas sur ce terrain.

Raine s'était déjà heurtée à son mur de pierre, mais il ne l'intimidait plus. Pas après avoir vu ce qu'il y avait de l'autre côté : sa gentillesse, son incroyable faculté de tendresse. Elle glissa les mains sous sa chemise et les passa autour de sa taille, en prenant soin de ne pas toucher le bandage.

Il se raidit.

— Qu'est-ce que tu fais ? grinça-t-il.

— Je me réchauffe. Tu ne veux pas me donner de vêtements et j'ai froid.

— Ce n'est pas une bonne idée. Je ne me contrôle pas, ce soir. Du tout. Ne me cherche pas, Raine.

Elle pressa sa joue contre son torse. Caressa un de ses tétons plats.

— Je te connais, répliqua-t-elle d'une petite voix entêtée. Tu ne me fais pas peur, Seth Mackey.

— Vraiment ? dit-il en refermant les bras autour d'elle, l'enveloppant de sa chaleur. Eh bien, toi, tu me fais peur. Tu me fais une peur de tous les diables.

Elle l'attira vers elle et se serra contre lui. La réponse de son corps fut immédiate. Elle avait besoin de son appétit dévorant, de sa chaleur volcanique pour balayer l'horreur de ce qu'elle avait vu ce soir. Elle caressa la fermeté de son érection sur toute sa longueur, déboutonna son jean et referma la main sur son sexe.

Tout s'enchaîna très vite alors. Il la renversa sur le futon et la plaqua sur le tas de couvertures, sans quitter ses bottes, son jean à peine baissé. Elle tourna ses yeux écarquillés vers le plafond et poussa un cri quand il la pénétra. C'était trop tôt, elle n'était pas prête à le recevoir, mais elle s'en moquait : elle voulait chasser le froid glacial qui l'habitait, et seule la chaleur de Seth saurait le faire fondre.

Elle n'eut un peu mal qu'au cours des premières poussées. Il haletait dans son cou et bandait ses muscles pour garder le contrôle. Elle se détendit très vite, et ses poussées devinrent de plus en plus aisées. Elle encercla son jean humide et boueux de ses jambes.

Son visage formait une grimace de douleur.

— Tu me tues, Raine.

— Non, dit-elle en attirant son visage vers le sien. Je t'aime.

Il s'arracha à son baiser.

— Je veux te croire, râla-t-il.

— Fais-moi confiance, murmura-t-elle en caressant son visage.

Il se figea, profondément fiché en elle. Le temps s'arrêta. Elle retint son souffle sans le quitter des yeux.

Sa bouche se durcit. Il secoua la tête et se retira d'elle.

— Retourne-toi.

— Non ! s'écria-t-elle en essayant de le faire revenir vers elle. Je veux que tu me regardes en face pendant que tu me fais l'amour. Tu me dois bien ça.

— Ce n'est pas de l'amour, et je ne te dois rien.

Il la fit basculer sur le ventre. Elle tourna la tête sur le côté et ferma les yeux pour lutter contre l'intense sensation de vulnérabilité, se concentra sur la chaleur de ses mains qui caressaient ses fesses, ses cuisses qui s'immisçaient entre les siennes. Il la pénétra d'une lente poussée ferme, jusqu'à la garde.

— Maudite, marmonna-t-il entre ses dents.

Il écarta ses cheveux et pressa son visage contre son cou. Il s'immobilisa dans cette position, vibrant de tension. Raine délogea sa main coincée sous son ventre, attrapa le poing de Seth refermé sur la couverture, l'attira vers son visage et l'embrassa.

Un frisson le parcourut de la tête aux pieds. Il la soulagea du poids de son corps et resta ployé au-dessus d'elle, l'enveloppant et la protégeant. Il glissa une main entre ses jambes, ses longs doigts cherchant sa fente, puis caressa habilement la perle durcie de son clitoris.

— Tu vois ? murmura-t-elle en poussant les fesses en arrière afin qu'il la pénètre plus profondément. C'est de l'amour. C'est toujours comme ça entre nous. Ce sera toujours comme ça. On ne peut pas se faire de mal.

— Chuuut. Ne bouge pas, dit-il en recouvrant sa main de la sienne. Je ne veux pas jouir tout de suite. Ne bouge surtout pas.

Raine attendit aussi longtemps qu'elle le put, mais la femme sauvage en elle voulait le faire basculer contre son gré et le forcer à affronter la vraie nature du lien qui les unissait. Elle creusa les reins et coulissa le long de son sexe tout en contractant ses muscles internes à intervalles réguliers. Affamée et audacieuse, elle se faisait du bien avec son corps. Exigeait de lui tout ce qu'il pouvait donner.

Seth ne put faire autrement que de suivre le mouvement. Il ne pouvait pas lui refuser ce qu'elle voulait, ni même essayer de résister à la force qui les animait. Il était à elle, tout à elle. Une joie farouche embrasait son corps tandis qu'elle l'entraînait vers le plaisir. Elle le sentit exploser en écho à son orgasme. Un soubresaut le parcourut alors qu'il poussait un cri qui ressemblait à un cri de protestation.

Après plusieurs minutes d'irrépressibles halètements, Seth s'assit et entreprit de défaire les lacets de ses bottes. Il les retira, et se débarrassa également de son jean, s'allongea dans son dos puis l'attira contre lui, nichant son sexe toujours dur entre ses fesses. Raine ouvrit la bouche de surprise lorsqu'il la pénétra.

— Dors, dit-il. Je veux rester là. En toi.

Elle faillit rire de cette idée ridicule. Comme si elle pouvait dormir dans cette position ! Elle sentit alors un filet liquide et tiède s'écouler le long de sa cuisse qui la fit frémir.

— Seth, on a oublié le préservatif.

Ses dents mordillèrent doucement son épaule.

— Je les ai laissés au motel. Tu veux que je demande aux frères McCloud si je peux dépouiller leur stock ?

— Non, murmura-t-elle.

— C'est bien ce que je pensais.

Raine planta ses ongles dans son bras quand ses dents et sa langue entreprirent d'agacer sa nuque.

— C'est génial sans, dit-il d'un ton émerveillé. Je sens le moindre détail et j'ai envie de jouir dès que je te pénètre.

Son sexe enfla en elle, et il se mit à aller et venir lentement.

— Je pourrais te baiser toute la nuit sans problème. Je ne l'avais pas fait sans latex depuis mes quatorze ans. Félicitations, tu m'as réduit à l'état d'adolescent abruti.

Raine se contracta autour de lui, bouleversée par le risque qu'ils venaient de prendre.

— Tu ne me le pardonneras jamais, j'imagine ?

— Jamais de la vie.

— Seth…

— Chuuut. Fini de parler.

L'accent froid de sa voix lui imposa le silence. Elle ferma les yeux et s'absorba dans les messages silencieux que Seth lui prodiguait avec son corps. Son corps qui savait la vérité. Elle le sentait dans la caresse de ses mains, le frôlement de ses doigts entre ses jambes.

Il finit par intensifier ses poussées et son souffle se fit de plus en plus haletant. Il marmonna quelque chose d'incohérent et l'incita à se mettre à quatre pattes.

C'était beaucoup mieux : elle pouvait bouger dans cette position, cambrer le dos et répondre à ses assauts. Le premier d'entre eux lui tira un cri d'excitation sauvage, et il s'immobilisa.

— Ne t'arrête pas, dit-elle d'une voix vibrante d'impatience.

— Je ne veux pas te faire mal.

— Tu ne me fais pas mal, Seth, gronda-t-elle. Tu ne peux pas me faire de mal.

Elle l'incita à poursuivre, et il lui donna ce qu'elle voulait. Ravie, elle s'adapta au rythme de ses vigoureux coups de reins et se prépara à l'assaut du plaisir.

Celui-ci la traversa de part en part comme un éclair, puis se répandit en elle par petites ondes successives qui parcoururent toutes les cellules de son corps telle une brise créant des vaguelettes à la surface de l'eau. Seth l'emplit à nouveau de sa semence. Ils se laissèrent tomber sur la couverture, toujours soudés l'un à l'autre.

Raine pressa son visage contre la couverture pour cacher des larmes dont elle savait qu'il ne voulait ni les voir ni les entendre. Elle risquait de tomber enceinte. Et elle serait heureuse si c'était le cas. Terrifiée, mais heureuse. Elle avait vu la mort de près ce soir, et la vie appelle la vie, dans toute sa chaleur chaotique. Elle ne se recroquevillerait plus jamais face à la vie.

Elle se réveilla à un moment de la nuit. Son visage était endolori, ses pieds écorchés la démangeaient et les couvertures de laine la grattaient. Le bras puissant de Seth privait ses poumons de la moitié de leur capacité et son sexe, toujours fiché en elle, lui rappelait irrépressiblement certaines fonctions naturelles de son organisme.

— Tu dors ? murmura-t-elle.

Il s'étira et embrassa son cou avec un grognement de dénégation.

— Je ne dormirai plus jamais.

— Il faut que j'aille aux toilettes, dit-elle en se tournant vers lui.

Il se retira d'elle, rabattit la couverture et tendit la main vers son jean.

— Viens, je vais te montrer où c'est.

Elle s'enveloppa dans une couverture et le suivit dans le couloir obscur. Il ouvrit une porte, tira sur un cordon pour actionner la lumière, lui fit signe d'entrer et referma la porte derrière elle.

La pièce était tellement immense que les éléments de la salle de bains semblaient perdus. Elle fit ce qu'elle avait à faire, le regard fixé sur les pieds griffus et couverts de calcaire de la baignoire, et réalisa qu'elle avait désespérément envie de se laver.

— Je veux prendre un bain, lança-t-elle à Seth à travers la porte.

— Vas-y, répliqua-t-il avant de retourner dans la chambre.

Elle fit couler l'eau. La porte s'ouvrit sur Seth, le radiateur électrique dans les bras. Il le brancha, le poussa au maximum, croisa les bras et attendit. Il était si beau, seulement vêtu de son jean. Il l'éblouissait. Tout était gracieux en lui, jusqu'à ses longs pieds bruns.

— Je peux avoir un peu d'intimité ? demanda-t-elle d'une voix hésitante.

— Non.

Il soutint son regard, patient et implacable. L'eau s'écoulait bruyamment dans la baignoire, et les volutes de vapeur qui s'en élevaient l'attiraient irrépressiblement. Raine prit son parti de la situation avec un soupir et laissa glisser la couverture de ses épaules. Seth la ramassa pour l'accrocher au-dessus du radiateur.

Elle noua ses cheveux au sommet de sa tête. Ils auraient eu besoin d'être lavés, mais elle ne supportait pas l'idée de les mouiller à nouveau. Elle entra dans l'eau, et le picotement de ses pieds endoloris lui tira une grimace. Elle s'immergea complètement, ferma les paupières et se laissa aller, le rugissement de l'eau s'écoulant du robinet emplissant ses oreilles.

Seth ferma les robinets lorsque l'eau atteignit son menton, et elle rouvrit les yeux. Il s'était accroupi à côté de la baignoire et l'observait avec une irritante intensité. Il prit la savonnette, pêcha son pied au fond de l'eau et le savonna délicatement. Il accorda un soin jaloux à chaque orteil, chaque bleu, chaque écorchure, remit son pied dans l'eau et appliqua les mêmes soins amoureux à l'autre. Le doux clapotis que ses caresses tiraient de l'eau était le seul bruit troublant le silence de la pièce.

Raine sentit son cœur se serrer d'amour pour lui.

— Je ne t'ai pas trahi, déclara-t-elle posément. Un jour, tu sauras que je dis la vérité.

Il souleva sa jambe hors de l'eau et fit courir la savonnette le long de son mollet.

— Ah oui ?

— Oh oui, répliqua-t-elle d'un ton belliqueux. Tu te sentiras très mal de ne pas m'avoir fait confiance. Et moi, je te le ferai payer et je jubilerai comme jamais.

— Une perspective terrifiante, dit-il, l'ombre d'un sourire adoucissant fugitivement le pli sévère de ses lèvres.

— On verra bien si tu apprécieras autant ce qui t'arrivera ce jour-là. De toute façon, au fond de toi, tu sais déjà la vérité, même si tu refuses de l'admettre.

— La vérité est une donnée très relative, répliqua-t-il en caressant son genou.

— J'ai l'impression d'entendre Victor, ricana-t-elle.

Ses doigts savonneux se crispèrent et lâchèrent prise. Sa jambe retomba brusquement dans l'eau en l'aspergeant. Il s'essuya le visage avec son bras.

— Ne me compare pas à ce type. Au train où vont les choses, je doute qu'il vive assez longtemps pour en être flatté.

Elle sursauta.

— Ne dis pas ça !

Seth s'éloigna d'elle, et un détail de son rêve affleura à son esprit. Son père sur le bateau, les yeux enfoncés au fond de ses orbites noyées d'ombre, dérivant de plus en plus loin.

— Ne dis pas ça, répéta-t-elle en refoulant ses larmes.

— Tâche de ne pas le répéter, dit-il à voix basse. L'ange de la mort surgit de l'obscurité sans prévenir. Si on veut l'éviter, il faut rester vigilant et frapper quand on en a l'occasion. L'occasion va bientôt se présenter à moi.

Il se rapprocha et l'incita à laisser aller son dos contre le bord incurvé de la baignoire. Raine mordit sa lèvre et s'abandonna à l'amour qu'elle sentait dans ses grandes mains. Il avait raison. Si tout se résumait à saisir les occasions qui se présentent, elle avait intérêt à saisir tous les instants de tendresse qu'il lui offrait.

Elle s'abandonna à ses mains expertes, laissa ses doigts défaire tous les nœuds. Ses mains lissaient ses courbes comme celles d'un potier moulant l'argile sur son tour. Il la fit mettre à genoux pour laver son entrejambe, et ses doigts savonneux s'immiscèrent dans les moindres replis de sa chair, faisant audacieusement usage de la connaissance intime qu'il avait de son corps. L'intensité des sensations qu'il déclencha l'obligea à s'agripper à ses épaules.

Seth la fit replonger dans l'eau pour la rincer. Il glissa une main entre ses jambes, riva son regard au sien, passa l'autre main sous ses fesses et la souleva vers la surface de l'eau jusqu'à en faire émerger la fleur de son sexe, rose et épanouie. Il la caressa comme lui seul savait le faire, avec cette sensibilité magique qui savait toujours exactement quand la pousser, quand reculer, quand insister. Il la caressa jusqu'à ce qu'une puissante décharge électrique la traverse. Immense et belle. Un flamboiement d'amour et de désir qui estompait la peur.

Raine se laissa aller dans l'eau, délicieusement alanguie.

Mais Seth ne tarda pas à la sortir du bain pour la sécher et l'envelopper de la couverture bien chaude. Il la souleva dans ses bras, et elle s'abandonna contre lui aussi mollement qu'un bébé ensommeillé.

Il l'étendit sur le futon, retira son jean trempé, puis s'allongea au-dessus d'elle, l'enveloppant de sa chaleur.

— Voilà, maintenant, c'est l'heure des faux-semblants, dit-il. C'est le moment de l'histoire où tu me montres à quel point tu m'aimes.

— Seth...

— Sans parler, s'il te plaît. Moins tu en diras, plus tu seras crédible.

Elle scruta son regard sombre et farouche. Ils étaient tellement décalés du monde ordinaire qu'elle ne tenait plus rien pour acquis. Un million de choses impossibles pouvaient être vraies, et un million de vérités établies pouvaient se révéler n'être que pure illusion. Mais une chose demeurait certaine. Elle l'aimait. Il lui avait sauvé la vie. Il était beau, courageux et valeureux. Il lui avait dit qu'il l'aimait ce soir, il le lui avait dit de tout son cœur. Personne d'autre au monde n'avait jamais fait cela.

Ce qui était vrai restait vrai, qu'il le croie ou non. Et s'il ne l'autorisait pas à recourir au langage des mots pour le lui dire, elle utiliserait le langage dont il lui avait appris les rudiments.

Elle tendit les bras vers lui.

De légers coups furent frappés à la porte.

Seth redressa la tête comme s'il n'avait pas dormi une seconde.

— Oui ?

— En piste, souffla une voix.

— J'arrive.

Il alluma la lumière et s'habilla en silence. Du sang avait suinté de son bandage. Il lui jeta un rapide coup d'œil dénué d'intérêt et boutonna sa chemise. Raine sentit un serpent de panique se dérouler dans son ventre.

— Tu vas pister ce revolver, c'est ça ? Le Corazon ?

Il ne répondit pas.

Un flot d'images enflamma son esprit. Sang écarlate se détachant sur la blancheur immaculée, tulipes jonchant le sol. La malédiction du Corazon. Une urgence terrifiée projeta les mots hors de sa bouche.

— D'accord, tu as gagné, Seth. J'avoue tout. J'ai tout dit à Victor. N'y va pas. C'est un piège.

Il sourit en s'agenouillant près du futon, mais son regard resta sombre.

— Tu m'étonneras toujours, ma belle. Je ne peux jamais prévoir dans quelle direction tu vas rebondir.

— Seth, je…

Il l'interrompit d'un baiser ferme.

— Sois sage.

Il prit le cadenas, lui décocha un bref sourire, étrangement tendre. La porte se referma, le cadenas frotta et cliqueta.

Elle entendit son pas léger décroître dans l'escalier, puis un murmure de voix masculines. C'était toujours la même chose : la panique, la frustration. Le bateau dérivant au loin, et elle, trop petite et impuissante pour intervenir. Le faisceau des phares dansa parmi les arbres quand la voiture s'éloigna. Elle enfouit son visage dans ses mains et sanglota.

Au bout d'un long moment, elle finit par glisser dans une désagréable somnolence. Des images fondirent et se reformèrent dans son esprit pour adopter la forme de la vaste étendue d'eau qu'on voit depuis la jetée de Stone Island…

Le tonnerre grondait, lointain et menaçant. Les rafales d'un vent capricieux faisaient tanguer le voilier de son père. Il n'avait pas voulu l'emmener avec elle. Il voulait être seul. Il avait eu ce sempiternel petit sourire d'excuse.

— Désolé, Katya, mais je ne suis pas de très bonne humeur, j'ai besoin de calme pour réfléchir. Rentre vite à la maison voir ta mère, d'accord ? Elle a besoin de toi.

Quelle blague. Alix n'avait jamais besoin d'elle. Le bateau s'éloigna. Il agita la main à son intention et elle se souvint du rêve qu'elle avait fait la veille. Elle lui criait de revenir, en proie à la panique, mais il se contentait de hisser la voile et s'éloignait. Lorsqu'elle faisait des rêves comme ça, c'était toujours mauvais signe.

Elle se blottit entre les racines d'un arbre mort qui s'élevait hors de l'eau. Les vagues avaient creusé un renfoncement juste assez grand pour elle. Elle regarda la voile osciller à la surface de l'eau. Tant qu'elle pourrait la voir, il ne lui arriverait rien de mal. Elle n'osait pas cligner des yeux, de peur de briser la magie. Elle ne devait surtout pas cligner des yeux.

Un pas lourd retentit sur le ponton. Ed Riggs était le seul à marcher comme ça. Katya ne l'aimait pas, même si c'était le meilleur ami de sa mère. Il parlait à papa comme s'il était bête, alors que papa était l'homme le plus intelligent du monde, excepté peut-être Victor. Ed faisait semblant d'être gentil, mais il ne l'était pas. Elle rêvait de plus en plus souvent de lui. Il était dans son rêve, la veille.

Il regardait le voilier. Il l'observa longtemps, comme s'il était en train de prendre une décision. Raine ne faisait aucun bruit, mais son cœur se mit à battre très fort quand elle le vit désamarrer le canot à moteur, grimper à bord et démarrer. La fumée du diesel atteignit sa cachette et lui donna mal au cœur. Le canot formait un point noir et se dirigeait droit sur le voilier. Il devint bientôt trop petit pour qu'elle puisse le voir. Le vent se leva, agitant la surface de l'eau qui remonta sur les galets et lui mouilla les pieds. Le ciel n'était plus blanc. Il était d'un gris jaunâtre, comme un hématome. Le tonnerre gronda, se rapprochant, et il se mit à pleuvoir.

Elle garda les yeux fixés sur le papillon de nuit, redoutant de cligner des yeux, mais le sortilège n'opérait plus. Ed l'avait rompu. Elle fit comme si ses yeux étaient une corde capable d'attirer le voilier jusqu'à elle, mais le papillon de nuit persista à danser sur l'eau, résistant à l'attraction de son regard.

Le petit point noir réapparut, puis grossit lentement.

Elle sortit de sa cachette et remonta l'allée en courant. Elle ne voulait pas se retrouver face à Ed. Il faisait affreusement sombre. Elle réalisa subitement qu'elle portait toujours ses lunettes de soleil. C'était pour ça qu'il faisait aussi sombre. Mais c'étaient aussi des lunettes de vue et elle n'y voyait rien sans elles.

Ed fut sur ses talons avant qu'elle ait eu le temps de le sentir approcher. Ses yeux étaient tellement grands qu'on voyait le cercle des iris tout entier.

— Où est mon papa ? demanda-t-elle.

La bouche d'Ed s'ouvrit sous sa moustache. Ses mains tremblaient. Il tremblait de tous ses membres, alors qu'il ne faisait pas froid du tout.

— Qu'est-ce que tu fais sous la pluie, ma puce ?

— Où est mon papa ? répéta-t-elle plus fort.

Il la contempla un instant, puis s'accroupit devant elle. Il tendit la main.

— Viens, Katie. Je vais t'emmener voir ton papa.

Il avait son sourire de gentil, mais un éclair révéla soudain la vraie nature de son sourire – quelque chose d'horrible, comme si des serpents lui sortaient des yeux et de la bouche. Comme dans ce film d'horreur qu'elle avait vu à la télé, un soir où les grands s'amusaient.

Le tonnerre gronda. Elle hurla et courut loin de lui, détalant comme un cheval de course à l'ouverture des portes. Elle courait très vite, mais il avait de grandes jambes. Ses mains se refermèrent sur son bras. Elle lui glissa des mains comme un poisson. Les lunettes de soleil firent un vol plané, mais elle continua de courir en hurlant, en direction du brouillard vert...

Un coup retentit et elle se redressa d'un bond. Le bruit se répéta. Quelqu'un frappait à la porte. Elle s'enveloppa à la hâte dans la couverture, le cœur battant.

— Entrez, dit-elle.

Un bref cliquetis de cadenas, et la porte s'ouvrit. C'était le maigrichon avec la canne, une pile de vêtements délavés sur les bras. Seth l'avait appelé Connor. Il darda sur elle son impressionnant regard vert.

— Bonjour, dit-il.

— Vous n'êtes pas parti avec les autres ?

— Le boiteux est de corvée de baby-sitting, répondit-il en désignant sa canne. Ça ne me plaît pas plus qu'à vous, alors parlons d'autre chose.

— Vous auriez pu me boucler ici et y aller. Je n'aurais même pas essayé de sortir.

— Peut-être, mais vous oubliez les deux tueurs qui vous ont attaqués hier soir. Et sans vouloir parler de malheur, si aucun d'entre nous ne revenait de cette mission, vous auriez le temps de mourir de déshydratation avant que quelqu'un vous entende hurler. Il n'y a aucun voisin proche.

Raine déglutit bruyamment et détourna le regard.

— Ça fait réfléchir, hein ? Aucun de nous ne vit ici à plein temps, ce qui fait qu'on n'a pas tellement de vêtements. J'ai retrouvé des affaires qui datent de l'adolescence de Sean. Je ne sais pas si ça vous ira, mais ce sera toujours mieux que votre chemise de nuit.

— Je n'en doute pas un instant, répondit-elle avec reconnaissance.

— Vous pouvez descendre, une fois que vous serez habillée, si vous voulez. J'ai fait du café et il y a de quoi manger.

— Vous n'allez pas me boucler ici ?

Il s'appuya des deux mains sur sa canne et la scruta d'un regard acéré.

— Vous avez l'intention de faire des bêtises ?

Raine secoua la tête. Malgré sa canne, elle ne ferait pas le poids face à cet homme. Avec son regard dur et déterminé, il semblait à sa façon presque aussi dangereux que Seth. Tous les frères McCloud lui avaient fait cette impression.

— Merci pour les vêtements, dit-elle. Je descendrai bientôt.

Les vêtements qu'il avait laissés sur la commode composaient un assortiment des plus disparates. Son choix se porta sur un jean taille basse qui s'ajustait bien au niveau des hanches, mais auquel elle dut faire trois revers pour qu'il ne traîne pas par terre. Dans sa période adolescente et rebelle, Sean y avait inscrit au marqueur divers slogans antisociaux. Le seul T-shirt pas trop troué était un T-shirt noir Megadeth qui avait rétréci au lavage et dont l'encolure avait été coupée. Il ne couvrait pas complètement son nombril et donnait l'impression qu'il risquait de craquer à tout instant au niveau de ses seins.

Il y avait aussi une paire de sneakers montantes avachies dont la couleur d'origine, jaunie par le temps, était impossible à déterminer. Elles étaient beaucoup trop grandes et lui faisaient des pieds de clown mais, en serrant bien les lacets, ils lui tenaient aux pieds et Raine s'en estima satisfaite.

En descendant l'escalier, elle ralentit pour observer les tableaux et dessins accrochés aux murs. Des fusains, des dessins au crayon et à l'encre de Chine, des aquarelles. Ils représentaient essentiellement des paysages, des animaux et des arbres. Leur puissante simplicité retint son attention et lui rappela le mystère de Stone Island.

Connor resta un instant stupéfait quand elle entra dans la cuisine.

— Seigneur, souffla-t-il en s'empressant de détourner la tête. Euh... Ah, oui... Le café est dans la machine, juste ici. Les tasses sont sur l'évier et la crème au frigo. Le pain est sur le comptoir si vous voulez des toasts, et vous avez le choix entre beurre, beurre de cacahuète, confiture et fromage à tartiner.

— Les dessins qui sont dans l'escalier sont magnifiques, dit Raine en se servant un café. Qui les a réalisés ?

— Mon petit frère Kevin.

— C'est un de ceux que j'ai vus hier soir ? demanda-t-elle en sortant la crème du frigo.

— Non. Kevin est mort il y a dix ans. Accident de voiture.

Raine resta à le regarder, bouche bée, sa brique de crème à la main, tandis que la porte du frigo allait cogner contre le mur.

Connor la referma d'un coup d'épaule.

— C'est une des nombreuses raisons qui font qu'on donne un coup de main à Seth. Les McCloud savent ce que c'est que de perdre un frère.

Raine regarda brunir le pain qu'il avait mis à toaster sous le gril du four et sentit sa bouche devenir sèche. Elle avait perdu tout appétit.

— Je suis désolée, souffla-t-elle.

— Asseyez-vous, dit Connor. Il faut manger. Vous êtes toute pâle.

Elle se força à avaler un toast au beurre de cacahuète, et il lui apporta une veste en jean doublée de flanelle aux manches deux fois trop longues pour elle.

— Je vais aller travailler dans le bureau. J'apprécierais que vous restiez là où je peux vous avoir à l'œil, annonça-t-il sèchement. Il y a un canapé et un plaid, des livres dans la bibliothèque. Ce sera toujours mieux que le grenier.

— Merci, fit Raine.

Dans le bureau, elle s'installa sur le canapé et regarda par la fenêtre. L'aube se levait. Profondément absorbé, Connor scrutait l'écran d'un ordinateur, et elle comprit ce qu'il était en train de faire.

— Vous pistez le Corazon ? demanda-t-elle en bondissant sur ses pieds. Est-ce que je peux…

— Occupez-vous de ce qui vous regarde, je vous prie, la coupa-t-il.

Elle se laissa retomber sur le canapé, cala ses pieds sous ses fesses et contempla les volutes du brouillard qui s'enroulaient autour des pins. Une éclaircie révéla subitement le sommet d'une montagne, et un rayon de soleil fit briller sa pointe enneigée d'un rose vif. Le brusque changement de couleur lui fit penser au scintillement d'une opale.

Un frisson affreux remonta le long de sa colonne vertébrale. Elle repensa au bateau de Seth. Au moment où elle avait glissé le Chasseur de Rêves dans sa poche. Elle l'avait complètement oublié. Seth n'avait jamais su qu'elle l'avait mis là.

Oh, mon Dieu. C'était le pendentif. C'était forcément ça. C'était à cause d'elle que ce tueur les avait retrouvés si vite. Elle se leva, le cœur battant à tout rompre.

Au même instant, les pneus d'une voiture firent crisser le gravier devant la maison.

— Connor… commença-t-elle.

— Chhh… fit-il en lui indiquant de se rasseoir tandis qu'il se rapprochait de la fenêtre. Bizarre, marmonna-t-il. Je ne savais pas qu'il connaissait cet endroit.

— Qui ça ?

— Un collègue, répliqua Connor sans quitter la fenêtre des yeux. Remontez au grenier. Il risque d'entrer pour prendre un café. Restez là-haut jusqu'à ce que je vienne vous dire que la voie est libre. Et, Raine… ?

Elle se retourna, un pied sur la première marche de l'escalier.

— Oui ?

— Ne me faites pas regretter de vous avoir laissée sortir.

Elle hocha la tête et courut se réfugier au grenier. S'approcha de la fenêtre qui surplombait la toiture du porche. Il n'y avait pas de rideau. On risquait de la voir de l'extérieur, et Connor serait furieux. Il avait dit que cet homme était un collègue : il ne représentait donc aucune menace.

Mais les yeux injectés de sang du tueur auquel elle avait eu affaire dans sa salle de bains et le regard pétrifié par la mort de celui du motel la hantaient. Elle avait appris à ne rien tenir pour acquis au cours des cinq derniers jours.

Elle s'approcha de la fenêtre sur la pointe des pieds en s'appliquant à rester dans l'ombre, mais le collègue de

Connor était déjà sur le porche. La porte extérieure grillagée grinça, puis se referma. Connor accueillait l'homme sur le porche. Sa voix n'était pas particulièrement amicale, juste neutre. Interrogative. Le double vitrage de la fenêtre l'empêchait de distinguer leurs propos.

L'homme répliqua d'une voix plus grave que le baryton de Connor. Un frisson parcourut sa colonne vertébrale. Elle se rapprocha encore de la fenêtre. Cette fois, s'il avait levé les yeux, le collègue de Connor l'aurait vue. Elle n'apercevait de lui que son crâne dégarni et son corps assez massif, engoncé dans une veste d'hiver noire. Des lunettes. Connor lui posa une autre question à laquelle l'homme répondit avec un haussement d'épaules.

Connor hocha la tête. Il ajouta quelque chose, invitant sans doute son visiteur à entrer, et se retourna.

Elle étouffa le cri inutile qui remonta dans sa gorge pour le prévenir lorsque l'homme détendit vivement le bras, tel un cobra fondant sur sa proie. La crosse de son revolver heurta la tête de Connor, qui s'affaissa silencieusement. L'homme s'agenouilla à côté de lui et palpa sa gorge. Il se releva et pressa la main sur son estomac en regardant autour de lui.

Il leva les yeux. Leurs regards se nouèrent. C'était l'homme qu'elle avait croisé dans le couloir en sortant du bureau de Bill Haley. Le meilleur ami de sa mère, Ed Riggs. Plus vieux et plus épais, la moustache en moins, mais il n'y avait aucun doute. Il avait essayé de la tuer dix-sept ans plus tôt, et il était revenu finir le travail.

Il disparut sous le toit du porche. Raine regarda autour d'elle avec une effroyable impression de déjà-vu. Elle se retrouvait une fois de plus coincée dans une chambre sans aucune arme. La fragile lampe en bambou ne lui serait d'aucune utilité. La bouteille de whisky, là, sur la commode. Elle s'en empara.

Elle ne pouvait pas espérer le surprendre en se cachant derrière la porte pour lui assener un coup de bouteille sur la tête. Elle ne devait surtout pas rester là à attendre qu'il vienne la débusquer. D'autant qu'elle ne pouvait pas espérer une miraculeuse intervention de Seth, cette fois. Seth était lancé sur la piste du Corazon. Et Connor gisait de tout son long devant la maison. Seulement assommé, souhaita-t-elle fugitivement.

C'était à elle de jouer.

Raine affermit la prise de sa main autour du col de la bouteille de whisky et s'empara du lourd cadenas posé sur la commode. Elle cacha la bouteille derrière sa jambe, prit une profonde inspiration et se dirigea vers l'escalier. Elle avait affreusement peur, mais elle ferait comme si elle était très sûre d'elle.

Elle ne prit pas la peine de descendre l'escalier silencieusement. Au contraire, elle pesa sur les marches de tout son poids avec ses grandes chaussures de clown.

— Hello, Ed.

Riggs venait de surgir sur le palier du premier étage. L'apparition le laissa bouche bée.

Ils formaient un tableau digne d'une bande dessinée. La fille, plantée en haut des marches, le regard baissé vers lui. Jambes largement écartées, bombant le torse.

Quand il la vit dans cette tenue de Rambo, sa crinière bouclée flamboyant autour de sa tête, Riggs comprit pourquoi Novak la voulait. Ses coquards ajoutaient une touche à son charme sauvage, comme le maquillage ultrasophistiqué d'un mannequin haute couture. C'était une bombe sexuelle, une créature dangereuse, imprévisible.

Garde ta récompense en tête, se dit-il. C'est pour Erin que tu fais ça.

Il braqua son revolver sur elle.
— Je ne te veux aucun mal.
Le visage méprisant de Raine n'eut pas un frémissement.
— Et c'est pour ça que tu braques ton flingue sur moi, Ed ?
— Il faut que tu viennes avec moi. Si tu te tiens tranquille, il ne t'arrivera aucun mal.
Elle descendit d'une marche. Avant d'avoir réalisé ce qu'il faisait, il recula d'un pas, comme si elle représentait une menace pour lui.
— Tu as tué mon père, jeta-t-elle d'une voix vibrante de colère.
Il braquait toujours son arme sur elle, mais elle ne semblait ni le remarquer, ni s'en soucier.
— C'est du passé, grinça-t-il avec mépris. J'ai fait ça par pitié pour lui. Peter se serait suicidé un jour ou l'autre. J'ai mis fin à ses souffrances. Descends doucement, Katie. Simplifie-toi la vie, d'accord ?
Les yeux de la fille brillaient d'un feu étrange, comme ceux de Victor lorsqu'il était en colère. Son visage était d'une pâleur livide.
— Pourquoi te suivrais-je ? Tu vas me tuer de toute façon. Comme tu as essayé de me tuer quand j'étais petite. Tu t'en souviens, Ed ? Je suis sûre que tu t'en souviens.
— Je me souviens que tu étais déjà une petite garce, ricana-t-il. Allez, viens, Katie. Sois une bonne fille. Une marche après l'autre.
— Tu as tué mon père, sale porc !
Ses lèvres se retroussèrent sur un rictus et elle éleva au-dessus de sa tête le bras qu'elle avait maintenu derrière sa jambe, dissimulant une bouteille. Elle poussa un cri perçant et se jeta sur lui.
Il para instinctivement le coup, et la bouteille frappa de plein fouet son bras déjà endolori par le coup qu'elle

lui avait assené la veille avec la lampe. Il rugit de douleur et laissa échapper un glapissement quand un objet jailli de nulle part entra douloureusement en contact avec sa mâchoire.

La petite garce bondit alors sur lui de tout son poids.

25

La bouteille vola en éclats. Un coup de revolver partit, qui l'assourdit quand elle sauta sur lui. Ils atterrirent pêle-mêle sur le palier.

Ed se cogna durement contre le mur et son grognement retentissant lui procura un plaisir sauvage. Mais elle n'avait pas le temps de le savourer. Elle avait rebondi contre lui et dévalait la volée de marches suivante jusqu'à la cuisine. Elle s'empressa d'attraper tous les objets qui lui tombaient sous la main pour les lancer sur lui.

Le grille-pain l'atteignit à l'épaule. Elle le manqua avec le mixeur qui alla s'écraser contre le mur. Elle se rua dans le bureau, pivota sur elle-même et faillit l'atteindre avec une enceinte stéréo. Riggs se baissait pour échapper aux projectiles, en criant quelque chose qu'elle ne comprenait pas parce qu'elle s'égosillait elle aussi, comme si son cri était une arme à part entière. Toute la rage qu'elle s'était efforcée de contrôler jaillissait d'elle dans un hurlement suraigu et furieux qui n'en finissait pas. Elle se sentait capable de n'importe quelle violence, n'importe quelle folie.

Elle comprit trop tard qu'elle n'aurait pas dû aller dans le bureau. Il n'y avait pas d'autre issue. Elle se retrouvait acculée. Elle s'empara de trophées de sport sur une étagère et les lança sur lui. Il se couvrit le visage, jura lorsque l'un d'eux l'atteignit au coude et chargea à nouveau sur elle, le visage congestionné de rage.

Elle se faufila derrière le grand bureau supportant l'équipement informatique et le poussa devant elle pour avoir plus de place. L'énergie sauvage commençait à refluer, et la peur en profitait pour planter ses griffes. Elle lui jeta tout ce qui lui tombait sous la main : carnets, manuels d'informatique, modem. Elle déversa sur lui une pluie de trombones et d'agrafes, une poignée de CD. Elle renversa les crayons et les ciseaux d'un gros pot en argile et le projeta sur lui. Il l'évita, et la volée de crayons qui suivit rebondit sur son manteau sans lui faire le moindre mal. Il plongea sur le bureau, puis recula en hurlant quand elle donna des coups de ciseaux sur ses mains.

Il empoigna le bureau et le poussa vers elle, coinçant douloureusement sa hanche. Il s'élança à nouveau au-dessus du bureau, esquivant ses coups de ciseaux.

— Sale garce ! haleta-t-il. Je te dis que je ne te veux pas de mal !

— Non, tu vas me tuer ! Mais je ne te laisserai pas faire !

— Tais-toi ! gronda-t-il. Je ne suis pas censé te tuer ! Si j'avais voulu te tuer, crois-moi, tu serais déjà morte. Novak m'a envoyé te chercher.

— Novak ?

Elle s'immobilisa, tenant les ciseaux en l'air comme un poignard. Il lui adressa un sourire mauvais, haletant, les mains pressées sur son ventre. Son haleine fétide lui parvint malgré le bureau qui les séparait.

— Oui, Novak. Il te veut, ma jolie. Je ne crois pas qu'il ait l'intention de te tuer, lui non plus. Enfin, pas tout de suite. Il a d'autres projets pour toi, petite veinarde. J'en étais désolé pour toi au début, mais c'est drôle... ce n'est plus du tout le cas à présent.

Il écarta brusquement le bureau. Raine recula, trébucha sur un enchevêtrement de câbles électriques poussiéreux.

— C'est toi qui m'as attaquée hier soir, n'est-ce pas, Ed ? siffla-t-elle. Je reconnais ta puanteur.

Un sourire dément déforma son visage.

— Oh, tu ne perds rien pour attendre, ma jolie. Petite charmeuse, va, grinça-t-il en écartant davantage le bureau.

Les câbles des appareils reliés à la prise électrique encastrée dans le mur se tendirent, limitant son action.

— La vache, siffla-t-il avec une mimique de dégoût, tu es bien la fille de ta putain de mère.

Ces mots agirent sur elle comme un catalyseur. Elle attrapa l'écran qui se trouvait devant elle, le hissa au-dessus de sa tête et le lança sur lui dans une ultime bouffée d'énergie.

Riggs écarquilla les yeux et ses bras moulinèrent dans le vide. Il grimaça lorsque l'écran atteignit son torse et chancela vers l'arrière. Raine profita de son avantage pour saisir le premier objet qui lui tomba sous la main. Le fax. Riggs s'apprêtait déjà à revenir à la charge ; elle pivota sur le côté en faisant décrire un arc de cercle latéral à la machine et lui en assena un coup violent à la tempe.

— J'en ai marre de tous ces types qui disent du mal de ma mère, marmonna-t-elle.

Il cligna stupidement des yeux. Un silence assourdissant s'abattit sur la pièce. Riggs bascula vers l'avant, d'un bloc, comme un tronc d'arbre, l'entraînant dans sa chute. L'épaule de Raine entra douloureusement en contact avec le mur et elle tomba sur les fesses, Riggs au-dessus d'elle, sa tête dodelinant lourdement dans son cou. Un filet de sang serpenta le long de sa joue.

Elle resta là une minute, tremblante. Ce n'était pas le moment de craquer. Connor gisait toujours devant la maison et, par sa faute, Seth était parti avec un mouchard au fond de sa poche. Elle s'extirpa du poids mort du corps de Riggs.

Elle se pencha au-dessus de lui, répugnant à le toucher, et remarqua que son propre bras saignait. Abondamment. Mais elle ne pouvait pas s'en occuper pour le moment.

D'abord, l'arme de Riggs. Elle se mit à sa recherche à quatre pattes et ne tarda pas à la localiser sous le bureau. Un Glock 17. Elle se redressa et le cala à l'arrière de la ceinture de son jean. C'était froid, dur, et extrêmement inconfortable.

Elle baissa les yeux sur Ed. Il respirait et son pouls palpitait, ce qui signifiait qu'il pouvait à nouveau l'attaquer. Les méchants le font toujours dans les films d'horreur. Mieux valait ne prendre aucun risque.

Elle l'attrapa par les pieds et l'extirpa du chaos d'éléments informatiques, haletant et ahanant sous l'effort. Puis elle alla fouiller dans les tiroirs de la cuisine à la recherche de quelque chose pour l'attacher.

Elle trouva un rouleau de ruban adhésif. Elle attacha ses poignets derrière son dos, ses chevilles et ses genoux. Elle hésita un instant, puis tira ses genoux vers l'arrière et lia ses poignets à ses chevilles.

Quand elle atteignit le seuil de la maison, Connor s'était redressé en position assise et palpait sa tête de ses doigts. Elle s'agenouilla à côté de lui.

— Ça va ?

Il grimaça.

— Qu'est-ce qu'il...

— Ton collègue t'a assommé avec son revolver. Puis il m'a attaquée. Il était censé me livrer à Novak.

Connor lui coula un regard suspicieux.

— Crois-moi, je n'ai pas le temps d'inventer des histoires, l'arrêta-t-elle aussitôt. Viens, je vais t'aider à rentrer à l'intérieur.

Elle ramassa sa canne, passa un bras autour de sa taille et le soutint.

— Ed est dans le bureau, dit-elle en le guidant jusqu'aux marches du porche. Je l'ai attaché avec de l'adhésif, mais je ne sais pas si je m'y suis prise comme il faut.

— Ed ? répéta-t-il en plissant les yeux.

— C'est une vieille connaissance, expliqua-t-elle. C'est lui qui a tué mon père il y a dix-sept ans. Et c'est lui qui m'a agressée chez moi hier soir.

— Ah, murmura-t-il. J'ai loupé pas mal d'épisodes pendant que je faisais la sieste.

Un paquet de coton et un tube de pommade antiseptique traînaient sur la table de la cuisine. Raine prit un morceau de coton et mit un peu de pommade dessus. Dans le bureau, Connor contemplait Riggs.

— Tu l'as carrément momifié, commenta-t-il.

Raine écarta la tignasse emmêlée de Connor et tamponna la pommade sur la plaie de son crâne.

Il recula vivement.

— Laisse, je vais le faire.

Elle croisa les bras, tremblante.

— Je l'ai assommé avec le fax.

— Je vois.

— Il a insulté ma mère, précisa-t-elle comme si elle avait besoin de se justifier.

— Rappelle-moi de ne jamais insulter ta mère, plaisanta Connor.

— J'ai l'impression qu'elle a fait une sacrée impression à beaucoup d'hommes, et je commence à penser qu'elle n'a peut-être pas entièrement volé sa réputation.

Elle réalisa qu'elle parlait à tort et à travers, et s'imposa le silence.

— Ma foi, dit Connor avec une drôle d'expression – comme s'il essayait de se retenir de rire. Disons que, euh… si elle te ressemble…

— Non, pas vraiment. Écoute, je suis désolée d'avoir saccagé ton bureau…

— Pas de problème, répliqua-t-il en la regardant. Tu as une coupure à la joue. Tu saignes.

Elle haussa les épaules.

— Plus tard. Dis-moi, Connor, ajouta-t-elle en lui touchant l'épaule, tu ne vas pas tomber dans le coma si je te laisse ici avec une bosse sur la tête ? Je peux te déposer aux urgences en route, si tu veux, et…

— Tu ne vas nulle part, l'interrompit-il.

— C'est trop compliqué de te raconter toute l'histoire, mais j'ai compris comment le tueur nous a retrouvés hier soir. Seth a dans sa poche un collier que Victor m'a donné. Il doit être équipé d'un traceur. Il n'y a pas d'autre explication.

Le visage de Connor s'assombrit.

— C'est toi qui l'as mis dans sa poche ?

— Oui ! s'écria-t-elle. C'est moi ! Je suis désolée, d'accord ? Je suis une idiote ! Je n'avais pas idée de ce qui se passait à ce moment-là ! Mais si Victor surveille les déplacements du collier, il pensera que c'est moi qui m'approche du Corazon. Il risque de se méfier.

Connor décrocha le téléphone, pressa les touches et raccrocha. Vérifia la prise, passa dans la cuisine et essaya le téléphone mural.

— Le salaud a coupé la ligne.

— Tu n'as pas de portable ?

— Il n'y a pas de réseau ici. On est du mauvais côté du canyon.

— Mais il faut que je contacte Seth !

— Comment ? On devait communiquer par mails et tu as tout cassé. C'est Davy, le geek de la famille, pas moi. Lui ou Seth auraient pu réparer, mais moi, je ne peux rien faire.

Elle pressa ses mains contre ses paupières closes.

— Le seul moyen de les localiser, reprit-il, ce serait d'avoir le code du transmetteur de Victor, celui que Seth a dans sa poche.

— Le système de Victor… murmura-t-elle.

Connor lui coula un regard inquiet.

— Où sont les clefs de la voiture, Connor ?

— Pas question, dit-il en secouant la tête. Tu ne vas…

— Les clefs, Connor, ordonna-t-elle en pointant sur lui l'arme de Riggs. Tout de suite.

— Baisse ce flingue, Raine. Tu n'es pas crédible une seconde.

Elle soupira et laissa tomber l'arme par terre.

— Je viens avec toi, annonça Connor.

— Non !

Ils tournèrent la tête en même temps. C'était Ed qui venait de crier.

— McCloud, il faut que je te dise quelque chose, lança-t-il en se tortillant pour lutter contre ses liens.

— Tu le diras au juge, Riggs.

— S'il te plaît, c'est important. Il faut que tu m'aides.

— T'aider ? gronda Connor en se mettant à boiter lentement vers Riggs.

Prenant appui des deux mains sur sa canne, il glissa un pied sous son corps et le fit basculer sur le côté.

Les filets de sang qui avaient coulé sur son front et sous ses yeux formaient un masque de carnaval à la fois sinistre et grotesque.

— Pas moi, râla-t-il. Erin.

Le visage de Connor se figea.

— Qu'est-ce que tu racontes ?

— Erin ? demanda Raine.

— C'est sa fille, expliqua Connor. Qu'est-ce qu'elle a à voir là-dedans, Riggs ?

— Novak la tient. C'est pour ça que je voulais la fille Lazar. Pour… l'échanger.

Le visage de Connor devint subitement livide.

— Ce n'est pas vrai. Dis-moi que ce n'est pas vrai, Riggs…

— Si je ne peux pas faire l'échange, tu dois aider Erin, McCloud.

La canne de Connor glissa sur le sol. Il s'accroupit à côté de Riggs, agrippa les pans de sa veste et le souleva violemment.

— Novak tient Erin et tu ne m'as même pas appelé ? Tu as voulu sauver ta peau et tes petits secrets, c'est ça ? Espèce d'ordure. Pourquoi tu ne m'en as pas parlé avant ?

Ed ferma les yeux.

— Trop tard, haleta-t-il. Trop risqué. Les hommes de Novak me surveillent. Tout est allé trop loin.

— Ouais. Eh bien, tout vient de s'arrêter à l'instant même, siffla Connor en lâchant Ed qui retomba sur le sol dans un choc mou.

Connor se redressa. Raine ramassa sa canne et la lui tendit. Il la prit, ses lèvres ne formant plus qu'un pli dur.

Ed rouvrit les yeux et les fixa sur Raine.

— Dans le système de surveillance de Victor, l'icône symbolisant tes traceurs a la forme d'un pendentif, dit-il. Victor m'a donné un écran de surveillance. Il est dans ma voiture, mais il a une portée de cinq kilomètres seulement. J'ai vu l'icône se déplacer avec la voiture qui est partie tout à l'heure, mais je savais que tu étais toujours ici. Victor voulait que je te protège de Novak. Comme si j'avais été fichu de protéger quelqu'un, soupira-t-il. Mais Novak m'est tombé dessus. Avec Erin comme monnaie d'échange.

— Où est-elle ? demanda Connor.

— À Crystal Mountain, avec trois de ses camarades. Novak a posté ses hommes partout. Un type nommé Georg a reçu l'ordre de... de lui faire du mal si je ne livre pas la fille Lazar à Novak. Je t'en supplie, McCloud, Erin t'aime depuis toujours. Elle t'idolâtre. Fais-le pour elle, pas pour moi. Elle est innocente.

Connor fit signe à Raine de le suivre et passa dans la cuisine. Il ouvrit un placard, sortit un paquet de nouilles et le renversa au-dessus de sa main jusqu'à ce qu'un trousseau de clefs apparaisse.

— Tiens, dit-il en le déposant dans sa main. C'est sûrement trop tard, mais fais de ton mieux. Prends sur la droite au bout du chemin et suis les panneaux d'Endicott Falls jusqu'à ce que tu voies Mosley Road South. Au bout de quinze kilomètres, tu trouveras l'autoroute.

— Tu vas essayer de sauver sa fille ?

Ses traits se durcirent.

— Davy, Sean et Seth savent ce qu'ils font, déclara-t-il comme s'il essayait de s'en convaincre. Et d'après ce que je viens de voir, tu es capable de te défendre toute seule. Mais Erin... elle n'a pas idée de ce qui se passe. J'ai assisté à sa cérémonie de remise de diplôme, bon sang, ajouta-t-il d'un ton désespéré.

Raine le serra instinctivement dans ses bras.

— Bonne chance, Connor. Tu es un vrai gentil.

— Ah ouais ? Et qu'est-ce qu'un gentil est censé faire de ça, d'après toi ? s'enquit-il en inclinant la tête en direction du bureau d'où provenaient les gémissements de Riggs.

— Enferme-le dans le grenier. Il a pris ses risques et il n'y a aucune raison de lui appliquer un traitement de faveur.

Connor lui décocha un grand sourire admiratif.

— Une vraie réplique d'aventurière impitoyable ! déclara-t-il. Tu sais que tu as un sacré cran, Raine ?

— Je ne sais pas trop, mais c'est gentil de me le dire.

Elle alla prendre l'écran de contrôle dans la voiture de Riggs, puis s'engagea sur le chemin au volant de la Mercury bronze de Seth. Il fallait qu'elle le rejoigne avant que Victor et Novak ne se rapprochent.

Seth se croyait dans la peau du chasseur, mais il était la proie.

26

Davy composa le numéro pour la troisième fois consécutive, fronça les sourcils et coupa le micro de son casque.

— La ligne est morte, annonça-t-il. On ne peut pas contacter Connor.

Un silence consterné accueillit cette déclaration.

— Ça craint, fit Sean d'un ton pensif.

— C'est peut-être une coïncidence, suggéra Davy.

Seth émit un ricanement tandis qu'il prenait la sortie conduisant à l'embarcadère habituel de Lazar.

— Tu as envie de parier là-dessus ?

— Non, répondirent Sean et Davy en chœur.

— Si vous voulez sortir du jeu maintenant, je ne vous retiens pas, dit Seth. Je ne vous en voudrai pas. Et même, l'opinion que je me fais de votre intelligence s'en trouvera accrue.

Sean lui décocha un grand sourire idiot et rabattit sa cagoule verte sur son visage d'ange.

— Va te faire mettre.

— Ouais, grommela Davy. Pareil.

Seth émit un long soupir silencieux. Les McCloud étaient comme des tiques. Une fois qu'ils avaient planté leurs pattes quelque part, il n'y avait plus moyen de les déloger.

— Alors ? Qu'est-ce qu'on fait ? s'enquit Sean d'un ton tranquille. Tu peux suivre le Corazon à partir d'ici ?

— Attrape mon portable dans le sac, répondit Seth.

Sean ouvrit l'ordinateur et se connecta.

— OK, ça tourne. Le plan s'affiche à l'écran. Après ?

— Clique sur le bouton en haut à droite et attends la page d'accueil.

— Mot de passe ?

— Rétribution, marmonna Seth.

— Houuu, modula Sean. Ça me donne des frissons partout.

Seth fronça les sourcils.

— On n'est pas en train de s'amuser, Sean.

— Eh ! Ce n'est pas sous prétexte que tu as des problèmes avec ta copine que tu dois jouer les rabat-joie. Souris un peu, mec.

— Cesse d'être pénible, Sean, gronda Davy.

— Je suis le petit frère. Les petits frères sont pénibles par définition, rétorqua Sean avant de jeter un coup d'œil à Seth. Désolé, mec.

— Passe-moi le portable, se contenta de grommeler Seth.

Il tendit la main vers lui, mais Sean s'agrippa à l'ordinateur en fredonnant.

— Attends, attends, dit-il. Je vois le... Bingo, mec ! Dis donc, tu es vraiment un romantique dans l'âme, toi.

— Dis-moi ce que tu vois ! aboya Seth.

— L'icône. Un adorable petit cœur traversé d'une flèche. Le Corazon, si je ne m'abuse. Un kilomètre trois vers l'ouest, droit devant nous. On est pratiquement dessus. C'est le destin.

L'employé du parking en sous-sol de l'immeuble abritant les bureaux de Lazar Import-export bondit de sa chaise quand elle sortit de voiture, son visage formant un masque alarmé des plus comiques.

— Bonjour, Jeremy, lança-t-elle. Je n'ai ni mon badge ni mon étiquette de parking, mais je vous promets que je n'en ai pas pour longtemps.

Jeremy se contenta de la regarder passer devant lui, complètement médusé.

Le trajet en ascenseur lui donna l'impression de faire un voyage dans un univers parallèle. Les gens qui l'entouraient la regardaient comme si elle avait eu deux têtes. Ils étaient si parfaitement policés et polis. Le monde dans lequel ils évoluaient était sûr, compréhensible, contrôlable. Ils lui donnèrent envie de hurler et elle fut à deux doigts de les prévenir que leurs pires cauchemars pouvaient à tout instant se matérialiser et leur sauter dessus en découvrant leurs crocs jaunes, mais elle parvint à se contrôler.

Ses longs cheveux bouclés et tout emmêlés descendaient heureusement assez bas dans son dos pour dissimuler l'arme coincée dans son jean, mais son T-shirt moulant, lui, ne cachait pas grand-chose de son anatomie.

— Excusez-moi, dit-elle lorsque les portes de l'ascenseur s'ouvrirent.

Ils s'écartèrent instantanément pour lui livrer passage. Elle allait peut-être adopter ce nouveau look de façon permanente, songea-t-elle. Il inspirait le respect.

Le même phénomène se produisit quand elle pénétra dans le bureau paysager de Lazar Import-export. Les gens qui l'avaient intimidée et lui avaient donné des ordres tout au long du mois reculèrent à son approche, les yeux écarquillés, et se plaquèrent contre les murs pour la laisser passer. Comme si elle était dangereuse. L'étincelle d'un sombre amusement l'enflamma. Elle avait parcouru un sacré chemin depuis le jour où elle avait servi, les genoux tremblants, des billes de melon et des muffins à des hommes d'affaires cravatés.

Harriet fonça sur elle comme un avion de chasse lorsqu'elle s'engagea dans le couloir conduisant au bureau de Victor. Elle lui bloqua le passage, vibrante d'indignation.

— Comment osez-vous vous présenter ici dans cette tenue ! Auriez-vous perdu l'esprit ? Vous avez le visage en sang et vous êtes... crasseuse ! acheva-t-elle d'une voix que l'effroi rendit chevrotante.

Raine réprima un éclat de rire hystérique.

— Dégage, lui ordonna-t-elle. Il faut que j'entre dans ce bureau.

— Non ! s'écria Harriet en tendant les bras devant la porte, prête à lui faire barrage de son corps. Quel que soit votre degré d'intimité avec M. Lazar, cela ne vous autorise pas à...

— C'est mon père, Harriet, lâcha-t-elle tranquillement.

Harriet tressaillit, ses yeux énormes clignant furieusement derrière les verres de ses lunettes.

— Alors bouge tes fesses de là, ajouta Raine en rapprochant son visage du sien. Je suis de mauvaise humeur, au cas où tu ne l'aurais pas remarqué, et je n'ai ni le temps ni la patience de t'expliquer pourquoi. Allez ouste !

Harriet déglutit et s'écarta, le visage crispé.

— Appelez la sécurité ! lança-t-elle aux employés massés au bout du couloir qui contemplaient la scène en échangeant des murmures.

La sécurité. Génial. Elle n'allait pas avoir beaucoup de temps. Raine verrouilla la porte derrière elle et prit place dans l'imposant fauteuil directorial de Victor qui ressemblait à un trône. L'ordinateur était heureusement déjà allumé sur la page d'accueil, le tiret vertical clignotant dans le rectangle blanc du mot de passe.

Elle se frotta les yeux et tâcha de se souvenir de ce que Victor lui avait dit. Plus de quatre lettres. Moins de dix. *Ce qu'il attendait d'elle.*

Satané Victor. Pourquoi fallait-il qu'il s'obstine à faire sentir son pouvoir avec des devinettes ? Elle devait se concentrer. Victor adorait toujours tout contrôler. Il aimait contrôler les gens par...

Elle tapa le mot « peur ». Échec. Elle essaya « contrôle », « vengeance ».

Rien.

Elle écrivit « pouvoir », puis « respect ». Toujours rien. Elle ferma les yeux. Il fallait qu'elle pense comme lui. Plus alambiqué, plus abstrait. Victor adorait l'abstraction. Mais rien ne lui vint à l'esprit, le stress lui avait brouillé les idées. Elle se mit à taper tous les mots qui lui passaient par la tête.

Elle essaya « confiance », « vérité », « honneur », « justice », « courage ». Elle essaya aussi « pitié », « pardon ».

Elle hésita, se mordit la lèvre et tapa « amour ».

Rien.

Elle laissa échapper un chapelet de jurons bien sentis qu'elle avait appris au contact de Seth.

Ce maudit mot de passe aurait dû être « amour » ! C'était ce qu'elle voulait, en bonne crétine sentimentale qu'elle était. Il fallait toujours qu'elle cherche ce qu'elle ne pouvait pas avoir, qu'elle cherche l'amour là où il ne pouvait pas y en avoir. Elle voulait sortir de cet asile de haine et de vengeance. Elle voulait sauver tout le monde – elle-même, Seth, Connor, et même cette pauvre Erin qu'elle ne connaissait pas. Elle voulait retrouver l'état d'enchantement qu'elle avait atteint la veille, avant que cet assassin masqué ne l'efface.

Elle voulait remonter le temps, sauver Peter de Riggs, sauver Victor de lui-même, libérer tout le monde de la peur, du désespoir et de la solitude. Mais elle était minuscule et impuissante, et le bateau dérivait, loin d'elle. Elle aurait eu besoin d'aide, qu'un moment de grâce pure lui soit accordé pour l'aider à résoudre cette énigme...

Elle contempla l'écran, plaça les mains au-dessus du clavier et composa le mot « grâce ».

Mot de passe accepté. Le menu des options apparut, l'invitant à poursuivre. Elle refoula les larmes qu'elle n'avait pas le temps de verser et cliqua sur une icône en forme de lunettes. Un logo de la société X-ray Specs apparut. Elle sélectionna « dernier dossier consulté », puis « sélectionner tout ».

Un plan s'afficha à l'écran. Un plan du quartier résidentiel entourant Templeton Street. De minuscules points colorés clignotaient un peu partout. Elle sélectionna la loupe sur la barre d'outils, la promena au-dessus du plan. Un instant de grâce, pria-t-elle intérieurement. Rien qu'un tout petit instant et elle se chargerait du reste.

Là ! En bas de l'écran. Quelque chose clignotait. Elle en approcha la loupe et zooma dessus, vaguement consciente que quelqu'un criait et frappait à la porte.

L'icône du pendentif ! Il palpitait au sud de Carstairs Road, une rue parallèle à Templeton Street. Elle connaissait l'endroit. L'ancienne villa luxueuse d'un magnat du bois de construction dans les années vingt, désormais à l'abandon et entourée d'un immense parc qui ressemblait à une véritable forêt. Seth était là.

La porte du bureau s'ouvrit brutalement. L'instant de grâce était terminé. Un énorme agent de la sécurité entra dans le bureau et la contempla comme si elle était un animal enragé.

— Mademoiselle, je crains d'avoir à vous demander de me suivre, gronda-t-il d'un ton sévère.

— Je ne pense pas, répliqua-t-elle. J'ai des choses à faire.

Il se planta devant elle, lui bloquant le passage.

Raine n'avait pas une minute à perdre. Elle passa les mains derrière son dos, attrapa le Glock de Riggs et le pointa sur l'agent de sécurité avec un grand sourire.

— Je m'en vais, déclara-t-elle. Je vous souhaite une bonne journée.

L'homme recula en trébuchant pour la laisser passer.

— Vous voyez ? Je vous avais dit qu'elle était dangereuse ! glapit Harriet.

Raine franchit la haie des visages horrifiés de ses anciens collègues, ces gens à qui elle s'était efforcée vainement de plaire pendant un mois.

— À plus tard, leur lança-t-elle. C'était très sympa.

Elle cala le Glock dans son jean et s'enfuit à toutes jambes.

Victor vérifia l'identité de l'appelant avant de décrocher quand le portable sonna. C'était Mara, qu'il avait assignée à la surveillance de la salle de contrôle. Il repensa fugitivement à ce qu'il avait fait à la délicieuse Mara la veille au soir dans sa chambre. Il s'en souviendrait certainement longtemps, mais elle avait intérêt à avoir une bonne raison de l'appeler. Il n'était pas d'humeur à badiner au téléphone.

— Oui ? fit-il sèchement.

— Monsieur Lazar, l'icône du pendentif est dans les parages de l'embarcadère.

— Tu es sûre ? demanda-t-il, désagréablement surpris.

— Oui. Il est au niveau de Moorehead Street et se dirige vers le sud. Il est dans le périmètre de votre écran de surveillance.

Il sortit l'écran de la poche de son manteau, entra le mot de passe et composa le code. Mara avait raison. Katya était bien là.

— Merci, Mara. Continuez.

Pourquoi Katya était-elle là ? Elle aurait dû se trouver hors de portée, sous la surveillance de Mackey et Riggs.

Il aurait fallu annuler la rencontre. Quelque chose clochait. Il le sentait. Mais si Novak tenait Katya, il ne pouvait plus reculer. Il s'était cru invulnérable, mais Katya était son point faible...

Ils s'approchaient de l'embarcadère. Victor éteignit l'écran et le jeta à l'eau.

Ce n'était peut-être pas Katya. Quelqu'un d'autre s'était peut-être approprié un de ses traceurs. Ou bien un dysfonctionnement. Il ne lui restait plus que cet espoir.

Voilà à quoi il en était réduit, lui, Victor Lazar, qui s'était pris pour le maître du jeu. Il se raccrochait à l'espoir.

— Hmm... Il faudra que je m'en procure une paire, dit Sean en inspectant la végétation à travers ses jumelles. Je ne m'étais pas senti aussi excité depuis le cambriolage des entrepôts. Je peux voir trois... non, quatre gorilles de Novak grâce à la fonction longue portée infrarouge. Jouer avec tes joujoux me donne l'impression d'être doté de pouvoirs surhumains.

— C'est l'idée, ouais, répondit Seth en passant une paire de jumelles à Davy, avant d'en enfiler une paire autour de son cou.

Il donna ensuite à chacun d'eux un casque équipé d'un micro de la même couleur camouflage que leur cagoule.

— Bon, alors qu'est-ce qu'on fait ? demanda Davy. On se pointe à la porte d'entrée et on appuie sur la sonnette ?

— Pas question de faire de reconnaissance si on ne connaît pas le site. J'avais l'intention de zapper direct. Si vous avez d'autres idées, je vous écoute.

Davy et Sean échangèrent un long regard, puis leur sourire étincela dans l'ouverture de leurs cagoules.

— La chasse est ouverte, déclara Davy en ouvrant le coffre de la Cherokee. Attends un peu de voir l'attirail des McCloud.

Il sortit une grosse valise noire et jeta un coup d'œil interrogatif à son frère.

— Tu préfères la Remington 700 ou le Cheytec .408 ? demanda-t-il en ouvrant la valise pour un sortir un énorme fusil de sniper.

— Prends le Cheytec, répondit Sean. C'est toi le meilleur tireur.

— C'est bien pour ça que tu devrais prendre le Cheytec, répliqua Davy d'un ton de patience exagéré. Et de toute façon, tu es un excellent tireur.

— Je ne suis pas mauvais, mais tu es meilleur que moi. Tu es le tireur d'élite, moi je suis le démolisseur. Dommage qu'on n'ait pas connu le site à l'avance, ajouta-t-il à l'intention de Seth avec un grand sourire. Je me serais fait une joie de bombarder ces ordures. Je ne connais rien d'aussi jubilatoire qu'un bon gros feu d'artifice, tu vois ce que je veux dire ?

— Concentre-toi, Sean, marmonna Davy.

Il épaula le Cheytec et cala son œil devant la lunette.

— On chassait avec un arc et des flèches, quand on était petits. Pour s'amuser. Tu as déjà essayé ? demanda-t-il à Seth.

Celui-ci contemplait l'énorme fusil, impressionné malgré lui. Il finit par réagir à la question que venait de lui poser Davy.

— Ben non, je suis un gars de la ville, moi.

— C'est notre père qui nous a appris. Pour nous préparer au jour fatal et inéluctable où le gouvernement serait renversé, où l'anarchie régnerait et où la civilisation retomberait à l'âge de bronze.

— « Alors, ceux qui seront prêts, les élus, seront les ducs et les princes de ce nouvel ordre mondial », récita Sean d'une voix théâtrale. Les élus, c'est-à-dire : nous.

— Et moi qui étais persuadé d'avoir eu une enfance hors norme, marmonna Seth.

— Oui, notre père était un penseur original, acquiesça Davy. Toujours est-il que quand tu chasses avec un arc et des flèches, tu dois te rapprocher le plus possible de ta proie. On jouait à ça, des fois, on se rapprochait d'un cerf ou d'un élan pour lui donner une claque sur le derrière et le regarder s'enfuir en courant. D'autres fois, on les tuait. Tout dépendait de ce qui restait dans le congélateur.

Seth leva ses jumelles et inspecta les arbres qui entouraient la maison.

— Vous racontez tout ça pour une raison précise ou pour le plaisir de bavasser ? grommela-t-il.

— C'est juste que ça fait longtemps qu'on n'est pas allés chasser, Sean et moi, répondit Davy en tendant une paire de menottes flexibles à chacun d'eux.

— Trop longtemps, opina Sean. Dommage que Connor ne puisse pas venir. C'était le meilleur d'entre nous. Il se déplaçait comme une ombre.

Seth baissa les yeux sur les menottes flexibles, puis les reporta sur les frères McCloud. Dans l'ouverture de leurs cagoules, leurs yeux verts brillaient d'un même feu impatient.

— Vous prenez vraiment votre pied à ce jeu, hein ?

— À cause de ces ordures, Connor est resté dans le coma pendant deux mois, répliqua doucement Davy. Et ils ont tué Jesse.

— Jesse était aussi notre pote, renchérit Sean. On ne raterait pas cette fête pour tout l'or du monde.

Il sortit une autre valise du coffre de la Cherokee.

— Tiens, vise un peu ça, Seth. Tu n'es pas le seul à avoir plus d'un tour dans ton sac, dit-il en soulevant le couvercle.

— Qu'est-ce que c'est ? demanda Seth en regardant le contenu de la valise.

— Des pistolets à air comprimé transformés en pistolets tranquillisants, répondit Sean d'un ton triomphal. C'est Nick, un des collègues de Connor, qui me les a filés. Il est spécialisé dans ce type d'intervention. Ça permet de régler les choses sans effusion de sang.

Seth l'observa, interloqué.

— Tu veux dire que tu t'es déjà servi de ces trucs ? Tu fais quoi au juste pour gagner ta vie, Sean ?

Celui-ci haussa les épaules et lui décocha un sourire impénétrable.

— Oh, je bricole par-ci par-là. L'un dans l'autre, je m'en sors... Tiens, j'ai apporté celui de Connor pour toi. Un Beretta M92 à lunette. Avec vision laser aussi, si tu veux. Quoique, personnellement, je trouve que c'est moins rigolo.

Seth prit l'arme, la contempla et se mit à sourire.

— Vous êtes vraiment de sacrés phénomènes, vous autres les McCloud.

Davy lui rendit son sourire.

— T'es pas le premier à t'en apercevoir.

Un autre homme à terre.

Raine s'accroupit à côté du second corps immobile et souleva sa cagoule pour s'assurer qu'il ne s'agissait pas d'un des frères McCloud. Elle soupira de soulagement quand elle découvrit que ce n'était pas le cas. C'était un jeune homme blond aux cheveux très courts. Il était vivant, et une minuscule aiguille était plantée dans sa gorge. Des menottes de plastique entravaient ses chevilles et ses poignets.

Elle regarda autour d'elle, mais ne vit personne parmi les arbres murmurants. On se serait cru dans la forêt de la Belle au Bois dormant.

Elle s'était garée aussi près qu'elle avait osé le faire de la villa abandonnée et progressait à travers le parc laissé à l'état sauvage, en s'orientant à l'aide de l'écran de surveillance de Riggs. Seth et les frères McCloud étaient dans les parages et mettaient un à un hors d'état de nuire les gorilles de Novak. C'était réconfortant.

Il s'était remis à pleuvoir, mais elle était trop surexcitée pour le sentir.

Elle se plaqua contre un tronc d'arbre et regarda autour d'elle, la main crispée sur la crosse du Glock. Courir prévenir Seth du danger lui était apparu comme une bonne idée sur le moment, mais maintenant qu'elle se retrouvait au cœur de cette inquiétante forêt silencieuse, elle commençait à avoir des doutes. Une fois de plus, elle avait voulu jouer dans la cour des grands.

Il était trop tard pour revenir en arrière. Elle ne pouvait pas abandonner Seth avec le pendentif dans sa poche, et de toute façon elle n'avait nulle part où aller. Rien d'autre n'existait que ce moment, cet endroit et la mission qu'elle s'était donnée. C'était la clef qui lui permettrait de résoudre l'énigme de toute sa vie.

L'écran indiquait que le collier était à moins de trois cents mètres d'elle vers le nord-est. En se faufilant sous le couvert de ces saules, elle pourrait peut-être voir…

Quelque chose l'atteignit entre les omoplates avec une telle force qu'elle s'affala, tête la première, dans les feuilles boueuses. Quelque chose de lourd était au-dessus d'elle. Quelque chose qui remuait, qui respirait et qui puait la cigarette.

La chose écarta le Glock de sa main et le braqua contre son cou. Un bras glissa sous son menton et pressa contre son larynx. La terreur lui donna la force de soulever le dos, et elle glissa l'écran de surveillance sous le tapis de feuilles mouillées.

La chose lui empoigna les cheveux et fit pivoter sa tête sur le côté. Elle aperçut des sourcils d'un blond presque blanc, des yeux rosâtres et un nez crochu. La chose lui fit un grand sourire, révélant des dents jaunes.

— Salut, beauté. Le patron va être drôlement content de te voir.

27

Seth se retrouvait enfin. Sa concentration était presque redevenue normale, son instinct était aiguisé et parfaitement focalisé. La chute de cette folle équipée se profilait très nettement et rien ne pourrait l'empêcher de l'atteindre – tant qu'il ne ferait pas attention à ce petit nuage brûlant suspendu au milieu de son esprit. Raine.

Ici et maintenant, se dit-il furieusement. Rien d'autre n'existait. Il était allongé sur le ventre, à cinquante mètres de la maison. Ils avaient repéré les caméras, mais pas moyen de savoir si Novak avait installé des détecteurs de mouvement. Étant donné la configuration des lieux, Seth en doutait. D'autant que cette ruine ne lui faisait pas l'effet d'abriter une installation hautement sécurisée. Elle ressemblait plutôt à une maison hantée. C'était bien Novak, ça, de chercher à s'entourer d'une atmosphère plutôt que de renforcer sa sécurité.

Il s'autorisa une infime dose d'optimisme. Les frères McCloud et lui avaient sécurisé le périmètre, et l'écran de surveillance indiquait que le Corazon se trouvait à l'intérieur de la maison. Pénétrer à l'intérieur allait représenter un défi intéressant. Il rampa sur quelques mètres sous le couvert des buissons. Un cliquetis dans son oreillette lui signala l'ouverture d'une ligne.

— Yo, Seth, le salua Sean d'une voix singulièrement abattue. Ça m'embête de te dire ça, mais… ta copine a décidé de se joindre à nous.

L'esprit de Seth se vida d'un seul coup.

Ce n'était pas possible ! Elle était enveloppée dans une couverture à siroter de la tisane sous l'œil vigilant de Connor. Elle ne pouvait pas être dans les parages.

— Où ça ? demanda-t-il dans le micro de son casque.

— Elle a dû entrer par la brèche du mur ouest. Un des gorilles l'a capturée. Il l'emmène vers la maison.

— Tu peux l'atteindre ?

— Trop loin. Trop risqué. Je risquerais de la toucher. Désolé.

Raine avait décidément le talent de transformer ce qui était parfaitement simple en un nœud de complications inextricable.

— Merde, souffla-t-il. Je ne peux pas y croire. Je n'y crois pas…

— Je comprends, mec, lui assura chaleureusement Sean. C'est un sacré petit lot, mais elle est remuante. Je me demande ce qu'elle a fait à Connor. Bon sang, j'espère qu'elle ne l'a pas blessé ou…

— Tais-toi, Sean. Davy, comment va la chasse ?

— J'ai emballé deux bécasses de toute beauté, répondit aussitôt celui-ci. Elles sont troussées, il n'y a plus qu'à les assaisonner.

— Tu es à quelle distance de la maison ?

— Une centaine de mètres.

— Rapproche-toi. Écoute bien, voilà ce qu'on va faire…

Kurt Novak regarda l'écran montrant la bibliothèque dans laquelle l'attendait Victor. Il était confortablement assis dans un fauteuil victorien rembourré et fumait une cigarette. Tranquille. Persuadé d'avoir mis le maître du jeu en échec. Le voir ramper et supplier serait extrêmement gratifiant.

Le recevoir ici comportait une part de risque, mais il s'était trop longtemps terré dans des trous dépourvus de fenêtres. Il n'en pouvait plus. Il composa le numéro de Riggs une dernière fois. Toujours rien. Malgré le concours d'un des meilleurs professionnels de la région, il avait échoué. L'amant de la fille devait être très doué.

C'était ennuyeux. La salle de la cave était prête, et il aurait voulu que la fille y soit pour s'amuser avec Victor comme avec un poisson pris à l'hameçon. Il allait devoir improviser.

De toute façon, Riggs paierait son incompétence au prix fort. Il commença à composer le numéro de Georg. Il allait lui demander de se montrer très créatif avec la fille…

Un de ses transmetteurs radio bipa. Il le souleva.

— Oui ?

Il écouta ce que son correspondant avait à dire et se mit à rire. Il se tourna vers un autre écran et agrandit l'image.

Au bout de quelques secondes, Karl apparut à l'écran avec la fille Lazar. Il lui tira les cheveux jusqu'à ce qu'elle lève le regard vers la caméra. Ses beaux yeux lancèrent des flammes de défi.

Sa tenue laissait à désirer, mais elle était toujours aussi appétissante. Cette bouche aux lèvres pleines et légèrement tremblantes. Cette peau pâle qui devait marquer au moindre frôlement. Il n'avait même pas eu besoin de ce gros incompétent de Riggs, finalement. La fille s'était jetée dans la gueule du loup toute seule.

— Amène-la-moi, dit-il.

Il lui tardait de conclure cette fastidieuse transaction avec Victor.

Une fois cette corvée réglée, il pourrait enfin s'amuser.

Elle avait horreur de se sentir à la fois stupide et terrifiée. Novak coinça ses poignets derrière son dos et les tordit. Une douleur fulgurante parcourut ses nerfs, et elle fut sur le point de s'évanouir avant que Novak ne l'incite à avancer.

Karl, le gorille qui l'avait attrapée, ouvrit une lourde porte d'acajou sculptée, puis s'écarta pour les laisser entrer. Il la lorgna ouvertement d'un œil salace quand elle passa devant lui. Raine se souvenait du contact de ses mains moites sur son corps et se demanda si elle parviendrait un jour à se débarrasser de l'odieuse sensation qu'elles avaient laissée sur sa peau.

Victor attendait dans la grande bibliothèque en piteux état. Il avait une mine sinistre et ne parut pas surpris de la voir. Karl et un autre nervi de Novak se placèrent de part et d'autre du fauteuil qu'il occupait.

— Bonjour, Kurt. Ce désagrément est-il vraiment nécessaire ?

— La plupart des désagréments le sont, Victor, répondit Novak. Et garde à l'esprit que c'est toi qui m'as mis dans cette position. Tu ne peux t'en prendre qu'à toi-même.

Victor croisa le regard de Raine. Un sourire flotta sur ses lèvres.

— Bonjour, Katya, dit-il. Je regrette de te voir ici, mais je n'en suis pas étonné. Il faut toujours que tu sois au centre de l'action, n'est-ce pas ? Tu n'aimes pas rester sur la touche, c'est plus fort que toi.

— Vous avez suivi mes déplacements grâce au traceur, n'est-ce pas ? demanda-t-elle.

— Oui, répliqua-t-il en la détaillant de la tête aux pieds. Ton sens de l'habillement évolue à la vitesse de la lumière, ma chère. Je reconnais que cela a un certain charme, un peu sauvage et débraillé, mais personnellement, je préfère Dolce & Gabbana.

— J'ai cette allure parce que je me suis battue avec Ed Riggs, lui apprit-elle.

Le sourire gentiment ironique de Victor se figea.

— Riggs s'en est pris à toi ?

— Tout le monde s'en prend à moi, marmonna-t-elle sourdement.

Novak lui tordit le bras, et elle se pencha en avant avec un sifflement de douleur.

— Silence, grinça-t-il. Riggs travaille pour moi, désormais. Il m'a raconté toute l'histoire hier. Séduction, chantage et meurtre. Charmante petite famille. En matière de secrets sordides, vous pouvez vous vanter de rivaliser avec moi.

— Alors c'est vrai ? demanda Raine en sondant le regard de Victor.

— La petite part d'une vérité bien plus vaste, répondit-il avec un haussement d'épaules. Je te félicite d'avoir affronté cet imbécile, Katya. Il ne faisait pas le poids face à toi. Tu l'as abattu, j'espère ?

Un faisceau brûlant parcourut son bras quand Novak la força à se mettre à genoux.

— Non, croassa-t-elle. Ce n'est pas mon genre.

— Non ? s'étonna Victor, déçu. Une faute que j'imputerai à ton inexpérience. Pour l'amour de Dieu, Kurt, lâche cette pauvre fille ! Cette mise en scène est parfaitement superflue.

— On fait le délicat ? se moqua Novak en calant le canon de son arme sous le menton de Raine pour l'obliger à lever la tête. On va jouer à un tas de jeux très excitants, toi et moi, susurra-t-il. Autant t'habituer à cette position.

— Non, répliqua-t-elle en secouant la tête autant que le canon de l'arme l'y autorisait.

— Ça suffit, intervint Victor d'un ton irrité. C'est vulgaire et inutile. Négocions, plutôt.

Novak la fit se redresser avec un petit sourire satisfait.

— Ça ne te ressemble pas de trancher dans le vif comme ça, Victor. D'habitude, tu adores tourner autour du pot pendant des heures. Tu es nerveux, peut-être ? Mal à l'aise ? J'ai dit quelque chose qui t'a déplu ?

— Ça suffit, répéta Victor d'une voix glaciale. Qu'est-ce que tu veux ?

Novak se pencha vers Raine, aspira le lobe de son oreille entre ses dents, puis le mordit assez fort pour lui tirer un glapissement suraigu.

— Tout, mon ami, répondit-il. L'arme, les cassettes – toutes les cassettes. Ta nièce. Ta fierté, ta tranquillité d'esprit, ton sommeil. Je veux tout.

Victor émit un soupir impatient.

— Ne sois pas mélodramatique. Nous faisons affaire amicalement depuis des années. Pourquoi cette soudaine hostilité ?

Novak fit mine de paraître choqué.

— Mais tu as trahi mon amitié, Victor. Tu as joué avec mes plus tendres sentiments. Et maintenant, je vais jouer avec les tiens.

Victor garda son regard rivé sur lui.

— Je suis désolé, Katya, dit-il d'une voix douce. Tu ne mérites pas cela.

Raine se débattit et chercha à échapper à l'étreinte de Novak quand celui-ci lui enfonça sa langue dans l'oreille, mais s'immobilisa quand il se mit à caresser son menton du canon de son arme.

— Ta nièce est encore plus excitante que Belinda Corazon, modula suavement Novak. Plus sauvage, plus farouche. Je suis curieux de visionner cette cassette,

Victor. Afin de voir les sensations qu'elle éveille en moi et de comparer.

Raine repensa soudain à la conversation qu'elle avait eue avec Victor dans sa chambre forte, et comprit ce qu'il avait voulu dire.

Il avait trompé Novak en utilisant un de ses rêves. Il n'avait aucune cassette vidéo à échanger. Elle croisa son regard et y lut la terrifiante vérité. Elle ne sortirait pas vivante de cette maison.

— C'est ce que tu voulais dire quand tu m'as parlé de l'utilité des rêves des Lazar ? demanda-t-elle.

— Silence ! hurla Novak en postillonnant abondamment.

Il pointa son arme sur Victor.

— Écoute-moi bien, Victor. J'ai une chambre secrète toute prête à accueillir ta charmante nièce. Au bout de chaque heure que tu me feras attendre pour me donner ces cassettes, j'ai l'intention de…

Une des grandes fenêtres cintrées de la bibliothèque vola en éclats. Un des hommes de Novak fit un vol plané et s'effondra sur le sol, les mains pressées sur son torse. Le monde parut alors exploser.

Novak écarta violemment Raine et se retourna pour affronter cette nouvelle menace qui semblait s'abattre de tous les côtés à la fois. Raine se retrouva projetée contre le mur.

Karl ouvrit le feu en direction de la porte de la bibliothèque. Un seul coup lui répondit. Karl lâcha son arme et s'écroula sur le sol, ses mains enserrant la masse rougeâtre et visqueuse qu'était devenue sa gorge.

Une autre détonation retentit, ponctuée par un grognement de Novak qui heurta lourdement le sol. Le temps s'englua dans un silence cotonneux tandis qu'il se redressait sur les coudes et foudroyait Victor du regard, ses traits tordus formant un masque de gargouille.

Novak leva son arme et la braqua sur Raine. Victor bondit aussitôt devant elle. La force du tir le projeta contre elle et la cloua au mur. Une douleur aveuglante s'empara de son dos. Victor s'affaissa et glissa le long de son corps. Elle le saisit sous les aisselles. Novak pointa à nouveau son arme vers elle, les lèvres étirées sur un épouvantable sourire.

Une autre explosion retentit et son arme vola de sa main. Une affreuse giclée rouge jaillit comme le jet d'une fontaine. Novak, plié en deux sur la bouillie de sa main, ouvrit la bouche sur un cri silencieux.

Une autre détonation. Il sursauta, replia le bras au niveau de sa taille et tomba à plat ventre sur le sol.

Seth se pétrifia. Il avait échoué, il avait raté son coup. Raine glissait le long du mur derrière Lazar. Il courut jusqu'à elle et s'agenouilla dans une mare de sang.

— Tu es touchée ? demanda-t-il.

Elle leva vers lui un regard de parfaite incompréhension. Il essaya d'écarter le corps de Lazar pour constater la gravité de ses blessures.

— Non !

Ses bras se refermèrent sur Victor.

— Il faut que je voie si tu es blessée, nom d'un chien !

Elle secoua la tête.

— Il a pris la balle à ma place.

Seth baissa les yeux sur le visage de Lazar. Ses lèvres étaient bleues. Mais ses yeux brillaient, lucides, toujours conscients. Il remua les lèvres, mais Seth n'entendit pas ce qu'il dit. Il se pencha.

— Quoi ?

— Tu étais censé la protéger, râla Victor.

Un rire rauque échappa à Seth.

— J'ai essayé. Elle est difficile à protéger.

— Essaye encore, dit Victor. Idiot.

Il toussa et une bulle de sang se forma devant sa bouche.

— Non, Victor ! s'écria Raine d'une voix tremblante. Ne bouge pas. On va aller chercher les secours et…

— Chhh… Katya, souffla Victor. Mackey…

Seth ne voyait pas pourquoi il devrait écouter les dernières paroles d'un des assassins de Jesse. Mais l'homme avait pris une balle à la place de Raine. Il se pencha à nouveau vers lui.

— La force ne sert à rien si tu n'as rien à protéger avec, exhala Victor d'un pitoyable filet de voix.

Seth contempla le regard de l'homme à l'agonie. Il recula, vivement irrité.

— Des perles de sagesse dans la bouche d'un meurtrier. Merci, Victor. Je ferai imprimer ça comme en-tête sur mon papier à lettres. Ou, mieux, je le ferai graver sur ta tombe. Tu sais quoi ? Tu ne méritais pas une mort aussi douce.

Il eut à peine le temps d'apercevoir le léger sourire amusé de Victor avant que Raine ne l'écarte.

— Éloigne-toi de lui ! cracha-t-elle.

Il la regarda se pencher au-dessus de Victor en murmurant quelque chose. Des boucles de ses longs cheveux pâles traînaient dans son sang. Elle pleurait sans bruit.

Les yeux de Lazar devinrent vitreux et fixes.

Novak gisait face contre terre, avachi sur le sol comme un tas de linge.

Seth ne ressentait ni triomphe, ni satisfaction, ni paix.

Il ne ressentait strictement rien.

Raine regarda le visage de Victor en faisant appel au sortilège des yeux : si elle ne clignait pas des yeux, il ne mourrait pas. Elle venait à peine de le retrouver.

Mais elle pleurait trop fort. Elle ne pouvait pas s'empêcher de cligner des yeux. Et de toute façon, aucun sortilège enfantin ne pourrait le retenir. Elle effleura son visage d'une caresse timide, étalant une traînée de sang sur sa pommette.

— J'ai deviné ton mot de passe, murmura-t-elle.

— Petite rusée, dit-il d'une voix à peine audible.

— Je suis désolée de ne pas avoir pu te donner ce que tu attendais de moi.

Elle vit le coin de sa bouche palpiter, amorçant l'ébauche d'un sourire.

— Si, tu me l'as donné. Peter peut me pardonner, maintenant. Si tu le peux aussi, ajouta-t-il en rivant son regard au sien.

Elle hocha la tête.

— Je peux, dit-elle simplement.

Il n'y avait plus ni secret, ni mensonge entre eux, seulement l'inéluctabilité de la mort, semblable à un bateau dérivant dans un vaste néant.

C'était comme dans ses rêves, à une différence près. Cette fois, lorsque le bateau s'éloigna, elle ne paniqua pas, elle ne bredouilla pas, elle ne le supplia pas de l'emmener avec lui.

Elle se contenta de serrer le corps inerte de Victor dans ses bras, laissant couler ses larmes.

Seth s'effondrait. Impossible d'interrompre la trajectoire descendante. Lumières aveuglantes, échanges de voix sonores, uniformes sans visages lui posant des questions sur lesquelles il n'arrivait pas à se concentrer. Les McCloud s'en occupaient et, du fond de son abîme, il leur en fut silencieusement reconnaissant.

À un moment, il réalisa que Novak n'était pas mort. Les infirmiers lui branchaient des tuyaux. Ils ne se seraient pas donné la peine de faire cela sur un cadavre.

Génial. Il avait raté ça aussi. Jesse n'était toujours pas vengé.

Mais la part de lui qui s'en souciait était enterrée sous une tonne de pierres brisées. Il s'assit sur le sol taché de sang et regarda Raine pleurer. Un espace béant s'était ouvert entre eux. Immense, rempli d'échos qui n'en finissaient pas. Elle pleurait toujours quand on referma la housse de plastique noir dans laquelle on avait emballé Victor, et il ne comprenait pas pourquoi. Ce type avait commandité le meurtre de son père et avait gâché sa vie. Cela le déroutait tellement qu'il se rapprocha d'elle.

— Pourquoi ? lui demanda-t-il.

Elle frotta ses yeux humides de ses mains sales.

— Pourquoi quoi ?

— Pourquoi pleures-tu l'homme qui a tué ton père ?

Un infirmier la pressait de questions, mais elle l'ignora. Ils étaient aussi décalés l'un que l'autre, enfermés sous une cloche de silence glacé. Elle posa les yeux sur lui.

— Il n'a pas tué mon père, dit-elle. *C'est* mon père. J'ai le droit de le pleurer autant que je veux.

Elle plongea la main à l'intérieur de sa veste. Il baissa les yeux et la regarda faire, sans chercher à lui opposer la moindre résistance.

Sa main émergea, tenant le scintillant pendentif d'opale.

— Je le garde, déclara-t-elle. En souvenir de mon père.

Il contempla le feu bleu-vert qui miroitait sous la surface laiteuse de la pierre.

— C'est comme ça qu'ils nous ont trouvés, comprit-il.

Elle hocha la tête et fourra le bijou dans sa poche.

— Je ne l'ai pas fait exprès. Je t'ai suivi jusqu'ici pour te prévenir. Évidemment, tu ne me croiras jamais. Je me demande pourquoi je prends cette peine.

Il secoua la tête.

— Raine...

— Crois ce que tu veux. Je ne me soucie plus de ce que tu penses, dit-elle. Tu es froid et sans pitié, mais je suis contente que tu ne sois pas mort. Je n'aurais pas aimé avoir ça sur la conscience, en plus de tout le reste.

L'infirmier plaça une couverture sur ses épaules et l'entraîna à l'écart.

Elle s'éloigna sans un regard en arrière.

Ils avaient dû lui injecter quelque chose de puissant, parce qu'elle avait l'impression que tout s'éloignait d'elle en flottant, la laissant seule dans un brouillard blanc. Elle eut aussi l'impression de voir Seth à un moment, mais il devait s'agir d'un rêve, parce que Peter et Victor l'encadraient. Elle tendit la main, mais elle retomba sur les draps, inerte et inutile.

— On est tous les deux morts ? lui demanda-t-elle.

— Non, répondit-il.

Ses yeux étaient vides et tristes.

Elle essaya de le capturer avec le sortilège des yeux, mais ses yeux refusaient de rester ouverts et cette fois, ce fut elle et non lui qui s'éloigna en flottant. Elle se tendit vers lui. Tenta de le retenir par des mots.

— Je t'aime. Ne meurs pas.

— Je te le promets, dit-il.

Elle reflua dans le brouillard blanc en s'accrochant à cette promesse comme à un radeau.

Lorsqu'elle se réveilla, elle sut qu'elle n'était pas morte car sa mère était assise près de son lit. Son visage avait l'expression du chat qui monte la garde devant un trou de souris. Il n'existait rien de plus terrestre et concret qu'Alix quand elle affichait cette expression.

— Il était temps que tu te réveilles, Lorraine. Tu m'as fait une peur terrible. Tu as une mine épouvantable.

Les yeux au beurre noir, des égratignures, des coupures, des entorses, les côtes fêlées, une épaule démise, le cartilage écrasé. Tu es dans un drôle d'état. Il a fallu que tu fasses tout ce que je t'ai demandé de ne pas faire toute ta vie durant ! Tu es contrariante. Exactement comme ton père.

— Lequel ? murmura-t-elle.

Elle sombra à nouveau dans le sommeil avant d'avoir pu savourer l'expression choquée d'Alix.

28

Il rembobina la séquence et la repassa.

Elle provenait des images captées par la caméra de surveillance surplombant la jetée de Stone Island. Il s'y était faufilé la nuit précédente pour collecter son butin. Quatre-vingt-seize heures d'enregistrement. Il avait réalisé un montage des moments où Raine apparaissait. Cette séquence de six minutes était sa préférée.

Elle émergeait des arbres et descendait lentement jusqu'à la jetée. Les hématomes de son visage s'étaient presque entièrement résorbés. Ses cheveux lâchés flottaient librement autour d'elle. Elle portait un polo blanc. Pas de soutien-gorge. Ses pointes de seins tendaient le tissu. Elle aurait dû penser à mettre une veste. Cela l'ennuyait qu'elle n'y ait pas pensé. Elle ne prenait jamais soin d'elle. S'il avait été avec elle, il lui aurait dit de mettre une veste.

Une rafale de vent écartait ses cheveux de son visage. Elle serrait ses bras autour d'elle et contemplait l'eau d'un air lointain. Comme si elle attendait quelque chose. Ou quelqu'un...

Seth entendit une voiture approcher de l'allée. Il se pencha par la portière ouverte de la Chevy et inspecta la route des yeux. C'était la voiture de Connor. Il referma la vidéo d'un clic et rabattit le couvercle de son ordinateur. Pas question de supporter les commentaires de Connor au sujet de son passe-temps obsessionnel.

Connor émergea de sa voiture et clopina jusqu'à la Chevy. Il prit appui sur sa canne et le salua d'un hochement de tête.

— Salut.

— Quoi de neuf ?

Seth avait du mal à faire semblant de s'intéresser aux derniers détails de l'affaire, mais il le faisait par politesse.

— Nick m'a appelé de la Grotte. Novak va s'en tirer. La balle que Sean lui a tirée dans le torse n'a touché que le Kevlar. Et celle que tu lui as tirée dans la cuisse a loupé l'artère fémorale d'un cheveu. Pas de bol.

— J'aurais dû viser la tête, grommela Seth, dégoûté.

— Si ça peut te consoler, il a perdu plusieurs doigts de la main gauche, grâce à toi. Je sens que ça va bien l'énerver.

— Et Riggs ?

— En taule. Il lèche ses plaies. Mise en liberté sous caution refusée.

— Sa fille ?

Le visage de Connor se tendit.

— Erin va bien. Elle me déteste, évidemment, mais c'est sans surprise. Elle m'a dit que Georg ne l'avait pas touchée, mais j'ai quand même arrangé son visage et différentes parties de son anatomie rien que pour le punir d'y avoir pensé. La prison se révélera un endroit plein de charme pour un beau blondinet dans son genre.

Seth saisit la canne de Connor et la lui prit des mains.

— Tu te sers de cette canne comme accessoire pour toucher les allocs, ou c'est un moyen que tu as trouvé pour te balader devant tout le monde avec une arme ?

Connor récupéra sa canne et la fit tournoyer avec une impressionnante dextérité.

— On peut faire très mal avec cette petite chose, pour peu qu'on soit habile.

Un cerf apparut dans le pré à une vingtaine de mètres d'eux. Ils le regardèrent avancer, tranquille et insouciant. La vie continuait. Jesse était toujours mort. Novak était toujours vivant. Le cerf mâchonnait paisiblement les jeunes pousses d'herbe.

La porte grillagée claqua. Le cerf sursauta et bondit sous le couvert des arbres, vif et silencieux. Sean s'approcha de la Chevy d'un pas sautillant.

— Salut, Connor. Salut, Seth. Ton pote Kearn vient d'appeler pour la sixième fois. Rappelle-le. Il se fait du souci pour toi.

— Il survivra. Je m'en vais, de toute façon. Je l'appellerai quand je serai chez moi.

— C'est ça. Sauf que tu dis ça depuis huit jours. C'est pas que ça me dérange, remarque. Tu peux rester aussi longtemps que tu voudras, déclara Sean avec un grand sourire en mettant les mains dans ses poches. Le temps qu'il faudra pour que tu trouves le courage d'aller la voir.

Seth le fusilla d'un regard noir qui faisait généralement bondir les gens en arrière, mais qui se révéla sans effet sur Sean. Il se contenta d'exhiber ses fossettes et attendit.

— Occupe-toi un peu de tes oignons, Sean, lui lança Connor.

— Je n'ai fait que ça toute la semaine et je m'ennuie, rétorqua Sean. Qu'est-ce qui te retient, Seth ? À ta place, je me serais déjà prosterné devant cette bombe en déroulant ma langue comme un tapis rouge depuis longtemps.

— Victor Lazar était son père, lâcha Seth en repensant aux dernières paroles que Raine lui avait adressées.

Sean inclina la tête sur le côté d'un air déconcerté.

— Et alors ? Qu'est-ce que ça fait ? Franchement, ton père n'était pas vraiment quelqu'un de très recommandable non plus. En plus, on est sûrs qu'elle ne t'a jamais trahi, pas vrai ? Alors quoi ?

Les raisonnements à l'emporte-pièce de Sean ne supportaient aucune objection. Seth ne se sentait pas d'humeur à expliquer la colère et la lointaine froideur qu'il avait lues dans les yeux de Raine. Il préféra s'en tenir à une grossièreté de base.

— Va chier, Sean.

Celui-ci plissa les yeux.

— Tu la veux toujours, oui ou non ?

— Ce n'est pas le problème !

— Non, ricana-t-il. Le problème, c'est que tes roubignoles sont tellement ratatinées par la trouille qu'elles ne sont pas plus grosses que des noyaux de pêche !

Connor se détourna en émettant un son étranglé.

Sean, les poings sur les hanches, gratifia Seth de son plus beau sourire.

— Elle est trop belle pour toi ? Super ! Je vais m'occuper d'elle, moi. Je vais la consoler. J'y mettrai tout mon cœur, si tu vois ce que je veux dire.

Seth se retrouva subitement en train d'empoigner l'encolure du sweat-shirt Mickey de Sean et de le soulever à quinze centimètres du sol.

— Ne pense jamais à elle comme ça ou je t'écharpe, c'est clair ?

Sean prit appui des mains sur le poing de Seth pour parvenir à respirer.

— J'adore te titiller, croassa-t-il. Davy et Connor sont tellement blasés que ça ne marche plus, mais toi, c'est un régal.

Seth le projeta loin de lui. Sean retomba sur les fesses, se redressa souplement sur ses pieds et épousseta tranquillement les aiguilles de pin de son jean. Bon joueur. Il valait mieux pour lui, avec des frères aînés comme Davy et Connor. Quelque chose se crispa douloureusement en Seth à cette idée. Il avait malmené Jesse, lui aussi. Et Jesse avait été sacrément bon joueur. Il lui avait tout pardonné, même quand il ne le méritait pas.

Il tourna le dos aux frères McCloud et se dirigea vers le pré.

— Si Kearn appelle, dites-lui que je me mets en route aujourd'hui, lança-t-il par-dessus son épaule.

— Trouillard, entendit-il Sean marmonner.

Il ne se retourna pas. Jesse était mort depuis dix mois et il avait perdu l'habitude de ces taquineries. Il s'engagea à travers les sapins et pesta contre leurs branches basses. Saleté de nature. Il n'avait jamais compris qu'on puisse prendre plaisir à se promener en pleine campagne. Jesse avait essayé de l'entraîner en randonnée, mais il avait résisté jusqu'au bout.

Comme il avait toujours résisté à tout.

Cette idée l'immobilisa au beau milieu d'un massif de bébés sapins. Leurs sommets pointus ne lui arrivaient pas plus haut que le cœur. Ils frissonnaient sous la brise. Il les contempla en se demandant pourquoi il avait repoussé les efforts que Jesse avait faits pour l'aider. Comme il avait repoussé ceux des McCloud.

Comme il avait repoussé Raine.

Une forte rafale de vent en provenance des pics enneigés balaya la pinède, secouant les petits sapins qui oscillèrent souplement. Il frissonna sans sa veste, mais il ne pouvait pas retourner la récupérer et affronter les yeux inquisiteurs des McCloud. Pas encore.

La camionnette était chargée et prête à partir. Son entreprise avait besoin de lui, après tous ces mois de négligence. La routine de sa vie lui tendait les bras.

Mais, jour après jour, il se repassait les mêmes séquences dans sa tête. Toutes les fois où il avait fait l'amour avec Raine étaient imprimées dans sa mémoire. Chaque mot, chaque senteur, chaque soupir. La texture et la couleur de sa peau, sa tendresse et son courage. Cette femme était extraordinaire. Elle méritait mieux qu'un sale type lunatique et mal embouché comme lui.

Incroyable ! Il était en pleine crise d'apitoiement sur lui-même. Il entendit Jesse ricaner au fond de sa tête.

— *T'en as pas marre de ces trips négatifs ?* aurait-il dit pendant sa phase psycho.

Seth émergea de la pinède pour se retrouver dans une vaste étendue de verdure qui se terminait abruptement par un canyon où chantait une cascade. Elle n'avait rien d'une chute d'eau impressionnante, mais il n'en demeura pas moins stupéfait et resta à la contempler. Comme hypnotisé par le jet continu d'écume laiteuse qui s'écoulait entre deux grands doigts de roche moussue. L'eau retombait en bouillonnant dans un bassin où elle adoptait le scintillement d'une émeraude.

Pour la première fois de sa vie, il comprit dans une sorte d'éblouissement pourquoi les gens partaient en excursion, affrontaient les piqûres d'insectes et se fatiguaient pour admirer des choses de ce genre. C'était vraiment beau. Spectaculaire, même.

Il se rapprocha de la cascade et l'admira un long moment. Le mouvement et le bruit constants créaient un espace paisible dans son esprit. Un espace qui lui permettait d'appréhender sans crainte des idées nouvelles.

Il avait repoussé Raine parce qu'il était persuadé qu'un jour ou l'autre, elle le repousserait elle aussi. Il ne pouvait pas risquer de se retrouver abandonné et désorienté. Il préférait sauter cette étape pour affronter directement la phase de solitude glacée.

Un mouvement l'attira du coin de l'œil. Le cerf avait émergé du couvert des arbres. Ils s'observèrent longuement. Puis le cerf disparut à nouveau parmi les arbres, attirant l'attention de Seth sur une pierre luisante au milieu de l'herbe. Il s'en approcha. C'était une pierre tombale, posée à même le sol. On avait coupé l'herbe qui poussait autour et on l'avait débarrassée des lichens qui envahissaient les pierres voisines. Il s'accroupit.

Kevin Seamus McCloud
10 janvier 1971 – 18 août 1992
Frère bien-aimé

Un souvenir enfoui lui revint en mémoire. Jesse lui avait dit qu'un de ses collègues avait perdu un frère plusieurs années auparavant, mais l'information n'avait eu aucun intérêt pour lui à l'époque.

Sean avait trente et un ans, le même âge qu'aurait eu Kevin. Il avait perdu son frère jumeau dix ans plus tôt, quand il en avait vingt et un.

Cette fois, lorsque la morsure de la douleur survint, il ne recourut à aucun de ses trucs habituels pour la chasser. Il serra les dents, respira et attendit. La dalle de marbre vieille de dix ans racontait une histoire sans paroles dans toute sa brutale simplicité. Accroupi devant elle, Seth l'écouta silencieusement.

Il en fut secoué. Un vent froid tournoyait autour de lui, mais il se contenta d'écarter les feuilles mortes et les aiguilles de pin de la dalle tandis qu'il écoutait le tumulte qui faisait rage en lui et qu'il s'efforçait de le comprendre.

Quand il se redressa, il parcourut des yeux l'étendue de verdure alentour. S'il y avait eu des fleurs, il en aurait ramassé pour les déposer sur la tombe de Kevin, mais il n'y avait là que des brins d'herbe gelés, des épines et des pommes de pin, et des feuilles mortes.

Il allait arrêter de repousser tout le monde. Ce serait son hommage à Jesse. Il allait commencer par les frères McCloud. Il leur devait beaucoup. Sans eux, il n'aurait pas pu tirer Raine vivante de cette maison. Il allait passer outre leur irritant comportement pour leur être reconnaissant d'exister. Et s'il avait plus besoin d'eux que l'inverse, il se ferait une raison. Il n'avait aucune raison d'en avoir honte.

Et Raine. Oh, mon Dieu, Raine...

Une rafale de vent s'engouffra furieusement dans la pinède. À l'hôpital, lorsqu'elle était sous calmants, elle lui avait dit qu'elle l'aimait. Elle lui avait fait promettre de ne pas mourir. C'était encourageant, mais Seth n'avait pas grandi avec une mère droguée sans apprendre cette règle d'or : ne jamais tenir compte de ce que quelqu'un dit quand il est défoncé. Jamais.

Elle allait peut-être le repousser. Il le méritait, après ce qu'il lui avait fait subir. Il l'avait espionnée à son insu, il l'avait séduite, il lui avait menti et l'avait manipulée. Et comme si cela ne suffisait pas, il l'avait accusée de trahison. Il eut rétrospectivement affreusement honte.

Mais il devait prendre le risque. Il ramperait et supplierait jusqu'à ce qu'elle cède d'épuisement. Elle était trop douce et indulgente, comme Jesse. Cela pourrait jouer en sa faveur, juste une dernière fois, et ensuite, il n'en profiterait plus jamais.

Et ne laisserait personne en profiter. Il serait tout à la fois son dragon et son preux chevalier. Il passerait le restant de ses jours à la protéger et à la chérir. Il la traiterait comme l'adorable déesse de l'amour qu'elle était.

Raine était mille fois trop bien pour lui, mais il devait tenter sa chance, se dit-il en se mettant à marcher de plus en plus vite à travers la pinède. Lorsqu'il émergea dans le pré, il galopait comme un cheval de course.

— Non mais, quel culot ! T'obliger à reprendre le nom de Lazar. C'est d'une arrogance. Clause testamentaire, évidemment. Du Victor pur sucre. Manipulateur jusque dans la tombe.

— Ça ne me dérange pas, dit Raine d'un ton patient. Je me reconnais davantage sous ce nom que sous celui de Hugh.

Alix tourna le dos à l'armoire dans laquelle elle était occupée à fouiller, pour contempler sa fille en fronçant les sourcils.

— Tu as changé, Lorraine. Je ne sais pas d'où te vient cette attitude de bêcheuse, mais je peux te garantir que ça ne me plaît pas du tout.

— Je suis désolée que ça ne te plaise pas, mais je crains que ce soit définitif, répondit-elle en continuant de démêler ses cheveux.

— Tu vois ? Tu recommences ! Encore une remarque insolente. Je perds patience !

Alix secoua le casque impeccable de ses cheveux blonds et replongea dans l'armoire pour en extraire un vêtement avec un cri d'extase étouffé.

— Oh, mon Dieu ! Regarde la coupe de cette merveille ! Dior, évidemment. Ce vieil assassin avait dépensé une véritable fortune pour des vêtements que tu n'apprécies même pas. Quel gâchis. Dommage qu'ils soient trop petits pour moi, ajouta-t-elle en jetant un coup d'œil admiratif à son reflet dans le miroir en pied. Deux tailles de plus et ils m'iraient parfaitement.

— C'est vraiment dommage, murmura Raine en conservant un visage impassible, passant à une autre mèche de cheveux.

Elle ne s'attachait plus les cheveux depuis son retour de l'hôpital. Lever les bras pour les tresser lui faisait trop mal. Mais le vent ne cessait d'emmêler ses boucles.

— Ne fais pas la maligne avec moi, je te prie, répliqua Alix en lui coulant un regard suspicieux.

— Je ne me permettrais pas, mère, rétorqua Raine avec un sourire.

Pour la première fois de sa vie, Alix accepta son titre sans broncher. Sa bouche se durcit et elle laissa tomber sur le lit la veste qu'elle était en train d'admirer.

— Rien de tout cela n'est ma faute, tu sais.

— Je sais, assura Raine d'un ton apaisant.

— Non, tu ne sais pas. Je sais ce que tu penses de moi. J'imagine ce que Victor a dû te dire. Je ne peux pas changer le passé. J'ai fait des erreurs, comme tout le monde. J'ai peut-être été froide et égoïste. J'ai peut-être été une mauvaise mère, mais j'ai vraiment essayé de bien faire, Lorraine. Je ne voulais pas que tu souffres.

— J'ai souffert quand même, dit Raine. Mais j'apprécie tes efforts.

— C'est toujours ça, soupira Alix en s'asseyant sur le lit et en se plaçant derrière elle. Donne-moi ce peigne.

Raine hésita avant de le lui tendre. Démêler les cheveux n'avait jamais été le fort d'Alix, et elle avait appris très tôt à se coiffer toute seule. À sa surprise, sa mère manifesta une grande douceur. Elle commençait par les pointes et remontait progressivement, sans chercher à forcer.

— Raconte-moi ce qui s'est passé, demanda Raine.

Le peigne s'immobilisa.

— Tu dois déjà presque tout savoir.

— Pas selon ton point de vue.

Alix reprit sa tâche.

— Victor gagnait énormément d'argent en 1985, commença-t-elle lentement. Je ne savais pas comment et je ne voulais pas le savoir, mais on vivait dans un luxe extravagant et ça me plaisait.

Elle s'interrompit, s'appliquant à venir à bout d'un nœud plus coriace que les autres.

— Peter était très déprimé cet été-là. Il disait que c'était de l'argent sale, l'argent du sang. Il voulait qu'on parte tous les trois pour aller faire pousser des patates et des oignons dans une hutte quelque part. Une absurdité mélodramatique. J'ai cherché à le convaincre de laisser Victor s'occuper des basses besognes. Mais quand Peter avait une idée en tête... il était comme toi, de ce côté-là. Et voilà qu'un jour il m'annonce qu'il va mettre fin à tout ça une bonne fois pour toutes. Ed Riggs lui avait promis l'immunité s'il acceptait de témoigner contre Victor.

— Et tu as essayé de l'en empêcher ?

— J'ai eu une idée, répondit Alix, hésitante. J'avais remarqué que je plaisais beaucoup à Ed et j'ai décidé... d'en profiter.

— Tu as répété à Victor ce que Peter avait l'intention de faire et tu as séduit Ed ?

— Ne me juge pas, dit Alix d'une voix tremblante. Je pensais que Victor saurait raisonner Peter. Il avait toujours réussi à le manipuler comme il le voulait jusqu'alors. Je n'ai jamais pensé que qui que ce soit en pâtirait. Je voulais juste que les choses restent comme elles étaient.

— Je comprends, fit Raine. Continue, s'il te plaît.

— La suite, tu la connais. Je ne savais pas de quoi Ed était capable. Il était obsédé. Il voulait quitter sa femme et ses enfants pour s'enfuir avec moi. Et puis, un jour...

Elle s'interrompit, laissant tomber le peigne sur le lit.

— Un jour ?

— Un jour, je suis sortie de la maison et je l'ai surpris en train de te courir après. J'ai tout de suite compris. Ce qui s'était passé. Ce que tu avais vu. Il m'a suffi de voir son visage. Il était devenu fou. Il t'aurait tuée.

— Oui, je m'en souviens, murmura Raine. Il a failli le faire.

— Je ne me rappelle même plus ce que je lui ai dit. J'ai joué l'idiote, évidemment. J'ai toujours été très douée pour ça. J'ai fait comme si tu étais hystérique et que tu avais imaginé des choses. Que ni toi ni moi ne représentions aucune menace pour lui. Après ça, je n'ai pas su quoi faire d'autre que m'enfuir avec toi le plus loin possible, renifla Alix.

Elle descendit du lit et vint se planter en face d'elle pour la regarder dans les yeux.

— Je n'ai jamais pensé que Victor pourrait faire du mal à Peter. Crois-moi, chérie. Victor le traitait plus comme un enfant gâté que comme un frère. Il l'aimait.

— Il l'aimait tellement qu'il a séduit sa femme ?

Alix eut un mouvement de recul.

— Raine !

— C'est vrai, n'est-ce pas ?

— Ça n'a rien à voir, répliqua Alix.

— Dis-le-moi, s'entêta Raine. Qui était mon vrai père ? Victor ou Peter ?

Alix soupira et serra le peigne dans ses mains. L'espace d'un instant, elle parut vraiment son âge.

— Je ne sais pas, avoua-t-elle d'un ton las. Fais un test ADN si tu veux le savoir. C'était une époque très chamboulée de ma vie. J'en ai oublié des pans entiers.

Raine reconnut l'accent de la sincérité dans la voix de sa mère. Le fait en soi était un miracle, quelque chose dont elle devait s'estimer reconnaissante. Elle se rapprocha d'elle. Prit une profonde inspiration et un risque immense. Elle posa la tête sur l'épaule d'Alix.

Celle-ci resta un instant figée, puis caressa ses cheveux d'un geste hésitant.

— Ce n'est plus très important maintenant de savoir lequel des deux était ton père, dit-elle comme si elle cherchait à s'en convaincre.

— Plus pour moi, non, admit Raine. J'ai perdu les deux.

Alix la caressait toujours d'une main maladroite.

— Il te reste une mère, répliqua-t-elle d'une voix tendue. Qu'elle te plaise ou non.

Une toux embarrassée s'éleva depuis le seuil de la chambre, mettant fin à ce petit moment de grâce.

— Je vous prie de m'excuser, miss Lazar, dit Clayborne, mais je dois vous informer de quelque chose.

Raine essuya ses larmes.

— Ça ne peut pas attendre ?

— Ce ne sera pas long. M. Lazar avait laissé des instructions très précises concernant la façon de disposer de ses cendres après la crémation, mais deux jours avant les événements qui ont entraîné sa mort, il les a modifiées.

Raine et Alix échangèrent un regard, puis Raine reporta les yeux sur Clayborne.

— Oui ? l'incita-t-elle à poursuivre.

— Il a demandé que vous preniez toutes les décisions.

— Moi ? s'exclama-t-elle en clignant des yeux.

Clayborne haussa les épaules.

— Je crains qu'il ne s'agisse d'une autre clause testamentaire.

Le bateau tanguait doucement au gré du clapotis des vagues. Elle avait demandé à Charlie de l'emmener à l'endroit où elle se rappelait avoir vu Peter pour la dernière fois, dix-sept ans plus tôt. Charlie observait un silence respectueux tandis qu'elle contemplait la surface de l'eau, l'urne contenant les cendres posée sur ses genoux. Le personnel de Victor avait décidé de prendre soin d'elle, et elle leur en était reconnaissante. Tous étaient restés, à l'exception de Mara. La mort de Victor avait laissé Mara inconsolable.

Raine sentit son cœur se serrer douloureusement et ferma les yeux. Sans qu'elle sache pourquoi, elle pensa à Seth.

Il lui avait clairement dit qu'il ne pouvait pas lui faire confiance, et son lien avec Victor avait scellé son jugement. Il n'accepterait jamais qu'elle ait pu aimer Victor. Mais elle n'en avait pas honte. Au cours de ces dernières semaines, elle avait compris qu'on pouvait avoir honte de bien des choses dans le courant d'une vie, mais avoir honte d'aimer quelqu'un, même si c'était déraisonnable, ne servait qu'à se compliquer l'existence.

Elle se retrouvait avec deux pères. Aussi imparfaits et maudits l'un que l'autre, mais chacun d'eux lui avait offert des cadeaux qui n'avaient pas de prix. Elle contempla les froides profondeurs qui avaient emporté Peter, et demanda à l'eau d'accueillir aussi son autre père.

Le contenu de l'urne ressemblait à du sable. Elle en prit une poignée et la lança dans l'eau.

C'était ce qu'il fallait faire. Peter approuvait. Tout l'univers approuvait. Elle retourna l'urne et la secoua jusqu'à ce qu'elle soit vide. Les cendres disparurent, formant des cercles qui s'estompèrent. Elle reposa l'urne à côté d'elle et se tourna vers Charlie.

— Rentrons, dit-elle.

Le bateau bondit et s'élança sur l'eau, secouant douloureusement ses côtes, mais elle accueillit cette pointe de souffrance comme une diversion qui lui évitait de penser à Seth. De penser au sombre nœud de douleur qui enserrait perpétuellement son cœur.

Elle finirait bien par se remettre, songea-t-elle. Ce n'était pas elle qui avait tourné le dos à l'amour. Elle guérirait, mais sans doute pas Seth. Et cette idée n'avait rien de réconfortant.

Le vent la faisait pleurer. Elle ferma les yeux très fort et chassa résolument ses larmes.

— Nous avons de la visite, annonça Charlie.

Elle regarda le bateau qui approchait de l'embarcadère et sentit ses cheveux se dresser sur sa nuque. Ses poumons se dilatèrent, son souffle se bloqua. Elle n'osait pas y croire. C'était peut-être un bateau identique. Elle ne voulait pas nourrir de faux espoirs.

Mais c'était bien Seth. Sa silhouette immobile se découpait devant les racines tordues du rivage. Son visage lui parut plus maigre que dans son souvenir. Ses yeux sombres et tristes cherchaient les siens au-dessus de l'eau. L'attiraient vers lui comme la corde du sortilège dont elle avait rêvé quand elle était petite. Un sortilège qui n'avait jamais marché. Un sortilège destiné à retenir l'amour.

Ni l'un ni l'autre n'agita la main. Charlie amarra le bateau. Il inspecta Seth de la tête aux pieds d'un regard inamical, puis se tourna vers Raine en haussant les sourcils, attendant ses ordres.

— Vous pouvez rentrer, Charlie. Merci.

Charlie s'éloigna en secouant la tête.

— Je vois que le personnel de Victor t'a adoptée, commenta Seth.

Elle ne décela aucun sous-entendu dans le ton de sa voix, mais préféra se préparer au pire.

— Ils ont merveilleusement pris soin de moi, dit-elle.

— Comment vas-tu ?

— Encore un peu raide, mais je vais de mieux en mieux.

— Je ne m'informais pas seulement de ton état physique.

Elle détourna les yeux.
— Et toi ? Ta blessure a bien cicatrisé ?
— Ne change pas de sujet.
— Pourquoi ? demanda-t-elle. Il n'y a rien d'autre à dire.
Seth enfonça ses mains dans ses poches.
— Ah bon ?
— C'est à toi de me le dire, Seth, répliqua-t-elle en s'efforçant de calquer son regard sur le sien – un regard auquel rien n'échappait, mais qui ne reflétait rien.
Quelque chose se produisit alors, qui la choqua. Il baissa les yeux et fit passer le poids de son corps d'une jambe sur l'autre. Sa pomme d'Adam fit un aller-retour le long de sa gorge.
Il était nerveux. Elle avait rendu Seth Mackey nerveux.
Il porta son regard vers l'eau et fronça les sourcils.
— Je crois... qu'il y aurait beaucoup à dire. Tellement, en fait, que je ne sais pas si j'aurai assez de toute ma vie pour te dire tout ce que j'ai à te dire.
Raine eut envie de hurler de joie, mais garda un visage impassible.
— Je pensais qu'il n'y avait pas de facette lyrique et romantique en toi, parvint-elle à répondre d'une voix calme.
Son regard se posa sur elle.
— C'était vrai avant que je te connaisse.
— Oh, murmura-t-elle.
Il eut un petit sourire hésitant.
— La fréquentation d'une reine des pirates a le don d'éveiller la créativité romantique qui sommeille chez un homme.
Il resta là, attendant visiblement qu'elle dise quelque chose, n'osant pas plus qu'elle tendre la main.
— J'ai une proposition à te faire, déclara-t-elle pour rompre le silence. Une proposition d'affaires.

— Je t'écoute, répliqua-t-il en plissant les yeux.
— J'aimerais engager ton entreprise pour gérer la sécurité de Lazar Import-export. Mais seulement à mi-temps.
— À mi-temps ?
— Pour que tu aies le temps d'exercer ton vrai métier. Esclave d'amour.
Il battit des cils, puis détourna les yeux en essayant de réprimer un éclat de rire.
— Tu te souviens du scénario que tu avais imaginé après la réception de Victor ? reprit-elle. L'étalon sans cervelle, tout en muscles et perpétuellement en rut, chargé de combler mes caprices érotiques ? On n'en a pas exploré toutes les possibilités. On s'est laissé distraire par la reine des pirates et son insatiable appétit. Et puis, par d'autres choses aussi. Le meurtre, la vengeance, la trahison et je ne sais quelles autres futilités.
— Intéressant, dit-il lentement.
— Je me doutais que ça te plairait.
— Mais j'ai une contre-proposition à te faire. Permets-moi de décrire le poste auquel j'aspire.
Raine sentit sa gorge se serrer de frustration. S'il continuait sur ce mode, ce serait à elle de leur faire atteindre l'étape suivante. Comme toujours.
Seth baissa les yeux, déglutit, puis la regarda comme un homme s'apprêtant à affronter le peloton d'exécution.
— Amant à plein temps, dit-il d'une voix rauque. Père de tes enfants. Compagnon d'aventure. Champion, protecteur, époux, compagnon. L'amour de ta vie. Pour toujours.
Les larmes lui montèrent aux yeux. Son cœur se mit à cogner dans sa cage thoracique.
— Oh. Mais je crains que la clause « esclave d'amour » ne soit pas négociable, murmura-t-elle.

— D'accord. Je serai ton esclave d'amour. Je serai ton preux chevalier. Je serai ton capitaine prisonnier. Ton prince crapaud. Je serai tout ce que tu voudras. Dis-moi seulement que tu veux toujours de moi. Dis-le-moi vite, Raine. Tu me tues.

Raine comprit alors l'astuce du sortilège du regard. Il fallait qu'il soit mutuel. Il l'attira vers lui comme avec une corde jusqu'à ce qu'elle se retrouve entre ses bras.

— Mon Dieu, oui, je te veux. J'ai besoin de toi. Tu m'as tellement manqué.

Il caressa délicatement son dos, comme si elle était en verre, et enfouit son visage dans ses cheveux.

— Toi aussi, croassa-t-il. Pardon de t'avoir fait attendre. J'avais honte. C'était idiot. Alors, euh... à propos de mon offre, c'est officiel ? Je peux me détendre ? Affaire conclue ?

Raine écarta son visage baigné de larmes de son torse et leva les yeux vers lui.

— Tu es sûr ?

— Je t'aime. Comment pourrai-je ne pas en être sûr ?

Elle porta son regard vers l'endroit où le papillon de nuit avait disparu, où les cendres de Victor s'étaient mélangées à l'eau.

— À cause de ce que je suis. Je ne changerai jamais. Je suis une Lazar, Seth.

Il prit son visage dans ses mains.

— J'aime celle que tu es, assura-t-il en déposant une nuée de petits baisers sur son visage. Je veux fêter ça, et te protéger et t'adorer. Tu es belle, Raine. Tu es unique au monde.

Le monde s'adoucit quand elle plongea les yeux dans les siens. Le soleil couchant tira un dernier miroitement à la surface de l'eau. Un aigle royal plana au-dessus d'eux. Bientôt suivi d'un autre – un couple. Leur vol silencieux, l'ombre de leurs grandes ailes déployées, était une bénédiction solennelle. Un autre moment de grâce. La vie en comptait bien plus qu'elle ne l'avait cru. Ils passeraient le restant de leur vie à créer ces moments ensemble.

Le regard de Seth était empli d'amour et d'espoir hésitant. Un léger tremblement agitait les doigts dont il encadrait son visage.

— Alors ? demanda-t-il. Veux-tu m'épouser ?

Elle noua les mains autour de son cou, le cœur débordant d'une joie trop grande pour qu'elle puisse la contenir.

— À l'instant même, murmura-t-elle.

Découvrez les prochaines nouveautés des différentes collections J'ai lu pour elle

Le 7 mars

Les noces de la passion ☙ **Laura Lee Guhrke**
Lord Hammond est ruiné ? Lady Viola n'en a cure. Folle amoureuse, elle l'épouse. Très vite pourtant, il lui faut déchanter : John ne l'aime pas, ne s'intéresse qu'à son argent... et s'affiche avec d'autres femmes ! C'en est trop pour Viola qui lui interdit sa chambre. Neuf ans plus tard, en mal d'héritier, John doit la reconquérir...

Inédit ***Les fantômes de Maiden Lane - 1 - Troubles intentions*** ☙ **Elizabeth Hoyt**
Persuadé que l'assassin de sa maîtresse se cache à St. Giles, le plus sordide quartier de Londres, lord Caire demande à la douce Temperance, une jeune veuve à la tête d'un orphelinat, de le guider dans les sombres ruelles. En échange, il l'introduira dans la haute société. Mais Temperance n'est pas aussi innocente qu'elle n'en a l'air...

Inédit ***Les péchés de Lord Cameron*** ☙
Jennifer Ashley
L'éternel séducteur Cameron MacKenzie se moque de savoir si Ainsley Douglas a une bonne raison de se trouver dans sa chambre. Six ans plus tôt, dans des cisconstances similaires, il l'avait laissée filer. Seulement cette fois-ci, il compte la garder à ses côtés et toute la nuit !

Le 21 mars

Le chevalier noir ☙ **Connie Mason**

1355. Raven prépare son mariage quand se présente au château le terrifiant Chevalier noir. C'est avec effroi qu'elle reconnaît Drake, celui qui, douze ans plus tôt, fut chassé du château par sa faute. D'un regard, la jeune femme comprend la haine qui l'habite. Et, le soir de ses noces, c'est Drake qui pénètre dans la chambre nuptiale...

Inédit ***Les insoumises - 2 - Verity*** ☙ **Madeline Hunter**

Aussitôt mariée de force au duc de Hawkeswell, Verity s'était enfuie, se faisant passer pour morte. Deux ans plus tard, abasourdi, ce dernier la retrouve. Entourées d'amies indépendantes et volontaires, Verity est devenue une nouvelle femme, qui exige l'annulation de leur union. Jamais ! Hawkeswell récupérera celle qui lui appartient et s'il le faut, en jouant de la ruse... Au moyen de trois baisers par jour.

Inédit ***Le clan Campbell - 1 - À la conquête de mon ennemie*** ☙ ***Monica MacCarty***

Craint et respecté de tous, Jamie Campbell appartient au plus puissant clan d'Écosse. Pour vaincre l'anarchie qui règne dans la région, il redoublera de ruse en demandant la main de Caitrina, la fille du chef des Lamont, un clan rival. Longs cheveux auburn, lèvres sensuelles... Face à la sublime Caitrina, le Highlander doit baisser les armes.

Le 7 mars

CRÉPUSCULE

Inédit ***Les Highlanders* - 3 -**
La tentation de l'immortel ☙ **Karen Marie Moning**
Quand ce soir-là Lisa touche une étrange fiole, tout bascule. Transportée dans l'Écosse du XIVᵉ siècle, elle se retrouve face à Circenn Brodie, un guerrier immortel qui a juré de tuer quiconque toucherait l'objet. Devant une telle beauté, Circenn tiendra-t-il sa promesse ? Une promesse qu'il a jadis faite à Adam Black, l'Elfe noir…

Inédit ***Le cercle des Immortels* - *Dark-Dreamers* - 2 -**
Au-delà de la nuit ☙ **Sherrilyn Kenyon**
Née sur le mont Olympe, la déesse Leta vit et se déplace dans les songes des Humains, des êtres dont elle ne connaît que les pensées. Si leur monde lui est totalement inconnu, Leta doit pourtant s'y infiltrer et retrouver Aidan…. Aidan, le seul homme capable de la protéger contre l'effroyable ennemi qui la pourchasse et l'a bannie du royaume des rêves.

Le 7 mars

PROMESSES

Inédit

Sexe, mensonges et idéaux ☙

Rachel Gibson

Quinn McIntyre, détective à la recherche d'une tueuse en série qui opère par Internet, se fait passer pour un habitué des sites de rencontres. La suspecte numéro 1 ? Lucy Rothschild. Certes, cette jolie blonde n'a pas l'allure d'une tueuse mais on n'est jamais trop prudent. Très vite, Quinn se surprend à espionner Lucy plus par plaisir que par devoir...

Inédit

Les Chicago Stars - 5 - Folle de toi ☙

Susan Elizabeth Phillips

Son métier, Molly Somerville l'adore. Auteur de livres pour enfants, elle est pleinement épanouie. Quant à sa vie intime, c'est autre chose. Ado déjà, elle était folle amoureuse de Kevin Tucker, le quarterback des Chicago Stars, l'équipe que dirige sa sœur Phoebe. Talentueux, adorable, Kevin est parfait. Si ce n'est qu'à ses yeux, Molly n'existe pas. Jusqu'à ce week-end dans le chalet familial...

Et toujours la reine du roman sentimental :

Barbara Cartland

« Les romans de Barbara Cartland nous transportent dans un monde passé, mais si proche de nous en ce qui concerne les sentiments. L'amour y est un protagoniste à part entière : un amour parfois contrarié, qui souvent arrive de façon imprévue.
Grâce à son style, Barbara Cartland nous apprend que les rêves peuvent toujours se réaliser et qu'il ne faut jamais désespérer. »

Angela Fracchiolla, lectrice, Italie

Le 7 mars
La belle et l'escroc

Le 21 mars
Les seigneurs de la côte